Lyrik des 20. Jahrhunderts

Herausgegeben von
Heinz Ludwig Arnold
edition text + kritik

TEXT + KRITIK. Zeitschrift für Literatur. SONDERBAND

Herausgeber:
Heinz Ludwig Arnold

Redaktion:
Hugo Dittberner, Hermann Korte, Frauke Meyer-Gosau, Axel Ruckaberle,
Michael Scheffel, Jan Strümpel, Michael Töteberg und Peter Waterhouse

Preis für diesen Sonderband DM 49,– / öS 358,– / sfr 45,50

Satz: Fotosatz Schwarzenböck, Hohenlinden
Druck und Buchbinder: Bosch-Druck, Landshut
Umschlagabbildung: Ernst Jandl: Oberflächenübersetzung einer
Passage aus John Gays »Beggar's Opera«. Aufgegebener Entwurf
aus den fünfziger Jahren. Im Besitz des Autors. Aus: Profile.
Magazin des Österreichischen Literaturarchivs, 1998, Heft 1

© edition text + kritik GmbH, München 1999
ISSN 0935-2929
ISBN 3-88377-613-0

Ausführliche Informationen über alle Bücher des Verlags im Internet unter:
http://www.etk-muenchen.de

INHALT

Fünfzig Gedichte des 20. Jahrhunderts

Ausgewählt von Durs Grünbein, Thomas Kling, Barbara Köhler,
Friederike Mayröcker und Peter Waterhouse

Vorbemerkung

Zwei Lyrikerinnen und drei Lyriker, die, wenn es denn so etwas wie eine
literarische Avantgarde am Ende des 20. Jahrhunderts noch gäbe, ihr zuzu-
rechnen wären, haben wir gebeten, *ihre* zehn deutschsprachigen Gedichte
des 20. Jahrhunderts für diesen Band zu nennen, und zwar möglichst aus
jeder Dekade eines.

Nicht alle haben sich an diese Vorgaben gehalten. Die Abweichungen freilich sind ebenso aufschlußreich wie die Akkumulierung der Namen in den
letzten beiden Jahrzehnten. So fügt sich, was vom Plan her ziemlich mut-
willig, ja beliebig erschien, im Ergebnis zu einem Bild, das die Entwicklung
der deutschsprachigen Lyrik in diesem Jahrhundert mit ihren typologischen,
formalen und thematischen Grundmustern *in nuce* widerspiegelt.

Die Texte erscheinen in chronologischer Folge nach dem Jahr der Erstveröffentlichung oder der Entstehungszeit. Wer welche Gedichte ausgewählt
hat, wird bei den bibliographischen Nachweisen am Ende dieses Bandes auf
den Seiten 296–300 mitgeteilt.

Wir danken allen Rechteinhabern für die freundlich erteilten Genehmi-
gungen zum Abdruck der Gedichte.

Friedrich Hölderlin

Hälfte des Lebens

Mit gelben Birnen hänget
Und voll mit wilden Rosen
Das Land in den See,
Ihr holden Schwäne,
Und trunken von Küssen
Tunkt ihr das Haupt
Ins heilignüchterne Wasser.

Weh mir, wo nehm' ich, wenn
Es Winter ist, die Blumen, und wo
Den Sonnenschein,
Und Schatten der Erde?
Die Mauern stehn
Sprachlos und kalt, im Winde
Klirren die Fahnen.

Hugo von Hofmannsthal

Unendliche Zeit

Wirklich, bist du zu schwach, dich der seligen Zeit zu erinnern?
Über dem dunkelnden Tal zogen die Sterne herauf,
Wir aber standen im Schatten und bebten. Die riesige Ulme
Schüttelte sich wie im Traum, warf einen Schauer herab
Lärmender Tropfen ins Gras: Es war keine Stunde vergangen
Seit jenem Regen! Und mir schien es unendliche Zeit.
Denn dem Erlebenden dehnt sich das Leben: es tuen sich lautlos
Klüfte unendlichen Traums zwischen zwei Blicken ihm auf:
In mich hätt ich gesogen dein zwanzigjähriges Dasein
– War mir, indessen der Baum noch seine Tropfen behielt.

Umberto Saba

Meditation

Es wird das Dunkel eine Bläue ganz
aus Sternen. Ich sitze vor dem Fenster, schaue.
Schau und lausche; weil diese zwei
ich sehr gut kann: schauen, lauschen.
Kein Mondlicht leuchtet, das leuchtet
später. Heute aufgemacht sind alle
Fenster Haus für Haus voll
braver Leute. Und in mir leuchtet
eine Wahrheit, süß zu singen,
macht Lust wenn man sie hört, Lust zu allen Dingen.
Aber wenig lieb hast du die Dinge, du Mensch.

Dein Licht, dein Bett, dein Haus
scheinen wenig dir, scheinen nicht so wichtig,
du hast das Licht der Welt erblickt –
das Feuer war schon da, die Tuchent und die Wiege
dich zu betten, und dich einzulullen Lieder.
Wie plagten aber, und wie lange
Zeiten deine Vorfahren sich, bis endlich einer
In die Höhe hob ein Häuschen in der Heide;
bis der Schall zu einem Heia-Heia
endlich für das Kindchen und zum Namen wurde des Begleiters.
Wieviel tausend Jahre Plage für eins
der kleinen Dinge die du nimmst,
gebrauchst und übersiehst; dein Herz bebt nicht
und nicht die Hände;
du willst nicht daran denken
wie wertlos alles ist
was du heut zum Kehricht tust;
und daß kein Edelstein so wertvoll ist
wie dieses Nichts sein könnte.
Das Mondlicht leuchtet, da jetzt die Sterne fallen
aus dem Himmel. Da ist ein gelbes
Licht verloschen und raucht. Schall
von einer Glocke. Es schreit
ein Hahn; und Antwort überall.

(Übersetzung von Peter Waterhouse)

Rainer Maria Rilke

Alkestis

Da plötzlich war der Bote unter ihnen,
hineingeworfen in das Überkochen
des Hochzeitsmahles wie ein neuer Zusatz.
Sie fühlten nicht, die Trinkenden, des Gottes
heimlichen Eintritt, welcher seine Gottheit
so an sich hielt wie einen nassen Mantel
und ihrer einer schien, der oder jener,
wie er so durchging. Aber plötzlich sah
mitten im Sprechen einer von den Gästen

den jungen Hausherrn oben an dem Tische,
wie in die Höh gerissen, nicht mehr liegend
und überall und mit dem ganzen Wesen
ein Fremdes spiegelnd, das ihn furchtbar ansprach.
Und gleich darauf, als klärte sich die Mischung,
war Stille; nur mit einem Satz am Boden
von trübem Lärm und einem Niederschlag
fallenden Lallens, schon verdorben riechend
nach dumpfem umgestandenen Gelächter.
Und da erkannten sie den schlanken Gott,
und wie er dastand, innerlich voll Sendung
und unerbittlich, – wußten sie es beinah.
Und doch, als es gesagt war, war es mehr
als alles Wissen, gar nicht zu begreifen.
Admet muß sterben. Wann? In dieser Stunde.

Der aber brach die Schale seines Schreckens
in Stücken ab und streckte seine Hände
heraus aus ihr, um mit dem Gott zu handeln.
Um Jahre, um ein einzig Jahr noch Jugend,
um Monate, um Wochen, um paar Tage,
ach, Tage nicht, um Nächte, nur um eine,
um eine Nacht, um diese nur: um die.
Der Gott verneinte und da schrie er auf
und schrie's hinaus und hielt es nicht und schrie
wie seine Mutter aufschrie beim Gebären.

Und die trat zu ihm, eine alte Frau
und auch der Vater kam, der alte Vater,
und beide standen, alt, veraltet, ratlos,
beim Schreienden, der plötzlich, wie noch nie
so nah, sie ansah, abbrach, schluckte, sagte:
Vater,
liegt dir denn viel daran an diesem Rest,
an diesem Satz, der dich beim Schlingen hindert?
Geh, gieß ihn weg. Und du, du alte Frau,
Matrone,
was tust du denn noch hier: du hast geboren.
Und beide hielt er sie wie Opfertiere
in einem Griff. Auf einmal ließ er los
und stieß die Alten fort, voll Einfall, strahlend
und atemholend, rufend: Kreon, Kreon!

Und nichts als das; und nichts als diesen Namen.
Aber in seinem Antlitz stand das Andere,
das er nicht sagte, namenlos erwartend,
wie er's dem jungen Freunde, dem Geliebten,
erglühend hinhielt übern wirren Tisch.
Die Alten, (stand da) siehst du, sind kein Loskauf,
sie sind verbraucht und schlecht und beinah wertlos,
du aber, du, in deiner ganzen Schönheit –

Da aber sah er seinen Freund nicht mehr.
Er blieb zurück und das was kam war sie,
ein wenig kleiner fast als er sie kannte
und leicht und traurig in dem bleichen Brautkleid.
Die andern alle sind nur ihre Gasse,
durch die sie kommt und kommt – : (gleich wird sie da sein
in seinen Armen, die sich schmerzhaft auftun).
Doch wie er wartet, spricht sie; nicht zu ihm.
Sie spricht zum Gotte und der Gott vernimmt sie
und alle hören's gleichsam erst im Gotte:

Ersatz kann keiner für ihn sein. Ich bin's.
Ich bin Ersatz. Denn keiner ist zu Ende
wie ich es bin. Was bleibt mir denn von dem
was ich hier war? Das ist's ja, daß ich sterbe.
Hat sie dir's nicht gesagt, da sie dir's auftrug,
daß jenes Lager, das da drinnen wartet,
zur Unterwelt gehört? Ich nahm ja Abschied.
Abschied über Abschied.
Kein Sterbender nimmt mehr davon. Ich ging ja,
damit das Alles, unter dem begraben
der jetzt mein Gatte ist, zergeht, sich auflöst –.
So führ mich hin: ich sterbe ja für ihn.

Und wie der Wind auf hoher See, der umspringt,
so trat der Gott fast wie zu einer Toten
und war auf einmal weit von ihrem Gatten
dem er, versteckt in einem kleinen Zeichen,
die hundert Leben dieser Erde zuwarf.
Der stürzte taumelnd zu den beiden hin
und griff nach ihnen wie im Traum. Sie gingen
schon auf den Eingang zu, in dem die Frauen
verweint sich drängten. Aber einmal sah

er noch des Mädchens Antlitz, das sich wandte
mit einem Lächeln, hell wie eine Hoffnung,
die beinah ein Versprechen war: erwachsen
zurückzukommen aus dem tiefen Tode
zu ihm, dem Lebenden –

Da schlug er jäh
die Hände vors Gesicht, wie er so kniete,
um nichts zu sehen mehr nach diesem Lächeln.

Stefan George

Landschaft I

Des jahres wilde glorie durchläuft
Der trübe sinn der mittags sich verlor
In einem walde wo aus spätem flor
Von safran rost und purpur leiden träuft.

Und blatt um blatt in breiten flecken fällt
Auf schwarze glätte eines trägen bronns
Wo schon des dunkels grausamer gespons
Ein knabe kühlen auges wache hält..

Und durch die einsamkeiten stumm und taub
Senkt langsam flammend sich von ast zu ast
Ins schwere gelb des abends goldner glast –
Dann legt sich finstrer dunst in finstres laub.

Nachtschatten ranken · flaumiges gebräm ·
Um einen wall von nacktem blutigen dorn ·
Gerizte hände dringen matt nach vorn..
Dass in das dickicht nun der schlummer käm!..

Da bricht durch wirres grau ein blinken scheu
Und neue helle kommt aus dämmerung.
Ein anger dehnt auf einem felsensprung
Weithin..nur zieht durch der violen streu

Die reihe schlanker stämme · speer an speer ·
Von silber flimmert das gewölbte blau ·
Ein feuchter wind erhebt sich duftend lau...
Es fallen blüten auf ein offen meer.

Rainer Maria Rilke

Archaïscher Torso Apollos

Wir kannten nicht sein unerhörtes Haupt,
darin die Augenäpfel reiften. Aber
sein Torso glüht noch wie ein Kandelaber,
in dem sein Schauen, nur zurückgeschraubt,

sich hält und glänzt. Sonst könnte nicht der Bug
der Brust dich blenden, und im leisen Drehen
der Lenden könnte nicht ein Lächeln gehen
zu jener Mitte, die die Zeugung trug.

Sonst stünde dieser Stein entstellt und kurz
unter der Schultern durchsichtigem Sturz
und flimmerte nicht so wie Raubtierfelle;

und bräche nicht aus allen seinen Rändern
aus wie ein Stern: denn da ist keine Stelle,
die dich nicht sieht. Du mußt dein Leben ändern.

Else Lasker-Schüler

Ein alter Tibetteppich

Deine Seele, die die meine liebet,
Ist verwirkt mit ihr im Teppichtibet.

Strahl in Strahl, verliebte Farben,
Sterne, die sich himmellang umwarben.

11

Unsere Füße ruhen auf der Kostbarkeit,
Maschentausendabertausendweit.

Süßer Lamasohn auf Moschuspflanzenthron,
Wie lange küßt dein Mund den meinen wohl
Und Wang die Wange buntgeknüpfte Zeiten schon?

Gottfried Benn

Mann und Frau gehn durch die Krebsbaracke

Der Mann:

Hier diese Reihe sind zerfressene Schöße
und diese Reihe ist zerfallene Brust.
Bett stinkt bei Bett. Die Schwestern wechseln stündlich.

Komm, hebe ruhig diese Decke auf.
Sieh: dieser Klumpen Fett und faule Säfte
das war einst irgendeinem Manne groß
und hieß a u c h Rausch und Heimat. –

Komm, sieh auf diese Narbe an der Brust.
Fühlst du den Rosenkranz von weichen Knoten?
Fühl ruhig hin. Das Fleisch ist weich und schmerzt nicht. –

Hier diese blutet wie aus dreißig Leibern.
Kein Mensch hat so viel Blut. –
                              Hier dieser schnitt man
erst noch ein Kind aus dem verkrebsten Schoß. –

Man läßt sie schlafen. Tag und Nacht. – Den Neuen
sagt man: Hier schläft man sich gesund. – Nur Sonntags
für den Besuch läßt man sie etwas wacher. –

Nahrung wird wenig noch verzehrt. Die Rücken
sind wund. Du siehst die Fliegen. Manchmal
wäscht sie die Schwester. Wie man Bänke wäscht. –

Hier schwillt der Acker schon um jedes Bett.
Fleisch ebnet sich zu Land. Glut gibt sich fort.
Saft schickt sich an zu rinnen. Erde ruft. –

Georg Trakl

Grodek

Am Abend tönen die herbstlichen Wälder
Von tödlichen Waffen, die goldnen Ebenen
Und blauen Seen, darüber die Sonne
Düstrer hinrollt; umfängt die Nacht
Sterbende Krieger, die wilde Klage
Ihrer zerbrochenen Münder.
Doch stille sammelt im Weidengrund
Rotes Gewölk, darin ein zürnender Gott wohnt
Das vergoßne Blut sich, mondne Kühle;
Alle Straßen münden in schwarze Verwesung.
Unter goldnem Gezweig der Nacht und Sternen
Es schwankt der Schwester Schatten durch den schweigenden Hain,
Zu grüßen die Geister der Helden, die blutenden Häupter;
Und leise tönen im Rohr die dunkeln Flöten des Herbstes.
O stolzere Trauer! ihr ehernen Altäre
Die heiße Flamme des Geistes nährt heute ein gewaltiger Schmerz,
Die ungebornen Enkel.

Georg Trakl

Landschaft

Septemberabend; traurig tönen die dunklen Rufe der Hirten
Durch das dämmernde Dorf; Feuer sprüht in der Schmiede.
Gewaltig bäumt sich ein schwarzes Pferd; die hyazinthenen Locken der Magd
Haschen nach der Inbrunst seiner purpurnen Nüstern.
Leise erstarrt am Saum des Waldes der Schrei der Hirschkuh
Und die gelben Blumen des Herbstes
Neigen sich sprachlos über das blaue Antlitz des Teichs.
In roter Flamme verbrannte ein Baum; aufflattern mit dunklen Gesichtern
die Fledermäuse.

Robert Walser

Spazieren

Es ging einer spazieren. Er hätte in die Eisenbahn steigen und in die Ferne reisen können, doch er wollte nur in die Nähe wandern. Das Nahe kam ihm bedeutender vor als die bedeutende und wichtige Ferne. Demnach also kam ihm das Unbedeutende bedeutend vor. Das mag man ihm wohl gönnen. Er hieß Tobold, doch ob er nun so hieß oder anders, so besaß er jedenfalls wenig Geld in der Tasche und lustigen Mut im Herzen. So ging er hübsch langsam vorwärts, er war kein Freund übergroßer Schnelligkeit. Die Hast verachtete er; mit dem stürmischen Eilen wäre er nur in ein Schwitzen gekommen. Wozu das, dachte er, und er marschierte bedächtig, sorgfältig, artig und mäßig. Die Schritte, die er machte, waren gemessen und wohlabgewogen, und das Tempo enthielt eine sehenswerte Behaglichkeit, die Sonne brannte schön heiß, worüber sich Tobold aufrichtig und ehrlich freute. Zwar hätte er auch Regen gerne hingenommen. Er würde dann einen Regenschirm auf-gespannt haben und säuberlich unter dem Regen marschiert sein. Er sehnte sich sogar ein bißchen nach Nässe, aber da Sonne schien, war er mit Sonne einverstanden. Er war nämlich einer, der fast an nichts etwas auszusetzen hat-te. Nun nahm er seinen Hut vom Kopfe ab, um ihn in der Hand zu tragen. Der Hut war alt. Eine gewisse handwerksburschenmäßige Abgeschossenheit zeichnete den Hut sichtlich aus. Es war ein schäbiger Hut, und dennoch behandelte ihn sein Träger mit Hochachtung, und zwar deshalb, weil Erin-nerungen am Hut hingen. Tobold vermochte sich stets nur schwer von lang-getragenen und abgeschabten Sachen zu trennen. So zum Beispiel trug er jetzt zerrissene Schuhe. Er hätte ein neues Paar Stiefel wohl kaufen können. So über und über arm war er denn doch nicht. Als gänzlich bettelarm wol-len wir ihn nicht hinstellen. Aber die Schuhe waren alt, sie hingen voll Erin-nerungen, mit ihnen war er schon viele Wege gegangen, und wie hatten die Schuhe bis dahin so treu ausgehalten. Tobold liebte alles Alte, alles Ge- und Verbrauchte, ja, er liebte sogar bisweilen Verschimmeltes. So zum Beispiel liebte er alte Leute, hübsch abgenutzte alte Menschen. Kann man daraus Tobold einen berechtigten Vorwurf machen? Kaum! denn es ist ja ein hüb-scher Zug von Pietät. Nicht wahr? Und so schrittwechselte er denn ins herr-liche liebe Blaue hinaus weiter. O wie blau war der Himmel, und wie schnee-igweiß waren die Wolken. Wolken und Himmel immer wieder anzuschauen war für Tobold ein Glück. Deshalb reiste er ja so gern zu Fuß, weil der Fußgän-ger alles ruhig und reich und frei betrachten kann, während der Eisenbahn-fahrer nirgends stehenbleiben und anhalten kann als gerade exakt nur auf den Bahnstationen, wo meistens elegant befrackte Kellner fragen, ob ein Glas Bier gefällig sei. Tobold verzichtete gern auf einige acht Gläser Bier, wenn er nur frei sein konnte und auf seinen Beinen gehen durfte, denn seine eigenen Beine freuten ihn, und das Gehen machte ihm ein stilles Vergnügen. Ein Kind sagte ihm jetzt guten Tag, und Tobold sagte ihm auch guten Tag, und so ging er, und er dachte noch lang an das liebe kleine Kind, das ihn so schön angeschaut, ihn so reizend angelächelt, und ihm so freundlich guten Tag gesagt hatte.

Gottfried Benn

Durch's Erlenholz kam sie entlang gestrichen – – – –

Die Schnepfe nämlich, – erzählte der Pfarrer. –:
Da traten kahle Äste gegen die Luft: ehern.
Ein Himmel blaute: unbedenkbar. Die Schulter mit der Büchse,
Des Pfarrers Spannung, der kleine Hund,
Selbst Treiber, die dem Herrn die Freude gönnten:
Unerschütterlich.
Dann weltumgoldet: der Schuß:
Einbeziehung vieler Vorgänge,
Erwägen von Möglichkeiten,
Bedenkung physikalischer Verhältnisse,
Einschließlich Parabel und Geschoßgarbe,
Luftdichte, Barometerstand, Isobaren – –
Aber durch alles hindurch: die Sicherstellung,
Die Ausschaltung des Fraglichen,
Die Zusammenraffung,
Eine Pranke in den Nacken der Erkenntnis,
Blutüberströmt zuckt ihr Plunder
Unter dem Begriff: Schnepfenjagd.

Da verschied Copernikus. Kein Newton mehr.
        – Kein drittes Wärmegesetz –
Eine kleine Stadt dämmert auf: Kellergeruch, Konditorjungen,
Bedürfnisanstalt mit Wartefrau,
Das Handtuch über den Sitz wischend
Zum Zweck der öffentlichen Gesundheitspflege;
Ein Büro, ein junger Registrator
Mit Ärmelschutz, mit Frühstücksbrödchen
Den Brief der Patentante lesend. –

Ossip Mandelstam

NACHTS, VORM HAUS, da wusch ich mich –
Grobgestirnter Himmel strahlt.
Auf der Axt, wie Salz, steht Sternenlicht.
Hier die Tonne: randvoll, kalt.

Riegel, vor das Tor gelegt.
Streng die wahre Erde, rauh,
rein die Leinwand, frisch gewebt,
und den Faden sieht kein Aug.

Sternensalz, im Faß zergehend.
Wasser, kalt, muß schwärzer werden.
Reiner nun der Tod und salziger das Elend,
wahrer, furchtbarer die Erde.

Rainer Maria Rilke

Duineser Elegien
Die Achte Elegie

Mit allen Augen sieht die Kreatur
das Offene. Nur unsre Augen sind
wie umgekehrt und ganz um sie gestellt
als Fallen, rings um ihren freien Ausgang.
Was draußen *ist*, wir wissens aus des Tiers
Antlitz allein; denn schon das frühe Kind
wenden wir um und zwingens, daß es rückwärts
Gestaltung sehe, nicht das Offne, das
im Tiergesicht so tief ist. Frei von Tod.
Ihn sehen wir allein; das freie Tier
hat seinen Untergang stets hinter sich
und vor sich Gott, und wenn es geht, so gehts
in Ewigkeit, so wie die Brunnen gehen.
  Wir haben nie, nicht einen einzigen Tag,
den reinen Raum vor uns, in den die Blumen
unendlich aufgehn. Immer ist es Welt
und niemals Nirgends ohne Nicht: das Reine,

Unüberwachte, das man atmet und
unendlich *weiß* und nicht begehrt. Als Kind
verliert sich eins im Stilln an dies und wird
gerüttelt. Oder jener stirbt und *ists*.
Denn nah am Tod sieht man den Tod nicht mehr
und starrt *hinaus*, vielleicht mit großem Tierblick.
Liebende, wäre nicht der andre, der
die Sicht verstellt, sind nah daran und staunen…
Wie aus Versehn ist ihnen aufgetan
hinter dem andern … Aber über ihn
kommt keiner fort, und wieder wird ihm Welt.
Der Schöpfung immer zugewendet, sehn
wir nur auf ihr die Spiegelung des Frein,
von uns verdunkelt. Oder daß ein Tier,
ein stummes, aufschaut, ruhig durch uns durch.
Dieses heißt Schicksal: gegenüber sein
und nichts als das und immer gegenüber.

Wäre Bewußtheit unsrer Art in dem
sicheren Tier, das uns entgegenzieht
in anderer Richtung –, riß es uns herum
mit seinem Wandel. Doch sein Sein ist ihm
unendlich, ungefaßt und ohne Blick
auf seinen Zustand, rein, so wie sein Ausblick.
Und wo wir Zukunft sehn, dort sieht es Alles
und sich in Allem und geheilt für immer.

Und doch ist in dem wachsam warmen Tier
Gewicht und Sorge einer großen Schwermut.
Denn ihm auch haftet immer an, was uns
oft überwältigt, – die Erinnerung,
als sei schon einmal das, wonach man drängt,
näher gewesen, treuer und sein Anschluß
unendlich zärtlich. Hier ist alles Abstand,
und dort wars Atem. Nach der ersten Heimat
ist ihm die zweite zwitterig und windig.
O Seligkeit der *kleinen* Kreatur,
die immer *bleibt* im Schooße, der sie austrug;
o Glück der Mücke, die noch *innen* hüpft,
selbst wenn sie Hochzeit hat: denn Schooß ist Alles.
Und sieh die halbe Sicherheit des Vogels,
der beinah beides weiß aus seinem Ursprung,

als wär er eine Seele der Etrusker,
aus einem Toten, den ein Raum empfing,
doch mit der ruhenden Figur als Deckel.
Und wie bestürzt ist eins, das fliegen muß
und stammt aus einem Schooß. Wie vor sich selbst
erschreckt, durchzuckts die Luft, wie wenn ein Sprung
durch eine Tasse geht. So reißt die Spur
der Fledermaus durchs Porzellan des Abends.

Und wir: Zuschauer, immer, überall,
dem allen zugewandt und nie hinaus!
Uns überfüllts. Wir ordnens. Es zerfällt.
Wir ordnens wieder und zerfallen selbst.

Wer hat uns also umgedreht, daß wir,
was wir auch tun, in jener Haltung sind
von einem, welcher fortgeht? Wie er auf
dem letzten Hügel, der ihm ganz sein Tal
noch einmal zeigt, sich wendet, anhält, weilt –,
so leben wir und nehmen immer Abschied.

Ossip Mandelstam

Der Hufeisen-Finder

Wir sehen den Wald an und sagen:
Da, ein Schiffswald, ein Mastenwald,
rosenfarbene Kiefern,
frei von jeglicher Mooslast bis in die Wipfel –:
sie sollten knarren im Sturm,
in entfesselter, waldloser Luft,
als einsame Pinien;
das Bleilot
fühlt dann die salzige Ferse des Windes, bleibt fest,
angepaßt an das tanzende Deck.
Und der Seefahrer,
unbezähmbar in seinem Durst nach Weite und Raum,
er schleppt die fragilen Apparate des Geometers durch die Wasserfurchen,
er vergleicht die rauhe Fläche der Meere
mit der Anziehung des Erdenschoßes.

Wir atmen den Duft
der Harztränen, die aus der Schiffswand treten,
weiden unsere Blicke
an vernieteten, schön in die Schotten gepaßten
Brettern und Bohlen
– nicht der friedliche Mann aus Bethlehem wars, der das zimmerte,
sondern ein andrer, der Vater
der Fahrten, der Seefahrer-Freund –
und sagen:

Auch sie standen einst auf der Erde,
der wie ein Eselsrücken unbequemen,
mit den Wipfeln die Wurzeln vergessend,
auf der berühmten Gebirgskette,
sie rauschten im Süßwasserregen
und boten – erfolglos – dem Himmel ihre edle Last an
für eine Prise Salz.

Wo beginnen?
Alles kracht in den Fugen und schwankt.
Die Luft erzittert vor Vergleichen.
Kein Wort ist besser als das andre,
die Erde dröhnt von Metaphern,
und die leichten zweirädrigen Gefährte
mit dem farbenfrohen Vogelgespann, den dichtgedrängten Vogelschwärmen
springen in Stücke
im Wettkampf mit den schnaubenden Favoriten der Rennplätze.

Dreimal selig, wer einen Namen einführt ins Lied!
Das namengeschmückte Lied
lebt länger inmitten der andern –
Es ist kenntlich gemacht inmitten seiner Gefährten durch eine Stirnbinde,
die von Bewußtlosigkeit heilt, von allzu starken, betäubenden Gerüchen:
von Männernähe,
vom Geruch, der dem Fell starker Tiere entströmt,
oder einfach vom Duft des zwischen den Handflächen zerriebenen Thymians.

Die Luft ist dunkel, wie das Wasser, und alles Lebendige schwimmt darin,
                                                              wie die Fische,
mit den Flossen sich den Weg bahnend durch eine Kugel,
eine feste, federnde, leicht erhitzte –
einen Kristall, darin sich Räder bewegen und Pferde scheuen,

die feuchte Schwarzerde Neairas, neu umgebrochen jede Nacht
mit Forke, Dreizack, Karst und Pflug.
Die Luft ist ebenso dicht gemischt wie die Erde –
man tritt aus ihr nicht hinaus, sie betreten ist schwer.
Ein Rascheln läuft grün durchs Gehölz, ein Schlagholz;
die Kinder knöcheln mit den Wirbelknochen verendeter Tiere.
Unsere fragile Zeitrechnung nähert sich dem Ende.
Dank für das, was war:
ich selbst habe mich geirrt, bin aus dem Konzept gekommen, habe mich
                                              verrechnet.
Das Zeitalter klang, wie eine goldene Kugel,
hohl und aus einem Guß, von keinem getragen,
auf jede Berührung antwortete es mit »ja« und »nein«.
So wie ein Kind antwortet:
»Ich geb dir den Apfel«, oder: »Ich geb dir den Apfel nicht.«
Und sein Gesicht ist der genaue Abdruck der diese Worte sagenden Stimme.

Der Klang klingt fort, obgleich das, was ihn auslöste, dahin ist.
Ein Pferd liegt im Staub, schaumbedeckt, schnaubend,
doch sein jäh gewendeter Hals
bewahrt noch die Erinnerung an den Lauf mit weit auseinandergeworfenen
                                              Beinen:
als ihrer nicht vier waren,
sondern so viele als Steine am Weg lagen,
viermal gewechselt – sooft
als der feuerschnaubende Zelter abstieß vom Boden
und der
das Hufeisen fand,
er bläst es vom Staub rein,
reibt es mit Wolle blank,
sodann
hängt er es über der Hausschwelle auf;
da soll es nun ausruhn
und nie wieder Funken schlagen müssen aus Kieselsteinen.

Die menschlichen Lippen,
                        die nichts mehr zu sagen haben,
bewahren die Form des letzten Worts, das sie sagten,
und die Hand, sie spürt noch das volle Gewicht des Krugs,
den sie zur Hälfte
                verschüttete, als
                        sie ihn heimtrug.

Was ich jetzt sage, sage nicht ich,
sondern es ist ausgegraben aus der Erde, wie das versteinerte Weizenkorn.
Die einen
                bilden einen Löwen ab auf den Münzen,
die andern
                einen Kopf;
allerlei kupferne, goldene, bronzene Scheibchen
ruhn in der Erde, die einen so ehrenvoll wie die andern.
Das Zeitalter, das sie zu durchnagen versuchte, prägte ihnen seine Zähne auf.
Die Zeit sägt an mir wie an einer Münze,
und ich – ich reiche mir ja selber nicht aus.

(Übersetzung von Paul Celan)

Bertolt Brecht

Entdeckung an einer jungen Frau

Des Morgens nüchterner Abschied, eine Frau
Kühl zwischen Tür und Angel, kühl besehn.
Da sah ich: eine Strähn in ihrem Haar war grau
Ich konnt mich nicht entschließen mehr zu gehn.

Stumm nahm ich ihre Brust, und als sie fragte
Warum ich Nachtgast nach Verlauf der Nacht
Nicht gehen wolle, denn so war's gedacht
Sah ich sie unumwunden an und sagte:

Ist's nur noch eine Nacht, will ich noch bleiben
Doch nütze deine Zeit; das ist das Schlimme
Daß du so zwischen Tür und Angel stehst.

Und laß uns die Gespräche rascher treiben
Denn wir vergaßen ganz, daß du vergehst.
Und es verschlug Begierde mir die Stimme.

Bertolt Brecht

Verwisch die Spuren

Trenne dich von deinen Kameraden auf dem Bahnhof
Gehe am Morgen in die Stadt mit zugeknöpfter Jacke
Suche dir Quartier, und wenn dein Kamerad anklopft:
Öffne, oh, öffne die Tür nicht
Sondern
Verwisch die Spuren!

Wenn du deinen Eltern begegnest in der Stadt Hamburg oder sonstwo
Gehe an ihnen fremd vorbei, biege um die Ecke, erkenne sie nicht
Zieh den Hut ins Gesicht, den sie dir schenkten
Zeige, oh, zeige dein Gesicht nicht
Sondern
Verwisch die Spuren!

Iß das Fleisch, das da ist! Spare nicht!
Gehe in jedes Haus, wenn es regnet, und setze dich auf jeden Stuhl, der da
                                  ist
Aber bleibe nicht sitzen! Und vergiß deinen Hut nicht!
Ich sage dir:
Verwisch die Spuren!

Was immer du sagst, sag es nicht zweimal
Findest du deinen Gedanken bei einem andern: verleugne ihn.
Wer seine Unterschrift nicht gegeben hat, wer kein Bild hinterließ
Wer nicht dabei war, wer nichts gesagt hat
Wie soll der zu fassen sein!
Verwisch die Spuren!

Sorge, wenn du zu sterben gedenkst
Daß kein Grabmal steht und verrät, wo du liegst
Mit einer deutlichen Schrift, die dich anzeigt
Und dem Jahr deines Todes, das dich überführt!
Noch einmal:
Verwisch die Spuren!

(Das wurde mir gelehrt.)

Ernst Meister

Monolog der Menschen

Wir sind die Welt gewöhnt.
Wir haben die Welt lieb wie uns.
Würde Welt plötzlich anders,
wir weinten.

Im Nichts hausen die Fragen.
Im Nichts sind die Pupillen groß.
Wenn Nichts wäre,
o wir schliefen jetzt nicht,
und der kommende Traum
sänke zu Tode unter blöden Riesenstein.

Meret Oppenheim

Wenn Sie mir das Richtige nennen, kann ich
Ihnen das Lob vom Raben mit den veränderlichen
und schillernden Füßen singen.
Am liebsten sind mir diese kalten Lachblumen
und ihre Winke, deren Schatten im Dunkeln
leuchten.

Wer nimmt den Wahnsinn von den Bäumen?
Wen beschenkt der Himmel mit Dampfveilchen?
Wie rät ein Untergang dem nächsten?

Diese und andere Fragen werden so gelöst:
Man trenne den Duft von seiner Fahrt und
versuche sein Ohr im Lauf um eine Meile
zu schürzen. Jetzt kann die Luft ihre Grenzen
um zwei Grad verengen und das Ergebnis läßt nicht
auf sich warten.

Gottfried Benn

Einsamer nie –

Einsamer nie als im August:
Erfüllungsstunde –, im Gelände
die roten und die goldenen Brände,
doch wo ist deiner Gärten Lust?

Die Seen hell, die Himmel weich,
die Äcker rein und glänzen leise,
doch wo sind Sieg und Siegsbeweise
aus dem von dir vertretenen Reich?

Wo alles sich durch Glück beweist
und tauscht den Blick und tauscht die Ringe
im Weingeruch, im Rausch der Dinge, –:
dienst du dem Gegenglück, dem Geist.

Else Lasker-Schüler

Mein blaues Klavier

Ich habe zu Hause ein blaues Klavier
Und kenne doch keine Note.

Es steht im Dunkel der Kellertür,
Seitdem die Welt verrohte.

Es spielen Sternenhände vier
– Die Mondfrau sang im Boote –
Nun tanzen die Ratten im Geklirr.

Zerbrochen ist die Klaviatür .....
Ich beweine die blaue Tote.

Ach liebe Engel öffnet mir
– Ich aß vom bitteren Brote –
Mir lebend schon die Himmelstür –
Auch wider dem Verbote.

E. E. Cummings

pity this busy monster, manunkind,

not. Progress is a comfortable disease:
your victim (death and life safely beyond)

plays with the bigness of his littleness
– electrons deify one razorblade
into a mountainrange; lenses extend

unwish through curving wherewhen till unwish
returns on its unself.
                    A world of made
is not a world of born – pity poor flesh

and trees, poor stars and stones, but never this
fine specimen of hypermagical

ultraomnipotence. We doctors know

a hopeless case if – listen: there's a hell
of a good universe next door; let's go

Michael Hamburger

To a Deaf Poet

Silence is our harbour but remembered seas
Provide our wealth; how then, when often we
With all our ships and nets know poverty,
Is it that you bound to an island sit
So patiently on the dry shore of music,
Not waiting only but slowly gathering
Shells we, the hurrying, had overlooked?
Your feeling fingers hear
Vibrations of the sea in solid things,
The pebbles weighted with lost whisperings,
Or, drained of sound but mutely echoing,
The washed-up revelations of the drowned.

Wallace Stevens

What we see is what we think

At twelve, the disintegration of afternoon
Began, the return to phantomerei, if not
To phantoms. Till then, it had been the other way:

One imagined the violet trees but the trees stood green,
At twelve, as green as ever they would be.
The sky was blue beyond the vaultiest phrase.

Twelve meant as much as: the end of normal time,
Straight up, an élan without harrowing,
The imprescriptible zenith, free of harangue,

Twelve and the first gray second after, a kind
Of violet gray, a green violet, a thread
To weave a shadow's leg or sleeve, a scrawl

On the pedestal, an ambitious page dog-eared
At the upper right, a pyramid with one side
Like a spectral cut in its perception, a tilt

And its tawny caricature and tawny life,
Another thought, the paramount ado …
Since what we think is never what we see.

Ernst Jandl

da kann man nicht mehr zurück

ich habe zugesperrt
und den schlüssel ins wasser geworfen
ich habe adieu gesagt
da kann man nicht mehr zurück
ich habe mich oft seither
an ihm vorbeigedrückt
ich habe mir oft seither
gesagt: das ist gut

ich habe zugesperrt
und den schlüssel ins wasser geworfen
ich habe adieu gesagt
und alles ist gut so
und jetzt geht er wieder vorbei
ich habe adieu gesagt
da kann man nicht mehr zurück
und jetzt geh ich wieder vorbei
es ist nur ein augenblick
und alles ist gut

ich habe zugesperrt
jetzt sieht er mich sicher an
und den schlüssel ins wasser geworfen
es ist nur ein augenblick
alles wird falsch gemacht
ich habe adieu gesagt
und jetzt steh ich und schau ihn an
das ist alles nicht gut
doch da kann man nicht mehr zurück
alles wird falsch gemacht
und jetzt steht er und schaut mich an
und wir ziehen den hut.

H. C. Artmann

o tod du tröstlich
umgestürzte fackel tod
du grünes stundenglas
du allgerechte lanze
steig auf steig auf
mit deinem tränennassen kranze
du edles licht
in deiner aschenkluft
schon klingt die knöchern münze
in der abendluft
du silberner candelaber
du allgerechte lanze
steig auf steig auf
durchdringe mich

und zwinge mir das aug..
schon blühet schneeweiß mir
aus meinem herz ein stengel
durchdringe mich bezwinge mich
o tod o tod
du tröstlich grasbewachsner engel
o allgerechter tod
steig auf!
spreit deiner blumen schwarz und gold
auf meines leibes moderhauf..

Inge Müller

Liebe

Gelernt hab ich
Was hab ich gelernt
Was nicht paßt wird entfernt
Was entfernt wird paßt.
Ich bitte mich zu entfernen.

Ein Verbrecher bin ich: Halt nichts von Geld
Ich will alles von der Welt.
Du hast Märchen und hast sie schön erzählt
Könnt ich abtragen was dich quält
Wo sind die Freunde hin
Im Geist und im Sinn.

Ach du lieber Augustin
Wie fröhlich ich bin.

Christine Lavant

Kreuzzertretung! – Eine Hündin heult
sieben Laute, ohne zu vergeben,
abgestiegen in die Hundehölle
wird ihr Schatten noch den Wurf verwerfen.

Oben bleibt der Vorhang ohne Riß,
nichts zerreißt um einer Hündin willen,
und der Herr – er ließ sich stellvertreten –
sitzt versponnen bei den ganz Vertrauten.

Auch die Toten durften nicht herauf!
Vater, Mutter, – keines war am Hügel,
und die Sonne hat sich bloß verfinstert
in zwei aufgebrochnen Augensternen.

Von der Erde bebte kaum ein Staub,
nur ein wenig sank die Stelle tiefer,
wo der Balg, dem man das Kreuz zertreten,
sich noch einmal nach dem Himmel bäumte.

Der Kadaver – da ihn niemand barg –
kraft der Schande ist er auferstanden,
um sich selbst in das Gewölb zu schleppen,
wo Gottvater wie ein Werwolf haust.

Ingeborg Bachmann

Wahrlich

Für Anna Achmatova

Wem es ein Wort nie verschlagen hat,
und ich sage es euch,
wer bloß sich zu helfen weiß
und mit den Worten –

dem ist nicht zu helfen.
Über den kurzen Weg nicht
und nicht über den langen.

Einen einzigen Satz haltbar zu machen,
auszuhalten in dem Bimbam von Worten.

Es schreibt diesen Satz keiner,
der nicht unterschreibt.

1950–1960

Paul Celan

Engführung

*

VERBRACHT ins
Gelände
mit der untrüglichen Spur:

Gras, auseinandergeschrieben. Die Steine, weiß,
mit den Schatten der Halme:
Lies nicht mehr – schau!
Schau nicht mehr – geh!

Geh, deine Stunde
hat keine Schwestern, du bist –
bist zuhause. Ein Rad, langsam,
rollt aus sich selber, die Speichen
klettern,
klettern auf schwärzlichem Feld, die Nacht
braucht keine Sterne, nirgends
fragt es nach dir.

*

     Nirgends
      fragt es nach dir –

Der Ort, wo sie lagen, er hat
einen Namen – er hat
keinen. Sie lagen nicht dort. Etwas
lag zwischen ihnen. Sie
sahn nicht hindurch.

Sahn nicht, nein,
redeten von
Worten. Keines
erwachte, der
Schlaf
kam über sie.

*

Kam, kam. Nirgends
           fragt es –

Ich bins, ich,
ich lag zwischen euch, ich war
offen, war
hörbar, ich tickte euch zu, euer Atem
gehorchte, ich
bin es noch immer, ihr
schlaft ja.

*

           Bin es noch immer –

Jahre.
Jahre, Jahre, ein Finger
tastet hinab und hinan, tastet
umher:
Nahtstellen, fühlbar, hier
klafft es weit auseinander, hier
wuchs es wieder zusammen – wer
deckte es zu?

*

          Deckte es
            zu – wer?

Kam, kam.
Kam ein Wort, kam,
kam durch die Nacht,
wollt leuchten, wollt leuchten.

Asche.
Asche, Asche.
Nacht.
Nacht-und-Nacht. – Zum
Aug geh, zum feuchten.

*

                    Zum
                Aug geh,
                    zum feuchten –

Orkane.
Orkane, von je,
Partikelgestöber, das andre,
du
weißts ja, wir
lasens im Buche, war
Meinung.

War, war
Meinung. Wie
faßten wir uns
an – an mit
diesen
Händen?

Es stand auch geschrieben, daß.
Wo? Wir
taten ein Schweigen darüber,
giftgestillt, groß,
ein
grünes
Schweigen, ein Kelchblatt, es
hing ein Gedanke an Pflanzliches dran –

grün, ja,
hing, ja,
unter hämischem
Himmel.

An, ja,
Pflanzliches.

Ja.
Orkane, Par-
tikelgestöber, es blieb
Zeit, blieb,

es beim Stein zu versuchen – er
war gastlich, er
fiel nicht ins Wort. Wie
gut wir es hatten:

Körnig,
körnig und faserig. Stengelig,
dicht;
traubig und strahlig; nierig,
plattig und
klumpig; locker, ver-
ästelt –: er, es
fiel nicht ins Wort, es
sprach,
sprach gerne zu trockenen Augen, eh es sie schloß.

Sprach, sprach.
War, war.

Wir
ließen nicht locker, standen
inmitten, ein
Porenbau, und
es kam.

Kam auf uns zu, kam
hindurch, flickte
unsichtbar, flickte
an der letzten Membran,
und
die Welt, ein Tausendkristall,
schoß an, schoß an.

*

Schoß an, schoß an.
Dann –

Nächte, entmischt. Kreise,
grün oder blau, rote
Quadrate: die
Welt setzt ihr Innerstes ein

im Spiel mit den neuen
Stunden. – Kreise,

rot oder schwarz, helle
Quadrate, kein
Flugschatten,
kein
Meßtisch, keine
Rauchseele steigt und spielt mit.

*

Steigt und
spielt mit –

In der Eulenflucht, beim
versteinerten Aussatz,
bei
unsern geflohenen Händen, in
der jüngsten Verwerfung,
überm
Kugelfang an
der verschütteten Mauer:

sichtbar, aufs
neue: die
Rillen, die

Chöre, damals, die
Psalmen. Ho, ho-
sianna.

Also
stehen noch Tempel. Ein
Stern
hat wohl noch Licht.
Nichts,
nichts ist verloren.

Ho-
sianna.

In der Eulenflucht, hier,
die Gespräche taggrau,
der Grundwasserspuren.

*

                          (– – taggrau,
                                  der
                                  Grundwasserspuren –

Verbracht
ins Gelände
mit
der untrüglichen
Spur:

Gras.
Gras,
auseinandergeschrieben.)

Nelly Sachs

SO IST'S GESAGT –
mit Schlangenlinien aufgezeichnet

Absturz.

Die Sonne
chinesisch Mandala
heilig verzogener Schmuck
zurück in innere Phasen heimgekehrt
starres Lächeln
fortgebetet
Lichtdrachen
zeitanspeiend
Schildträger war die Fallfrucht Erde
einst
goldangegleist –

Weissagungen
mit Flammenfingern zeigen:

Dies ist der Stern
geschält bis auf den Tod –

Dies ist des Apfels Kerngehäuse
in Sonnenfinsternis gesät

so fallen wir
so fallen wir.

Unica Zürn

Ich weiss nicht, wie man die Liebe macht

Wie ich weiss, ›macht‹ man die Liebe nicht.
Sie weint bei einem Wachslicht im Dach.
Ach, sie waechst im Lichten, im Winde bei
Nacht. Sie wacht im weichen Bilde, im Eis
des Niemals, im Bitten: wache, wie ich. Ich
weiss, wie ich macht man die Liebe nicht.

Paul Celan

Es ist alles anders

ES IST ALLES ANDERS, als du es dir denkst, als ich es mir denke,
die Fahne weht noch,
die kleinen Geheimnisse sind noch bei sich,
sie werfen noch Schatten, davon
lebst du, leb ich, leben wir.

Die Silbermünze auf deiner Zunge schmilzt,
sie schmeckt nach Morgen, nach Immer, ein Weg
nach Rußland steigt dir ins Herz,

die karelische Birke
hat
gewartet,
der Name Ossip kommt auf dich zu, du erzählst ihm,
was er schon weiß, er nimmt es, er nimmt es dir ab, mit Händen,
du löst ihm den Arm von der Schulter, den rechten, den linken,
du heftest die deinen an ihre Stelle, mit Händen, mit Fingern, mit Linien,

– was abriß, wächst wieder zusammen –
da hast du sie, da nimm sie dir, da hast du alle beide,
den Namen, den Namen, die Hand, die Hand,
da nimm sie dir zum Unterpfand,
er nimmt auch das, und du hast
wieder, was dein ist, was sein war,

Windmühlen

stoßen dir Luft in die Lunge, du ruderst
durch die Kanäle, Lagunen und Grachten,
bei Wortschein,
am Heck kein Warum, am Bug kein Wohin, ein Widderhorn hebt dich
– *Tekiah!* –
wie ein Posaunenschall über die Nächte hinweg in den Tag, die Auguren
zerfleischen einander, der Mensch
hat seinen Frieden, der Gott
hat den seinen, die Liebe
kehrt in die Betten zurück, das Haar
der Frauen wächst wieder,
die nach innen gestülpte
Knospe an ihrer Brust
tritt wieder zutag, lebens-,
herzlinienhin erwacht sie
dir in der Hand, die den Lendenweg hochklomm, –

wie heißt es, dein Land
hinterm Berg, hinterm Jahr?
Ich weiß, wie es heißt.
Wie das Wintermärchen, so heißt es,
es heißt wie das Sommermärchen,
das Dreijahreland deiner Mutter, das war es,
das ists,

es wandert überallhin, wie die Sprache,
wirf sie weg, wirf sie weg,
dann hast du sie wieder, wie ihn,
den Kieselstein aus
der Mährischen Senke,
den dein Gedanke nach Prag trug,
aufs Grab, auf die Gräber, ins Leben,

längst
ist er fort, wie die Briefe, wie alle
Laternen, wieder
mußt du ihn suchen, da ist er,
klein ist er, weiß,
um die Ecke, da liegt er,
bei Normandie-Njemen – in Böhmen,
da, da, da,
hinterm Haus, vor dem Haus,
weiß ist er, weiß, er sagt:
Heute – es gilt.
Weiß ist er, weiß, ein Wasser-
strahl findet hindurch, ein Herzstrahl,
ein Fluß,
du kennst seinen Namen, die Ufer
hängen voll Tag, wie der Name,
du tastest ihn ab, mit der Hand:
Alba.

Paul Celan

Kermorvan

Du Tausendgüldenkraut-Sternchen,
du Erle, du Buche, du Farn:
mit euch Nahen geh ich ins Ferne, –
Wir gehen dir, Heimat, ins Garn.

Schwarz hängt die Kirschlorbeertraube
beim bärtigen Palmenschaft.
Ich liebe, ich hoffe, ich glaube, –
die kleine Steindattel klafft.

Ein Spruch spricht – zu wem? Zu sich selber:
Servir Dieu est régner, – ich kann
ihn lesen, ich kann, es wird heller,
fort aus Kannitverstan.

H. C. Artmann

Landschaft 5

da läßt die köchin alles fallen topf und teller gehn
in scherben die suppe rollt auf den dielen fett zischt

über linoleum hinweg napoleon sinnt unter seinem hut
wild tobt die schlacht von austerlitz vorbei wehn fahnen

dragoner stürzen aus den zuckermörsern husaren purzeln
von den küchentischen vorbei vorbei die jungen aare ha

wie da die feger wischen ha wie da das steingut schnarrt
es ist ein weißes dampfen überm feld der held napoleon

fegt durch die helle küche grenadiere her o öffnet mir
des windes weite fenster den bruch zur pyramide türmt die

köchin hoch noch ist ein kohl im haus der edle wirsing
zieht die konsequenz wie einen säbel schwingt die deutsche

faust zum gegenstoß es scheppern die kanonen en avant mes
braves gaillards die köchin stöhnt ein vöglein zirpt bereits

im blätterhaus ein tränlein netzt der köchin schöne breite
brust am bache steht napoleon er linst er watet rüber drüber

verrat ein schrei wer war es o das schmucke teure porzellan
es ist ein wahrer jammer ihr hohen götter stillet meine klage

Franz Tumler

Sätze von der Donau
(III. Teil)

Sätze für etwas das ohne Sätze geschieht
und nichts ist ohne diese Wahrnehmung in Sätzen
als:

der grüne Garten der zugesperrt ist
und einmal oder zweimal in unregelmäßiger
nicht vorhersehbarer
Folge offen
als wär er unser

oder der Augenblick

als ich das hohe Bett seh
und die Großmutter die darin sitzt
aufgebettet vor dem Ei der braunen Rücklehne
mit ihrem gewöhnlichen alten Gesicht
65 geboren jetzt 50 Jahr alt im Jahr 15
und mit ihren grauen jetzt aber offenen Haaren
und glatten weißen Armen
so daß ich sage

du bist nur im Gesicht alt
aber in den Armen jung

Und ihren Spiegel kenne vor dem sie sich diese Haare aufsteckt
und der aus Spiegeltäfelchen besteht
die in Winkeln ausgestreckt sind und auf Scherenarmen
und die ihr zeigen wie ihre Frisur wird
die sie mit hochgesteckten Armen festmacht
und mit Nadeln hochspießt
und Zeit hat –
hochgestreckte weiße Schnee-Arme
und sich Zeit läßt

Und wo keine Sätze sind außer daß jemand das Essen macht
bis Mittag
dann die Sätze die der Großvater sagt
wenn er aus der Druckerei kommt
und die Mutter wenn sie aus dem Büro kommt
– gehen gleich wieder und kommen wieder am Abend
und die Kinder sollen spielen.

Um 5 die wahren Sätze –

aber Spielen ist für mich durch das Haus gehen
wieviele Stufen –

Ich weiß genau wieviel Stufen es waren. Jede Stiege hatte 12
jedes Stockwerk hatte 2 Stiegen dazwischen die kleine Plattform
mit dem Fenster zum Hof. Aber eine letzte Stiege über dem
3. Stock hatte 11 Stufen und hier gab es auch keine 2. Stiege
sondern hinter der Plattform die Dachbodentür

eine eiserne Tür gestrichen mit einer Farbe wie graues Silber
das sich anfaßte wie Grieß und nach Petroleum roch wie die
Waggons auf der Eisenbahn. Und wenn wir
gegen die Dachbodentür
klopften klang es hohl

Wenn wir Verstecken spielten auf den Stiegen
auch vor der Dachbodentür
zählten die Stufen klopften gegen die Tür
sahen im Fenster zum Hof den Birnbaum

zum Greifen nah die Blätter
sahen ihn von Stockwerk zu Stockwerk heraufsteigen
und im Herbst die Birnen
und hier heroben im 3. Stock den Wipfel

sahen dieses Obere mit dem ein Baum aufhört
und über dem Luft liegt
ein Büschel zarter Blätter mit nichts darüber als Luft

unten den Hof gepflastert
sahen in der Tiefe das Pflaster
dahinter den Zaun
dahinter den Birnbaumstamm den verschlossenen Garten
aus dem der Birnbaum heraufstieg

Einmal offen
ich weiß nicht warum
aber dann ein paar Tage offen
als wäre er unser
aber wenn ich nachdenke weiß ich
weil die Arbeiter kamen zum Mähen
und hatten den Schlüssel zur Tür im Drahtmaschenzaun
und sperrten nicht zu
ein oder zweimal im Jahr
ein oder zweimal offen weiß ich
dann wieder zu
und unten das Pflaster der Hof 2 Meter breit
dahinter der Drahtmaschenzaun der Birnbaum der Garten

Sahen über den Wipfel hin auf die andern Wipfel
auf die Pappel die Tanne die Zierkonifere die Birke
auf den Krüppelbaum Buche
als der Garten offen war kletterten wir auf die Buche

einmal als er nicht offen war kletterten wir über den
Zaun und dann auf die Buche
saßen in der Buche

saßen sonst auf dem Balkon sahen auf die Buche
und lernten die Namen der Bäume.

Einmal auf dem Balkon erzählte die Großmutter von ihrer Jugend

als ich ihr die Wolle abwickeln half auf dem Balkon
den Strähn hielt zwischen gestreckten Gelenken
und mit den Armen hin- und herging und zusah
wie der Knäuel in ihrem Schoß größer wurde

als sie die Save hinabfuhren erzählte sie
die Save und Donau auf dem Floß
und das Brot nicht beißen konnten
bis der Mann der ihr Vater war sagte

tunkt es in das Wasser dann wird es weich

aber nicht weich genug für den kleinen Bruder
der krank war dem das weiche Brot nicht half
und daß sie für ihn beteten nicht half
und die Kerzen nicht halfen die sie in der Kirche
für ihn anzündeten in Agram
und der als kleine Leiche zuletzt mitfuhr
auf dem Floß auf der Donau sie sagte

die dort anders ist als du sie hier kennst
– und wie anders las ich aus der Flußkarte der Donau

Sah die Verzweigungen Wasserarme
wie hier die Verzweigungen des Birnbaums Blattarme
jetzt die weißen Arme der Großmutter
den Wollknäuel in ihrem Schoß das Pflaster im Hof
mit grünen Büscheln Gras den Sandhaufen
den runden Stein wo früher ein Brunnen war
und sah den Zaun und Garten Drahtmaschen Lanzenstäbe
dahinter die Schatten der Bäume

und Schatten auf dem Pflaster
von den Drahtmaschen den Lanzenstäben dem Balkongitter

und Schatten im Gras von den Bäumen deren Namen
wir lernten
Lichtflecken und Schattenflecken unter dem Laub
die sich bewegten wie oben die Luft die Blätter bewegte

Abendluft jetzt und die sich längenden Schatten
zu Bändern ausgerollt von den Baumstämmen her
und in Pfeilen aufschließend aus dunklen Sonnen
die durch das Gras strahlten

Kreppbänder aus Schatten geknittert drüben im Garten
und das Gras von Schattenpfeilen durchschossen
aus einer Schattensonne auseinandergestrahlt –

und Schattenzungen die herüberleckten in den Hof
über das Pflaster gingen und abknickten
und auf der Mauer heraufwuchsen
bis auf den Balkon und höher –

so hoch jetzt wie wir beim Ballspielen den Ball
werfen konnten

und wohin wir nicht mehr kamen
und weiter von Stockwerk zu Stockwerk
und deutlich zuletzt

in dem Augenblick ehe sie weggingen weil das Licht wegging
erkennbar dieselben Umrisse

bauchig fiederig fertig jetzt als Schatten auf der Mauer
wie drüben die wirklichen Bäume.

Und so schnell waren
als sie groß wurden: die Zeit einholten

und vollständig waren
mit Stamm Krone und Wipfel
und zugänglich hier auf der Mauer
nicht verschlossen

vollständig der Garten waren
und zugänglich hier
so daß die Hand aus dem Fenster vorgestreckt
sie berühren konnte

bis dann die Zeit wieder sie einholte
ihren Vorsprung und sie löschte
und nur noch Schatten war
auf der Hand
auf der Mauer und überall auf dieser Seite

Die Mauer die wie eine Landkarte war
hier hinten auf der Hofseite
mit abgefallenem Verputz und ausgebesserten Stellen

und in bestimmten Augenblicken wenn das Licht schräg kam
aussah wie ein Stück Mondoberfläche
mit Kontinenten Meeren und Kraterrändern

und denen ich Namen gab einer Landschaft
und für die ich mir eine Geschichte erfand
und zu der ich hinaufredete in Sätzen

von damals 1917/18
daß die Kirche brennt daß geschossen wird
daß jemand weggeht –

oder auf der ich Tag und Nacht werden ließ ohne Sätze
oder auch Sonnenschein und Wolkenfelder gehn
mit den Schatten der Bäume

Reinhard Priessnitz

reise

ins zarte feuerland
des frühlings, mein tal,
das uns milde wärmt
und öffnet unseren wünschen
knospen; durch den sommer
weiter, sommersprossig die
wiese, und da kleben wir,
harz an harz; in den halbschatten des herbstnach-
mittags, dir durchs haar,
der uns die worte tönt;
bis in ein lappland der lippen, dort, wo uns zärtlich,
als flocken, der schnee
treibt…

Reinhard Priessnitz

trauriges pudern

mehrere dunkle wolken wehen herein
die sind so mehrere und so allein
selbst in einem dunkel
und das könnte nicht dunkler nicht sein
als ich in meinem alleinverein
meine füsse und meine hände

da dunkeln sie mich gleich wehend ein
auf meines schminktisches schwarzer wolke
mit den wehenden fahnen

mehrere dunkle wolken wehen herein
ich schau schon dunkler und weher 3n
wie eine wolke traurigen puders

immer mehrererere

Peter Huchel

Aristeas II

Die Einsamkeit
der Pfähle im brackigen Wasser,
an lecker Bootswand
kratzt eine tote Ratte.
Hier sitze ich mittags,
ein alter Mann,
im Schatten des Hafenschuppens
auf einem Mühlstein.

Flußlotse einst,
doch später fuhr ich Schiffe, arme Frachten,
hoch in den Norden durch die Gezeiten.
Die Kapitäne zahlten mit Konterbande,
es ließ sich leben, Weiber genug
und Segeltuch.

Die Namen verdämmern,
keiner entziffert den Text,
der hinter meinen Augen steht.
Ich, Aristeas, Sohn des Kaystrobios,
blieb verschollen,
der Gott verbannte mich
in diesen engen schmutzigen Hafen,
wo unweit der kimmerischen Fähre
das Volk mit Fellen und Amuletten handelt.

Noch stampft die Walkmühle nachts.
Manchmal hocke ich als Krähe
dort oben in der Pappel am Fluß,
reglos in der untergehenden Sonne,
den Tod erwartend,
der auf vereisten Flößen wohnt.

Andreas Okopenko

20.40 Uhr Aufschwenken meines beleuchteten Fensters

Vom grauvioletten Himmel dachförmig Blitzen
in diesem grauviolett erfüllten Hof Heuduft.

Weiß-langärmelig Vater und Sohn gegeneinander:
Sohn will »noch in die Pfarr bis elfe«, Vater ihn schlagen.

Jetzt brät wer in diesen Küchen Verdorbenes
unentwegt muß immer wer was braten in diesen Küchen.

Blattwerk speckig und drehende Fenster drehn Sterne in Stockhöhe
oder es scheinen Sterne durch Rollädenlöcher im Erdgeschoß.

Die zahllosen Stars dieses Hofes drapieren sich jetzt braun, blau, grün
nach dem goldenen Schnitt jetzt schon alle mit Vorhängen oder Pyjamas.

In seinem Pelz dunstet bei solchem Wetter der Hausbär
unverwehbar vor dem Tor der Zwölferstiege steht er im Torlicht.

Inger Christensen

Alphabet

1

Die Aprikosenbäume gibt es, die Aprikosenbäume gibt es

2

Die Farne gibt es; und Brombeeren, Brombeeren
und Brom gibt es; und den Wasserstoff, den Wasserstoff

3

Die Zikaden gibt es; Wegwarte, Chrom
und Zitronenbäume gibt es; die Zikaden gibt es;
die Zikaden, Zeder, Zypresse, Cerebellum

4

Die Tauben gibt es; die Träumer, die Puppen
die Töter gibt es; die Tauben, die Tauben;
Dunst, Dioxin und die Tage; die Tage
gibt es; die Tage den Tod; und die Gedichte
gibt es; die Gedichte, die Tage, den Tod

5

Den Herbst gibt es; den Nachgeschmack und das Nachdenken
gibt es; und das Insichgehn gibt es; die Engel,
die Witwen und den Elch gibt es; die Einzelheiten
gibt es, die Erinnerung, das Licht der Erinnerung;
und das Nachleuchten gibt es, die Eiche und die Ulme
gibt es, und den Wacholderbusch, die Gleichheit, die Einsamkeit
gibt es, und die Eiderente und die Spinne gibt es,
und den Essig gibt es, und die Nachwelt, die Nachwelt

6

Den Fischreiher gibt es, mit seinem graublau gewölbten
Rücken gibt es ihn, mit seinem Federschopf schwarz
und seinen Schwanzfedern hell gibt es ihn; in Kolonien
gibt es ihn; in der sogenannten Alten Welt;
gibt es auch die Fische; und den Fischadler, das Schneehuhn
den Falken; das Mariengras und die Farben der Schafe;
die Spaltprodukte gibt es und den Feigenbaum gibt es;
die Fehler gibt es, die groben, die systematischen,
die zufälligen; die Fernlenkung gibt es und die Vögel;
und die Obstbäume gibt es und das Obst im Obstgarten wo
es die Aprikosenbäume gibt, die Aprikosenbäume gibt,
in Ländern wo die Wärme genau die Farbe im Fleisch
erzeugen wird die Aprikosenfrüchte haben

7

Die Grenzen gibt es, die Straßen, das Vergessen

und Gras und Gurken und Ziegen und Ginster,
die Begeisterung gibt es, die Grenzen gibt es;

die Zweige gibt es, den Wind der sie anhebt
gibt es, und die einzige Zeichnung der Zweige

von genau dem Baum der Eiche genannt wird gibt es,
von genau dem Baum der Esche, Birke, Zeder
genannt wird gibt es, und im Kies des Gartenwegs wiederholt

gibt es die Zeichnung; gibt es auch
das Weinen, und Weidenröschen und Beifuß gibt es,
die Geiseln, die Graugans, die Jungen der Graugans;

und die Gewehre gibt es, einen rätselhaften Hintergarten,
verwuchert, öd und nur mit Johannisbeeren geschmückt,
die Gewehre gibt es; mitten in dem beleuchteten
chemischen Getto gibt es die Gewehre,
mit ihrer altmodischen, friedlichen Präzision gibt es

die Gewehre, und die Klageweiber gibt es, satt
wie gierige Eulen, den Tatort gibt es;
den Tatort, verschlafen, normal und abstrakt,
in ein weißgekalktes, gottverlassenes Licht getaucht,
dieses giftige, weiße, verwitternde Gedicht

8

Das Flüstern gibt es, das Flüstern gibt es,
die Ernte, die Geschichte gibt es, und den Halleyschen

Kometen; die Heerscharen gibt es, die Horden
die Herrscher, die Höhlen, und in den Höhlen drinnen
den Halbschatten, im Halbschatten drinnen bisweilen

die Hasen, bisweilen ein Laubdach vor der Höhle wo es
die Farne gibt; und Brombeeren, Brombeeren,
bisweilen die Hasen versteckt unterm Laubdach

und die Gärten gibt es, die Gartenkunst, die blassen, reglosen
Blüten des Holunders wie ein siedender
Hymnus; und den Halbmond gibt es, die Halbseide,
den ganzen heliozentrischen Dunst der diese ergebenen
Hirne geträumt hat, ihr Glück; und die Haut

die Haut und die Häuser gibt es, den Hades der
das Pferd wieder aufnimmt und den Hund und die Schatten
der Herrlichkeit, die Hoffnung; und den Rachefluß, Hagel
unterm Steinhimmel gibt es, die weißen,
licht leuchtenden blauen oder grünlichen

Schlafnebel der Hortensie, bisweilen blaßrote, einzelne
Placken, sterile, gibt es; und unterm schrägen
Harmageddon des Himmelsgewölbes das Gift,
die sausende Harfe des Gifthubschraubers über Hirtentäschel,
Hornkraut und Flachs; Hirtentäschel, Hornkraut
und Flachs, diese letzte hermetische Schrift,
die sonst nur von Kindern geschrieben wird; und den Weizen,
den Weizen im Weizenfeld gibt es, das schwindelerregende

waagerechte Wissen des Weizenfelds, Halbwertzeiten,
Hungersnot und Honig; und zuinnerst im Herzen,
sonst wie immer zuinnerst im Herzen nur
die Wurzeln des Haselbuschs, den Haselbusch ausgesetzt
auf den Bergen des Herzens, robust und genügsam,
ein gehäufter Werktag aus der Engel Ordnung;
schnell, hyazinthisch in seinem Hinfall das Leben,
wie im Himmel also auch auf Erden

(…)

(Übersetzung von Hanns Grössel)

Ernst Jandl

schweizer armeemesser

warum so viele tage, wenn
so wenig ich erinnern kann
von ihnen allen. krachend schlagen
die türen zu, o du gnadenloser
sturm. meine sittiche
flattern schreiend um meinen kopf
und ich perforiere
mit meinem schweizer armeemesser

die blinde haut der vorfahren
die sich über meine zuckende
gestalt will wickeln,
daß meinen augen doch
noch bleibe ein loch, um hinaus
aus dem schrecken zu gucken
in die ewige finsternis

Peter Waterhouse

Der gemeinte Mensch

1

Zunächst geht der gemeinte Mensch ins Kaffeehaus. Blickwechsel
auf die Wahrnehmung: Tische, Tee, rote Lippen der Frauen. Der Zucker
in der Voraussetzung heißt Zucker. Alle Füße stehen auf dem Boden
alle Köpfe stehen im heruntergeholten Himmel. Das Gesamte des Kaffeehauses
trifft auf den gemeinten Menschen zu. Man pinkelt im Klo
man hustet in die Zeitung. Öffnen des Kragenknopfes
Finger im Ohr des gemeinten Menschen sucht etwas.
Blickwechsel neunzig Grad nach links, das Gemeinte schwingt
um die eigene Achse. Zunächst ist gemeint die Achse im Kaffeehaus
(Kaffeehausachse).

2

Der gemeinte Mensch schreit vor Angst. Begleitumstände: Straße
hoher Himmel, gesamtes Schwingen. Man muß jetzt sagen:
Zunächst schreit der gesamte Mensch. Was ist gemeint?
Es ist gepißt worden, es ist gehustet worden, aber
der gemeinte Mensch kann nicht immer nur husten.

3

Autobus: Alles sieht nach Schütteln aus. Das Schreien hier
heißt: Der Lenker beschleunigt den gemeinten Menschen.
Zunächst wird gebogen, gedreht, gebremst, also:
Die Bestimmungen werden städtisch ineinandergeschoben, aus

dem großen Geräusch blickt unbeschreibbar
der gemeinte Mensch, Samstag 27. April, nach dem Ausstieg
meint das gesamte Gehen: Achtung Weltende
Achtung Weltende. Zunächst geht
der gemeinte Mensch unter.

4

Der gemeinte Mensch dreht eine Achse und geht auf. Einmal
legt der gemeinte Mensch sich auf eine rote Lippe. Einmal
geht eine Tür auf, und unter dem Hut steht schon wieder
der gemeinte Mensch. Einmal sieht er etwas und
er nennt es irrtümlicherweise Achse der Seele und
freut sich lange. Alles ist für die lange Zeit
unbestreitbar. Zunächst geht der, der sich freut
durch den Stadtteil, der dies alles nicht verspricht, und
der gemeinte Mensch dreht sich, und
das Drehen heißt manchmal Tanzen.

5

Suppe essend, großes Marktpanorama, Tomate liegt im Detail
man hört den gemeinten Menschen zu sich sagen: Marktplatz nenne ich:
Hier ist die Welt eßbar. Das große Verzweiflungsvolle
dreht sich in eine neue Relation. Ich esse, und
Kirschen und Trauer kommen zunächst zusammen. So
wird die gemeinte Sehnsucht gedreht und gedreht.

6

Zunächst unbemerkt hat begonnen die versprochene Rückkehr. Diese
ist so vorzustellen: Der Schrei wurde um die Seele gedreht. Wenn
die Tür aufgeht, steht unter einem neuen Hut schon wieder frisch erworben
der gemeinte Mensch. Zunächst drehen wir uns mit.

Ernst Jandl

zwei erscheinungen

ich werde dir erscheinen
wie stets ich erschienen dir bin
und du wirst weinen
denn ich bin dahin

und du wirst mir erscheinen
wie stets du erschienen mir bist
und ich werde weinen
weil zwischen uns beiden
zu sagen nichts mehr ist

Thomas Kling

gewürzter hals, morgendrossel

> O flaumenleichte Zeit der dunkeln Frühe
> (Mörike)

es ist rein   reine halswürze
ist es, tags danach noch:
ungedrosselter morgn von einmal keinem aber-bilderrätsel
verstellt;
      wie du so schön,
bei jedm schluckn (kehlendeutung, ich
deute meine kehle) dich zu mir
gesellst   dies schluck ich gerne
TATSACHE MANCHMAL IST DAS LEBN
1 LUST

Thomas Kling

di zerstörtn. ein gesang

1

herzumlederun'. schwere.
geschüzze.
     böschungen im schweren in
gescheuchtm mohn; wir haben lawinen, la-
winenstunden und ja und -jahre gehabt. wir
pflanztn uns auf, wir aufpflanzer von ba-
jonettn. di blutablaufrinnen, die kanntn
wir.

2

WIR LAGEN IN GROBEN GEGENDN. WIR PFLANZTN
TOD. WIR PFLEGTN DEN GESANG / WIR AUF-
PFLANZER VON EWIGEM MOHN / DER SCHOSS
AUF UNSERN HÄUPTERN UNS IN DEN GESANG
DAS NANNTN WIR: *herzumlederun'*! + schrienz,

3

rattnschlaf. so war ich deutscher, serbe,
franzose; wir wir wir. WIR STEKKTN UNS auf
unsre bajonette, fühlten uns und sangen für
den böschunxmohn   »todesanxxt?,

4

ja.: 2 mal:
als in den 20ern ich in offne see hinauszutreibn
drohte; als das meer mich *fast* genommn hätte. +:
INFANTRIE-ANGRIFF / schlacht a. d. putna; ru-
ssischer gesang noch als ich nachts 88 war. ihr
gegnüber-gesang; nur der fluß trennte uns nachdem wir umgeladn wurdn in hermannstadt ('16).«

5

hart umledertn herznz. unsere schwere.
geschüzze   so bricht der tag an di rattnnacht.
nächte nächte rattnnächte im böschunx-, im
ratten-mohn. wir sind noch WIR WAREN UNTER DER
WEISZN (*jiddisch, di mond*) da waren wir,
DAS WARNEN WIR. UMSONST-GESANG

6

unterm rattnmond kurz schlafende schlaflose
mordexpertn; WIR SCHLIFFN di spatn an und
übtn an lebendign kazzn; wir rattn wurdn
trainiert wi rattn. WIR SCHWEISSTN uns schlag-
ringe; WIR SCHWEISSTN auf allen seitn GEHN SI
IN UNSER MUSEUM auf allen seitn den bauernkriixx-
morgenstern. da, grabnkampf, verhaue,

7

brach di tagsonne ab, nebel-, geschüzznebel-
betreut im böschunxmohn, kaum kriegen, 88, wir
unsre tablettnkrallen zum schmalgelbn todmund.

8

WIR SCHWOREN auf unsre schrapnelle, blikkn
aus schwer zerlebten trauma-höhlen auf unsre lebnzz-
geschichte.
kaliber.   korps-chor: (»WIR HÖRTN
kaliber.   DI ENGLEIN
kaliber.   SINGEN«)
geschichte.

9

bestellte, jahre später, grünoxidierte äkker;
deine pflugschar, bauer, knarrt in hülsen, schädel, handgranatnsplitter. das knarrt in deinen
schlaf, rattnschlaf, den unbesänftigtn. so rot
blüht dir der böschunxsmohn ins herz ins starr-

umlederte, wo keine schwestermutter dich anhört
und hört; *di weiße* scheint in gräbnmohn, ameisene
schwere, geschüzzdonner der deine träume ja jahrzehnte später pflügt und schwere,
schwere schwere (!!!)..

Thomas Kling

die fremde

-gerissn, unbeflügelt; nicht mal
flügellahm   so kommt mit mir ein
reisetag daher: unbeflügelt, mitgenommen, ohne
halt, ich sitze fest. durchreisetag: bei irgendeinem -witz hat eisenhut (?) geblüht. da draußn,
schwarz, die namen sachsens; und sachsen riecht
nicht gut; partikelsachsen (staubige augn) wehen rein und aufs papier, diwischti hand weg,
kantenhant   ich, reisend durchgerissn, mit
bis auf die nächste unberührter
eisenhaut

Friederike Mayröcker

bin jetzt mehr in Canaillen Stimmung

ich freue mich nicht wenn mir jemand gepreßte Blumen
oder 200 Millionen Jahre alten Lavasand sendet
ich freue mich nicht über Blumen an meiner Tür
über Blumensträuße wenn jemand mich aufsucht –
solche Zeichen haben für mich jeglichen Sinn
verloren, sind mir leere anspruchsvolle Gesten geworden.
Weiß ja nicht wo und wie ich mich befinde, nur,
daß das alte PIANO PONY mein Komet ist und mit mir weint.

Friederike Mayröcker

ausgerasselte Sprache

ICH WERDE EINE PALME, NIZZA PALME /
ich werde eine Palme auf meinem Dachgarten pflanzen
die wird palmfingrig : mit schattigem Hauchen
mir etwas von dem vermitteln was ich vermittelt bekam
in meinen frühen Jahren in D., neben dem Ziehbrunnen.
In einer anderen Strophe, sage ich, läszt sich künden
dasz alles basiert auf einer lichtgrünen Träne,
einem fast Entschweben ins Juniblau, einer Verwandlung,
nämlich dem Vorgefühl einer strengen Auflösung
wie sie uns allen bevorsteht

Marcel Beyer

Der Kippenkerl

I

Handzahm, gewiß, und selten
an den eigenen Lippen leckend
der Freilandraucher beim
Beaschen der Heide, Kradspuren
abwandernd, lichteres, lohendes
Gelände Spätnachmittag: Die Retina,
Nachkriegsmodell, dem Lichteinfall
folgend gerichtet, dann aber wieder
verdunkelt, Kappe auf das Objektiv
angesichts jener violetten
Streifen bei einer Birkenzeile weit
drüben, dem in das Land
gefrästen Horizont.

Sporen sind es vermutlich, die
ihren Ort wechseln, blaue, kaum
spürbar in bläulicher Luft, von
jenseits der Lichtung. Nachhall. Am
eingebrochenen Turm, Gefechtsleit-,

wo sie den Blech-, den Gefährten
im Ausguck postiert haben, lagern
die -kameraden nun Eisenpfeiler
mit Betonfuß, Restküche, Hausmüll
begrenzt, die Tablettenbriefchen.
Hier übten sie. Hier, abgewandert,
die Schießbahn Zwei.

II

Modellbaureste daneben, Grate,
Plastikteile zu einem Schuppen,
Vierkanthof gehörig, sondiert am
Rand jener Halde der Kippenvergeuder,
wegtretend, stets, in Erwartung: Schicht
um Schicht vordringend, handzahm
inzwischen auch menschliche Zähne
beiseite, die dritten. Rauchzeichnungen
im Halbdunkel, Glühbotschaften im
dauernden Denken an, vor Augen
Ziehen der Gefährtin, ländischer Gesang.

Und weiter, Sporen, weiß nun,
Schaumköpfe nach Blick, nach
dem Lichteinfall (im Frost noch,
Aprilmorgen, oder Oktoberlicht
mit Quitten) Puste- und Butterblume,
dann der letzte Zug, Wenck
kommandiert sein Kinderkorps,
hier übten sie, durchstreiften den
Wald, doch dann, auf dieser Lichtung,
Sperrgang, die Schießbahn Zwei.

III

Radstände, Spuren, entnebelt,
retinabewehrt ein Wegkippender,
schlafbereit, Wasser, Wasser,
Tablettenbriefchen. Im Wald Gefährte,
Heu- und KdF-Wagen auf toten Wegen,
Kinder am Rand, vom Bildberichter
untertitelt: Keksreste in Taschen. Die

Lungenschaft, die Luft-, bei seitlicher
Einstrahlung tieferes Beharken.

Auch Rieselfehler. Hier lagen sie,
geronnenenfalls, rumpfschwach und
kraftstoffarm auf Halbe hin gerollt,
im Frost. Erdlöcher, eingebrochen, Tümpel
jetzt, krauch- und verbergungsgerecht,
Triebe nährend, Schaftfarne, Dolden in
feuchter Senke, Löwenzahn weithin
gesetzt, Aschefeld und Projektil.

IV

Im Spätlicht der filternde, der
mit Rauchwaren bestückte
Nachzügler, in Erwartung, Stoppeln
und Qualm, der letzte Zug, jenseits
des Pförtnerhauses Backbetrieb,
Überlandfahrerstrich vor leeren
Fenstern einer Balkanstube.

Abluft. Ein Tankwart, Kamerad der
Nase, ortsgebunden und lagekartenfern,
Zeuge geheimer Treffen nachts, im
Wald, per Lichtsignal: Die Zigarette, und
abwechselnd ziehen, dann Dauerbrand,
vom Ostwind angefacht.

Dorothea Grünzweig

Geschwistertreffen in Hyönölä

Das Haus greises Gebälk
in dem die Mutter schien und
sich zu Grabe schaffte
der Vater in der rauhen Liebe
aller Trunkverwirrten schlug

umarmte hilflos raste wenn
ein Säugling starb
die Habe schwand

holt sich die Brüder Schwestern
verwittert knorrig unter
sein Dach der Himmel scheu vor
Abend auch die Geschwister sprechen
nicht es schweigt der Mund hier
wenn er viel zu sagen hat
die Worte wichen immer schon
bevor sie aufgenommen wurden
verpflanzten sich
sind Wald
bilden die Kraft die dicht
das Haus umbauscht und jeder Baum
ein hochgewachsnes Plaudern
Flüstern Schrein

Am Fenster die Geschwister
im Lauschwunsch waldgewandt
er kann was sie nicht sagen können
sagen doch traut im Treffen
plötzlich sie erfaßt von
jenem Lied im Dämmer früher
mütterlich gesungen von
windzerstiebter süßer Zeit
die Münder trüb im Schweigen
hell sind sie lautrein
und Schulter sinkt an Schulter
es leben die verlassnen Stimmen auf
berühren sich der Wald
stimmt ein

Und jedes Haus der Kindheit hat
sein Urbild an einem Ort nicht
greifbar nur
beseelt zu sehen so beim
Singen erscheint es
die Schattenschärfe sanft oder
ganz schattenlos im schwanken Schein

kann auch begriffen werden wörtlich
wie in karelischer Geschichte
in der ein Ersthaus stand
benannt nüchterne Ruine doch in
Wahrheit als seine Menschen flohen
vor Feinden die's nicht
greifen sollten weggezündet
freigebrannt

Es sanken Sterne durch das Himmelsdach
herein und nun vors Haus
getreten unterm Schirm aus Lichtern
Tönen der eine Weile fortschwebt
die Geschwister so als
wärn sie unverletzt
kindklein

Hermann Korte

Energie der Brüche

Ein diachroner Blick auf die Lyrik des 20. Jahrhunderts und ihre Zäsuren

Periodisierungen und Epochenbildungen haben in der Literaturwissenschaft längst den Charakter von Glaubensfragen und Gesinnungsprüfungen verloren, nachdem der müßige Streit um sozialgeschichtliche oder innerliterarische Zäsur-Konstruktionen inzwischen ein Teil der Wissenschaftsgeschichte geworden ist. Nützlich, so viel scheint festzustehen, sind für die Markierung von Einschnitten in literarhistorischen Prozessen gewisse Trenndaten. Diese führen aber kein Eigenleben, sondern sind von der Strategie abhängig, mit der Geschichten über Literaturen erzählt werden. ›Plot‹ und ›Story‹ konstruieren die Ereignisse. Es gehört, nachdem der Konnex zwischen historischen Wissenschaften und der Poetik seit einigen Jahrzehnten immer stärker in den Blick genommen wird, zur Poetik des literarhistorischen Erzählens, daß sie ihre diachronen Ordnungen *heuristisch* begreift: nicht etwa als ontologische Faktizität, sondern als Hilfsmittel zur Konstruktion von Zusammenhängen und Divergenzen, von Kontinuitäten und Diskontinuitäten. Im folgenden soll die Geschichte der Lyrik des 20. Jahrhunderts auf ihre markanten Brüche und prozessualen Einschnitte untersucht werden. Im Mittelpunkt stehen dabei die Energien der Bruchstellen und Zäsuren sowie die im diachronen Rückblick aufzuhellenden Polaritäten, welche die historischen Prozesse vorantrieben, die schließlich zur ›Geschichte der Lyrik des 20. Jahrhunderts‹ wurden. Eine Geschichte der Brüche, Zäsuren und Sprünge ist nicht *die* Lyrikgeschichte des Säkulums, sondern nur *eine* ihrer vielen Geschichten. Sie ist eine Geschichte von Energie-Linien, in denen sich ein Jahrhundert lang im spannungsgeladenen Mit- und Gegeneinander von Schreibweisen, Stilen, Richtungen, Schulen, Autor-Poetiken, Habitusformen, Selbstverständnissen und Selbstpräsentationen die Energie einer literarischen Gattung ständig erneuerte. Sie ist die Geschichte der lyrischen Moderne von 1890 bis heute.

1890/1900

Es besteht, soweit ich sehe, große Einigkeit darüber, daß in der Geschichte der deutschsprachigen Lyrik die Zeit um 1890/1900 eines ihrer bedeutsamsten Zäsurdaten ist. Die lyrische Moderne, die in Frankreich bereits programmatisch mit Baudelaires »Les Fleurs du Mal« 1857 als säkulares Ereignis begann, setzte im deutschsprachigen Raum erst in den neunziger Jahren ein, und zwar recht abrupt und umfassend.[1] Konsens gibt es auch darüber, daß die Energie dieser Bruchstelle vor allem mit den Namen George, Rilke und Hofmannsthal verbunden war. Es entwickelten sich sowohl neue Schreibkonzeptionen, die in strikter Abgrenzung zur Erlebnis- und Stimmungslyrik des späten 19. Jahrhunderts standen, als auch neue Selbstverständnisse und Habitusformen, wie das Beispiel Georges und dessen Selbstdarstellung als Dandy, priesterlicher Seher und exklusives Haupt eines eigenen Kreises rasch demonstrierte.[2]

Bereits 1885 war der Begriff der Moderne in der Anthologie »Moderne Dichter-Charaktere«[3] als Gegenbegriff zur Epigonenlyrik gebraucht worden. 1886 gab Arno Holz seinem »Buch der Zeit« den Untertitel »Lieder eines Modernen«, nachdem er noch kurz zuvor dem prominentesten Epigonen, Emanuel Geibel, ein Gedenkbuch gewidmet hatte.[4] Das »Buch der Zeit« lebte bereits vom energischen Gestus des Modernen. Modern hieß in diesem Verständnis: mit dem Alten brechen, sich auf die Seite des Neuen stellen, selbst das Neue darstellen und daher auf der Höhe der Zeit und ein zeitgemäßer Autor sein. Auf dreifache Weise differenzierte Holz die Moderne-Signatur aus. Holz' Moderne-Programm war erstens eine Art *Selbstprogrammierung*. Für Holz erklärte sich der moderne Dichter zum aktuellen Dichter der Großstadt, der sozialen Gegensätze und Milieus. Der Anspruch, etwas Neues zu thematisieren, war zweitens mit einem *Innovationsgestus* verbunden. Er wurde bei Holz anfänglich noch über den Gedichtgegenstand demonstriert, bald aber im 1898 erstmals veröffentlichten, bis 1925 erweiterten und immer wieder veränderten Zyklus »Phantasus« über eine neuartige Kompositionstechnik, beispielsweise über mittig gesetzte Verse, ein Rhythmus-System, welches mit unterschiedlichen Tempi arbeitete, Experimente mit dem Sekundenstil und Versuche, akustische und optische Wahrnehmungssegmente in der sprachlichen Struktur mit einer Fülle von Farbattributen, Partizipialkonstruktionen, Verb-Kumulationen, Komposita, Neologismen und Alliterationen zu konkretisieren.[5] Drittens zeigte sich bereits im »Buch der Zeit« eine charakteristische Tendenz zur *Selbstthematisierung der Literatur und der Rolle des Dichters* im Medium der Lyrik und im für die Moderne so wichtigen Genre des poetologischen Gedichts. Für den frühen Holz war diese poetische Selbstreferenz an die Figur des armen Poeten geknüpft, dessen Schreibinitiation hoch oben in der Dachstube emphatisch mit einer ins Grenzenlose gesteigerten Selbstverklärung und Allmachtsphantasie verbunden wurde:

> Dort saß er nachts vor seinem Lichte
> – duck nieder, nieder, wilder Hohn! –

und fieberte und schrieb Gedichte,
ein Träumer, ein verlorner Sohn!
Sein Stübchen konnte grade fassen
ein Tischchen und ein schmales Bett;
er war so arm und so verlassen
wie jener Gott aus Nazareth![6]

Der Dichter, der seinen Platz außerhalb der bürgerlichen Sphäre einnahm, reklamierte für sich eine herausgehobene Position. Er war nicht nur der Außenseiter, sondern auch der Gezeichnete, der Erwählte. Unüberhörbar war die messianische Pose, das Pathos der Selbstbeschreibung und die Aura des Schreibens.

Die Zäsur von 1890/1900 fiel in eine Zeit, in der die Antinomie zwischen der ökonomisch-technologischen Modernisierung und der kulturell-literarischen Moderne deutliche Konturen annahm. Auch die Lyriker, die im neuartigen Genre des Großstadtgedichts von »rußbestaubten Dächerwogen, / Straßendunst und dumpfem Werkgetose«[7] schrieben, feierten nicht die Modernisierung und Expansion der großen Städte, sondern akzentuierten die im beschleunigten Wandel entstandenen Widersprüche. Unbehagen, Katastrophenangst, zuweilen auch Erlösungswünsche mischten sich in solche Verse. So hieß es bei Bruno Wille:

Und sieh nur, wie die Scheibenzeilen strahlen,
Mit rotem Blitz das Sonnenfeuer malen –
Wie alle Häuser, alle Fensteraugen,
Mit heißem Durst die Purpurquelle saugen
Und saugend immer lichter sich verklären –
Als ob sie fluchbeladne Schlösser wären,
Die für ein karges Weilchen von der bösen
Verwünschung sich erlösen. (...)[8]

Der Titel des Gedichts, »Entzauberungen«, nahm, ein Zufall, jenen Topos auf, den Max Weber als einen Zentralbegriff für das moderne Zeitalter verwandte, um die Signatur einer versachlichten, rationalen und funktional-bürokratischen Gegenwart zu bezeichnen.[9] Von ihr grenzte sich moderne Lyrik kategorial ab und definierte sich im ästhetischen Widerstand gegen die funktionale Mechanik der Herrschaft über Natur und Dingwelt. In seiner Hochschätzung der Dinge wie der Dichtersprache artikulierte Rilke seine Vorbehalte und Ängste gegenüber der modernen ›Entzauberung‹:

Ich fürchte mich so vor der Menschen Wort.
Sie sprechen alles so deutlich aus:

Und dieses heißt Hund und jenes heißt Haus,
und hier ist Beginnen und das Ende ist dort.

(...)

Ich will immer warnen und wehren: Bleibt fern.
Die Dinge singen hör ich so gern.
Ihr rührt sie an: sie sind starr und stumm.
Ihr bringt mir alle die Dinge um.[10]

Der bittende, keineswegs rechthaberische Gestus des »Bleibt fern«, ein Modernisierungseinspruch, am Beginn lyrischer Moderne: In ein solches Zeitverständnis ging ein stark selbstreflexives Moment ein, das keinen Schutz einer Religion oder Weltanschauung mehr kannte und das auch im Zurückgeworfen-Sein auf die eigene Existenz erst recht keinen Ruhepunkt mehr fand. Vor diesem Hintergrund ist die Energie, mit der zur Jahrhundertwende die Lyrikzäsur vorangetrieben wurde, ein Krisenphänomen, wobei der Begriff der ›Krise‹, der ein Jahrhundert lang Hochkonjunktur haben wird, nichts anderes als eine Periphrase beschleunigter Zeiterfahrung ist und daher die Einsicht fixiert, daß sich im irreversiblen Zeitprozeß alle Sicherheit und Verbindlichkeit aufzulösen droht. Das eigene Ich, die Innen- und Außenansicht und die Sprache selbst wurden zum Gedicht- und Essaythema. Sprachskepsis und Sprachkritik gaben der lyrischen Moderne wichtige Impulse, wie bei Hofmannsthal und Karl Kraus. Die lyrische Moderne nahm ihren Platz in einem gegen die ›entzauberte‹ Wirklichkeit abgeschotteten, für autonom erklärten Bereich ein, weniger ein Rückzug auf ein *L'art pour l'art*-Prinzip, vielmehr ein Insistieren auf der Autonomie von Dichtung und Kunst, die vielfach verbunden war mit der »Hoffnung auf eine *ästhetische* Erneuerung und Gestaltung des modernen Lebens«[11]. Dieser Perspektive hatte Nietzsche wichtige Impulse gegeben. Sein Lebensbegriff und sein Blick auf das Dasein als ästhetisches Phänomen wurden, wie auch immer philosophisch korrekt, eifrig rezipiert und in eigenen ästhetischen Lebensprojektionen weiterentwickelt.[12]

Zu den philosophischen Leitfiguren kommen zumindest drei weitere Portalgestalten der lyrischen Moderne Frankreichs hinzu: Baudelaire, Rimbaud und Mallarmé, ohne deren Poetiken, Schreibkonzeptionen, Selbstverständnisse und Habitusformen die lyrische Moderne im deutschsprachigen Raum nicht denkbar gewesen wäre. Baudelaires ästhetische Provokationen waren an betont unbürgerliche Rollen gebunden; er war zugleich Dandy, Ästhet, Gotteslästerer, Anhänger der Ästhetik des Häßlichen und Bizarren und doch nichts dergleichen im Sinne fundierter Weltanschauung oder politischer Position. Wie konkret und radikal die Provokation der Moderne als Einheit von

Lebens- und lyrischer Schreibpraxis schon ein paar Jahrzehnte nach Baudelaire sein konnte, dafür ist Rimbaud das exzeptionellste Beispiel: ein Lyriker,
der, 1854 geboren, bereits 1875 mit 21 Jahren das Schreiben wieder aufgab,
als Waffenhändler und Abenteurer nach Afrika ging und seinen Zeitgenossen als verschollen galt, kein Dandy mehr, sondern ein Rebell. Rimbaud,
17 Jahre alt, schrieb: »Ich will ein Poet sein, und ich arbeite an mir, um aus
mir einen *Seher* zu machen. (...) Es geht darum, durch ein Entgrenzen aller
Sinne am Ende im Unbekannten anzukommen. Die Leiden sind gewaltig,
aber man muß stark sein, als Poet geboren, und ich habe mich als Poet
erkannt.«[13] Rimbauds Formel »*Ich* ist ein anderer«[14] war eine frühe Auf-
kündigung von Identitäts- und Subjektivitätsphilosophie, erledigte mit
einem Satz die traditionelle Erlebnislyrik, also die Vorstellung von Lyrik als
poetischer Ausdrucksweise eines authentischen Ich und destruierte den naiven Glauben an die Unmittelbarkeit lyrischer Seelenmacht. Mallarmé
schließlich vollzog den Bruch am konsequentesten im sprachlichen Fundament der Poesie, indem er den Grundsatz aufkündigte, der für alle neuzeit-
liche Poesie galt: daß sie verständlich und eine Form der Verständigung zwischen Autor und Publikum sein sollte. Gedichte waren für ihn Sprachgebilde,
die auf nichts als auf sich selbst verweisen, die alles Gegenständliche getilgt
haben, sich tendenziell dem spirituellen Klang von Musik annähern, Sprachgebilde, in denen sich die Beziehung von Signifikanten und Signifikaten ver-
flüssigt und verflüchtigt. Der Dichter wurde zum Arrangeur von Bildkom-
plexen und das Wort zum Klangkörper. Es war klar, daß Theorien wie diese
im 19. Jahrhundert kein breites Publikum interessierten, sondern vor allem
andere Dichter.

Der junge George hatte Mallarmé in Paris kennengelernt und war von dessen Poetik wie vom Selbstverständnis des Dichters fasziniert. Das zeigte sich
auch in den wenigen programmatischen Äußerungen Georges, wie etwa im
Essay »Über Dichtung«, der in den »Blättern für die Kunst« 1894 erschien:
»In der dichtung – wie in aller kunst-betätigung – ist jeder der noch von der
sucht ergriffen ist etwas ›sagen‹ etwas ›wirken‹ zu wollen nicht einmal wert
in den vorhof der kunst einzutreten. (...) Den wert der dichtung entscheidet
nicht der sinn (...) sondern die form d. h. durchaus nichts äusserliches sondern jenes tief erregende in maass und klang wodurch zu allen zeiten die
Ursprünglichen die Meister sich von den nachfahrenden künstlern zweiter
ordnung unterschieden haben.«[15] George verabschiedete mit einem einzigen
Satz die inhaltliche ›Botschaft‹ des Gedichts und hob dessen Exklusivität hervor. Dichtung sollte ein autonomer Bezirk aus Sprache und Klang sein. George war einer der ersten und entschiedensten, die um 1900 einen ästhetischen
Aristokratismus als Habitus zelebrierten. Es ging um eine symbolische Form
der Distinktion, der kategorischen Unterscheidung, der totalen Abgrenzung,
um ein Ausschließungsritual, mit dem George die Grenze zwischen sich und

später seinem Kreis auf der einen und den Ausgeschlossenen, der unwissenden Menge und den politisierenden Literaten, auf der anderen Seite zog. Das Selbstverständnis des Dandys wandelte sich bei George früh zum Selbstbildnis des Sehers, der sich weiterhin aus einer strikt aristokratischen Haltung heraus definierte: »Des sehers wort ist wenigen gemeinsam«, heißt es: »Schon als die ersten kühnen wünsche kamen / In einem seltnen reiche ernst und einsam / Erfand er für die dinge eigne namen –«.[16]

1910

Zelebration und Ritual waren Formen poetischer Selbstinszenierung, in denen die hochbedeutende Exklusivität der eigenen Dichtung und des eigenen Künstlertums sakrosankt war. Damit eng verbunden war eine gegenüber dem späten 19. Jahrhundert enorme Aufwertung des Gedichts. Wie attraktiv und essentiell die Gattung Lyrik im Ensemble der Literatur bereits um 1910 geworden war, bestätigte paradoxerweise die neue Generation, also die zwischen 1880 und 1890 geborenen Dichter, die sich zum Teil vehement von Rilke und George abgrenzten und für die sich bald das Etikett ›Expressionismus‹ durchsetzte. Ihr Metier war, von wenigen Ausnahmen wie Alfred Döblin und Carl Einstein abgesehen, die Lyrik.

Die literarische Infrastruktur der Metropolen und großen Städte und das an Zeitschriften- und Buchverlagen reiche Literatursystem vor 1914 förderten maßgeblich die Binnen- und Außenkommunikation der die Lyrik der Jahrhundertwende überwindenden neuen Dichtung. Der Bruch vollzog sich rasch, abrupt und in spektakulären Sensationen. Im Selbstverständnis seiner Protagonisten verband sich bei einer Reihe junger Autoren das Bewußtsein, in der Lyrik die Speerspitze unerhört moderner Neuerungen zu bilden, mit dem Gefühl, Konventionen und starre Ordnungen der Gesellschaft zu sprengen und mit dem Bestehenden schlechthin zu brechen. Die Energie und Euphorie der Bruchstelle von 1910 lassen sich sogar im gewissen Sinne quantifizieren. Paul Raabes Repertorium »Die Autoren und Bücher des Expressionismus«[17] erfaßt rund 350 Namen. Für den Zeitraum zwischen 1910 und 1920 registriert Raabe über 450 Gedichtbände. Zu keiner Zeit im 20. Jahrhundert hatten Gedichtbände je wieder eine so hohe Auflage; Erstauflagen von Zehn- bis Zwanzigtausend waren keine Seltenheit. Die Vehemenz und das Tempo, mit denen sich die expressionistische Lyrik ins literarische Leben drängte, haben bei Autoren wie Kritikern den Eindruck einer Literatur-›Revolution‹ hinterlassen, deren Glanz sich in der Erinnerung immer mehr verklärte. Aber eine Kultur- und Literaturrevolution war der literarische Expressionismus keineswegs, ebenso wenig eine literarische Epoche; denn er war eine zwar recht dominante literarische Richtung mit vielen Facetten, Stilen und Gruppierungen, aber es gab zwischen 1910 und 1920 viele andere Schriftsteller, die nicht in den Kontext des Expressionismus gehörten, von Thomas Mann bis George, von Hesse bis Hofmannsthal. Es ist längst nachgewiesen, daß der vielbeschworene, in älterer Forschung oft mystifizierte ›Aufstand gegen die Väterwelt‹ vielfach eine psychologische Projektion und literarische Fiktion blieb, so wie die Popularität der bürgerlichen Jugendbewegung und des Wandervogels erst unter Optionen eines Freiräume gewährenden, recht liberalen Erziehungsstils und geschwächter Autoritätsstrukturen möglich wurde.[18] Die große Manier der Empörerpose hatte mit ihren wilhelminischen Kontrahenten sogar gewisse Züge gemeinsam, vollmundige Sprache, Großmannssucht und Autoritätsgläubigkeit etwa.

Die Bruchstelle um 1910 war weitgehend eine Generationenzäsur. Sie inszenierte sich im Zeichen der Jugend. Der aus dem Militärischen stammende Begriff der Avantgarde spiegelte sich metaphorisch in expressionistischen Zeitschriftennamen wie »Die Aktion«, »Der Sturm« und »Revolution«. Die Selbstdarstellung und -inszenierung in der Öffentlichkeit spielte im Unterschied zur exklusiven Abgeschlossenheit beispielsweise des George-Kreises eine wichtige Rolle, und zwar nicht nur als Ausdrucksform, sondern auch als Inhalt der neuen Dichtung. Das Motiv des jungen, sich gegen die Väterwelt erhebenden Dichters bildete Attitüden heraus. Das *Selbstverständigungsgedicht* wurde zu einem wichtigen Genre, weil es – wie bei Becher, Lotz und Werfel – das Wir-Gefühl stärkte und ein phantasiereiches Repertoire an Bildern und Kostümierungen anbot für Abgrenzungsmuster, kollektive Befreiungs- und Allmachtsphantasien, Selbstverständnisse und Sehnsüchte. Kriegs- und Revolutionsmotive hatten schon vor 1914 Konjunktur:

> Wir horchen auf wilder Trompetdonner Stöße
> Und wünschten herbei einen großen Weltkrieg.
> In unseren Ohren der Waffen Lärm töset,
> Kanonen und Stürme in buntem Gewieg.
>
> Erreget Skandale! Die Welt wird zu enge.
> Es johlt vor Palästen die ärmliche Menge.
> Es trümmern die Tore. Es klirren die Fenster.
> Die Mauern, sie wanken, die schüssedurchsiebten.
> Vergessen wir unsere schmerzlich Geliebten!
> (...)[19]

In der Forschungsretrospektive wurde allerdings immer deutlicher, wie stark in vielen Texten und bei vielen Dichtern der Anteil an Angst- und Depressionssyndromen war und wie dominant Motive der Resignation, der Orientierungs- und Perspektivlosigkeit schon vor 1914 immer stärker hervortraten. Georg Heyms Werk etwa, begonnen unter vitalistischen Vorzeichen, lieferte immer eindringlichere Bilder der Öde, der Erstarrung und des Todes, bis hin zur abrupten Negation metrisch strenger Ordnungen, wie im Schlüsselgedicht »Simson«, dem Porträt des Gescheiterten:

> (...)
> Und draußen die Nacht beginnt.
> Und der Dunkelheit wilder Wind
> Um den bergigen Turm.
> Und die Dohlen mit riesigen Krallen
> Schlagen den Sturm auf flatternder Flucht
> Durch die kahlen Himmel und lassen sich fallen
> In gelber Ströme sterbende Bucht.[20]

Auch Trakls Werk liest sich wie ein immer tieferer Zug zu Verzweiflungs-, Ohnmachts-, Schuld- und Untergangsmotiven. Nicht im pathetischen Rebellionsmanifest, sondern in Gedichten mit jenen Motiven und Reflexionen entfaltete sich eine neue poetische Kraft der Moderne mit einer unerhört expressiven Ausdruckssprache und einer kühnen, komplexen Bildlichkeit, die sich von Konventionen und Traditionen löste und eine das Werk konstituierende Autonomie erlangte.

»Zerbrochene Formen«[21] indes gab es im Expressionismus kaum. Vielmehr übernahmen viele Lyriker die an George erinnernde und von ihm übernommene strenge metrische Form des fünfhebigen Jambus, meistens adaptiert in vierzeiligen Strophen und kombiniert mit teils sehr geschlossenen, teils eher lässig genutzten Reimschemata. Heym, Trakl, Becher, Lotz und viele andere schrieben Sonette. Noch 1919 hielt Rudolf Leonhard in seinen »Spartakussonetten«[22] die tradierte Form für eine dem epochalen Revolutionsthema adäquate Strophenform. Liedstrophen, Balladen, Dithyramben, sogar Hymnen und Psalmen gehörten zum expressionistischen Formenrepertoire. Ohnehin blieb trotz einer in Metropolen wie Berlin, München, Wien und Prag sich entwickelnden öffentlichen Auftrittspraxis in Clubs, Cafés, Sälen und Salons der typographisch gediegen aufgemachte, schmale Gedichtband die am meisten verbreitete mediale Präsentationsform. Wer bei Rowohlt, Kurt Wolff und Kippenbergs Insel Verlag veröffentlichte, publizierte keineswegs im subkulturellen Milieu, sondern unter bedeutenden Signets. Zeitschriftenveröffentlichungen hatten für eine Reihe von Autoren Initialfunktionen und erwiesen sich als Kontaktmedien zu Verlegern und Lektoren. Ohne öffentliche Resonanz hätte der Expressionismus seine Energie-Impulse nicht entfalten können. Für ihn war die öffentliche Wirkung, auch diejenige der Provokation wie in Benns »Morgue«-Gedichten[23], eine Art der Selbstpräsentation, die dem aristokratischen Exklusivitätsgestus von

Dichtern wie George und Hofmannsthal diametral entgegengesetzt sein sollte, weil sie den Bruch mit Lyrikern der Jahrhundertwende offen ausstellte.

Und doch war die Adaption lyrischer Formensprache bei den meisten Expressionisten mit experimentellen Prämissen verbunden. Schon Else Lasker-Schülers Verse hatten seit »Styx«[24], ihrem ersten Gedichtband, den Formrekurs als ein recht freies Spiel mit Genretraditionen, Strophen- und Versformen illustriert. Bis zu welchem Grad ließen sich Form und Inhalt in eine Spannung, in ein antinomisches Verhältnis zueinander setzen? Die Modernität expressionistischer Formensprache, die als Antwort auf diese Frage entstand, zeigte sich besonders deutlich bei Jakob van Hoddis' lyrischen Grotesken und Alfred Lichtensteins Simultantechnik, die im konsequent durchgehaltenen Zeilenstil den ordnenden, von gesicherten Sinn- und Erkenntnisperspektiven bestimmten Reflexionsraum des lyrischen Ich destruierte, den Zusammenhang der Dinge auflöste und so moderne Wahrnehmungserfahrungen im Gedicht umsetzte. Lichtensteins Gedicht »Die Dämmerung« demonstrierte den offensichtlichen Abstand zum konventionellen Tageszeitengedicht:

> Ein dicker Junge spielt mit einem Teich.
> Der Wind hat sich in einem Baum gefangen.
> Der Himmel sieht verbummelt aus und bleich,
> Als wäre ihm die Schminke ausgegangen.
>
> Auf lange Krücken schief herabgebückt
> Und schwatzend kriechen auf dem Feld zwei Lahme.
> Ein blonder Dichter wird vielleicht verrückt.
> Ein Pferdchen stolpert über eine Dame.
>
> (...)[25]

Noch entschiedener haben italienische Futuristen mit Moderne-Erfahrungen experimentiert, indem sie Geschwindigkeit und Dynamik des technologischen Fortschritts und großstädtischen Lebens zu Basiselementen von Kunst und Literatur machten. »Alles bewegt sich«, verkündete das »Technische Manifest« futuristischer Malerei 1910, »alles fließt, alles vollzieht sich mit größter Geschwindigkeit. Eine Figur steht niemals unbeweglich vor uns, sondern sie erscheint und verschwindet unaufhörlich.«[26] Die enthusiastische Analogie zwischen technischer Modernisierung und literarisch-ästhetischer Avantgarde wie in Italien hatte im deutschen und österreichischen Expressionismus keine Entsprechung; viele Expressionisten hatten ein sehr ambivalentes Verhältnis zu Technik, Industrialisierung und Großstadtexpansion. Zwar angeregt von futuristischen Impulsen, die der »Sturm«-Herausgeber

Herwarth Walden 1912 spektakulär durch Ausstellungen und Auftritte in Deutschland bekannt machte, aber doch auf eigenständige Weise hat August Stramm mit seiner ›Wortkunst‹-Konzeption jene Syntax-Zerstörung erprobt, die der Futurismus in seinem »Technischen Manifest der futuristischen Literatur« forderte.[27] Allerdings stammte sein Wortrepertoire bis 1914 aus dem Sprach- und Motivarsenal der Jahrhundertwende, und seine ›Geschlechterkampf‹-Gedichte blieben Mutationen traditioneller Liebeslyrik:

> Schreiten Streben
> Leben sehnt
> Schauern Stehen
> Blicke suchen
> Sterben wächst
> Das Kommen
> Schreit!
> Tief
> Summen
> Wir.[28]

Die Modernität der lyrischen Form war keineswegs aus dem Bruch zur Jahrhundertwende entstanden, sondern führte deren Impulse weiter. Zwar gehörte die Abgrenzungsrhetorik zur expressionistischen Selbstdarstellung. Aber es gab auch Kontakte zu arrivierten Dichtern der älteren Generation. Mit Richard Dehmel etwa korrespondierten einige expressionistische Lyriker, ihn um Rat, Urteil und Unterstützung bittend.[29] Karl Kraus war für österreichische Frühexpressionisten eine wichtige Vorbild- und Initiationsfigur. Zu George und zu Mitgliedern seines Kreises gab es Beziehungen.[30] Auch Lasker-Schüler hatte innerhalb und außerhalb der Berliner Boheme zeitweilig eine Schlüsselrolle beim Knüpfen literarischer Verbindungen, etwa für die Protagonisten der Zeitschrift »Neue Jugend« wie Wieland Herzfelde und George Grosz.

Der Weltkrieg, der einen Aderlaß sondergleichen für den Expressionismus bedeutete, brach den seit 1910 immer stärker werdenden Energie-Impuls der Lyrik nicht ab, sondern lenkte ihn in zwei Richtungen. Zum einen verdichtete sich die utopische Tendenz und förderte aktivistische Poetiken, in denen das Wort als Waffe gegen Krieg und Unterdrückung eingesetzt und der Dichter als begnadeter Heilsbringer und Führer in eine neue Welt gefeiert wurde. Zum anderen aber verstärkten sich gerade umgekehrt die Zweifel an der Wirksamkeit des Dichterwortes und immer mehr auch an den literarischen Institutionen überhaupt. Beide Impulse steuerten gegeneinander. Die dadaistische Selbstkritik der Literatur und Kunst vollzog sich synchron mit der spätexpressionistischen ›O-Mensch-Dichtung‹. Die Dada-Avantgarde zeigte

unnachsichtig und in heftigen Attacken, daß der um 1910 emphatisch verkündete Bruch mit Konvention und Tradition letztlich nichts als ein literarischer Trick war, Kontinuitäten unter neuen Etiketten fortzusetzen. Die
Metapher der Entlarvung, die der Expressionismus selbst um 1910 in seinen
Manifesten so gern gegen seine eingebildeten und tatsächlichen Gegner aus-
spielte, traf ihn nun selbst. Expressionisten der ersten Stunde zogen Bilanz
und schrieben: »Der Expressionist sperrt den Mund auf... und klappt ihn
einfach wieder zu. (...) Der ›gute‹ Mensch mit einer verzweifelten Verbeu-
gung begibt sich in die Kulisse.«[31] Zwar lief die expressionistische Lyrikproduktion nach 1918 weiter – die Aufhebung der Kriegszensur wirkte zunächst
stimulierend –, aber spätestens 1923 war der Energie-Impuls von 1910 erloschen: ein Beispiel für das rasche Altern gerade aktueller Lyrik-Konzeptio-
nen in der Moderne.

1920

Zwischen 1920 und 1923 setzte Ernüchterung nach einer überhitzten Phase hochtönender Lyrik-Aufschwünge ein, manche Autoren sahen sich in ihrer
Skepsis gegenüber Utopismen bestätigt. Andere, wie Ehrenstein und Herrmann-Neisse, schrieben, Melancholiker seit ihren ersten Gedichtbänden,
nun ihre traurigsten Verse. »Mein Leben umflattert mich wie ein Wind«,
klagte Herrmann-Neisse, »Menschenschatten jagten in ihm, nicht zu fassen, / Die Augen der Heimathäuser blicken blind. / Welt ist wie ich selbst von
Seele verlassen.«[32] Unterkühlt zog Benn Bilanz: »Die Jahre der Jugend sind
vorbei, der illusionären Hyperbolik, erloschen das Fieber der individuellen
Dithyrambie. (...) Man lebt vor sich hin, schon im Alter des Entgleitens mit
dem prämorbiden Auge für die Züge des Vergehens.«[33] Zum ersten Mal seit
1890 zelebrierte die lyrische Moderne die Verabschiedung einer ihrer Richtungen, eines ihrer Ismen, die wie verschwommene Kürzel für konkurrie-
rende Poetiken und Lyrik-›Bewegungen‹ ohne definitorische Gewähr genutzt
wurden. Charakteristisch für den Beginn der zwanziger Jahre war das Fehlen einer sich an die Stelle des Expressionismus drängenden neuen Lyrik-
Konzeption. Unter diesen Vorzeichen konnte ein Lyriker wie Rilke mit seinen »Duineser Elegien« und den »Sonetten an Orpheus« um so größere
Beachtung finden und zum ersten Klassiker der lyrischen Moderne avancie-
ren.[34] Im weitverzweigten Literaturbetrieb der zwanziger Jahre aber nahm
das Interesse an zeitgenössischer Lyrik rasch ab, die »›Öffentlichkeitskrise der
Lyrik‹«[35] wurde zum Feuilletonthema.

Solche Kritik ist aus heutiger Sicht zu relativieren. Auch in der Lyrikgeschichte ist eine ›Krise‹ nichts anderes als eine Beschleunigungserfahrung der
modernen Welt. Die ›Krise‹ war daher zugleich ein Ausdruck für die Schwie-

rigkeiten eines an Traditionen orientierten Lyrikbegriffs[36], der beispielsweise die Kabarettlyrik ganz aussparte. Aber gerade diese erlebte in den zwanziger Jahren, wenn auch nur eine Dekade lang, mit Mehring, Tucholsky, Kästner, Klabund und Friedrich Hollaender ihre Glanzzeit. Wenigstens für eine kurze Zeit konkurrierten, mit Erich Kästners Worten formuliert, ›Gebrauchs‹- und ›Gefühlslyriker‹ miteinander[37], für eine Dekade war nicht mehr der gediegen aufgemachte Gedichtband die unangefochtene mediale Verbreitungsform von Lyrik. Kabarett-Keller, Kleinkunstbühnen, Studios, Vergnügungslokale, Revue-Stätten und Bars wurden ein Jahrzehnt lang zur ernsthaften Konkurrenz. Die »›Öffentlichkeitskrise der Lyrik‹« war also die Stunde der Kabarettdichtung mit ihren Couplets, Balladen, Songs, Schlagern, zeitkritischen Liedern und politischen Gedichten.[38]

Im Kabarett der zwanziger Jahre kamen zwei frühere Richtungen zusammen, einerseits die Kabarett-Tradition seit den Tagen des Münchner »Überbrettl«, andererseits die kurzlebige Dada-Ära mit ihren öffentlichen Auftritten und Aktionen. Walter Mehring etwa, einer der bedeutendsten Kabarettisten der zwanziger Jahre, hatte sich im Berliner Dada engagiert. Sein »Ketzerbrevier«[39] von 1921 war eine enthusiastische Feier einer Schreibkonzeption, die ihre Nähe zu Alltag und aktueller Wirklichkeit hervorhob, die also nicht aus der Antithese zwischen Poesie und Realität ihre Legitimation herleitete, sondern umgekehrt aus der unbekümmert engen Berührung, ja der Zugehörigkeit zur modernisierten Welt. Zum ersten Male feierten lyrisch-saloppe »Tempo-Synkopen«[40] Dynamik, Technik und Internationalität, wurde das Symbol ›Amerika‹ zum Inbegriff enthusiastischer Moderne-Erfahrung. »Führen sie uns / doch zur kommenden Dichtung: / dem internationalen Sprachen- / ragtime«, stellte Mehring seinen »Tempo-Synkopen« voran. Der Amerika-Mythos hat auch beim jungen Brecht seine Spuren hinterlassen, verknüpft mit einer Bejahung jener Modernität und vor allem jener ›Kälte‹, die bei Brecht und anderen Dichtern der zwanziger Jahre als Signum der Gegenwart provozierend gegen eine rückwärtsgewandte, sentimentale Sehnsucht nach Wärme und Geborgenheit gesetzt wurde.[41] »Amerika« hieß 1924 ein Gedichtband Alfred Paquets, der an Walt Whitman erinnerte und Chicago-Balladen enthielt.[42] Brechts »Hauspostille«[43] gab 1927 in ihren sieben Lektionen einen Eindruck vom Lebensgefühl der emphatisch bejahten Moderne mit ihren Widersprüchen, ihrer noch im Scheitern kraftvollen Vitalität und sehnsüchtigen Gier nach Ausschweifung und Vergnügen, Lust und Sinnlichkeit. Die Großstadt war ein immer wieder variiertes Thema der auf Modernität hin orientierten Dichtung der zwanziger Jahre, ein Stoff, wie geschaffen für ›Gebrauchsdichtung‹. Großstadtgedichte schrieben in diesen Jahren Tucholsky, Mehring, Kästner, Brecht, Ringelnatz, die ehemaligen Expressionisten Klabund, Becher, Goll und Paul Zech, die junge Dichterin Mascha Kaléko, die Hesse die »Dichterin der Großstadt«[44] nannte, der linke Kabarettist Erich Weinert, Jakob Haringer, der Großstadt- und Vagantenlyrik miteinander verknüpfte, und der österreichische Dichter Theodor Kramer.[45]

Kaum eines der Großstadtgedichte feierte indes mit der Bejahung der Moderne die gültige Gesellschaftsordnung. Es ging um Lebensgefühl und Alltagsgewohnheiten, um die Anerkennung und den Ausdruck des großstädtischen Raums als eines Erlebnis- und Erfahrungsraumes, um die Moderne als einen legitimen Gegenstand von Literatur und Lyrik, nicht um die Affirmation und Akzeptanz des Bestehenden. Der sich in der modernen Welt einrichtende, sie als seine Gegenwart begreifende Autortypus sollte den sich in ferne Kunstwelten zurückziehenden Dichter ebenso ablösen wie den Verse deklamierenden Apokalyptiker des Expressionismus. Tucholsky beschrieb den neuen Typ des ›Gebrauchslyrikers‹ am Beispiel Mehrings emphatisch als »Straßensänger« der Gegenwart: »Wenn wirklich neue Philosophie, Ablehnung aller Metaphysik, schärfste und rüdeste Weltbejahung einen Straßensänger gefunden haben, der das alles in den Fingerspitzen hat: Leierkastenmusik, die Puppe auf dem Sofa des Strichmädchens, die eingesperrten Kinder, deren Mutter uff Arbeet jeht, Männer vom Hausvogteiplatz, für die die Welt keine Rätsel mehr birgt (...) – wenn die neue Zeit einen neuen Dichter hervorgebracht hat: hier ist er.«[46]

Der Poet als moderner »Straßensänger« wurde bei einigen Dichtern zur Konfiguration eines lyrischen Rollen-Ich. So veröffentlichte Alfred Richard Meyer unter dem Titel »Der große Munkepunke«[47] Großstadtgedichte auf Berlin, in denen das Ich wie ein Straßen- und Kneipenerzähler im Berliner Jargon und unter fast völligem Verzicht auf Metaphern- und Metrikdekor Alltagsgeschichten verbreitete. Von Technik, Schnelligkeitserfolgen und anderen Rekorden kündete Lion Feuchtwangers »PEP-Lyrik«. Seine Figuren Mr. Smith und Mr. Wetcheek sind Inkarnationen zeitgenössischer Amerika-Mythen. Ihr Erlebnishorizont löste mit Versen voller Prozentzahlen, Autotypen und Statistiken mühelos die letzten Reste traditioneller deutscher Erlebnislyrik auf: »Ist man traurig, so suche man zunächst methodische Gründe herauszukriegen. / Hat man sie, so sage man ›Pep‹ und suche sie zu killen. / Findet man keine, so wird es an gestörter Verdauung liegen. / Dagegen nützen Wood & Sons erstklassige Abführpillen.«[48]

So forciert in solchen Versen Tucholskys »Straßensänger«-Typus und Brechts ›Gebrauchslyriker‹ hervortrat, so rasch wuchsen im Verlauf des Jahrzehnts die Vorbehalte und die radikale Ablehnung. Die Antithese zwischen moderner Dichtung und moderner Welt hatte Benn aufrechterhalten. »Man lebt vor sich hin sein Leben«, so sein mit entsprechendem Habitus vorgetragenes Räsonnement, »das Leben der Banalitäten und Ermüdbarkeiten, in einem Land reich an kühlen und schattenvollen Stunden, chronisch in einer Denkepoche.« Aber dagegen galt es mit dem Gestus der Unbedingtheit und

Absolutheit die Poesie zu stellen: »Worte, Worte – Substantive! Sie brauchen nur die Schwingen zu öffnen und Jahrtausende entfallen ihrem Flug.«[49] Benns Position war aber längst nicht die einzige, die sich von Kabarettlyrik und ›Gebrauchsdichtung‹ kategorisch abgrenzte. Hatte nicht gerade eben Rilke mit dem Erscheinen seiner »Sonette an Orpheus«, diesem von der Literaturkritik epochal gefeierten Ereignis, die mythisch-dichterische Orpheusfigur neu belebt? Als Rilke im Dezember 1926 starb, wurde sein Werk rasch auf die Repräsentation des Überlieferten und Bewahrenswerten hin diskutiert und in den folgenden Jahrzehnten festgelegt: eine einzige Antithese zum Maschinenzeitalter, seiner Leere und Kälte. Klaus Mann feierte Rilkes Gedichte in der »Literarischen Welt« als »tröstlich und hilfreich«[50] und deutete einen entscheidenden Paradigmenwechsel an, in dem er das Gedicht mit eben jenen Werten in Verbindung brachte – Trost und Hilfe –, die der auf die Kälte-Metapher verpflichteten, antimetaphysischen, Traditionen destruierenden Poetik der Moderne entgegenstanden. Rilkes Tod wirkte wie eine Zäsur: Abschluß und Überwindung der lyrischen Moderne zugleich. Wie gegensätzlich Selbstverständnisse und Schreibkonzeptionen zur selben Zeit sein konnten, wurde vollends 1927 sichtbar, als Brecht mit lässiger Attitüde einen Lyrik-Wettbewerb der »Literarischen Welt« zum Anlaß nahm, den Verfasser eines Lobgedichts auf einen Sportchampion mit einem Preis zu prämieren (der sein Gedicht nicht einmal eingesandt hatte) und vierhundert jungen Lyrikern »Sentimentalität, Unechtheit und Weltfremdheit« vorzuwerfen und voller Abscheu auszurufen: »Das sind ja wieder diese stillen, feinen, verträumten Menschen, empfindsamer Teil einer verbrauchten Bourgeoisie, mit der ich nichts zu tun haben will!«[51]

Als im selben Jahr Willi R. Fehse und Klaus Mann ihre »Anthologie jüngster Lyrik« herausbrachten, wurde deutlich, wie wenig die Generation der nach 1900 geborenen Lyrikerinnen und Lyriker mit jenem modernen Poeten und »Straßensänger«, mit ›Gebrauchs‹- und Kabarettdichtern zu tun hatte. Eine Poesie voller Einsamkeits- und Abschiedsschmerz-Stimmungen, voller Sehnsucht nach Nähe und Geborgenheit war da entstanden, eine Poesie, in der wie selbstverständlich und ohne sprachskeptische Scheu von Wind und Wolke, Herz und Herbst, Himmel, Stern und Meer die Rede war.[52] Die »Anthologie jüngster Lyrik« hatte deutlich gemacht, daß eine neue Lyrikergeneration mit romantizistischem Sprachmaterial zu dichten begonnen hatte. Sie konnte dabei durchaus auf zeitgenössische Vorbilder wie Hermann Hesse zurückgreifen. Seine »Ausgewählten Gedichte«, 1921 veröffentlicht, waren ein Kontrapunkt zu Expressionismus und Avantgarde; Lyrikbände wie »Krisis«, »Trost der Nacht« und »Jahreszeiten«[53] wirkten bereits wie eine auf vormoderne Liedtraditionen zurückgreifende Antithese zur Kabarett- und ›Gebrauchslyrik‹. Zwar war die Liedform im Expressionismus gleichermaßen wie in den an Chansons, Couplets und Songs reichen zwanziger Jahren nie aus dem Blick geraten. Aber sie wurde nun von einer jungen Generation in einer seit dem 19. Jahrhundert überlieferten Formensprache aktiviert. Experimente mit der Liedstrophe wie bei Klabund und Brecht oder gar Formtravestien wie bei Mehring waren verpönt, jede Kontrafaktur der Form galt als modernistische Willkür. Von 1930 an verloren das Kabarett und die Zeitrevue schnell an Bedeutung. Der um 1920 schwungvoll inszenierte Moderne-Impuls hatte alle Kraft verloren, die kurzlebige Euphorie der Gebrauchslyrik war vorbei.

1930

Die Popularität romantischer Liedstrophen in der »Anthologie jüngster Lyrik« zeigte in ersten Umrissen ein verändertes Selbstverständnis der Lyriker an. Die Anthologie war wie die Debatte um den von Brecht jurierten Lyrikerwettbewerb und die Grundtendenz der Nachrufe auf Rilke das Vorspiel zu einer neuen Bruchstelle innerhalb der deutschsprachigen Lyrikgeschichte. Die Bruchstelle selbst markierte 1929 vollends eine Zeitschrift, die kaum beachtet wurde und schon 1932 ihr Erscheinen einstellte. Die Beiträger freilich, fast alle zwischen 1900 und 1910 geboren, gehörten vor und nach dem Zweiten Weltkrieg zu den bekanntesten Lyrik-Protagonisten. Die Zeitschrift, von Martin Raschke herausgegeben, hieß »Die Kolonne«, und in ihr schrieben Peter Huchel, Günter Eich, Horst Lange, Hilde Domin, Ernst Meister und Erich Arendt. In einem »Vorspruch« hatte Raschke seiner Zeitschrift ein poetologisches Konzept mitgegeben, das in Diktion und Thema nun ein weiteres Mal im 20. Jahrhundert die poetische Selbstdarstellung als zäsuralen Auftritt inszenierte. Raschke hatte ein Gespür dafür, daß er seine Abgrenzungsmetaphorik direkt auf Symbole der technologischen Modernisierung richten mußte, wenn er die Dichter der ästhetisch-literarischen Moderne treffen wollte. Mit sicherem Instinkt wählte er mit dem Dynamo ein Angriffssymbol, das schon vom Namen her auf die Geschwindigkeitserfahrung der Moderne und den Dynamismus moderner Ästhetiken anspielte: »Aber noch immer leben wir von Acker und Meer, und die Himmel, sie reichen auch über die Stadt. Noch immer lebt ein großer Teil der Menschheit in ländlichen Verhältnissen, und es entspringt nicht müßiger Traditionsfreude, wenn ihm Regen und Kälte wichtiger sind als ein Dynamo, der niemals das Korn reifte.« Gegen die Tempoerfahrung brachte Raschke eine poetologische ›Verlangsamungsstrategie‹ ins Spiel: »Wer nur einmal mit der Zeitlupe sich entfaltende Blumen sehen durfte, wird hinfort unterlassen, Wunder und Sachlichkeit deutlich gegeneinander abzugrenzen.«[54]

Die Bruchstelle um 1930 ist aufs engste mit der Aufstiegsgeschichte der Naturlyrik verknüpft; daß sie sich unter ungünstigsten literarischen Produktions- und Marktbedingungen und zunächst ohne nennenswerte Publikumsresonanz so rasch durchsetzen konnte, war ein Zeichen ihrer auf Abgrenzung und Zäsur hin angelegten literarischen Aktivitäten. Schon 1931 konnte Raschke in der »Literarischen Welt« einen Überblick über Neuerscheinungen mit »Man trägt wieder Erde« überschreiben.[55] Die Inszenierung der Bruchstelle um 1930 teilt im übrigen ihre Merkmale strukturell mit denjenigen von 1920 und vor allem von 1910: Eine Zeitschrift wird zur Plattform des ›Neuen‹, das sich nun unter dem Emblem der Natur, der Landschaft und der Tradition sammelt. Die Poetik bedient sich der Manifestform und Manifestrhetorik, da sie sich zur Abgrenzung ebenso eignet wie zur suggestiven Programmatik für Gruppengefühl und Zusammengehörigkeit der neuen Lyrikergeneration. Und schließlich fällt wiederum die signifikante Geschwindigkeit auf, mit der das ›Neue‹ sich durchsetzt, eigene Schreibweisen und Poetiken hervorbringt und in den nächsten Jahren sein Publikum findet.

Immerhin sollten die nächsten drei Jahrzehnte zu einem großen Teil im Zeichen der Naturlyrik stehen.[56] Mehr noch als den »Kolonne«-Dichtern kam der Naturlyrik Wilhelm Lehmanns und Oskar Loerkes eine besondere Aufgabe zu, weil ihr Werk sich als Katalysator für immer neue Richtungen und Gruppierungen erwies, für mythische, mystische und magische Tendenzen. Außer den Genannten haben in den dreißiger Jahren auch Elisabeth Langgässer, Martha Saalfeld, Georg von der Vring, Oda Schaefer und Albin Zollinger Naturgedichte geschrieben, die das Spektrum des Genres repräsentierten. Loerke hatte schon in den zwanziger Jahren mit Gedichtbänden wie »Die heimliche Stadt«, »Der längste Tag« und »Atem der Erde«[57] sich dem Entlegenen und Unbeachteten zugewandt; seine Gedichte registrierten das scheinbar unbedeutende Detail in Natur und Landschaft, beobachteten fremdartige Spuren und Zeichen, die sie wie eine unbekannte Schrift zu lesen und zu deuten begannen und deren Magie sie zunehmend faszinierte. Auch für Lehmann ist der eng begrenzte Bezirk des Naturraums in dreifachem Sinne gekennzeichnet: Er steht erstens gegen die Welt der Metropole und technischen Moderne, zweitens hat er seine eigene, für den Menschen der Gegenwart nur schwierig zu entziffernde Signatur, und drittens sind ihm, wie verquer und verrätselt auch immer, Spuren von Magie und Mythos eigen, die der Naturdichter für Momente wahrnehmen kann, wenn er den Dingen und Details in Landschaft, Feld und Garten zu lauschen versteht. Lehmanns Gedicht »Mond im Januar« ist dafür ein Beispiel:

> Ich spreche Mond. Da schwebt er,
> Glänzt über dem Krähennest.

Einsame Pfütze schaudert
Und hält ihn fest.

Der Wasserhahnenfuß erstarrt,
Der Teich friert zu.
Auf eisiger Vitrine
Gleitet mein Schuh.

Von Bretterwand blitzt Schneckenspur.
Die Sterblichen schlafen schon –
Diana öffnet ihren Schoß
Endymion.[58]

Solche Gedichte waren Programmgedichte, in denen die Bedeutung der Bruchstelle von 1930 signifikant wurde. Mit einleuchtenden Argumenten begründeten Hans Dieter Schäfer und Alexander von Bormann die für die Lyrikgeschichte so konstitutive Zäsur um 1930.[59] In seiner Anthologie »Deutsche Gedichte 1930–1960«[60] wagte Hans Bender einen Querschnitt durch drei Dekaden und belegte dabei nicht nur die Vielfalt der Linien und Richtungen, sondern auch deren Korrespondenzen und Kontinuitäten, ohne sich bei der Textauswahl auf den Traditionalismusbegriff oder andere Epochendeduktionen festzulegen. Bender hat recht, wenn er gleich zu Anfang die Distanz der dreißiger Jahre zu den zwanziger Jahren verdeutlicht, indem er »Lyriker humanistisch-christlicher Tradition, konservativen und ästhetischen Gepräges versammelt« und mit einem Statement Rudolf Alexander Schröders die autoritative Fixierung auf Klassizismus und Tradition illustriert: »Das Gefühl des Eingegliedertseins in einen jahrtausendalten Zusammenhang hat auch die Ausgangspunkte meiner dichterischen Arbeit bestimmt. Namentlich in der Richtung, daß ich mich niemals als ein Neubeginner, Neutöner oder Verhänger neuer Tafeln, sondern als Fortsetzer, mitunter sogar – und zwar mit Vergnügen – als Wiederholer empfunden habe.«[61] Solches ›Wiederholen‹ waren für Schröder, aber auch für Werner Bergengruen, Hans Carossa, Friedrich Georg Jünger, Friedrich Schnack, Reinhold Schneider, Josef Weinheber und viele andere zunächst an eine Restitution vormoderner Gedichtgenres und Strophenformen geknüpft: im Glauben, in die verbürgte Klassizität wie auf sicheren Boden zurückkehren zu können.[62]

Die poetische Form bot sich als exemplarische Demonstration des traditionalistischen Standorts an. Zu keinem Zeitpunkt im 20. Jahrhundert wurden derart viele Oden, Sonette, Dithyramben, Distichen, Elegien, Hymnen und Sprüche geschrieben, antikisierende Metrik und alte Reimmuster erprobt, Pindar und Sappho, Hölderlin und Goethe imitiert wie zwischen 1930 und 1960. Das Konzept der ›Überzeitlichkeit‹ löste die moderne Zeit-

79

lyrik und ihre Aktualitätsbezogenheit ab. Es erwies sich als eine äußerst produktive Möglichkeit, die eigene Schreibpraxis ebenso dauerhaft wie publikumswirksam als traditionsbezogen zu installieren. Als ›zeitlose‹ Gedichte ausgewiesen, eignete sich der lyrische Traditionalismus mit der klassizistischen Formhülle die Signatur kanonischer Dichtung an, die in einer gegenüber dem Modernisierungsoptimismus der zwanziger Jahre deutlich veränderten literarischen Kultur nun wieder als musterhaft, gültig und bleibend apostrophiert wurde. Kanoninstanzen der Literaturvermittlung und -kritik sorgten für eine entsprechende Verbindlichkeit des Kanons, verstärkten die Attraktivität traditionaler Legitimationsstrategien in zeitgenössischen Poetiken und förderten eine an Traditionen angelehnte lyrische Praxis.

Die positive, aufrichtende Trost- und Orientierungsfunktion, die Lyriker wie Publikum mit Gedichten verbanden, basierte auf einer verblüffend schlichten Opposition. Die Gegenwart sei, so die Argumentation, ihrer Ordnungen verlorengegangen, die Menschen fänden sich im Labyrinth der Moderne nicht mehr zurecht. Das Gedicht aber sei der Ort, an dem die unbehauste Moderne durch Vers und Form gebannt werde und Orientierung wieder erfahrbar sei. 1933 hieß es:»In einer Zeit, in der der Sinn des Menschen und seiner Lebenswanderschaft von den verflachenden Tendenzen einer rationalen Zivilisation bedroht ist, in der die Menschen gedankenlos den Raum mit Maschinen hinter sich bringen, nicht mit atmender Seele in sich aufnehmen, daß seine Bildungen in ihren zu geschauter und schöpferischer Gestalt sich verdichten – in einer solchen Zeit wird das Gedicht zum Sammelpunkt für den mächtig anwachsenden Einsatz der Gegenkräfte, es wird aufbauende und einigende Mitte (...). Dieses Gedicht wird (...) auch allen Maßlosigkeiten und Formzersetzungen entgegenstehen und rückkehren zur umgrenzten, gemeisterten Gestalt und mit dieser Haltung das Ethos einer großen Überlieferung wahren und neu befruchten.«[63]

Die Gegnerschaft zur frühen Moderne und deren Poetik der »Maßlosigkeiten und Formzersetzungen« war offenkundig. Der Bruch zu ihr verhieß die Erschließung eines seit Jahrzehnten nicht bearbeiteten Traditionsfeldes. Die Legitimation des Neuansatzes über »das Ethos der großen Überlieferung«, einer Bewahrungs- und Rettungsmission, war so vollmundig und im Duktus so radikal wie alle Manifeste der Moderne. In diesem Sinne war der lyrische Traditionalismus bis hin zu seinem polemischen Antimodernismus, bis hin zur Selbstverleugnung ein Teil der modernen Literatur; denn er konnte seine christlichen, humanistischen und anthropologischen Verbindlichkeiten nur behaupten, nicht aber wiederherstellen. Der Traditionalismus war weder eine moderne Klassik noch eine Neuauflage der Erlebnis- und Stimmungspoesie noch eine bloße Epigonendichtung. Der Rückweg ins 19. Jahrhundert war versperrt, zu Storm wie zu Geibel, zu Goethe wie zu Hölderlin. So nachvollziehbar vor dem Horizont der weltumspannenden politisch-gesellschaftlichen und ökonomischen Systemkrise es erscheinen mochte, daß die Literatur verbreiteten Orientierungsbedürfnissen nachkam, Trost und Hoffnung aussprach und vor allem im autonomen Reich der Kunst dauerhafte, im Alltag verloren gegangene Werte entdeckte, so evident waren auch die vielfältigen Möglichkeiten, die ein Rekurs auf die lyrische Vormoderne versprach.

Bisher hatten Außenseiter wie Rudolf Borchardt, von der literarischen Öffentlichkeit weitgehend unbeachtet, klassizistische Traditionen als höchst individuelle, von anderen strikt abgegrenzte Schreibweisen gepflegt. Jetzt wurde von einer großen Anzahl von Lyrikern die Vormoderne – und hier liegt eines der Energiefelder um 1930 – als ein breites Reservoir für neue, bisher von der lyrischen Moderne noch wenig erprobte Ausdrucksformen genutzt. Nicht daß es zwischen 1890 und 1930 etwa an Sonetten gemangelt hätte. Der traditionalistische Rekurs bestand nicht einfach in der Wiederentdeckung traditionsreicher Genres und Strophenformen, sondern im Anspruch, die Form ohne jeden experimentellen Gestus, gleichsam ohne modernistischen Hintersinn zu rehabilitieren. Und noch ein energetischer Impuls kam hinzu, der die Bruchstelle in der Lyrikgeschichte um 1930 binnen kurzer Zeit erfolgreich durchsetzte. Die rehabilitierte Form wirkte wie ein sichtbares Zeugnis einer die Zeiten überspannenden Beständigkeit und leitete ihre Autorität und Bedeutsamkeit von etwas Bleibendem und Dauerhaftem ab, von Werten, die krisen- und katastrophenfest erschienen. Von hier aus ließ sich das jeweilige Selbstbild der Lyriker als berufene, durch Traditionen legitimierte Sprecher herleiten: Die »Öffentlichkeitskrise der Lyrik« war überwunden, neue Gedichtbände stießen wieder auf Interesse.

Es verwundert vor diesem Hintergrund nicht, daß ein Lyriker wie Josef Weinheber in den dreißiger Jahren in Österreich wie in Deutschland so populär wurde. Die Zyklenfolge seines Gedichtbands »Adel und Untergang« ist traditionalistische lyrische Praxis *in nuce*. »Antike Strophen«, »Variationen auf eine Hölderlinische Ode«, »Heroische Trilogie«.[64] Die Odendichtung stand im übrigen hoch im Kurs; nicht nur Hölderlin, beispielsweise auch Platen, wie in Schröders Dichtung, wurde zur Orientierungsfigur der Formensprache. Zugleich gab die Ode, wie Borchardts und Brittings Adaptionen zeigen, die Möglichkeit, sich der verzweigten Formgeschichte der Gattung zu bedienen, ohne in eine monotone Technik zu verfallen.

… und 1933?

Die Option für traditionalistische Schreibtechniken war keine Weltanschauungsfrage. Unter den Linksintellektuellen hatte beispielsweise Arendt schon früh Oden geschrieben. Wesentlich entschiedener aber vollzog Becher am Ende der zwanziger Jahre die klassizistische Wende, nachdem er bereits um 1923 mit dem Expressionismus gebrochen hatte. Seine im Moskauer Exil geschriebenen Gedichte standen allesamt im Zeichen einer traditionalistischen Poetik: ein Hinweis darauf, daß die politische Zäsur des Jahres 1933 den Bruch mit forcierten Moderne-Konzeptionen erst recht stimulierte.

Das heißt nicht, daß das Jahr 1933 für die Lyrikgeschichte keine Rolle gespielt hätte. Der Sieg des Nationalsozialismus in Deutschland ermöglichte von Anfang an ›Gleichschaltungs‹- und Unterdrückungsmaßnahmen im kulturellen System. Eine große Anzahl von Lyrikern war von Internierung, KZ-Haft, Folter und Tod bedroht. Ins Exil gingen 1933 Arendt, Becher, Brecht, Ehrenstein, Harringer, Herrmann-Neisse, Lasker-Schüler, Karl Otten, Mehring, Tucholsky, Wolfenstein, Wolfskehl und Zech. Ein paar Jahre später, vor allem nach der Eingliederung Österreichs ins nationalsozialistische Reich, folgten Csokor, Erich Fried, Goll, Hermlin, Huelsenbeck, Kaléko, Kramer, Nelly Sachs, Albrecht Schaeffer, Ludwig Strauss, Waldinger, Werfel und Guildo Zernatto.[65] Von den Nationalsozialisten ermordet wurden Mühsam, Kolmar, Georg Kafka, van Hoddis und Haushofer, dessen Gedichte aus der Todeszelle hinausgelangten und nach dem Krieg unter dem Titel »Moabiter Sonette«[66] ein Stück Nachkriegslyrik begründeten. Während des Krieges wurden jüdische Dichter, die im rumänischen Czernowitz in deutscher Sprache Gedichte schrieben – Rose Ausländer, Paul Celan und Immanuel Weissglas – zum Leben in Ghettos und zur Zwangsarbeit erniedrigt.

So markant die Zäsur des Jahres 1933 in die Lebensgeschichte vieler Lyrikerinnen und Lyriker eingriff, so deutlich wird in der Retrospektive, daß sie die traditionalistische Bruchstelle von 1930 verstärkte und noch sichtbarer machte. Die Gruppe der Naturlyriker hatte sich schon Ende der zwanziger Jahre als eine der ersten auf den Weg in die ›Innere Emigration‹ gemacht, sich von Politik und Gesellschaft abgekapselt, sich auf den eigenen, eng begrenzten Themenkreis konzentriert und, wie Hans Dieter Schäfer anschaulich illustrierte, ›Nischen‹ im literarischen Leben gesucht.[67] Gedichtbände wie Horst Langes »Zwölf Gedichte« (1933), Lehmanns »Antwort des Schweigens« (1935), Langgässers »Tierkreisgedichte« (1935), von der Vrings »Der Tulpengarten« (1936) und vor allem Loerkes »Silberdistelwald« (1934) sowie »Der Wald der Welt« (1936) waren poetische Antithesen zur nationalsozialistischen Parteidichtung.[68] Noch entschiedener war das Schreiben von Gedichten für manchen Dichter in der Emigration existentielle Lebensbehauptung. Das Gedicht hatte aufrichtende Funktion und fungierte als poetische Selbstorientierung. Der Traditionalismus der Form bot dafür Gewähr und Schutz, während umgekehrt alle Ansätze zum Formexperiment als fadenscheinige Artistik und Spielerei empfunden worden wären. Auf besonders pointierte Weise hat Loerke die Poesie als eine der Zeit entgegengesetzte autonome Macht legitimiert, und zwar als »Leitspruch« mit dem Zusatz »November 1940«:

> Jedwedes blutgefügte Reich
> Sinkt ein, dem Maulwurfshügel gleich.
> Jedwedes lichtgeborne Wort
> Wirkt durch das Dunkel fort und fort.[69]

Die Macht des Wortes, freilich nicht das der Propaganda, sondern das »lichtgeborne Wort« jenseits des »blutgefügten Reichs«, erscheint solcher Poetik schier grenzenlos. Damit aber hat Loerke keine neue Dichtungstheorie aufgestellt, sondern den Wortmythos und die Wortmagie der frühen lyrischen Moderne zitiert. Das *Gegenwort* erhielt zuweilen eine tröstende, rettende Funktion und wurde, wie in einem kurz vor der Emigration geschriebenen Gedicht Kramers, als eine sich erst im dichterischen Sprechen entfaltende Orientierung existentieller Art empfunden: »Ich suchte Trost im Wort, das niemals noch mich trog, / das von den Dingen mir getreu den Umriß zog, / wie durch ein Blatt ein Kind die Fibel für sich paust, / die Bilder und den Sinn, der zwischen ihnen haust. // Auf heller Straße täuscht Gebärde und Gesicht, / ich trau des Nachbars Gruß, dem Wort des Freundes nicht; / ich traue selbst nicht dem, was ich soeben sprach, / nur, was ich schreibe, zieht, was feststeht, richtig nach.«[70] Der Prophetie-Gestus war im lyrischen Traditionalismus ebenso verbreitet wie der Hang zur mythischen Aura, mit der der Dichter seine Wahrheiten verkündete. Zugleich zeigte sich, wie bei Bergengruen, Ricarda Huch und Reinhold Schneider, eine Applikation christlicher Weltanschauungsdichtung. Das Gedicht wurde zur Botschaft, die sich aus der Totalität ganzheitlichen Denkens und Empfindens legitimierte und der herrschenden Ideologie mit der Gewißheit des ›Wahren‹ und ›Rettenden‹ entgegenstellte. Klassizistischer Wertschätzung gemäß sollte vor allem das Sonett die Gattung sein, welche in ihrer Form einen festen Halt für programmatische Reflexionen bot. Daher wurde das Sonett geradezu die Modegattung des Traditionalismus zwischen 1933 und 1945, und zwar bei den Exildichtern ebenso wie bei jenen der ›Inneren Emigration‹.

Das Spektrum der Sonettdichter reichte von Rudolf Binding bis Johannes R. Becher. Sonette wurden, wie Theodore Ziolkowski ausführlich darstellte, »im Gestapogefängnis, im Konzentrationslager, in Kriegsgefangenschaft und in der Kammer des Einzelnen« geschrieben, »der sich mindestens geistig dem Regime entgegenstellen«[71] wollte. Das Sonett garantierte als sichtbares Zeichen eine über den Tag hinausweisende Kontinuität von Dichtung als zeitüberdauernde Kunst, an der auch die Sonettverfasser ihren Anteil suchten, die meisten davon nicht als selbstbewußte Dichter, sondern aus einem ethisch-moralischen Verständnis des eigenen Schreibens: als einer in der kulturellen Tradition verankerten Form der Fixierung von Wahrheit und Erkenntnis. Das Sonett, mustergültig in der Verskomposition, gab die Gewißheit, bloße lyrische Subjektivität in einer Form zu überwinden, die dem Gedanken die nötige Schwere und Seriosität und einen gravitätischen Charakter verlieh. Entsprechend verständlich war es, daß »mit der Form des Sonetts in dieser Zeit wenig experimentiert«[72] wurde. Das Sonett galt als eine in der Form aufgehobene Objektivität, eine kunstvoll aufgerichtete, autonome Ordnung, »als Setzung der reinen Form angesichts einer chaotischen Welt«[73]. In diesem Sinne war das traditionalistische Sonett Einsicht, Halt, Trost, verbindliche Weltschau, wahre Botschaft und sicheres Fundament zugleich. In einem poetologischen Sonett mit dem Titel »Das Sonett«[74] hat Becher die traditionalistische Hochschätzung der Gattung auf pointierte Weise zusammengefaßt:

> Wenn einer Dichtung droht Zusammenbruch
> Und sich die Bilder nicht mehr ordnen lassen,
> Wenn immer wieder fehlschlägt der Versuch,
> Sich selbst in eine feste Form zu fassen,
>
> (...)
>
> Alsdann erscheint, in seiner schweren Strenge
> Und wie das Sinnbild einer Ordnungsmacht,
> Als Rettung vor dem Chaos – das Sonett.

Die traditionalistische Energie nahm ihre Kraft weniger aus dem bloßen Nachahmungsimpuls tradierter Versmaße und Strophenformen, der Traditionalismus war kein auf die Virtuosität von Mustern und auf handwerkliche Meisterschaft hin ausgelegtes Interesse. Klassizistisch schreibende Lyriker suchten eine imponierende formale Architektonik, die Autorität, Strenge und Seriosität miteinander verband: ein Artefakt für die eigene ›bedeutungsschwere‹ Poesie, eine Art Gedicht-›Gehäuse‹, dem eigene Ideen, Gedanken und Worte übereignet werden konnten. Diese poetische Schutzraum-Architektonik hatte entschieden mehr mit dem Klassizismus des öffentlich-repräsentativen Baustils der dreißiger und vierziger Jahre, wie er in ganz Europa verbreitet war, zu tun als mit einer Restitution der Weimarer Klassik und der Imitation Goethes.

... und 1945?

Gottfried Benn war einer der wenigen, in deren lyrischer Produktion die Bruchstelle von 1930 kaum sichtbar war. Traditionelle Formen wie die Liedstrophe und der drei- oder vierhebige Trochäus sind bei Benn schon in den zwanziger Jahren nach der Abkehr vom Expressionismus nachzuweisen. Er hat über die Bruchstelle von 1930 die Autonomie des Dichters als Autonomie eines geistigen Bezirks verteidigt, gegen den nichts anderes Bestand habe. Die Rolle des Dichters sei die einer singulären, einsamen, unbedingten Größe jenseits der Gesellschaft. Es gab für Benn keine weltanschaulichen Botschaften im Gedicht, keine Trost- und Warnfunktion, keine lyrische Prophetie und kein moralisches Amt. Gerade diese Haltung war es, die Benn in den fünfziger Jahren für ein großes bürgerliches Publikum so anziehend machte und sich als wohltemperierte Modernität in die Restauration der Adenauer-Ära leicht einpaßte. Ein Gedicht wie »Einsamer nie –«, bereits 1936 geschrieben, wurde nach dem Krieg nicht zufällig ein Kanongedicht der Gegenwartslyrik:

Einsamer nie als im August:
Erfüllungsstunde –, im Gelände
die roten und die goldenen Brände,
doch wo ist deiner Gärten Lust?

Die Seen hell, die Himmel weich,
die Äcker rein und glänzen leise,
doch wo sind Sieg und Siegsbeweise
aus dem von dir vertretenen Reich?

Wo alles sich durch Glück beweist
und tauscht den Blick und tauscht die Ringe
im Weingeruch, im Rausch der Dinge, –:
dienst du dem Gegenglück, dem Geist.[75]

Eckart Klessmann kommentiert den Text und das »Gegenglück« als Antithese zum ›olympischen‹ Jahr 1936: »Wer nicht mitjubelte, sich nicht dem ›Rausch der Dinge‹ überließ, abseits stand, machte sich verdächtig und blieb unendlich allein. Benn war als Dichter zum Schweigen verurteilt, als Mensch vereinsamt. Das ›Gegenglück‹ wurde aus Bitterkeit gewonnen.«[76] Von dieser Position aus – die Erinnerung an den anfänglichen eigenen »Rausch« der Begeisterung für das neue Regime verblaßte – konnte Benn 1948 mit den »Statischen Gedichten« und vor allem mit seiner Marburger Rede seinen Altersruhm aufbauen: mit einem Publikum, das jenen Einsamkeitsgestus entsprechend goutierte und die Symbiose von Dichter und »Geist« als Rückzug in ein der Politik fernes Refugium verstand.

Benn indes war nicht der einzige, der nach 1945 rasch populär wurde. Es gab 1945 weder einen ›Kahlschlag‹ noch eine lyrische ›Stunde Null‹.[77] Auch diejenigen, die, wie Günter Eich, als ›junge Generation‹ auf dem Markt erschienen, hatten lange vor 1945 zu schreiben und zu publizieren begonnen. Mehr als ein Drittel seines Gedichtbandes »Abgelegene Gehöfte« (1948) war vor Mai 1945 entstanden. Überhaupt signalisierte der Erfolg der Naturlyrik in den fünfziger Jahren eine beeindruckende Kontinuität. In diesen Kontext gehörte auch Bechers kulturpolitische Strategie in der DDR, mit Huchels Redaktion von ›Sinn und Form‹ ein Zeichen der Kontinuität zu setzen. Erst jetzt traten Lyriker wie Eich, Huchel, Bobrowski, Lehmann, Schaefer, von der Vring, Dagmar Nick, Kaschnitz, Hagelstange und Friedrich Georg Jünger besonders hervor. Es zeigte die weithin ungebrochene Kraft des Traditionalismus in allen seinen Facetten, daß er mühelos über die einschneidendste politische Zäsur des Jahrhunderts hinwegkam und sich behauptete. Bergengruen und Schneider standen mit vielen Publikationen hoch im Kurs. Auch die DDR-Lyrik der fünfziger Jahre war trotz des späten Brecht eine weitgehend von traditionalistischen Stimmen beherrschte Dichtung. Wer schon, wie Arendt, im Exil moderne Formexperimente erprobte und am Diskurs der europäischen und internationalen Poesie der dreißiger und vierziger Jahre partizipierte, geriet in der DDR rasch in die zweite Reihe. Die Ost-West-Zäsur hatte nicht den Charakter einer Bruchstelle der Schreibweisen, vor allem aber hat sie keine neuen Energien erzeugt, sondern Kontinuität eher noch bewahrt. In den fünfziger Jahren war der Traditionalismus lyrikgeschichtlich in allen deutschsprachigen Ländern ein verbindendes Band. Bechers Gedichtsammlungen »Heimkehr«, »Volk im Dunkeln wandelnd«, »Glück der Ferne – leuchtend nah« und »Deutsche Sonette«[78] waren vom Verfasser nicht auf eine neuartige Parteidichtung, sondern in ihrem Formklassizismus geradezu symbolisch auf innerliterarische Traditionen hin ausgerichtet. Über weltanschauliche Grenzen hinweg waren ihm Lyriker eng verwandt wie Manfred Hausmann, Hagelstange, Erich Schönwiese, Xaver A. Gwerder und Friedrich Georg Jünger.[79] Die DDR-Lyrik nahm in den fünfziger Jahren indes einen wichtigen Impuls von ehemals exilierten Lyrikern auf, die zumindest thematisch eine eigene Kontinuität zur Vorkriegszeit schufen, während in Westdeutschland in noch stärkerem Maße nicht-emigrierte Lyriker tonangebend waren. Die Kontinuität im Westen spiegelte sich nicht zuletzt im diffusen Faschismusbild wieder, der weiterhin als numinose Macht, Dämonie und metaphysische Verkörperung des Bösen apostrophiert wurde.

Lyrik blieb, Hesses späten »Kleinen Gesang« zitiert, ein »Schleier von Schönheit und Trauer / Über dem Abgrund der Welt«.[80] »Die heile Welt«

hieß 1950 Bergengruens[81] beruhigende Antwort. Das Naturgedicht bot noch am unverfänglichsten den entsprechenden Trost- und Rückzugsstoff. Und doch wurde noch in den fünfziger Jahren diese Perspektive immer angreifbarer, und zwar selbst im Genre des Naturgedichts. Schon kurz nach dem Krieg hatten Wolfgang Weyrauch und andere versucht, für eine lakonische, die eigene Position bezweifelnde Schreibweise zu optieren, und einer Art ›Trümmerlyrik‹ das Wort geredet.[82] Ansätze zur Überwindung traditionalistischer Fundamente fielen aber recht bescheiden aus. Erste Kontrafakturen zeigten sich schon früh in Nachkriegsgedichten von Eich, Huchel und Bobrowski, die in dem Maße, wie sie in der deutschen Gegenwart den kollektiven Verdrängungsversuch der faschistischen Vergangenheit spürten, die Natur-Chiffre jenseits aller eskapistischen Tendenz zu einer zunehmend politischen Spur werden ließen. Naturlyrik dieser Art war schon in den fünfziger Jahren eine eminent politische Dichtung. Der Bruch mit dem Traditionalismus wurde offenkundiger. In Österreich, wo Schönwieses Zeitschrift »Das Silberboot« die Lyriker der dreißiger und vierziger Jahre als Doktrin festschreiben wollte und der Traditionalismus mit Preisen und günstigen Publikationsmöglichkeiten zeitweilig sogar staatlich gefördert wurde, griffen junge Künstler, später die »Wiener Gruppe« genannt[83], und Avantgardisten der Konkreten Poesie auf Moderne-Traditionen zurück, die international noch immer maßgeblich waren. Wie 1890 hatte auch nun die Rezeption ausländischer Dichtung und Kunst eine katalysatorische Wirkung. Nicht nur Valéry, Mallarmé und die französischen Symbolisten, sondern auch William Carlos Williams, Ezra Pound, T. S. Eliot und Saint-John Perse wurden mit Interesse gelesen: als zukunftsweisender literarischer Moderne-Diskurs.[84] Neue Autoren, wie Ingeborg Bachmann und Hans Magnus Enzensberger, entwickelten in den fünfziger Jahren bereits ihr Selbstverständnis gegen traditionalistische Poetiken und, was noch wichtiger war, eigneten sich den Habitus einer opponierenden Lyrikergeneration an, die ihr Selbstbild und ihr öffentliches Auftreten an dem Selbstverständnis zeitgenössischer europäischer Intellektueller orientierte. Weinheber und Bergengruen auf der einen, Enzensberger und Grass auf der anderen Seite trennten in den fünfziger Jahren nicht allein die lyrische Praxis, sondern auch und vor allem Selbstdarstellung und öffentliche Präsentation. Energie-Impulse, die auf eine Zäsur hindeuteten, gab es im übrigen auch in der DDR. Brechts »Buckower Elegien«[85], aber auch Arendts Nachkriegsgedichte, vor allem seine 1959 erschienenen »Flug-Oden«[86], hatten mit ihrer Verknüpfung von Naturlyrik und politischer Dichtung eine neue Tendenz deutlich werden lassen.

Und noch ein weiterer Kreis von Nachkriegslyrikern hatte Anteil an der sich abzeichnenden Überwindung des Traditionalismus. Als ›hermetische Lyrik‹ mit entsprechender Abwehrreaktion im verstörten Publikum und Feuilleton etikettiert, waren Gedichte entstanden, welche den trügerischen

Frieden zwischen Lyriker und Leser aufkündigten. Aber gerade weil Dichter wie Celan, Sachs, Huchel, Bobrowski, Ausländer und Meister ihre eigene Praxis aus einem Energiefeld äußerst verdichteter, sparsam verknappter Worte entwarfen und auf diese Weise an verschüttete Moderne-Diskurse sprachskeptischer und surrealistischer Richtungen anknüpften, ohne sie zu kopieren, waren sie Protagonisten eines neuen lyrischen Paradigmenwechsels.

1960

»Keine Posaune zurhand, keine Verkündigungen, / der Himmel abgespeckt, / wenn der Abend mit siebenfarbener Zunge / am Fenster leckt«[87], so hieß Peter Rühmkorfs ironisches Fazit nach dreißig Jahren Traditionalismus. Rühmkorfs »Irdisches Vergnügen in g«[88] gehörte 1959 zu einer Reihe von Gedichtbänden, die den Paradigmenwechsel einleiteten. Die Zäsur war eine Dekade lang vorbereitet worden, etwa mit Celans und Sachs' Lyrik, mit Bachmanns die fünfziger Jahre irritierenden Gedichtbänden »Die gestundete Zeit« und »Anrufung des Großen Bären«[89] und anderen neuen Stimmen. Protagonisten der Konkreten Poesie wie Eugen Gomringer veröffentlichten ihre wichtigsten Werke. In Österreich wurden Autoren wie Konrad Bayer, Gerhard Rühm und Ernst Jandl zwar als literarische Frevler gebrandmarkt. Aber das Tempo, mit dem sich der Bruch um 1960 vollzog, war rapide und dem der bisherigen Zäsuren vergleichbar. Der Energie-Impuls war diesmal so stark, daß er viele Autoren des Traditionalismus mühelos entkanonisierte, gerade auch solche, die eben noch, wie Weinheber und Britting, ihre festen Lesergemeinden hatten. Schon am Ende der sechziger Jahre waren Bergengruen, die naturmagische Schule und Klassizisten wie Borchardt und Schröder fast vergessen. Der neue Ton war, wie bei Enzensberger, forsch und poetisch zugleich, intellektuell und zuweilen auch gelehrt, aber in den fünfziger und sechziger Jahren forciert kämpferisch, passend zum Habitus der Lyrik aus der literarisch gespitzten Feder des Typs ›zorniger junger Mann‹. Enzensbergers »Landessprache« etwa begann mit rhetorischem Schwung, der mit wenigen Versen das trübe Klima der Adenauer- und ›Wirtschaftswunder‹-Zeit umriß:

> Was habe ich hier verloren,
> in diesem Land,
> dahin mich gebracht haben meine Älteren
> durch Arglosigkeit?
> Eingeboren, doch ungetrost,
> abwesend bin ich hier,
> ansässig im gemütlichen Elend,
> in der netten, zufriedenen Grube.

Was habe ich hier? und was habe ich hier zu suchen,
in dieser Schlachtschüssel, diesem Schlaraffenland,
wo es aufwärts geht, aber nicht vorwärts,
wo der Überdruß ins bestickte Hungertuch beißt,
wo in den Delikateßgeschäften die Armut, kreidebleich,
mit erstickter Stimme aus dem Schlagrahm röchelt und ruft:
es geht aufwärts!
(...)[90]

Auch diesmal war die Bruchstelle zugleich ein Generationenwechsel, da nun
die in den zwanziger und dreißiger Jahren geborenen Autoren die Richtung
der deutschsprachigen Lyrik zu bestimmen begannen, allerdings nicht ohne
Widerstände konservativer Literaturkritik in Ost wie in West. Zwischen 1959
und 1962 erschienen Gedichtbände, die aus der Retrospektive fast programmatisch den Paradigmenwechsel markierten: Celans »Sprachgitter«,
Bobrowskis »Sarmatische Zeit« und »Schattenland Ströme«, Krolows »Fremde Körper«, Heißenbüttels »Textbuch I«, Grass' »Gleisdreieck«, Gomringers
»33 Konstellationen«, Reinigs »Sterne von Finisterre«, Kunerts »Tagwerke«,
Haufs' »Straße nach Kohlhaasenbrück«, Volker von Törnes »Fersengeld«.[91]
Die Bruchstelle von 1960 schaffte sich ihr eigenes Energiefeld. Zunächst
erfolgte die poetologische Kritik, die Abrechnung mit traditionalistischen
Gedichtverständnissen. Die Kritik fiel polemisch aus, wie viele Manifesta-
tionen literarischer Moderne, die im Zeichen der Abgrenzung geschrieben
wurden. Der Habitus aber änderte sich. Der Polemiker erwies sich zusehends
als ein *poeta doctus*, der seine Kritik gelehrt und zuweilen akademisch zu fun-
dieren wußte. Berühmt geworden ist Rühmkorfs Essay über das »Lyrische
Weltbild der Nachkriegsdeutschen«[92] von 1962: eine derart gekonnte De-
struktion traditioneller Naturlyrik, daß sich das Genre jahrzehntelang nicht
davon erholte. Was Rühmkorf forderte, enthielt im Keim bereits Material zu
neuen Poetiken: »Abkehr von aller feierlichen Heraldik und kunstgewerbli-
chen Emblemschnitzerei, Absage an tragische Entsagungsmuster und sauer-
töpfische Heroität, Ablösung des Klagegesangs durch die Groteske, Verstel-
lung von Pathos durch Ironie.«[93] Der Paradigmenwechsel um 1960 wurde
mehr als ein Jahrzehnt lang von poetologischen Debatten begleitet, in denen
zuletzt, von Celans ebenso kurzen wie meisterlichen Reden abgesehen[94],
nicht mehr zum Ausdruck kam als eine in viele Positionen und Teilrichtun-
gen facettierte Unverbindlichkeit reaktivierter Moderne, die aber gerade deshalb so attraktiv wurde, weil sie jedem ›seine‹ poetische Sprache erlaubte,
sein individuelles Verständnis vom Gedicht und von der Aufgabe des Lyrikers. Diese Tendenz hatte sich schon 1955 in Hans Benders Autorpoetik-
Anthologie »Mein Gedicht ist mein Messer« angedeutet, die 1961 in aktua-
lisierter Auflage erschien.[95] In diesem Kontext gehörte auch eine Diskussion,

die Walter Höllerer, Literaturwissenschaftler und Lyriker, mit »Thesen zum langen Gedicht«[96] stimulierte, der Streit um das ›kurze‹ und das ›lange‹ Gedicht. Die Debatte hat, nicht überraschend, zu keinem Ergebnis geführt. Aber sie hatte doch das Spektrum der Lyrik der sechziger Jahre in Extrempositionen erfaßt: auf der einen Seite das ›hermetisch‹ genannte, äußerst verdichtete, an den Rand des Schweigens gebrachte ›kurze‹ Gedicht, auf der anderen Seite das sich komplexen, modernen Wirklichkeiten öffnende, auf ein aktuelles Zeitpanorama reflektierende ›lange‹ Gedicht.

Beide Positionen leiteten sich von Moderne-Traditionen her, die bereits, um den Titel einer von Enzensberger 1960 herausgegebenen und zeitlich exakt plazierten Anthologie internationaler Dichtung zu zitieren, im supranationalen Kontext einem »Museum der modernen Poesie«[97] angehörten. In ›hermetische‹ Poetiken gingen Autonomie-, Sprach- und Worttheorien der frühen Moderne ein, aber auch das Selbstverständnis des Dichters als eines zum Schreiben in völliger Einsamkeit zugleich Verurteilten und Auserwählten, in eben jenem Sinne, den Rilke in einem Brief schon 1903 für Jahrzehnte gültig formulierte: »Erforschen Sie den Grund, der Sie schreiben heißt; prüfen Sie, ob er in der tiefsten Stelle Ihres Herzens seine Wurzeln ausstreckt, gestehen Sie sich ein, ob Sie sterben müßten, wenn es Ihnen versagt würde zu schreiben. Dieses vor allem: fragen Sie sich in der stillsten Stunde Ihrer Nacht: *muß* ich schreiben? Graben Sie in sich nach einer tiefen Antwort. Und wenn diese zustimmend lauten sollte, (...), dann bauen Sie Ihr Leben nach dieser Notwendigkeit.«[98] Noch in Celans Bremer Rede von 1958, die nicht zufällig auf Rudolf Borchardt verwies, klang der Konnex von Dichterexistenz und Gedicht nach, wenn es über die eigenen Schreib-Gründe hieß: »um zu sprechen, um mich zu orientieren, um zu erkunden, wo ich mich befand und wohin es mit mir wollte, um mir Wirklichkeiten zu entwerfen«[99]. Noch in der Referenz auf Außersprachliches, wie im Gedicht »Sommerbericht«, kehrt die Reflexion auf die Sprache, das Wort und die Sprachlichkeit der Erinnerung wieder; der »Sommerbericht« wird zu einem poetologischen Gedicht:

> Der nicht mehr beschrittene, der
> umgangene Thymianteppich.
> Eine Leerzeile, quer
> durch die Glockenheide gelegt.
> Nichts in den Windbruch getragen.
>
> Wieder Begegnungen mit
> vereinzelten Worten wie:
> Steinschlag, Hartgräser, Zeit.[100]

Für die zweite Position, für die Lyriker des ›langen‹ Gedichts, ließe sich die Moderne-Tradition der zwanziger Jahre aufführen, die vierzig Jahre früher jene »Wirklichkeiten«, von denen Celan sprach, bereits als eine faszinierende, schwierig zu durchschauende Gegenwart begriffen und ihre Poetiken auf deren Ergründung konzentrierten. Wenn also Günter Herburger schrieb, das »Ordnen der Wirklichkeit mit ihren Sachverhalten, Möglichkeiten, Tücken, Plattheiten« könne »eine solche Entdeckergier hervorrufen, daß der Schreibtisch zu einem Vorposten« werde, »von dem aus alles erreichbar zu sein scheint«[101], dann war dieser auf die Gegenwart gerichtete, funktionale Lyrikbegriff eine indirekte Reminiszenz an Konzeptionen von Zeitlyrik, die, mit Kästners Worten formuliert, »für jeden, der mit der Gegenwart geschäftlich zu tun hat, (...) bestimmt«[102] waren.

Von beiden Positionen gingen Energie-Impulse aus, die Lyrik der sechziger Jahre in einen reaktualisierten Moderne-Kontext zu stellen. Im weiteren Verlauf traten die als ›hermetisch‹ apostrophierten Autoren allmählich zurück; der Tod Celans 1970 war in dieser Hinsicht eine deutliche Zäsur. Zeitweilig traten dagegen Verbindungen zwischen Poesie und Politik stärker hervor. Das Spektrum reichte von Erich Fried bis Wolf Biermann, von Uwe Wandreys »Kampfreimen«[103] bis zur Agitprop-Lyrik und Gedichten gegen den Vietnam-Krieg. Die Energie der Umbruchsituation um 1960 hielt gut eine Dekade an und hatte ein wichtiges Ergebnis – wie alle Bruchstellen seit 1890: Die Lyrik behielt ihre Attraktivität selbst zu einer Zeit, in der die Losung vom ›Tod der Literatur‹ einen Augenblick lang populär wurde, und feierte sich in den siebziger Jahren selbstbewußt unter dem zündenden Anthologie-Titel »Und ich bewege mich doch«[104].

Daß sich auch in der DDR-Lyrik um 1960 ein analog strukturierter Paradigmenwechsel wie im Westen vollzog, war nicht nur in der DDR selbst – als einem System mit einem geschlossenen semantischen Horizont, in dem lyrische Subjektivität *per se* eine erhöhte Wirksamkeit hatte: bis hin zum Gedichte lesenden und sie heftig mißbilligenden Politbüro der SED –, sondern auch im Ensemble deutschsprachiger Lyrik insgesamt bedeutsam. Die neue Generation der DDR-Lyrik setzte sich in Ost wie West gleichermaßen durch. Das Spektrum war vielfältig, das literarische Potential erheblich, die Resonanz in der Gesellschaft der DDR gewaltig groß, weil in ihr Literatur weiterhin ein sozio-kulturelles Leitmedium blieb, während sich im Westen die Mediengesellschaft immer stärker in der Alltagskultur etablierte. Rasch über die Grenzen hinweg wurden die neuen Namen bekannt: Sarah Kirsch, Wolf Biermann, Volker Braun, Reiner Kunze, Karl Mickel, Heinz Kahlau, Uwe Greßmann, Wulf Kirsten, Adolf Endler, Heinz Czechowski. Wie im Westen hatten auch in der DDR-Lyrik das Zeitgedicht und die Entdeckung der Wirklichkeit – einschließlich ihrer Widersprüche und Aporien – besondere Konjunktur. Die Rezeption Brechts spielte dabei eine besondere Rolle und verband zeitweilig die zeitgenössische Lyrik und Poetik über Grenzen und Mauern hinweg. Ideologie, Wirklichkeit und ramponierte sozialistische Utopie wurden bei Volker Braun zum poetischen Dauerthema. Umgekehrt erregte, wie Sarah Kirschs berühmt gewordenes Gedicht »Schwarze Bohnen«[105] illustrierte, auch und gerade die Thematisierung des Alltags in seiner Trivialität, Intimität und Privatheit Anstoß und Ärgernis:

> Nachmittags nehme ich ein Buch in die Hand
> Nachmittags lege ich ein Buch aus der Hand
> Nachmittags fällt mir ein es gibt Krieg
> Nachmittags vergesse ich jedweden Krieg
> Nachmittags mahle ich Kaffee
> Nachmittags setzte ich den zermahlenen Kaffee
> Rückwärts zusammen schöne
> Schwarze Bohnen
> Nachmittags ziehe ich mich aus mich an
> Erst schminke dann wasche ich mich
> Singe bin stumm

Die Bruchstelle um 1960 hat wohl die erfolgreichste Periode deutschsprachiger Lyrik initiiert, auch wenn die rasch aufeinander folgenden Bruchstellen der ersten Dekaden an Intensität, Radikalität und am Versuch, alle Möglichkeiten der Moderne von ihren Extrempositionen her auszuloten, unübertroffen blieben. Von heute aus gesehen haben viele aus der Generation der dreißiger und vierziger Jahre – der Paradigmenwechsel um 1960 war wiederum eine Generationen-Zäsur – inzwischen umfangreiche lyrische Werke geschaffen. Entscheidend war offensichtlich, daß der Energie-Impuls um 1960 den Traditionalismus fast mühelos verdrängte und zuletzt fast völlig entkanonisierte, aber keinen Stil, keinen Habitus, keine Poetik-Doktrin, kein Genre, keine Thematik, keine Verbreitungsform und erst recht keine Schule oder Richtung auch nur im Ansatz als verbindlich festschrieb. Damit blieb es dem einzelnen Lyriker überlassen und vorbehalten, sein Werk in Stellung zu bringen, aber auch Neuansätze, Werksprünge und Experimente zu wagen. So spiegelt sich die jeweils aktuelle lyrische Zeitsituation in der Werkgeschichte von Krolow und Enzensberger *in nuce* wider. Wie weitgespannt ein lyrisches Werk sein kann, zeigt sich bei einem Vergleich des frühen und des späten Günter Kunert ebenso wie bei Sarah Kirsch, Ernst Jandl, Jürgen Becker und Friederike Mayröcker.

Im Rückblick fällt auf, daß zeitgeschichtlich markante Ereignisse die Richtung des um 1960 initiierten Energie-Impulses beeinflußten und stimulierten. Das Jahr 1968 – Studentenproteste im Westen, der Einmarsch Warschauer-Pakt-Truppen in die ČSSR – beendete eine kurze Phase operativer

Lyrikformen wie Agitprop und Protestlied und führte zu neuen Bestimmungsversuchen des Zeitgedichts. Das *Selbstverständigungsgedicht* der Poeten und Intellektuellen, seit Ernst Wilhelm Lotz' »Aufbruch der Jugend«[106] um die rhetorische ›Wir‹-Formel zentriert, begann nun mit der bündigen Verszeile: »Alles ist ruhig. Es ist nichts passiert. / Die Fehler, die Welt zu entdecken, haben wir längst schon bereut. / Jeder Spatenstich, jeder Knochenfund, jede ausgegrabene Hoffnung: / ihre Untauglichkeit ist längst schon bewiesen.«[107] Die veränderten Poetik-Positionen waren keineswegs Paradigmenwechsel, sondern Variationen eines weiterhin offenen Moderne-Spektrums. Der Versuch, die Wiederentdeckung des Ich als Lyrik der ›Neuen Subjektivität‹ und das Alltagsgedicht der siebziger Jahre – zum Beispiel in Gedichten von Jürgen Theobaldy, Nicolas Born, Rolf-Dieter Brinkmann, Helga M. Nowak, Karin Kiwus und Friedrich Christian Delius – als neue Bruchstelle auszuloben, lief ins Leere. Weder war der Alltag ein neues lyrisches Thema, noch konstituierte sich die inszenierte Subjektivität ›neu‹: Subjektivität war und ist ein konstitutives Element der Gattung. Und alle Metamorphosen lyrischer Subjektivität – einschließlich ihrer faktischen und eingebildeten ›Krisen‹ – haben dieses Axiom nicht außer Kraft gesetzt, sondern bestätigt. Vor allem für einen der wichtigsten Lyriker der frühen siebziger Jahre, für Brinkmann, erwies sich die These, »daß die Sprache (...) eine der persönlichen Erfahrung ist, ein Widerstand gegen die Massenmedien, Wirtschaftsverbände, Parteien und Ministerien«[108], geradezu als Beleg für eine seit 1960 auf Wirklichkeitskonstruktion und Modernität verpflichtete Lyrik.

Obwohl Brinkmann in seiner Rezeption aktueller US-amerikanischer Literatur, der Poesie des *underground* und des Pop, den Begriff der Postmoderne für seine Sammlungen »Acid« und »Silver Screen« adaptierte und damit zum ersten Mal im Zusammenhang mit Lyrik gebrauchte, hatte dies den Charakter einer emphatischen Akzentuierung des Neuen, war aber kein durchgreifender poetologischer Versuch, mit der Moderne als bereits vergangener Literatur abzurechnen. Die Postmoderne-Diskussion hat die Lyrik bis heute kaum wirklich tangiert, auch wenn zuweilen ein diffuser Begriff von ›postmoderner‹ Lyrik mit den Werken Brinkmanns in Verbindung gebracht und datiert wurde. Aus meiner Sicht ist Dieter Lampings Urteil zu bekräftigen, daß es, Begriff und Datierung einmal vorausgesetzt, »der postmodernen Lyrik« im Umfeld von Pop-Lyrik und Neuer Subjektivität »nicht gelungen« sei, »sich gegen die Moderne durchzusetzen und sie zu verdrängen – wie es doch sein müßte, wenn man von einer neuen Epoche sprechen wollte«[109]. Daraus folgert Lamping mit einigem Recht: »Die moderne Lyrik mag in ihrer Spät-Phase sein (einer verlängerten Spät-Phase); am Ende ist sie noch nicht. Auch wenn es Versuche gibt, über sie hinauszukommen – sie ist nicht überwunden. Insofern ist sie noch aktuell – und doch auch schon historisch.«[110] Ebenso wie das Alltagsgedicht und die ›Neue Subjektivität‹ bewirkte auch die in den achtziger Jahren zu beobachtende zeitweilige Rückkehr zu Reim und Metrum, vor allem bei Lyrikern im Westen, keinen Paradigmenwechsel. Was zunächst in der Tat wie die Renaissance traditionalistischer Positionen erschien[111], erwies sich bald als ein Spiel mit Formvariationen, und das in Westdeutschland in Blüte stehende Betroffenheits- und Katastrophengedicht der achtziger Jahre bediente das seit den Sechzigern verbreitete Poetik-Muster der Warn- und Mahngedichte. Autoren der jüngeren Generation, die wie Thomas Kling in den achtziger Jahren zu veröffentlichen begannen, folgten dem kurzfristigen Trend zur traditionellen Strophenform ebenso wenig wie dem Hang zur poetisch ausgestellten Betroffenheit. Vor allem aber gab es weder in den Autor-Poetiken noch im Selbstverständnis und der öffentlichen Selbstpräsentation der Lyriker einen erkennbaren Bruch mit bisherigen Positionen.

Die Ausbürgerung Wolf Biermanns 1976, ein wichtiges Zäsurdatum für die gesamte DDR-Literatur, das den Exodus (auch) vieler Lyrikerinnen und Lyriker nach sich zog, hat lebensgeschichtlich existentielle Einschnitte bewirkt. Die Kontur und Konsistenz des Begriffs DDR-Lyrik lösten sich zunehmend auf. Als in den achtziger Jahren jenseits des offiziellen Literaturbetriebs Subkulturen wie die am Prenzlauer Berg entstanden, verstärkte sich der Moderne-Impuls in der DDR.[112] So entwickelte sich im subkulturellen Binnenraum eine produktive Rezeption der Konkreten Poesie und der historischen Avantgardebewegungen des frühen 20. Jahrhunderts.[113] In den jenseits offizieller Druckhäuser entstandenen Zeitschriften des Prenzlauer Bergs, die meist im Untergrund oder auf einem offiziösen grauen Markt vertrieben wurden, haben viele Autoren veröffentlicht, die in den achtziger, vor allem aber in den neunziger Jahren zur neuen Lyrikergeneration gehören sollten, etwa Uwe Kolbe, Durs Grünbein, Barbara Köhler, Bert Papenfuß-Gorek, Cornelia Schleime, A. R. Penck, Uwe Warmke und Andreas Koziol. Schon vor der politischen ›Wende‹ waren ihnen, wie in Stefan Dörings Gedicht »neue zehnzeiler und ein romantisches gedicht«, die Symbole und Embleme der DDR-Kultur, etwa Bechers Hymne, Spiel- und Spottmaterial für Collagen:

> aufgestanden und ruiniert
> gewandter in losen gewändern
> neuer vergangenheiten zugewandt
> heult in zukunft ruinen
> zeitwinds wehn von ursprung
> durch dies loch jetzt
> zuhälter und aufreisser
> meister im flötenspiel
> dem rechten augenblick
> zu pfeifen den totentanz[114]

… und 1990?

Periodisierungen sind inzwischen pragmatische Setzungen geworden und
längst keine Fragen mehr, an denen sich philologische Gemüter heftig erre-
gen. Insofern hat die pragmatische Grenzziehung 1990, aus heutiger Sicht
beurteilt, gute Chancen, sich für einige Zeit als literarhistorische Zäsurmarke zu etablieren. Jörg Drews' Anthologie »Das bleibt«, eine Lyriksammlung
von 1945 bis 1990, kommt dem Überblicksbedürfnis über die ›Lyrik der
Nachkriegszeit‹ bereits entgegen, noch bevor philologische Debatten darüber eröffnet wurden.[115] Die literarische Periodisierung des 20. Jahrhunderts
hat, von den Jahreszahlen her beurteilt, offenbar etwas verblüffend Einfaches: der erste Strang von 1900 bis 1945, der zweite bis 1990? Zumindest
für 1990 und für Deutschland ließe sich eine deutliche politische Zäsurmarke anführen, das Ende der DDR und der Bonner Zwischenrepublik auf
der einen, die Berliner Republik auf der anderen Seite. Das Zäsurjahr 1990
setzte dem Literatur- und Kulturbetrieb ein Ende, wobei der Anfang vom
Ende bis 1976, also bis zur Biermann-Ausbürgerung, zurückreicht. Mit dem
Ende der DDR verlor die DDR-Literatur ihre bisherigen Funktionen als
gesellschaftliches »Leitmedium« und als »Ersatzöffentlichkeit«.[116] Fand bisher ein anspielungsreich-vieldeutiger, zuweilen mißliebig-kritischer Ton
öffentliche Resonanz, so wurde dieser Art Arbeitsteilung zwischen Staat und
literarischer Öffentlichkeit 1990 sofort der Boden entzogen. Vom abrupten
Ende der DDR-Lyrik zu sprechen, ist indes aus mehreren Gründen problematisch, so fragwürdig wie der Begriff selbst. Schon in den achtziger Jahren
war DDR-Lyrik zwar die in der DDR geschriebene Lyrik, aber die Lyrik von
ausgebürgerten oder ausgereisten Autoren aus der DDR war damit noch keine ›West‹-Lyrik. Diffus wie die letzte Dekade des Staates, der sich an den
Rändern auflöste, war auch der Begriff DDR-Lyrik. Unter denen, die das
Land seit 1980 verließen, war eine Reihe von Lyrikern, etwa Kurt Bartsch,
Uwe Kolbe, Bettina Wagner, Wolfgang Hilbig, Frank-Wolf Matthies, Stefan
Krawczyk und Sascha Anderson.

Für die jüngste Generation, von Durs Grünbein bis Bert Papenfuß-Gorek,
war die DDR längst kein System mehr, über dessen sozialistischen Anspruch
auch nur annähernd so ernsthaft diskutiert wurde, wie dies in der Generation Kunerts und Biermanns der Fall war. Der Untergang der DDR bedeutete für keine der Generationen einen Weltbildverlust, auch nicht für Autoren
wie Volker Braun, die nun, nachdem sie jahrzehntelang alle Mängel des
Systems aus der Perspektive der Utopie aufdeckten, nicht nur deren (vor-
läufiges) Scheitern bilanzieren, sondern ihren Widerstand gegen die erweiterte Bundesrepublik und den neoliberalen Kapitalismus artikulieren: in
Gedichtbänden wie Brauns »Tumulus«[117], die gerade Beispiele dafür sind,
daß sich nach 1990 Schreibweisen wie Poetiken nicht fundamental verän-

derten. Diese ›DDR-Lyrik der neunziger Jahre‹ relativiert die spezifisch literarische Zäsurmarke von 1990 erheblich. Und selbst für die Protagonisten des Prenzlauer Bergs hat das Jahr 1990 zwar das subkulturelle Niemandsland einer literarisch-künstlerischen Avantgarde aufgelöst, aber der literatursoziologisch signifikante Bruch der Produktions- und Rezeptionsbedingungen hatte sich seit Grünbeins ungemein erfolgreichem Aufstieg im Westen und nicht zuletzt der Resonanz seines Gedichtbands »Grauzone morgens« bereits vor der Wende angedeutet. Nach 1990 wurde aus der *underground*-Lyrik rasch eine ›Szene‹-Poesie. Von einem maßgeblichen Bruch im Selbstverständnis und Habitus der Lyriker war jedenfalls ebensowenig zu spüren wie von neuen Poetik-Ansätzen. Im übrigen gehörten auch andere Lyrikerinnen und Lyriker aus der DDR längst zum facettenreichen, von keiner Richtung dominierten Ensemble der Gegenwartslyrik, wie Elke Erb, Richard Pietraß, Peter Gosse und Uwe Kolbe.

Vor diesem Hintergrund war, soweit sich dies aus der heutigen Sicht beurteilen läßt, die Zäsur von 1990, auch wenn sie das endgültige Ende der Nachkriegsliteratur besiegelte, kaum eine tiefe Bruchstelle. Allerdings hat sich die Generation der in den fünfziger und sechziger Jahren Geborenen inzwischen als eine ebenso selbstbewußte wie eigenständige Generation dargestellt, ein Umstand und ein Glücksfall zugleich, der nicht zuletzt darauf zurückzuführen ist, daß es am Ende des Jahrhunderts keine so dominante Symbolfigur aus der älteren Generation der Lyriker mehr gibt, die es den Jüngeren schwer machte, aus dem Schatten zu treten. In den neunziger Jahren zeichnet sich ein deutlicher Generationenwechsel ab, der in diesem Jahrhundert noch stets ein Indikator für eine historische Zäsur war. Das Spektrum an Schreibweisen und Selbstverständnissen ist groß, wenn man sich des vielstimmigen Ensembles vergewissert, mit Namen wie Thomas Kling, Durs Grünbein, Marcel Beyer, Anne Duden, Dieter M. Gräf, Kerstin Hensel, Norbert Hummelt, Barbara Köhler, Brigitte Oleschinski, Dirk von Petersdorff, Matthias Politycki, Thomas Rosenlöcher, Raoul Schrott und Peter Waterhouse.[118] In welchem Maße die neuen Namen zugleich auf vielfältige Weise Poesien und Poetiken der lyrischen Moderne wieder und wieder durchgearbeitet haben, zeigt sich bereits bei einer summarischen Charakteristik der neuen Lyrik. Deren Energie-Impulse führten in der letzten Dekade des Jahrhunderts über das Betroffenheits- und Katastrophengenre der achtziger Jahre ebenso überzeugend hinaus wie über regressive Formrenaissancen, hinter deren Fassade kaum verdeckte Ratlosigkeit zu spüren war. Die Rolle fragmentarisierter, provisorischer Partituren ist besonders hervorzuheben. Wie weit die neuen Texte mühelos bekannte, in den achtziger Jahren strapazierte Genres wie das Reise- und Postkartengedicht mit seinen geistreichen Impressionen und Pointen hinter sich lassen, zeigt das Eingangsgedicht »Manhattan Mundraum« in Klings Gedichtband »morsch« von 1996, das

im Vorgang des Zerlegens akustischer, sprecherischer und visueller Wahr-
nehmungspartikel das Monumentale der Stadt (»Manhattan«) mit einer Kör-
permetapher (»Mundraum«) und einer Textmetapher (»die zunge, textus«)
vernetzt und auf diese Weise in vieldeutige Zeichenfragmente zerbröselt:

> die stadt ist der mund
> raum die zunge, textus;
> stadtzunge der granit:
> geschmolzener und
> wieder aufgeschmo-
> lzner text. beiseite-
> gesprochen, abgedun-
> kelt von der hand: die
> ruinen, nicht hier, die
> zähnung, zählung der
> stadt! zu bergn, zu ver-
> bergn! die gezähltn, die
> mit den weißn gebissn,
> die aus den blickn ent-
> fertn: die gesperrtn.
> maulsperre, mundhöhle
> die stadt.
> (...)[119]

Zyklische, großflächige Gedichte haben immer mehr Konjunktur. Sie haben
das epigrammatische Gedicht in den Hintergrund gedrängt. Noch wichtiger jedoch ist die Tendenz zur ›Sprachlichkeit‹ der neuen Poesie-Versuche,
zur Rolle von Sprachreflexion und Spracherprobung, die mit einer Auseinandersetzung mit der Konstruktion von Wirklichkeit einhergeht, und zwar
nicht nur in Ideologie, Politik und Öffentlichkeit, sondern auch in Kunst,
Literatur und vor allem in den neuen Medien. Wahrnehmung selbst wird,
wie zu Beginn des Jahrhunderts, zum lyrischen Thema, und zwar als Reflexion von Wahrnehmungsprozessen, sprachlichen, visuellen und medialen
Wahrnehmungsprozeduren, also keineswegs als bloßes versifiziertes Klagen
über Fernseh-, Film- und Computergewohnheiten. In den Zusammenhang
dieser Lyrik-Tendenz der neunziger Jahre gehören allerdings auch Mayröcker,
Erb, Becker, Schlesak, Jandl und Pastior.[120] Für sie ist die Rolle des Dichters
am Ende des 20. Jahrhunderts damit verbunden, daß dieser den lyrischen
Aufschreibprozeß als *un*berufene Schreibpraxis begreift, nicht als Prophetie
und Kassandra-Ruf, nicht als Rettungsaktion qua poetischer Flaschenpost
und auch nicht als Verfertigung einer »geschichtsphilosophischen Sonnen-
uhr«, die in ein paar Versen den ›Stand‹ der Epoche in Erwartung des neu-

en Millenniums anzeigt. Es geht um die Entdeckung des Schreibens als Such-
bewegung in Permanenz, nicht (mehr) als ein Medium für Botschaften,
Betroffenheiten und Befindlichkeiten. »Ich bin kein Botenjunge, ich bin kein
Quotendichter«[121], so lautet ein Vers in Kurt Drawerts ›Selbstverständigungsgedicht‹ »Geständnis«. Grünbeins leitmotivische »Hirn«-Metapher im
Gedichtband »Schädelbasislektion«[122], das Dilemma von Wahrnehmung,
Denken und Sprache reflektierend, ist für aktuelle Gedichtpoetiken charakteristisch. Seinen Gedichtband interpretiert der Autor als eine Arbeit mit
»wechselnden Stimmen, lebenden und toten, symbolträchtigen und banalen«; Grünbein erläutert den Zusammenhang näher: »Als fixe Idee treibt das
Konzept eines Schreibens am Schnittpunkt sehr vieler Stimmen mich schon
seit längerem an. Gemeint sind hier nicht nur Stimmen im Kopf, dieses Wis-
pern und Flüstern, das an der Schädelnaht kratzt, gemeint sind auch die
realen Stimmen draußen, ihr urbanes Gemurmel, zu dem eine Großstadt-
Feldforschung vielleicht demnächst das ethnologische Grundlagenwerk
liefert.«[123] Das Schreiben hat die Tendenz zur Suchbewegung, zu offenen
Textformen. Auch für den, der die naturwissenschaftliche Orientierung
Grünbeinscher Reflexionen nicht teilt, wird in seinen Gedichten der Entwurf eines Schreibsubjekts deutlich, das unterschiedliche, diffuse, miteinander vermischte und einander überblendende Wahrnehmungsperspektiven
synthetisiert, sich also stets bis auf die Dimension der »Stimmen im Kopf«
und der »realen Stimmen« zurücknimmt. Das Ensemble und die Bewegung
der »Stimmen« machen den Kern der Schreibarbeit als elementare Form der
poesis, des Hervorbringens von Textpartituren aus.

Zeichnet sich hier eine veränderte Rolle der Lyrik im Medienzeitalter ab?
Für viele Jahrzehnte war die Lyrik immer wieder eine in ihre Zeit höchst ver-
wickelte, die jeweilige Gegenwart in ihren Signaturen erfassende und mar-
kierende literarische Praxis, die auf Resonanz in der literarischen und zuweilen auch in der politisch-gesellschaftlichen Öffentlichkeit rechnen konnte.
Im Medienzeitalter nun – es setzte im übrigen lange vor 1990 ein – ist die
Marginalisierung der Literatur und auch der Lyrik unabweisbar: trotz des
sich selbst qua *Autopoiesis* fortzeugenden Systems mit Verlagen, Märkten,
Literaturkritikern, -vermittlern und neuerdings auch -agenten. Jahrzehntelang schuf die Lyrik ein zwar wechselndes, aber durch die Energie ihrer inner-
literarischen Bruchstellen immer wieder reaktiviertes Kraftfeld, das sich in
berühmte und weniger berühmte Namen schied – ein pyramidales Reprä-
sentationssystem, das durch literarische Kanonbildung abgesichert wurde.
Zum ersten Mal zeichnet sich am Ende des Jahrhunderts indes eine das gesamte System betreffende Bruchstelle ab, die unübersehbare Folgen für die Lyrikgeschichte haben könnte. In seiner »kleinen Meteorologie der Gegenwartsliteratur« hat Klaus-Michael Bogdal die »Tendenz zur Differenzierung und
Autonomisierung traditioneller Klassen und Schichten der modernen Indu-

striegesellschaft zu ›Milieus‹«[124] beschrieben und die Rolle von Lebensstilen hervorgehoben, denen sich eine jeweils unterschiedliche kulturelle Alltagspraxis zuordnen läßt. Bogdal folgert für die Gegenwartsliteratur, »daß die hegemoniale literarische Öffentlichkeit in unserer Gegenwart zerfällt (...). An ihre Stelle treten milieuspezifische Öffentlichkeiten. Ein Werk oder Autor wird in diesem Milieu nur noch dann von anderen – und zwar zunächst benachbarten – Milieus wahrgenommen, wenn es als repräsentativ für den jeweiligen Lebensstil gilt. Die Literaturkritik spricht dann von *Kult-Werken* und *Kult-Autoren*.«[125]

Auf die Lyrik am Ende des 20. Jahrhunderts übertragen hieße dies: Es gibt keine Hierarchie des lyrischen Gegenwartskanons mehr, sondern ein in die Fläche reichendes, horizontales *Nebeneinander* unterschiedlicher Lyrik-Sektoren. Zumindest in Ansätzen läßt sich diese Tendenz zur *Diversifizierung* durchaus beobachten. So gibt es weiterhin selbstverständlich Lyriker eines traditionellen literarischen Milieus von Enzensberger bis Grass, die von der Literaturkritik maßgeblicher Tages- und Wochenzeitungen auf den Markt gebracht werden. In diesen Kontext gehört durchaus auch die Vielzahl der Autoren der jüngeren Generation. Ein Blick in Buchhandlungen aber zeigt, daß die Sparte *Verschenklyrik* längst das Überblickssortiment über aktuelle Lyrikpublikationen verdrängt hat. Diese Poesie rechnet keineswegs auf ein literaturfernes Publikum. Sie ist mit Moderne-Traditionen vernetzt, wie ein Blick in Hans Kruppas »Lichter der Hoffnung«[126] von 1996 zeigt. Der Autor orientiert sich in seiner Schreibweise am epigrammatischen, pointen- und sentenzenhaften kurzen Gedicht der sechziger und frühen siebziger Jahre, indem er subtile Belehrungs- und Moralisierungstaktiken, den Glauben an die Kraft poetischer Botschaften, das Interesse an Wortspiel und Sprachwitz sowie an Gedichten aus wenigen reimlosen Versen seinem Publikum offeriert. Kruppa greift auf ein erfolgreiches Genre der Nachkriegslyrik zurück, auf das Alltagsgedicht der siebziger Jahre. »Momentaufnahmen« ist ein Abschnitt seiner »Lichter der Hoffnung« überschrieben.[127] Der Autor rechnet mit der Akzeptanz eines Gedichttyps, der sich über die scheinbar kunstlose und gerade deshalb als authentisch empfundene Alltäglichkeit seiner Gegenstände und Themen definiert. Damit wird das poetologische Kalkül der Gedichtproduktion deutlich: das Gedicht als verständliches, seine Leser einbeziehendes, zugleich unaufdringliches Dialogangebot in umgangssprachlicher Diktion und mit einigen leicht dechiffrierbaren, vertrauten Bildern und Vergleichen. »Damit man sich selbst versteht«, so lautet der Titel eines Poetik-Gedichts: »Ein gutes Gedicht / zu schreiben / ist wie ein gutes Gespräch / zu haben / mit sich selbst, / das man braucht / wie gute Gespräche / mit anderen, / damit man / sich selbst versteht, / wenn man / zu anderen geht.«[128] Ein solches Dialogversprechen ist verbindliche Maxime, Verständlichkeit eine elementare Poetik-Prämisse. Aber gerade von hier aus lassen sich entsprechende Affinitäten zur Poetologie und zur lyrischen Schreibweise derer aufzeigen, die – wie Peter Härtling, Hilde Domin und Eva Strittmatter – seit Jahrzehnten ihre Leser- und Leserinnengemeinde haben und nicht zuletzt mit ihren Gedichten den Anspruch auf Orientierung, auf die Positivität und Lauterkeit des poetischen Wortes aufrechterhalten: gegen die emphatische Moderne und ihre Thesen vom Hiat zwischen Poesie und Publikum, von der Inkommunikativität des dichterischen Wortes.

Kurzgedichte sind offenbar die gängige Gebrauchsform einer Lyrik, die Denkanstöße fixiert, einen Aufschreibmodus für Skizzen und Notizen pflegt, die lockere Vers- und Strophenform als freie Fläche für Einfälle, Beobachtungen und Reflexionen aller Art nutzt und flüchtige Momente sowie Augenblicksempfindungen im Vers festhält. Solche epigrammatischen, auf Wortspiel und Pointe zielenden, kaum mehr als zwei oder drei Strophen umfassenden Gedichte sind seit gut vier Jahrzehnten und auch in den neunziger Jahren ein sehr verbreiteter Gedichttyp. Wir finden ihn bei Autoren unterschiedlicher Generationen und unterschiedlicher Sektoren.

Es sei daran erinnert, daß jeder Sektor seine *Kult-Autoren* hat. Das gilt auch für ein Leser-Milieu, für das Lyrik im Konnex von Humor, Spaß und Lebenshedonismus (selbst-)parodistische und zeitsatirische Funktionen hat. Der Erfolg von Gernhardts »Lichten Gedichten«[129] ist vor diesem Hintergrund leicht erklärbar. Es gibt Lesemilieus, in denen sprach- und formästhetische Experimente nicht gefragt sind, die aber eine Vorliebe für Literatur als Lebensorientierung haben. Jenseits aller Poetik-Debatten hat sich ein, wie es scheint, expandierender Sektor etabliert, der *Lyrik als Lebenshilfe* versteht.[130] Das Milieu, das für solche Lyrik empfänglich ist, hat einen Sinn für Literatur als Orientierung, genauer: für alle möglichen Spielarten von Individualitätskonzepten und Identitätsangeboten. Alltäglichkeiten, Beziehungsgeschichten, Verhaltensweisen, Träume und Niederlagen, Ängste und Befindlichkeiten bilden die Inhalte der zumeist kurzen Gedichte, während unter den Gattungen Natur-, Liebes-, Alltags- und Reisegedichte bevorzugt werden. Es dominiert auch in diesem Sektor das reimlose Kurzgedicht, dessen Verse ein paar parataktisch gebaute Sätze in wenige Worte umfassende Zeilen brechen. Manche Autoren verwenden für ihre Epigramm-Texte die Bezeichnung ›Sinnsprüche‹ oder ›Kurzgedichte‹. Themen und Gegenstände entstammen dem Alltag. Das Gedicht rechtfertigt sich durch eingängige Lesbarkeit. Es will verständlich sein, weil es – und sei es als kurze Sentenz, aufmunternder Gedanke und kleine Botschaft – das Sinnversprechen von Poesie nicht aufgibt.

Je stärker Alltag, Lebensstil und Lebensgewohnheit milieuspezifisch differenzieren, je mehr bilden sich die einzelnen Sektoren heraus. Zumindest für eine bestimmte Sparte des jugendlich-hedonistischen Milieus hat ›Szene‹-Lyrik eine hohe Aktualität. Der Bogen reicht von Andreas Neumeisters und

Marcel Hartges' *Slam Poetry*-Sammlung[131] bis zu Papenfuß- Goreks Gedichtband »SBZ. Land und Leute«, »gewidmet / unseren Mittätern, / Verrätern und Vätern«. Der Autor sei »eine schweifende Existenz, poetischer Kamikaze-Flieger, lebende Bombe, unsicherer Kantonist«[132], heißt es im mitgelieferten Porträt des Druckhauses Galrev. Papenfuß-Gorek ist *Kult-Autor* einer ›Szene‹, deren Selbstverständnis, deren Alltag, deren Lebensstil, deren allmähliches Altern seine Texte immer wieder umkreisen.

Noch ist nicht vorauszusagen, ob die milieuspezifische Diversifizierung der Literatur auch für die Lyrikgeschichte sich als eine einschneidende Zäsur erweisen wird, ob sie Energie-Impulse – möglicherweise sektoral – verstärkt oder aber abschwächt, so daß rapide Brüche wie 1910, 1920 und 1960 in Tempo und Wirksamkeit eher unwahrscheinlich werden. Festzuhalten bleibt, in welchem Maße Positionen der reaktivierten und re-formulierten Moderne seit 1960 in der Gegenwartslyrik noch vorherrschen und wie sich in ihnen der Moderne-Impuls des frühen 20. Jahrhunderts bewahrt hat. So ist es kein Zufall, wenn in der Charakteristik Papenfuß-Goreks Konturen eines Lyrikertypus offenbar werden, die an den Beginn des Jahrhunderts erinnern: an die Idole Baudelaire und Rimbaud, an Walt Whitman-Verehrung, an einen sich subversiv in Kultur und Gesellschaft bewegenden Poeten. Am Ende des Jahrhunderts sind noch allenthalben – umgeformt, variiert und fragmentarisiert – Spuren des Anfangs auffindbar. Die Lyrik der Moderne, ein Synonym für die Lyrik des 20. Jahrhunderts? Zumindest eines ist deutlich: Die Energie-Impulse der ersten drei Jahrzehnte waren derart stark, daß sie bis zur Wende ins 21. Jahrhundert nachwirken. Sogar die Abschwungphase der dreißiger und vierziger Jahre hatte noch in der Umpolung der Energiefelder eine so massive Kraft, daß sie, in der Sprache der Moderne formuliert, mit dem Traditionalismus eine eigene, eigentümliche (aus heutiger Sicht weithin wiederzuentdeckende), an Autornamen, Werken und Positionen facettenreiche Periode darstellte. Noch im Abschwung hatten die ersten Dekaden der Moderne eine Kraft, die in der Lyrikgeschichte seit dem 18. Jahrhundert ihresgleichen sucht. Wo gibt es heute eine Autor-Poetik, ein Selbstverständnis, einen Habitus, eine Form des öffentlichen Auftretens, ja sogar (mit Ausnahme von ersten Versuchen zu interaktiver Lyrik und Internet-Verbreitung[133]) eine Form der medialen Präsentation, die nicht bereits zwischen 1890 und 1930, in welcher Variante auch immer, nachweisbar wäre? Der schmale Gedichtband, der am Ende des 19. Jahrhunderts die Goldschnitt-Poesien und lyrischen Goldschnitt-Miniaturen ablöste, gehört offenbar zu den erfolgreichsten literarischen Medien-Projekten des 20. Jahrhunderts und hätte endlich eine eigene Medien-, Wirkungs- und Rezeptionsgeschichte verdient.

Es wäre mit Blick auf die deutschsprachige Lyrik der neunziger Jahre falsch, das vielzitierte Bild vom ›schnellen Altern der neuesten Literatur‹[134] zu bemühen. Der symptomatische Begriff der ›Krise‹ hat ein Jahrhundert lang in regelmäßigen Abständen immer wieder die geheime Sensation vom Ende, vom endgültigen Ende und vom letztendlichen Ende beschworen. »Der Lebensraum der Lyrik ist die Dunkelheit der Welt. Sie stirbt mit den Königen an der Aufklärung, an der Helle unseres Zeitalters. (...) Wo richtig gedichtet wird, muß es morastig stinken und die Lyriker können von uns nicht verlangen, daß wir ihretwegen dumpfige Straßen bauen. Wir können unseren Kampf gegen den Tuberkelbazillus nicht einstellen, damit der Romantik ihr Humusboden erhalten bleibt. Die Lyrik muß sterben, damit der Fortschritt leben kann.«[135] Diese Prognose über den ›Tod der Lyrik‹, inzwischen fast siebzig Jahre alt, gehört zur unübersehbar großen Menge der falschen Voraussagen im 20. Jahrhundert. Daß sie gerade nicht an ihr Ende kommt, das scheint substantieller und elementarer zur Bestimmung der Lyrik zu gehören als alle Verkündigungen ihres Endes. Wie stark die Energie der – immer wieder – »neuen Poesie« am Ende des Jahrhunderts ist, hat Siegfried J. Schmidt 1997 mit souveräner Leichtigkeit in einem Essay zum Thema »alles was sie schon immer über poesie wissen wollten« in eine Endlosformel gebracht. Unter dem Stichwort »neue poesie« heißt es: »die neue poesie besiegt alle zweifel alle versuche sie abzuschaffen haben ihr nur den rücken gestärkt denn die neue poesie ist unschlagbar sie ist poesie pur natürlich mögen sie sich fragen ob es nicht andere mittel der fortbewegung gibt sozusagen intellektuellere aber das öffentliche interesse duldet keinen aufschub literatur ist gefordert und nichts als literatur wenn wort auf wort folgt und satz auf satz (...).«[136] – Wer wagt da zu widersprechen?

1 Vgl. Dieter Lamping: »Moderne Lyrik. Eine Einführung«, Göttingen 1991, S. 16 ff. Baudelaire hatte bereits Friedrich als Portalfigur moderner Lyrik hervorgehoben; vgl. Hugo Friedrich: »Die Struktur der modernen Lyrik. Von der Mitte des neunzehnten bis zur Mitte des zwanzigsten Jahrhunderts«, erw. Neuausgabe, 4. Aufl. Hamburg 1971, S. 35–58. — 2 Vgl. Wolfgang Braungart: »Ästhetischer Katholizismus. Stefan Georges Rituale der Literatur«, Tübingen 1997. — 3 »Moderne Dichter-Charaktere«, hg. von Wilhelm Arent, mit Einleitungen von Hermann Conradi und Karl Henckell, Leipzig 1885. — 4 Arno Holz: »Das Buch der Zeit. Lieder eines Modernen«, Zürich 1886; »Emanuel Geibel. Ein Gedenkbuch«, hg. von Arno Holz, Berlin 1884; vgl. Günter Helmes: »Auf Geibel komm raus! Der junge Arno Holz zwischen Tradition und Innovation«, in: TEXT + KRITIK, H. 121: Arno Holz, München 1994, S. 12–19. — 5 Vgl. Arno Holz: »Phantasus«, Berlin 1898/1899; ders.: »Phantasus«, 7 Bde., Berlin 1925. — 6 Arno Holz: »Das ausgewählte Werk«, Berlin 1919, S. 37. — 7 Bruno Wille: »Die Wolkenstadt«, in: »Deutsche Großstadtlyrik vom Naturalismus bis zur Gegenwart«, hg. von Wolfgang Rothe, Stuttgart 1973, S. 52. — 8 Ebd., S. 54 (»Entzauberung«). — 9 Vgl. ausführlicher Klaus Lichtblau: »Kulturkrise und Soziologie um die Jahrhundertwende. Zur Genealogie der Kultursoziologie in Deutschland«, Frankfurt/M. 1996, S. 38 ff. — 10 Rainer Maria Rilke: »Sämtliche Werke in 12 Bänden«, hg. vom Rilke-Archiv,

Frankfurt/M. 1975, Bd. 1, S. 189. — **11** Klaus Lichtblau: »Kulturkrise«, a. a. O., S. 46. —
12 Vgl. näher Manfred Riedel: »Freilichtgedanken. Nietzsches dichterische Welterfahrung«,
Stuttgart 1998. — **13** Arthur Rimbaud: »Sämtliche Werke«, Leipzig 1976, S. 394 (Brief an
Georges Izambard vom Mai 1871). Vgl. auch Peter Geist: »Kurzbesichtigung eines Arsenals
– Die Lyriker der Moderne«, in: ders. u. a.: »Vom Umgang mit Lyrik der Moderne«, Berlin
1992, S. 11–60; vor allem S. 13–24. — **14** Ebd. — **15** Stefan George: »Über Dichtung«, in:
ders.: »Werke. Ausgabe in zwei Bänden«, Düsseldorf, München 1968, Bd. 1, S. 530. —
16 Ebd., S. 137. — **17** Paul Raabe: »Die Autoren und Bücher des literarischen Expressionismus. Ein bibliographisches Handbuch«, Stuttgart 1985. — **18** Vgl. ausführlicher Hermann
Korte: »Expressionismus und Jugendbewegung«, in: »Internationales Archiv für Sozialgeschichte der deutschen Literatur», 1988, Nr. 13, S. 70–106. — **19** Johannes R. Becher:
»Gedichte 1911–1918«, hg. von Paul Raabe, München 1973, S. 44. (»Beengung«). —
20 Georg Heym: »Dichtungen und Schriften. Gesamtausgabe«, hg. von Karl Ludwig Schneider, Bd. 1: »Lyrik«, Hamburg 1964, S. 397. — **21** Karl Ludwig Schneider: »Zerbrochene Formen. Wort und Bild im Expressionismus«, Hamburg 1967. — **22** Rudolf Leonhard: »Spar-
takussonette«, Stuttgart 1921 (die Sonette waren der »russischen Sowjet-Republik, der Dritten
Internationale« und »dem deutschen Proletariat!« gewidmet). — **23** Gottfried Benn: »Morgue und andere Gedichte«, Berlin 1912. — **24** Else Lasker-Schüler: »Styx. Gedichte«, Berlin
1902. — **25** Alfred Lichtenstein: »Dichtungen«, hg. von Klaus Kanzog und Hartmut Voll-
mer, Zürich 1989, S. 43. — **26** »Manifeste und Proklamationen der europäischen Avantgarde (1909–1938)«, hg. von Wolfang Asholt und Walter Fähnders, Stuttgart, Weimar 1995,
S. 14. — **27** Vgl. ebd., S. 24 ff. — **28** Zitiert nach »Menschheitsdämmerung. Ein Dokument
des Expressionismus«, neu hg. von Kurt Pinthus, Hamburg 1959, S. 74. (»Schwermut«). —
29 Vgl. Horst H. W. Müller: »Richard Dehmel und Ernst Wilhelm Lotz«, in: »Jahrbuch der
Deutschen Schiller-Gesellschaft«, 1968, Nr. 12, S. 88–93. — **30** Vgl. Manfred Durzak: »Zwischen Symbolismus und Expressionismus: Stefan George«, Stuttgart, Berlin, Köln, Mainz
1974, S. 107–153. — **31** Iwan Goll: »Der Expressionismus stirbt«, in: »Expressionismus. Der
Kampf um eine literarische Bewegung«, hg. von Paul Raabe, München 1965, S. 180 f. —
32 Zitiert nach »1000 Deutsche Gedichte und ihre Interpretationen«, hg. von Marcel Reich-
Ranicki, Bd. 6: »Von Georg Trakl bis Gottfried Benn«, 2. Aufl. Frankfurt/M., Leipzig 1995,
S. 287. — **33** Gottfried Benn: »Epilog und lyrisches Ich«, in: »Lyriktheorien. Texte vom Barock bis zur Gegenwart«, hg. von Ludwig Völker, Stuttgart 1990, S. 306. — **34** Rainer Maria
Rilke: »Duineser Elegien«, Leipzig 1923; ders.: »Die Sonette an Orpheus«, Leipzig 1923. —
35 So hat Kaes einen Abschnitt zur Lyrikdiskussion zwischen 1926 und 1930 überschrieben,
vgl. »Weimarer Republik. Manifeste und Dokumente zur deutschen Literatur 1918–1933«,
hg. von Anton Kaes, Stuttgart 1983, S. 439 ff. — **36** Ein Beispiel dafür ist Stefan Zweigs Vor-
rede in »Anthologie jüngster Lyrik«, hg. von Klaus Mann und Willi R. Fehse, Hamburg 1927.
Auch Manns und Fehses Nachwort spart die ›Gebrauchslyrik‹ völlig aus (vgl. S. 159–162).
— **37** Vgl. Erich Kästner: »Prosaische Zwischenbemerkung«, in: »Weimarer Republik. Manifeste und Dokumente«, a. a. O., S. 448 f. In seiner 1929 erschienenen »Zwischenbemerkung«
schrieb Kästner: »Zum Glück gibt es ein oder zwei Dutzend Lyriker (...), die bemüht sind,
das Gedicht am Leben zu erhalten. Ihre Verse (...) wurden im Umgang mit den Freuden und
Schmerzen der Gegenwart notiert (...). Man hat für diese Art von Gedichten die Bezeichnung
›Gebrauchslyrik‹ erfunden, und die Erfindung beweist, wie selten in der jüngsten Vergangenheit wirklich Lyrik war. (...) Verse, die von den Zeitgenossen nicht in irgendeiner Weise
zu gebrauchen sind, sind Reimspielereien, nichts weiter.« (S. 449). — **38** Vgl. Reinhard Hip-
pen: »Kabarett zwischen den Kriegen«, in: »Das literarische Leben in der Weimarer Republik«, hg. von Keith Bullivant, Königstein/Ts. 1978, S. 89–113. — **39** Walter Mehring: »Das
Ketzerbrevier. Ein Kabarettprogramm«, München 1921. — **40** In: »Lyrik des 20. Jahrhunderts. Materialien zu einer Poetik«, hg. von Klaus Schuhmann, Reinbek 1995, S. 121. —
41 Vgl. zum Jargon und Habitus der zwanziger Jahre Helmut Lethen: »Der Habitus der Sachlichkeit in der Weimarer Republik«, in: »Literatur der Weimarer Republik 1918–1933«, hg.
von Bernhard Weyergraf, München, Wien 1995, S. 371–445; vor allem S. 399 ff. —
42 Alfons Paquet: »Amerika. Hymnen, Gedichte«, Leipzig 1924. — **43** Bertolt Brecht: »Haus-

postille«, Berlin 1927. — **44** So das »Lexikon deutschsprachiger Schriftsteller. 20. Jahrhundert«, hg. Kurt Böttcher u. a., Hildesheim, Zürich, New York 1993, S. 372; vgl. Mascha Kaléko: »Das lyrische Stenogrammheft / Kleines Lesebuch für Große«, Hamburg 1956 (Neuausgabe). — **45** Einen Querschnitt durch die Großstadtlyrik der Weimarer Republik in »Deutsche Großstadtlyrik«, a. a. O., S. 158–290. — **46** Kurt Tucholsky: »Das neue Lied«, zitiert nach »Lyrik des 20. Jahrhunderts«, a. a. O., S. 126. — **47** Beispiele in »Deutsche Großstadtlyrik«, a. a. O., S. 242 f.; vgl. auch Alfred Richard Meyer: »Der große Munkepunke«, Berlin 1924. — **48** Lion Feuchtwanger: »PEP. J. L. Wetcherks amerikanisches Liederbuch«, Potsdam 1928. — **49** Gottfried Benn: »Epilog und lyrisches Ich«, a. a. O., S. 306 f. — **50** Klaus Mann: »Dank der Jugend an Rainer Maria Rilke«, in: »Die literarische Welt 3«, 1927, Nr. 2, S. 1 f. — **51** Vgl. Bert Brecht: »Kurzer Bericht über 400 (vierhundert) junge Lyriker«, in: »Weimarer Republik. Manifeste und Dokumente«, a. a. O. S. 441 f. — **52** Vgl. Hermann Korte: »Lyrik am Ende der Weimarer Republik«, in: »Literatur der Weimarer Republik 1918–1933«, a. a. O., S. 601–635; vor allem S. 618 ff. — **53** Vgl. Hermann Hesse: »Ausgewählte Gedichte«, Berlin 1921; ders.: »Krisis. Ein Stück Tagebuch«, Berlin 1928; ders.: »Trost der Nacht. Neue Gedichte«, Berlin 1929; ders.: »Jahreszeiten. Zehn Gedichte«, Zürich 1931. — **54** Vgl. »Hinweis auf Martin Raschke. Eine Auswahl der Schriften«, hg. von Dieter Hoffmann, Heidelberg, Darmstadt 1963, S. 10 f. — **55** Ebd., S. 37–42. — **56** Einen guten Überblick bietet die Anthologie »Moderne deutsche Naturlyrik«, hg. von Edgar Marsch, Stuttgart 1980. — **57** Oskar Loerke: »Die heimliche Stadt. Gedichte«, Berlin 1921; ders.: »Der längste Tag«, Berlin 1926; »Atem der Erde. Sieben Gedichtkreise«, Berlin 1930. — **58** Wilhelm Lehmann: »Gesammelte Werke in acht Bänden«, hg. von Hans Dieter Schäfer, Bd. 1: »Sämtliche Gedichte«, Stuttgart 1982, S. 35. — **59** Vgl. Alexander von Bormann: »›Hin ins Ganze und Wahre‹. Lyrischer Traditionalismus zwischen 1930 und 1960«, in: TEXT + KRITIK, 9/9 a, 3. Aufl. 1984, S. 62–76; Hans Dieter Schäfer: »Zur Periodisierung der deutschen Literatur seit 1930«, in: »Literaturmagazin«, 1977, Nr. 7, S. 95–113. — **60** Vgl. »Deutsche Gedichte 1930–1960«, hg. von Hans Bender, Stuttgart 1984. — **61** Ebd., S. 16 (Einleitung). — **62** Einen ersten Überblick gibt Benders Anthologie »Deutsche Gedichte 1930–1960«, a. a. O. — **63** Max Reuschle: »Der Sinn des Gedichtes in unserer Zeit«, in: »Lyrik des 20. Jahrhunderts«, a. a. O., S. 170 f. — **64** Vgl. Josef Weinheber: »Adel und Untergang. Gedichte«, Wien 1934. — **65** Vgl. »An den Wind geschrieben. Lyrik der Freiheit. Gedichte der Jahre 1933–145«, gesammelt, ausgewählt und eingeleitet von Manfred Schlösser, Darmstadt 1960; »Kunst und Literatur nach Auschwitz«, hg. von Manuel Köppen, Berlin 1993; »Schreiben nach Auschwitz«, hg. von Peter Mosler, Köln 1989. — **66** Vgl. Albrecht Haushofer: »Moabiter Sonette«, Berlin 1946. — **67** Vgl. Hans Dieter Schäfer: »Das gespaltene Bewußtsein. Deutsche Kultur und Lebenswirklichkeit 1933–1945«, München, Wien 1981. — **68** Horst Lange: »Zwölf Gedichte«, Berlin 1933; Wilhelm Lehmann: »Antwort des Schweigens. Gedichte«, Berlin 1935; Elisabeth Langgässer: »Die Tierkreisgedichte«, Leipzig 1935; Georg von der Vring: »Der Tulpengarten. Lieder«, Hamburg 1936; Oskar Loerke: »Der Silberdistelwald. Gedichte«, Berlin 1934; ders.: »Der Wald der Welt. Gedichte«, Berlin 1936. — **69** Oskar Loerke: »Die Gedichte«, Frankfurt/M. 1983, S. 614. — **70** Zitiert nach »An den Wind geschrieben«, a. a. O., S. 70. — **71** Theodore Ziolkowski: »Form als Protest. Das Sonett in der Literatur des Exils und der Inneren Emigration«, in: »Exil und Innere Emigration. Third Wisconsin Workshop«, hg. von Reinhold Grimm und Jost Hermand, Frankfurt/M. 1972, S. 153–172; Zitat S. 156. — **72** Ebd., S. 163. — **73** Ebd., S. 166. — **74** Johannes R. Becher: »Gedichte«, Berlin, Weimar 2. Aufl. 1976, S. 332. — **75** Gottfried Benn: »Sämtliche Werke«, Bd. I: »Gedichte 1«, hg. von Gerhard Schuster, Stuttgart 1986, S. 135. — **76** Eckart Klessmann: »Abseits vom Rausch der Dinge«, in: »1000 Deutsche Gedichte«, Bd. 6: »Von Georg Trakl bis Gottfried Benn«, a. a. O., S. 183. — **77** Vgl. Hermann Korte: »Geschichte der deutschen Lyrik seit 1945«, Stuttgart 1989, S. 1 ff. — **78** Johannes R. Becher: »Heimkehr. Neue Gedichte«, Berlin 1946; ders.: »Volk im Dunkel wandelnd. Gedichte«, Berlin 1948; ders.: »Glück der Ferne – leuchtend nah. Neue Gedichte«, Berlin 1951; ders.: »Deutsche Sonette«, Berlin 1952. — **79** Manfred Hausmann: »Füreinander«, Berlin 1948; Rudolf Hagelstange: »Strom der Zeit« Wiesbaden 1947; Erich Schönwiese: »Ausfahrt und Wiederkehr«, Wien 1947; Xaver A. Gwerder: »Blauer Eisenhut«, Zürich 1951; Friedrich Georg Jünger: »Iris im Wind«, Frankfurt/M.1952. — **80** Zitiert nach »Komm, heilige Melancholie. Eine Anthologie deutscher Melancholie-Gedichte«, hg. von Ludwig Völker, Stuttgart 1983, S.60. — **81** Werner Bergengruen: »Die heile Welt«, Zürich 1950. — **82** Vgl. Gustav Zürcher: »Trümmerlyrik«. Politische Lyrik 1945–1950«, Kronberg/Ts. 1977. — **83** Vgl. »Die Wiener Gruppe. Achleitner, Artmann, Bayer, Rühm, Wiener. Texte, Gemeinschaftsarbeiten, Aktionen«, hg. von Gerhard Rühm, Reinbek 1967. — **84** Vgl. grundlegend zur europäischen Dimension moderner Lyrik Walter Höllerer: »Theorie der modernen Lyrik. Dokumente zur Poetik I«, Reinbek 1965. — **85** Bertolt Brecht: »Buckower Elegien«, Berlin, Frankfurt/M. 1954. — **86** Erich Arendt: »Flug-Oden«, Leipzig, Wiesbaden 1959. — **87** Peter Rühmkorf: »Himmel abgespeckt«, zitiert nach »Deutsche Gedichte 1930–1960«, a.a.O., S.398. — **88** Peter Rühmkorf: »Irdisches Vergnügen in g«, Hamburg 1959. — **89** Ingeborg Bachmann: »Die gestundete Zeit«, Frankfurt/M. 1953; dies.: »Anrufung des Großen Bären«, München 1956. — **90** Hans Magnus Enzensberger: »Die Gedichte«, Frankfurt/M. 1983, S.89. — **91** Paul Celan: »Sprachgitter«, Frankfurt/M. 1959; Johannes Bobrowski: »Sarmatische Zeit«, Stuttgart 1961; ders.: »Schattenland Ströme«, Stuttgart 1962; Karl Krolow: »Fremde Körper«, Berlin, Frankfurt/M. 1959; Helmut Heißenbüttel: »Textbuch I«, Freiburg 1960; Günter Grass: »Gleisdreieck«, Darmstadt, Berlin 1960; Eugen Gomringer: »33 Konstellationen«, St. Gallen 1960; Christa Reinig: »Sterne von Finisterre«, Stierstadt 1960; Günter Kunert; »Tagwerke«, Halle 1961; Rolf Haufs: »Straße nach Kohlhaasenbrück«, Neuwied, Berlin 1962; Volker von Törne: »Fersengeld«, Berlin 1962. — **92** Vgl. Peter Rühmkorf: »Strömungslehre I. Poesie«, Reinbek 1978. — **93** Ebd., S.41. — **94** Vgl. Paul Celan: »Ansprache anläßlich der Entgegennahme des Literaturpreises der Freien Hansestadt Bremen«, in: »Lyrik des 20. Jahrhunderts«, a.a.O., S.215–217; ferner Paul Celan: »Der Meridian. Rede zur Verleihung des Georg-Büchner-Preises«, in: ebd., S.260–263. — **95** »Mein Gedicht ist mein Messer«, hg. von Hans Bender, Heidelberg 1955 (2. Aufl. 1961). — **96** Walter Höllerer: »Thesen zum langen Gedicht«, in: »Akzente«, 1965, H. 12, S.128–131. — **97** Hans Magnus Enzensberger: »Museum der modernen Poesie«, Frankfurt/M. 1960. — **98** Zitiert nach »Briefe an junge Dichter«, hg. von Helmut Göbel u.a., Göttingen 1998, S.77. (Brief Rilkes an Franz Xaver Kappus vom 17. Februar 1903). — **99** Paul Celan: »Ansprache«, a.a.O., S.216. — **100** Paul Celan: »Gedichte in zwei Bänden«, Bd. I, Frankfurt/M. 1975, S.102. — **101** Zitiert nach »Grenzverschiebung. Neue Tendenzen in der deutschen Literatur der sechziger Jahre«, hg. von Rainer Matthei, Köln, Berlin 1970, S.205. — **102** Erich Kästner: »Prosaische Zwischenbemerkung«, a.a.O., S.446. — **103** Uwe Wandrey: »Kampfreime«, Hamburg 1968. — **104** »Und ich bewege mich doch... Gedichte vor und nach 1968«, hg. von Jürgen Theobaldy, München 1977. — **105** Sarah Kirsch: »Landaufenthalt. Gedichte«, Berlin 1967, S.54. — **106** In: »Menschheitsdämmerung«, a.a.O., S.225 (das Gedicht entstand 1913 im Kontext des Treffens der deutschen Jugendbewegung auf dem Meißner bei Kassel). — **107** Michael Krüger: »Wie es so geht«, in: »In diesem Lande leben wir. Deutsche Gedichte der Gegenwart. Eine Anthologie in zehn Kapiteln«, hg. von Hans Bender, München, Wien 1978, S.110f. — **108** »Und ich bewege mich doch...«. (Nachbemerkung), a.a.O., S.223. — **109** Dieter Lamping: »Moderne Lyrik«, a.a.O., S.115. — **110** Ebd., S.117. — **111** Vgl. Hermann Korte: »Geschichte der deutschen Lyrik seit 1945«, a.a.O., S.185ff. — **112** Einen Überblick geben die Dokumentationen »Abriß der Ariadnefabrik«, hg. von Andreas Koziol u.a., Berlin 1990; »Vogel oder Käfig sein‹. Kunst und Literatur aus unabhängigen Zeitschriften in der DDR 1979–1989«, hg. von Klaus Michael und Thomas Wohlfahrt, Berlin 1992. — **113** Vgl. »wortBILD. Visuelle Poesie in der DDR«, hg. von Guillermo Deisler und Jörg Kowalski, Halle, Leipzig 1990; ferner Jörg Kowalski: »bildSTOERUNG & HEIMATkunde. Bemerkungen zur visuellen Poesie der DDR«, in: »Visuelle Poesie«, TEXT + KRITIK. Sonderband 1997, S.130–141. — **114** »Vogel oder Käfig sein««, a.a.O., S.112. — **115** »Das bleibt. Deutsche Gedichte 1945–1990«, hg. von Jörg Drews, Stuttgart 1996. — **116** Wolfgang Emmerich: »Kleine Literaturgeschichte der DDR«. Erweiterte Neuausgabe, Leipzig 2. Aufl. 1997, S.436. — **117** Volker Braun: »Tumulus«, Frankfurt/M. 1999. — **118** Die folgenden Titel zur ersten (nicht-repräsentativen) Orientierung: Thomas Kling:

»brennstabm. Gedichte«, Frankfurt/M. 1991; Durs Grünbein: »Falten und Fallen. Gedichte«, Frankfurt/M. 1994; Marcel Beyer: »Falsches Futter. Gedichte«, Frankfurt/M. 1997; Anne Duden: »Steinschlag« Köln 1993; Dieter M. Gräf: »Rauschstudie: Vater + Sohn«, Frankfurt/M. 1994; Kerstin Hensel: » Schlaraffenzucht. Gedichte«, Frankfurt/M. 1990; Norbert Hummelt: »pick-ups«, Siegen 1992; Barbara Köhler: »Blue Box. Gedichte«, Frankfurt/M. 1995; Brigitte Oleschinski: »Mental Heat Control«, Reinbek 1990; Dirk von Petersdorff: »Zeitlösung. Gedichte«, Frankfurt/M. 1995; Matthias Politycki: »Jenseits von Wurst und Käse«, München 1995; Thomas Rosenlöcher: »Die Dresdner Kunstausübung. Gedichte«, Frankfurt/M. 1996; Raoul Schrott: »sub rosa«, Innsbruck 1993; Peter Waterhouse: »E 71. Mitschrift aus Bihac und Kraijna«, Salzburg, Wien 1996. — 119 Thomas Kling: »morsch. Gedichte«, Frankfurt/M. 1996, S. 7. — 120 Vgl. Jürgen Becker: »Das englische Fenster. Gedichte«, Frankfurt/M. 1990; ders.: »Korrespondenzen mit Landschaft« Frankfurt/M.1996; Elke Erb: »Unschuld, du Licht meiner Augen. Gedichte«, Göttingen 1994; Ernst Jandl: »idyllen«, Frankfurt/M. 1989; ders.: »Stanzen«, Hamburg, Zürich 1992; Friederike Mayröcker: »Entfachung. Gedicht in mehreren Phasen«, Wien 1990; dies.: »Stilleben«, Frankfurt/M. 1990; dies.: »Lection«, Frankfurt/M.1994; dies.: »Notizen auf einem Kamel. Gedichte 1991–1996«, Frankfurt/M. 1996; Oskar Pastior: »Kopfnuß Januskopf. Gedichte in Palindromen«, München 1990; ders.: »34 Sestinen. Eine kleine Kunstmaschine«, München, Wien 1994; ders.: »Vokalisen & Gimpelstifte«, München, Wien 1992; ders.: »Das Hören des Genitivs. Gedichte«, München 1997; Dieter Schlesak: »Aufbäumen. Gedichte«, Hamburg 1990; ders.: »Landsehn. Gedichte«, Berlin 1997. — 121 Kurt Drawert: »Wo es war. Gedichte«, Frankfurt/M. 1996. S. 41. (»Geständnis«). — 122 Durs Grünbein: »Schädelbasislektion. Gedichte«, Frankfurt/M. 1991. — 123 Durs Grünbein: »Galilei vermißt Dantes Hölle und bleibt an den Maßen hängen. Essays«, Frankfurt/M. 1996, S. 46. — 124 Klaus-Michael Bogdal: »Klimawechsel. Eine kleine Meteorologie der Gegenwartsliteratur«, In: »Baustelle Gegenwartsliteratur. Die neunziger Jahre«, hg. von Andreas Erb, Opladen, Wiesbaden 1998, S. 11 f. — 125 Ebd., S. 14. — 126 Hans Kruppa: »Lichter der Hoffnung. Gedichte«, München 1996. — 127 Ebd., S. 15 ff. — 128 Ebd., S. 91. — 129 Robert Gernhardt: »Lichte Gedichte«, Zürich 1997. — 130 Einer der Autoren dieser Lyrik-Sparte ist Clemens am Berg: »Es sind die Träume. Gedichte«, Frankfurt/M. 1995; ders: »Lyrisches Mosaik. Kurzgedichte«, Frankfurt/M. 1995. — 131 »Poetry. Slam! Texte der Pop-Fraktion«, hg. von Andreas Neumeister und Marcel Hartges, Reinbek 1996. — 132 Bert Papenfuß-Gorek: »SBZ. Land und Leute«, Zeichnungen von Silke Teichert, Berlin 1998 (Klappentext). — 133 Einen aktuellen Überblick bietet Friedrich W. Block: »Auf hoher Seh in der Turing-Galaxis. Visuelle Poesie und Hypermedia«, in: »Visuelle Poesie, a. a. O., S. 185–202. — 134 Vgl. »Das schnelle Altern der neuesten Literatur. Essays zu deutschsprachigen Texten zwischen 1968 und 1984«, hg. von Jürgen Hörisch und Hubert Winkels, Düsseldorf 1985. — 135 Walter Kiaulehn: »Der Tod der Lyrik« (1930), in: »Weimarer Republik. Manifeste und Dokumente«, a. a. O., S. 451 f. — 136 Siegfried J. Schmidt: »alles was sie schon immer über poesie wissen wollten (Auszug)«, in: »Neue poesie und – als Tradition«, hg. von Friedrich W. Block, Passau 1997, S. 153 (= Passauer Pegasus 15).

Maria Behre

Hölderlin in der Lyrik des 20. Jahrhunderts

Warum wird Hölderlin zur Identifikationsfigur bei der poetischen und poetologischen Selbstreflexion von Lyrikern im 20. Jahrhundert? Wodurch hat sich unter den vielen Hölderlin-Gedichten gerade der kurze Nachtgesang »Hälfte des Lebens«, im Dezember 1803 für den Druck durchgesehen[1], als Ansatzpunkt der orientierenden Annäherung, Auseinandersetzung und Anverwandlung des Hölderlinschen Werks herausgebildet?[2] Inwiefern repräsentiert dieser Text epochebildende Auffassungen lyrischen Sprechens im 20. Jahrhundert?[3]

> Friedrich Hölderlin
> Hälfte des Lebens
>
> Mit gelben Birnen hänget
> Und voll mit wilden Rosen
> Das Land in den See,
> Ihr holden Schwäne,
> Und trunken von Küssen
> Tunkt ihr das Haupt
> Ins heilignüchterne Wasser.
>
> Weh mir, wo nehm ich, wenn
> Es Winter ist, die Blumen, und wo
> Den Sonnenschein,
> Und Schatten der Erde?
> Die Mauern stehn
> Sprachlos und kalt, im Winde
> Klirren die Fahnen.[4]

Anhand des wirkungsmächtigen Gedichts »Hälfte des Lebens« soll die Bedeutung Hölderlins für die Lyrik des 20. Jahrhunderts nachvollzogen werden. Der Text erscheint in seiner kontrastiven Zweistrophigkeit prototypisch für Hölderlins Extreme umgreifende und dialektisch in sich vereinigende Bedeutung als Dichter der Utopie und des Realismus, Dichter der Liebe und der Einsamkeit, Dichter der Sprachfülle und des Schweigens, Dichter des Enthusiasmus und der Ernüchterung.

Ausgangspunkt für diese polaren poetologischen Akzentuierungen des Hölderlinschen Werkes war Nietzsches Ästhetik des Dionysischen[5]; das Sprechen des Lyrischen aus der Tiefe der seelischen Empfindungen führt sowohl zur Euphorie des Mehrwollens, des Überflusses und des Überschwangs in der Hoffnung auf eine bessere Zeit, die den Mangel durch Fülle, Vielfalt und Ergänzung ausgleicht, als auch zu der Aporie angesichts der Erkenntnis des Mangels und der Ermangelung einer weiterführenden Perspektive aus der Position des einsamen beziehungsweise des von der Gesellschaft isolierten Dichters. In dem Bewußtsein einer kulturellen Wende tritt die Denkfigur des Blicks auf zwei nichtvereinbare Hälften kultureller Möglichkeiten als Position des Dichters auf, Nietzsche faßt sie als apollinische Kultur des Klassizismus und dionysische Kultur des Antiklassizistischen. Dem Gedankengang Nietzsches folgend analysieren Hölderlins Texte die Grenzen des Klassizismus, um das Feld der Befreiung von ihm zu eröffnen.

Die literarische Hölderlin-Rezeption in der Lyrik des 20. Jahrhunderts ist genuin mit der wissenschaftlichen Rezeption Hölderlins und der Konstitution der Hölderlin-Editionen verbunden. Norbert von Hellingraths Edition, 1916 verzögert durch Kriegswirren, zwei Jahre zuvor aber 1914 in beschränkter Auflage für die Freunde erschienen[6], ist in diesem Miteinander vorbereitet durch die Ausgabe von Wilhelm Böhm von 1905[7] und den gleichzeitig veröffentlichten Essay von Wilhelm Dilthey, in dem dieser seine seit 1867 vorgenommenen Forschungen zu Hölderlins Erweiterung der dichterischen Einbildungskraft dadurch begründet, daß er den kritisch gegen die Normalität gerichteten Wahnsinn des Dichters als – seit Schleiermacher – durchschauten ›Wahnsinn‹ bezeichnet.[8] Der durch Hölderlin repräsentierte »Genius der Sprache« forciert die Kritik der Wissenschaftsgläubigkeit und weist auf eine Überwindung des Positivismus ohne romantizistische Illusionen, auf der Basis des strukturierten Denkens.

Georg Trakl: Hölderlin, der apokalyptisch wahnsinnige Bruder

In der ersten Rezeptionsphase des 20. Jahrhunderts stehen sich George-Kreis und Expressionismus, zum Beispiel bei Georg Trakl, so gegenüber, wie es die beiden Versgruppen des Gedichts »Hälfte des Lebens« nahelegen: eine künstliche Idylle gegen eine nüchterne und ernüchternde Beobachtung der realistischen Bedingungen, historisch die Auseinandersetzung mit Antike und Klassik als Orten der Kunstwelt auf der einen Seite und mit der zeitgeschichtlichen Unwirtlichkeit der Städte und des Staates auf der anderen. In beiden Fällen werden syntaktische und semantische Erweiterungen aus Hölderlins Texten gewonnen; im Vordergrund stehen – syntaktisch – Enjambement und Inversion, – semantisch – gekoppelte Attribute und in der Lyrik Neologismen.

Stefan George zielt, 1913 im »Stern des Bundes« und 1919 in der »Lobrede«[9], zwar literaturtheoretisch auf Hölderlin mit dem kulturkritischen Doppeltitel »der verjünger der sprache und damit der verjünger der seele« und dem Bezeichnen des Hölderlinschen poetischen Verfahrens als »aufbrechung und zusammenballung«[10], entwirft aber eine Erneuerung Deutschlands als geschichtliches Zukunftsprojekt. Anders wendet sich Georg Trakl Hölderlin in dem Text zu, der im ersten Band der expressionistischen Zeitschrift »Die Aktion« 1911 erscheint.[11] Trakl gewinnt im Gedicht »Untergang« die von Dilthey empfohlene Rezeption eines antipositivistischen, unklassizistischen Denkens der Zeit. Eine Geschichtsutopie nach Hölderlin hat die Orientierungslosigkeit als Verabschiedung metaphysischer Sinngebäude zur Voraussetzung.

Georg Trakl
Untergang
An Karl Borromaeus Heinrich

Über den weißen Weiher
Sind die wilden Vögel fortgezogen.
Am Abend weht von unseren Sternen ein eisiger Wind.

Über unsere Gräber
Beugt sich die zerbrochene Stirne der Nacht.
Unter Eichen schaukeln wir auf einem silbernen Kahn.

Immer klingen die weißen Mauern der Stadt.
Unter Dornenbogen
O mein Bruder klimmen wir blinde Zeiger gen Mitternacht.[12]

Die Opposition »Untergang als Durchgang zu neuem Aufgang bei Hölderlin, Untergang bis zur Mitternachtsstunde bei Trakl«, wie Bernhard Böschenstein sie sieht[13], kann in bezug auf eine Rezeption des ›Nachtgesangs‹ »Hälfte des Lebens« nicht aufrechterhalten bleiben, denn die Stunde Null als Erfahrungswert ist ein End- und gleichzeitig Anfangspunkt als inmitten der Zeit markierter Reflexionswert, an dem die Zeit zugunsten des Augenblicks stillzustehen scheint.[14]

Trakl gewinnt aus Hölderlins Gedicht das Wort »sprachlos«[15]; es wird zum typischen Beiwort des Expressionisten, allerdings nicht in Hölderlins Sinn als Signal der Sprachskepsis, die zweideutig unentschieden zwischen Erstaunen und Erschrecken liegt, sondern als Umwelt-Kritik im Sinne einer Aufdeckung von Kommunikationslosigkeit von Kultursignifikanten (»blinde Zeiger«), die ohne Sinn und Verstand den Lebensraum der zivilisierten Menschheit bilden.

Gottfried Benn: Hölderlin, der sprachmächtige existentiale Stoiker

Die expressionistische Erneuerung auf Hölderlins befreiendes Vorbild zurückzuführen, hat Gottfried Benn in seinen Analysen der Literaturgeschichte und innovativen Werkstattberichten über die analytische Basis der Kunst als geschichtliche Leistung beschrieben, die die unüberholbare Avantgarde des expressionistischen Stils für die Literatur der fünfziger Jahre bedingt. Benn bezeichnete sie einerseits als »Zusammenhangsentfernung«[16], »Zusammenhangsdurchstoßung«[17] und »Wirklichkeitszertrümmerung«[18], andererseits als Zusammenhangsstiftung durch die »formfordernde Gewalt des Nichts«[19]. Er verweist auf die Verknüpfung der beiden Sätze in der ersten Versgruppe in »Hälfte des Lebens«, die überflüssige, explizit die Verknüpfungsanstrengung des mythischen Weltbildes herausstellende Kopula »und«. Wo klassizistische Autoren wie Rudolf Borchardt, im Werk »Ewiger Vorrat deutscher Poesie« (1926), in der Tradition Georges noch ein Erstaunen und Erschrecken über die unbekannte, ungewohnte, neue lyrische Form äußern und das Gedicht »Hälfte des Lebens« als Fragment einer ›geordneten, antikisierenden‹ Ode rekonstruieren und den vermeintlichen Marmortorso durch Gips vervollständigen, also ein Zuwenig an dichterischer Potenz bemängeln[20], bemerkt Gottfried Benn 1953 in der Anthologie »Trunken von Gedichten«[21] umgekehrt ein raffiniertes Zuviel, da in diesem kurzen Gedicht logisch-grammatisch völlig unmotiviert ein Konnektor »Und« (Vers 5) auftauche (zu erweitern wäre dieser Eindruck auch auf Vers 11) und das Epitheton ›hold‹ semantisch unbestimmbar sei, es könne konventionell oder ironisch gemeint sein, für den Zustand der Trunkenheit als auch der Ernüchterung gelten. Damit destilliert Benn präzise die Basis der ästhetischen Innovation heraus, das Durchbrechen des Emblemhaften durch die Offenbarung des dichterischen Bildes als gefügtes Sein, die intellektuell-analytisch-freie Durchdringung des historisch-synthetisch-gewaltsamen Zusammenhangs.

Neben dieser destruktiven Kunstkritik in der ersten Hälfte des Gedichts besteht die konstruktive Innovation der Sprache in der zweiten Hälfte. Imperative, emotional bewegte Fragen, stoßartige Verseinsätze, attributive und prädikative Adjektive, Satzunterbrechungen, Inversionen, Zeilensprünge, die Versmöglichkeiten zwischen Lang- und Kurzzeile[22] – all dies repräsentiert eine in der Lyrik zugleich als Gedankengang und Gefühlsbewegung strukturierende Sprachfindung, eine »Kunst des Werdens«, ein »Geschehen«[23], ein zeitlich, in unterschiedlichen Dimensionen konturiertes Beschreiben der Wirklichkeit im Sinne von Sprachhandeln, das größtenteils auf dem Prädikat liegt. Vor allem der Kontrast der Prädikate in der zweiten Versgruppe des Gedichts, »nehm'« und »klirren«[24], markiert Anspruch und Mutwilligkeit des Ich als vereinzeltes Ergreifen der Zeit auf der einen Seite und dauernde, absolut für sich stehende Wiederholung kollektiv gehißter, ewige Werte vertretender Zeichen auf der anderen.

Solcher Sprachgewinn kann nicht an vereinzelten Widmungsgedichten »An Hölderlin« festgemacht werden, sondern zeigt eine vollständige Durchdringung und Übersetzung der Hölderlinschen Dichtungskonzeption als Sprachgenerierung. Sprachbewußtsein orientiert sich an Hölderlin, denn »er versieht die vorgefundene Sprache mit allen Zeichen der Entstehung und des bewußten Gebrauchs, lockert die gebräuchlichen Fügungen, macht ›Fehler‹ und harte, schwer lesbare Formulierungen, setzt andererseits Beziehungen und Responsionen, die in der Alltagssprache nicht vorkommen«[25].

Benns dekonstruktivistische Interpretation zu Hölderlins Gedicht »Hälfte des Lebens« erscheint am 2.1.1953, als er gleichzeitig das Typoskript seines Gedichts »Nur zwei Dinge« datiert[26]. In diesem Gedicht, das er in den Band »Destillationen« aufnahm, erscheint die Haltung des Gedichts »Hälfte des Lebens« zu einer existentialistischen Stoik geronnen, in der die Analyse der Wirklichkeit und die des Ich nur über eine extreme Formbezogenheit gewonnen werden können; dabei grenzt Benn Kants »zwei Dinge«, »der bestirnte Himmel über mir, und das moralische Gesetz in mir«[27], durch Hölderlins Analyse im Gedicht »Hälfte des Lebens« weiter existentiell ein.

Gottfried Benn
Nur zwei Dinge

Durch so viel Formen geschritten,
durch Ich und Wir und Du,
doch alles blieb erlitten,
durch die ewige Frage: wozu?

Das ist eine Kinderfrage.
Dir wurde erst spät bewußt,
es gibt nur eines; ertrage
– ob Sinn, ob Sucht, ob Sage –
dein fernbestimmtes: Du mußt.

Ob Rosen, ob Schnee, ob Meere,
was alles erblühte, verblich,
es gibt nur zwei Dinge: die Leere
und das gezeichnete Ich.[28]

Zwar fehlen geschichtliche Zeichen der Vergänglichkeit, aber in der Triade (»Rosen«, »Schnee«, »Meere«, Vers 10) werden die Zeitformen Reifung, Augenblick, Ewigkeit in einer Überschau versammelt; damit ist die Zeit als gemeinsamer Nenner in die Antwortbereiche zu der Triade möglicher Weltdeutungen in Philosophie (»Sinn«), betäubender, verzweifelt gesuchter Ideologie (»Sucht«), biblischen Geschichten (»Sage«), gestellt (Vers 8); die Erfahrungen des ›Erlittenen‹ und des ›Gezeichnetseins‹ rahmen als Interpretamente deutlich das Gedicht. Auch die Fragehaltung als die Form durchbrechende Öffnung ist in Vers 4 als Motto eingeführt, in Vers 8 dominant gesetzt und in Vers 10 parallel verstärkt. Transzendentale und existentiale Offenheit in den Abschlußversen 12 und 13 führen auf die Lebensform des Durchhaltens, aus der Perspektive der Altersweisheit (»Dir wurde erst spät bewußt«, Vers 6) gesprochen, die in lakonischer Schärfe auf die unbeantwortbaren Grundfragen stößt (»eine Kinderfrage«, Vers 5). Durch die parallelen Zusammenfassungen »es gibt nur« (Verse 7 und 12) werden eine Einheit und eine Dualität gleichgeordnet. Aus dem monistischen Prinzip der Lebensverpflichtung kann keine metaphysische, übergeordnete Macht geschlossen werden, denn aus der Feststellung der »Leere«, damit der Absenz einer höheren, ›fernbestimmenden Macht‹ folgt die Selbstverpflichtung als Autonomie des Ich. Durch sein Gezeichnetsein wird das Ich zur existentiellen Form des Selbstgesetztseins, zu einer durch einen künstlerischen Akt erfolgenden Konturierung, die ihren Kunstcharakter ausdrücklich zum Vorschein bringt.[29]

Unter kritischem Bezug auf die restaurativen Tendenzen eines Nachkriegskantianismus einerseits und mit literaturgeschichtlicher Gleichzeitigkeit zu Ingeborg Bachmanns mit Erinnerung getränktem, Aufbruch beschwörendem Erstlingsgedichtband »Die gestundete Zeit« andererseits gewinnt Benns Text eine Schlüsselstellung zur Funktionsbeschreibung eines ›Nachtgesangs‹ in der Rezeption Hölderlins für das 20. Jahrhundert. Nach Benn ist auch die klassizistische Rezeption Hölderlins nicht mehr möglich, die er im Gedicht »Was schlimm ist« als Ausführung der Bewußtseinshaltung der begrenzten Möglichkeiten des Ausdrucks kritisiert. Unter dem im Titel benannten und im Geiste vor jeder der ersten vier Versgruppen zu wiederholenden Motto heißt es deshalb auch, in Distanz zu einer heteronom unselbständigen, autoritätsgläubigen Hölderlin-Rezeption:

> Einen neuen Gedanken haben,
> den man nicht in einen Hölderlinvers einwickeln kann,
> wie es die Professoren tun.[30]

Johannes Bobrowski / Peter Huchel: Hölderlin, der Kulturkritiker

Anfang der sechziger Jahre tritt die Zweigliedrigkeit der Rezeption des Gedichts »Hälfte des Lebens« noch deutlicher heraus: der Ort der Kunst als Erinnerung der Mythen von ›Natur‹, ›Schöpfung‹, ›Liebe‹, der Ort der Kunst als Offenheit gegenüber der Durchlässigkeit einer Verunsicherung im Geistigen wie im Leiblichen. Für Johannes Bobrowski und Peter Huchel als Lyriker in der DDR wird Hölderlin zur Verständigungsfigur über das Leben an einem Ort höchster Instabilität und Gefährdung, der hinter Idyllen eine schicksalhafte Bedrohung bedeutet. Unter dem – bewußt oder unbewußt zugelassenen – Rezeptionsmißverständnis einer unpolitischen und unhistorischen, weltflüchtigen Naturlyrik wird das durch das Gedicht »Hälfte des Lebens« vorgestellte Panorama zum Ausgangspunkt analytischer Schärfe des lyrischen Sprechers und zur Kritik an biedermeierlicher Ruhigstellung existentieller Lebensbedürfnisse.

Direkt im Anschluß an seine Teilnahme an der Jahresversammlung der Hölderlin-Gesellschaft in Tübingen vom 26.–28. Mai 1961, die er zusammen mit Peter Huchel besuchte, schrieb Bobrowski das Gedicht »Hölderlin in Tübingen«[31]. Es zeigt ein Verständnis Hölderlins, das eine »vollkommen sinnliche Rede« – nach Alexander Baumgartens, Lessings und Herders Ästhetik[32] – über Leben und Werk des Dichters darstellt, in der die Empfindung der Naturzeichen zur kulturkritischen Äußerung wird.

Johannes Bobrowski
Hölderlin in Tübingen

Bäume irdisch, und Licht,
darin der Kahn steht, gerufen,
die Ruderstange gegen das Ufer, die schöne
Neigung, vor dieser Tür
ging der Schatten, der ist
gefallen auf einen Fluß
Neckar, der grün war, Neckar,
hinausgegangen
um Wiesen und Uferweiden.

Turm,
daß er bewohnbar
sei wie ein Tag, der Mauern
Schwere, die Schwere
gegen das Grün,
Bäume und Wasser, zu wiegen

beides in einer Hand:
es läutet die Glocke herab
über die Dächer, die Uhr
rührt sich zum Drehn
der eisernen Fahnen.

In narrativem Ton wird im Gedicht zu Anfang ein Panoramablick entworfen, der die Stadt Tübingen heute noch kennzeichnet. Hier ist keine Rede von Hölderlins poetischen Schriften und Ideen, auch nicht von seinen politischen und philosophischen; vielmehr erscheint ein Bild zum Sehen. Bobrowski rückt die Objekte einzeln ins »Licht«, nachdem er sie »gerufen« hat, wie auf eine Leinwand, einander zugeordnet in »schöner Neigung«. Im Titel wird Hölderlin deutlich durch seinen Aufenthaltsort charakterisiert: Der Mensch erschließt sich über den Ort, an dem er lebt, der kein Punkt im Koordinatensystem ist, sondern ein mit Augen und Ohren zu spürender.

In der ersten Versgruppe erscheint der Lebensraum ganz beweglich, nicht sicher fixierbar, da alle Erscheinungen um den Fluß Neckar gruppiert sind. Menschen leben mit dem Fluß, Kahn und Ruderstange sind ein erstes Zeichen für die Nutzung der Natur zur Arbeit wie zur Freude. Die schattenhaft sichtbare Gestalt eines Menschen – ob der Schatten Hölderlins gemeint ist oder der des Betrachters, bleibt offen – ist einerseits vorhanden durch »Licht«, andererseits durch den Ort, auf den der Schatten fällt, durch ein Spiegelbild auf dem Fluß.

In der zweiten Versgruppe wird durch den ersten Vers mit einem einzigen Wort ein Gegengewicht zur Natur gesetzt: »Turm«. Für die Bewohnbarkeit des Turmes, Hölderlins Hort in der »Umnachtung«, wird Licht gewünscht. Plötzlich und suggestiv erkennt der Leser die Frage nach der Möglichkeit des Wohnens, des Bleibens an einem Ort, wo die Verlockung zur Bewegung doch so stark und mitreißend ist. Natürlicher Freiraum und kulturelle Eingebundenheit, Polarität von Natur und Kultur, werden hier geprüft, nicht theoretisch, sondern konkret-sinnlich, ›handlich‹ im eigentlichen Sinn des Wortes: »Schwere« und »Wasser«, das Bleiben und das Hinausgehen, »zu wiegen / beides in einer Hand«. Die Vorstellung einer Perspektive für die Lösbarkeit einer solchen Aufgabe fordert zum Übergang in eine andere Sinnlichkeit auf, die durch den Doppelpunkt angezeigt ist. Es folgt ein Hörbild. Innerhalb der starren Bebauung ist eine Beweglichkeit gegeben, nicht linear im Raum, sondern kreisförmig, im Uhrzeigersinn als Bewegung in der Zeit. Nicht mehr Räume werden ausgeschritten, sondern Zeiten, eingeläutet durch Zeiger, »eiserne Fahnen«, im sich ewig wiederholenden Stundentakt. Hölderlins Turmexistenz widerspricht dieser chronometrischen Zeiteinteilung und ihrer Logik des Voranschreitens vom Alten zum Neuen; die historische Zeit ging über ihn hinweg. Sein lautloses »Wiegen« der Gegensätze vollzieht sich in anderen, ungewöhnlichen Zeit- und Raumstrukturen; so wie das Auge Gegenstände gleichzeitig sehen kann, soll eine surreale Hand die Gegensätze als gleiche gewichten. Bobrowski gestaltet eine Landschaft mit Mensch, nicht als Fluchtwinkel, sondern als eine »Aussicht«, Vision auf Kommendes, im Sinne Hölderlins als eine gewollte Übereinstimmung mit dem »Geschik«, mit der Natur. Bobrowskis gesetzte Zeichenwerte, die unsere Sinne aufnehmen, sind ohne sichere Bedeutung; aber sie sind lesbar, nicht als Ensemble einer Idylle, sondern als nachzuforschende »Zeichen« dieses Menschen Hölderlin.

Die Bedeutung der Kunst für die Auseinandersetzung mit den Verwirrungen und den ›Ungemütlichkeiten‹ der Wirklichkeit erscheint in der Hölderlin-Rezeption der Lyriker der ehemaligen DDR noch gesteigert. In einem System, das die Kunst zum gesellschaftlichen Aufbau benutzen wollte und keinen Zweifel am Fortschritt aufkommen ließ, galten Künstlergestalten wie Hölderlin und Trakl, die aus gesellschaftlichen Bindungen und Funktionalisierungen herausfielen, ohne sinnvolle berufliche Betätigung und öffentliche Wirkung waren, als abschreckende Beispiele, ›unproduktiv‹ im schlechtesten Sinne des Wortes.

Jener Autor, der acht Jahre Hausarrest (1963–1971) bei öffentlichem Totschweigen auszuhalten hatte, war der Redakteur der Kulturzeitschrift »Sinn und Form«, Peter Huchel.[33] Er wollte sich nicht auf eine Trennung der Kulturlandschaften nach den Grenzziehungen des Kalten Krieges einlassen. Seine Gedichte in den Jahren seiner Unterdrückung wurden im Westen unter dem Titel »Chausseen Chausseen« veröffentlicht. Sie thematisieren den Ort des Aufenthaltes bei einer Flucht, den es für ihn, gefangen in einem 1961 auch realistisch sichtbar eingemauerten Land, nicht einmal gab.[34]

Peter Huchel
Auffliegende Schwäne

Noch ist es dunkel, im Erlenkreis,
Die Flughaut nasser Nebel
Streift dein Kinn. Und in den See hinab,
Klaftertief,
Hängt schwer der Schatten.

Ein jähes Weiß,
Mit Füßen und Flügeln das Wasser peitschend,
Facht an den Wind. Sie fliegen auf,
Die winterbösen Majestäten.
Es pfeift metallen.
Duck dich ins Röhricht.

Schneidende Degen
Sind ihre Federn.[35]

Im rezeptionsgeschichtlichen Vergleich fällt die Rückkehr zur Zweigliedrigkeit mit der spiegelbildlichen Gegenüberstellung von Dunkel und Weiß, Tiefe und Höhe, Schwere und Luftigkeit, sowie die Innovation durch den expliziten, doppelten Du-Bezug auf, die Beschreibung einer körperlichen sinnlichen Wahrnehmung zwischen ›Ducken‹ im Seichten und ›jähem‹ Angriff als Aufforderung zum Schutz vor Verletzung. Diese Gefahr geht aus von »Schwänen«, die nichts mehr von lieblich-mythischen Dichtergötteremblemen an sich haben, sondern Tod verkörpern, im apokalyptischen Schwanengesang eines feindlichen Angriffs.

Von der Form der lyrischen Konzentration als auch vom gewählten Motiv her, das der Titel wie eine Bildunterschrift (Holzschnitt, Aquarell) nennt, zeigt sich eine Orientierung an der lyrischen Form des japanischen Haiku, dessen Pointe in der ironischen Mehrdeutigkeit des letzten Wortes liegt; diese Bedeutungsebene signalisiert: die »Federn« als letztes Wort in Huchels Gedicht sind wie Waffen, weil sie auf ihre Weise in ihrem Metier verletzen, in ihrer Schriftstellerei als Parteiagitation, aus einer gesicherten, unangreifbaren Position heraus (»Majestäten«) ›Jähes‹, ›Aufpeitschendes‹, ›Entfachendes‹, ›Auffliegen-Lassendes‹, ›Böses‹, ›Schrill-Militärisches‹ (»pfeift metallen«), ›Einschneidendes‹, ›Angreifendes‹ verfassen.

Gegenüber der ›Dunkelheit‹ und ›Schwere‹ in den ›Schatten‹ der ersten Versgruppe bedeutet diese Gegenbewegung der ›Leichtigkeit‹ eines denunziativen ›Weißbuches‹ Beunruhigung und Ausgesetztsein. Sich im ›Dunkeln‹ zu ›ducken‹ als Ausweichen gegenüber den ›Degen‹ bedeutet ein Sich-Stellen gegenüber dem ›Sein‹, wie es durch das erste und das letzte Verb (»ist«, »sind«) dauerhaft als gegeben benannt wird. Die Gestik des Duckens im Röhricht weist auf den durch Pascal begründeten Topos: ›Der Mensch ist ein Schilfrohr, aber eines, das denkt‹[36]; in der Ansammlung »Röhricht« kontrastiert das Schilfrohr mit den Stärke signalisierenden, geraden ›Degen-Federn‹ und mit den ›schwer hängenden‹, tief, horizontal liegenden ›Schatten‹; es beschreibt einen ›Bogen‹, bildet somit einen Mittelwert zwischen dem ›Auffliegen‹ und ›Hängen‹ als möglichen körpergestischen Verhaltensweisen in der bedrohlichen Situation.

Paul Celan: Hölderlin, der edle Simulant in einer neuen Sprache

Die strenge und gleichzeitig sich auflösende Form des Gedichts »Hälfte des Lebens«, die Benn in seinem Interpretationstext entdeckt, wird mit existentiellem Ernst bei Paul Celan zum anerkannten Höhepunkt der Hölderlin-

Rezeption geführt[37], im Gedicht »Tübingen, Jänner«, nach Böschensteins biographischen Hinweisen im Januar 1961 entstanden[38], auf einem Typoskript mit dem Datum 29.1.1961 bezeichnet, im Anschluß an ein Treffen mit Walter Jens in Tübingen am 28.1.1961.[39]

Paul Celan
Tübingen, Jänner

Zur Blindheit über-
redete Augen.
Ihre – »ein
Rätsel ist Rein-
entsprungenes« –, ihre
Erinnerung an
schwimmende Hölderlintürme, möwen-
umschwirrt.

Besuche ertrunkener Schreiner bei
diesen
tauchenden Worten:

Käme,
käme ein Mensch,
käme ein Mensch zur Welt, heute, mit
dem Lichtbart der
Patriarchen: er dürfte,
spräch er von dieser
Zeit, er
dürfte
nur lallen und lallen,
immer-, immer-
zuzu.

(»Pallaksch. Pallaksch.«)[40]

Celan rezipiert »Hälfte des Lebens« im Viererschritt: in »Erinnerung« (Verse 1–4), »tauchenden Worten« (Verse 5–7), durch ›Lallen‹ (Verse 8–11), »Pallaksch«-Sprachlosigkeit und -Klirren (Verse 12–14). Das Problem der Schizophasie Hölderlins, das durch die Diskussion zwischen Pierre Bertaux und Uwe Henrik Peters fast zwanzig Jahre nach Celans Gedicht populär wurde[41], behandelt Celan als Dialektik unter dekonstruktivistischer Methode betrachtet; die Sprache des Gedichts durchbricht die Diskurse, die Aufklärung und Durchblick statt ›Blindheit‹, eindeutige Lösungen statt ›Rätsel‹, Einseitigkeit statt Bewußtsein von Spiegelbildern und Kehrseiten behaupten; Äußerungen zerfallen in Doppelungen, Plurale, in deren dichotomen Strukturen sich geschichtliche Situationen wiederholen: Besuche bei Hölderlins Worten werden zu Wiedererkennungssituationen, so wie geistiges Neuland an sprachliche Verschlüsselung als leidenserprobten Schutz vor eingängiger Kommunikation gebunden ist. Sprechen angesichts der ›Sprachlosigkeit‹ der ›Türme‹ wird hier zur Wiederholung, zum Gehen in Spuren, das allerdings nicht unter dem Verdacht des klassizistischen Reduplizierens steht, sondern ein genuin neues Sprechen ist, Sprechen aus dem Bewußtsein, immer wieder von neuem beginnen zu müssen. Die Kolumbussignale (»möwen-/ umschwirrt«) und die Vokabeln messianischer Utopie (»entsprungenes«, »käme ein Mensch zur Welt«) zeigen die iterative Ursprungssituation des Dichtens an, die für das Publikum auch als eine fremde Sprache auszuhalten ist, als eine von prophetischem, sich selbst aussetzendem Geist beseelte Erneuerung.

Ernst Meister: Hölderlin, der Philosoph in der Tradition der Vorsokratiker

Hölderlin als herausfordernder Sprecher einer Frühzeit, der die Elemente des Lebens in archaischer Widersprüchlichkeit benennt – diese philosophisch interessierte Perspektive verdeutlicht Meister in seinem kurzen Text:

Ernst Meister
Frag dich dereinst

Frag dich dereinst
(du kannst es nicht),
mit hohlem Schädel frag's:

»Die Sorgen aus dem Geiste« –
was

meinte Hölderlin damit?[42]

Meister hinterfragt die Hölderlins Texten, vor allem »Hälfte des Lebens«, zugrundeliegende Verschränkung von Deutungsbereichen, die zur gegenseitigen Infragestellung führen; so wird die Vorsokratik durch Hölderlin zur konstruktivistischen Philosophie der Gegenwart.[43] Im Gedichtband »Sage vom Ganzen den Satz« (1972) entfaltet Meister seine Hölderlin-Rezeption im Zusammenhang seiner Celan-Rezeption, indem er Hölderlin die Charakteristika des Einfachen und Kindlichen zuspricht, in denen sich der Zusammenhang der Gegensätze und der Zeiten zeigt. In diesen Gedichten Meisters wird die Hermetik seiner Texte durch eine in Fragen sich artikulierende Hermeneutik überwunden, die nach Hölderlin und dem von ihm formulierten poetischen Philosophieren in immer engeren Satzgebilden fragt. Solchen Sätzen nachzugehen, führt zum Bewußtsein, sich aus einem sich mit dem Tod konfrontierenden, ›hohlen Schädel‹ heraus der Welt zuzuwenden und in ihr den inneren Zustand wiederzuerkennen. Diesen Ausgangspunkt beim Inneren zu finden und sich auf die Grenze zwischen dem Inneren und Äußeren zu stellen, ist für Meister die Leistung der Perspektive Hölderlins, der perspektivische Standpunkt »Hälfte des Lebens«.

Wolf Biermann: Hölderlin, der selbstkritische Deutsche

In anderem Sinn zum »Selbstverständigungsgedicht«[44] wird Hölderlins »Hälfte des Lebens« für Wolf Biermann, dessen Liedfassung 1979 die entscheidende Rezeptionsmöglichkeit aufweist.[45] Biermann deutet das Klirren, das er durch seine Gitarre hervorbringt, als ›Echolot der Geschichte‹[46], Erzittern vor ›harten Worten‹ und ›Zwietracht‹[47]. Hölderlins zweite Versgruppe entlarvt für Biermann den Mißbrauch der Revolutionsversprechen in der ersten Versgruppe, die zur reinen Oberfläche, zur Folie werden: Freiheit (»wilde Rosen«), Gleichheit (»Land in den See«), Brüderlichkeit (»ihr holden Schwäne«), weil ›Sprachlosigkeit‹, ›Dem-Wind-Ausgesetztsein‹ und ›Kälte‹ herrschen. Die Gedichtstruktur wird zum Spiegel mit zwei Seiten: hohe Birnbäume erweisen sich als gehißte Fahnen, schützende Rosenhecken als abgrenzende Mauern, mythische *coincidentia oppositorum* (»heilignüchterne Wasser«) als gesammelte Gegensätze ohne Leben garantierenden Zusammenhalt (»Sonnenschein, und Schatten«). In Biermanns Text »Das Hölderlin-Lied« (1972) ist die zweite Versgruppe von »Hälfte des Lebens« als desillusionierende Sprachkritik in den geschichtlich-politischen Kontext zurückgesetzt und zur unmittelbaren Wirkung befreit:

Wolf Biermann
Das Hölderlin-Lied
»So kam ich unter die Deutschen«

In diesem Lande leben wir
wie Fremdlinge im eigenen Haus
    Die eigne Sprache, wie sie uns
    entgegenschlägt, verstehn wir nicht
    noch verstehen, was wir sagen

> die unsre Sprache sprechen
> In diesem Lande leben wir wie Fremdlinge
>
> In diesem Lande leben wir
> wie Fremdlinge im eigenen Haus
>   Durch die zugenagelten Fenster dringt nichts
>   nicht wie gut das ist, wenn draußen regnet
>   noch des Windes übertriebene Nachricht
> vom Sturm
> In diesem Lande leben wir wie Fremdlinge
>
> In diesem Lande leben wir
> wie Fremdlinge im eigenen Haus
>   Ausgebrannt sind die Öfen der Revolution
>   früherer Feuer Asche liegt uns auf den Lippen
>   kälter, immer kältre Kälten sinken in uns
> Über uns ist hereingebrochen
>   solcher Friede!
>   solcher Friede
>
> Solcher Friede.[48]

Hölderlins Gedicht »Hälfte des Lebens« fordert Biermann dazu auf, einen idyllischen Frieden als Zwang zu empfinden, während das Bewußtsein der Hälftigkeit, der internen Gebrochenheit der Welt zum Ausdruck der Freiheit wird.

»Was bleibet aber, stiften die Dichter«[49]

Die von George als Initiationsschlag verkündeten poetologischen Wirkungskräfte Hölderlins und der Hölderlinschen Gestaltungsmaximen, »aufbrechung und zusammenballung«, bilden sich somit als Leitlinien der sehr unterschiedlichen Rezeptionsweisen im 20. Jahrhundert heraus. Durch die im Gedicht »Hälfte des Lebens« exponierte Zweigliedrigkeit und Zweiseitigkeit treten »aufbrechung und zusammenballung« als Funktionen des Analytischen und des Synthetischen in einen notwendigen Konnex, der inhaltlich die Relation zwischen Kunst und Leben als ästhetische Grundfragestellung strukturiert. In der ersten Versgruppe des Gedichts werden durch die Kunst, die sich, nach Georges Theorie, bis zur Künstlichkeit in ihrem methodischen Verfahren exponiert, Erwartungen an das Leben, Projekte und Utopien eines Zusammenseins, eine Ausweitung der Lebensmöglichkeiten in der Fiktionalität präsentiert; in der zweiten Versgruppe reduziert sich dieser Anspruch nach Rückfragen des einzelnen, sich zur Sprache erhebenden Ich auf eine Konzentration um Basislebenserfahrungen, von denen jede Beschönigung und Verzierung radikal abfällt, eine Konzentration, die den Kern der Herausforderung des Lebens und damit erneut der Kunst sichtbar macht.

Gegenüber den großen ›Vaterländischen Gesängen‹ treten Hölderlins »Nachtgesänge« in eine Schlüsselposition als Rezeptionsanlaß. Sie weisen in die Richtung der Modernität als Kunstkritik und Lebenskritik. Die in Hölderlins Dichtung deutlich vorhandene politische und ethische Dimensionierung entwickelt sich konsequent aus einer Sprachkritik, mit der ideologische Verfestigungen aufgebrochen und die Erfahrungen der Sprachnot energisch zusammengeballt werden. Potentielle Linien im Sinne einer Wirkung des Dichters können entlang den historischen Kernpunkten der Rezeption Hölderlins im 20. Jahrhundert entworfen werden:

Die Erfahrung einer Jahrhundertwende – die auch Hölderlin machte und als »Hälfte des Lebens« im Gedicht mitdenken läßt – weist weniger auf ein ängstliches Abwarten heteronomer Enthüllungen eines verborgenen Sinns, sondern auf das autonome kritische Erfassen der mechanisierten Bezugssysteme und die Entgegensetzung einer anderen Welt (zu Trakls Hölderlin-Rezeption).

Der künstlerische Akt der Schöpfung basiert keineswegs nur auf der Erfahrung der Fülle (wie in der ersten Versgruppe des Gedichts »Hälfte des Lebens«), sondern ebenso auf der der Leere (wie in der zweiten). Hierin kommt das sprechende Ich zu sich, indem es den Akt des Selbst- und Weltausdrucks als Verpflichtung und Verantwortung seiner Existenz begreift und ergreift (zu Benns Hölderlin-Rezeption).

Daß Bilder der Kunst von einem geerdeten Leben innerhalb einer verwalteten Welt möglich sind, ohne als Idyllen absurd zu werden, da ihnen ihre Unmöglichkeit eingeschrieben ist, zeigen Orte, in denen die Worte Halt geben (zu Bobrowskis und Huchels Hölderlin-Rezeption).

Hölderlins prophetisches Sprechen tritt auf unter dem Mantel einer an eine Frühzeit gemahnenden Naivität, die gebrochen archaisch an die Wurzel des Sich-Verständigens geht (zu Celans Hölderlin-Rezeption).

Eine solche von Hölderlin ermöglichte Schweige-Sprache kann sich einerseits als philosophisch-dialektische Zuspitzung in extremer Kürze des reinen Gedankens entfalten (zu Meisters Hölderlin-Rezeption), andererseits zielt sie auf eine Dichtung, die sich auf die Fahnen schreiben läßt, die der geschichtlichen Aktualisierung nicht ausweicht (zu Biermanns Hölderlin-Rezeption).

Maria Behre

1 Friedrich Hölderlin: »Sämtliche Werke«, hg. von Friedrich Beißner, Stuttgart 1946–1985 (= StA), Bd. 2.2, S. 663. —**2** Konzentriert man sich auf die Rezeptionsgeschichte anderer, von der Auseinandersetzung mit dem Klassizismus bestimmter »Gesänge«, wie »Andenken« oder »Der Gang aufs Land«, so stellt sich die Linie anders dar; sie werden in den achtziger Jahren als Quelle eines einseitigen Hölderlin-Bildes als des trunkenen Sehers ›einstiger‹ Welten ironisch gelesen und mit dem nüchternen Hölderlin im Turm kontrastiert (einen Überblick versucht Oscar van Weerdenburg: »Komm! ins Offene, Freund!‹ Zur lyrischen Hölderlin-Rezeption der achtziger Jahre«, in: »Lyriker Treffen Münster. Gedichte und Aufsätze 1987–1989–1991«, hg. von Lothar Jordan und Winfried Woesler, Bielefeld 1993, S. 306–322). In der Rezeption des Gedichtes »Hälfte des Lebens« ist dagegen von vornherein ein komplexes Hölderlin-Verständnis vorausgesetzt. — **3** Vgl. die Sammlung für das 150. Todesjahr Hölderlins 1993: »An Hölderlin. Zeitgenössische Gedichte«, hg. von Hiltrud Gnüg, Stuttgart 1993. Es bestätigt sich dort, daß vor allem Dichter in der ehemaligen DDR sich von Hölderlin und speziell dem Gedicht »Hälfte des Lebens« inspirieren ließen, vielleicht auch durch die herausfordernde Dominanz der politisch-militärischen Symbole »Mauer« und »Fahne« im gesellschaftlich verordneten öffentlichen Leben. — **4** Hölderlin, StA 2, S. 117. — **5** Vgl. Maria Behre: »›Des dunkeln Lichtes voll‹. Hölderlins Mythokonzept Dionysos«, München 1987. — **6** Kurt Bartsch: »Die Hölderlin-Rezeption im deutschen Expressionismus«, Frankfurt/M. 1974, S. 39. — **7** Vgl. die Hölderlin-Ausgabe von Wilhelm Böhm: »Gesammelte Werke in drei Bänden«, Bd. 2 von Paul Ernst: »Gedichte«, Jena, Leipzig 1905, darin »Hälfte des Lebens« (S. 291, vgl. Kurt Bartsch, a. a. O., S. 90). — **8** Walter Müller-Seidel: »Diltheys Rehabilitierung Hölderlins. Eine wissenschaftsgeschichtliche Betrachtung«, in: »Hölderlin und die Moderne«, hg. von Gerhard Kurz u. a., Tübingen 1995, S. 41–73. — **9** Vgl. Bernhard Böschenstein: »Im Zwiegespräch mit Hölderlin: George, Rilke, Trakl, Celan«, in: »Philosophie und Poesie«, hg. von Annemarie Gethmann-Siefert, Stuttgart 1988, S. 241–247. — **10** Stefan George: »Werke. Ausgabe in zwei Bänden«, Düsseldorf, München 1968, Bd. 1, S. 521. — **11** »Die Aktion«, 1911, Bd. 1, Sp. 585; vgl. Kurt Bartsch, a. a. O., S. 4. — **12** Georg Trakl: »Werke – Entwürfe – Briefe«, hg. von Hans-Georg Kemper und Frank Rainer Max, Nachwort und Bibliographie von Hans-Georg Kemper, Stuttgart 1987 (1984), S. 75. — **13** Bernhard Böschenstein, a. a. O., S. 252. — **14** Vgl. Maria Behre: »Stile des Paradoxons als Weisen modernen Wirklichkeitsausdrucks in der Lyrik Hölderlins, Trakls und Celans«, in: »Jahrbuch für Internationale Germanistik«, 22 (1990–1991), 1991, S. 8–32, hier S. 25–28; vgl. dies.: »Mitte des Dichtens. Friedrich Hölderlins Gedicht ›Hälfte des Lebens‹ als Ort intellektueller und historischer Probleme der Epochenschwelle 1800«, in: »Untersuchungen zur Neueren Deutschen Literatur. Eine Einführung«, hg. von Thomas Althaus und Stefan Matuschek, Münster 1994, S. 101–128, hier S. 121 f. — **15** Kurt Bartsch, a. a. O., S. 98. — **16** Gottfried Benn: »Sämtliche Werke. Stuttgarter Ausgabe in Verbindung mit Ilse Benn«, hg. von Gerhard Schuster, Stuttgart 1986 ff., Bd. 3, S. 88 (1918), im folgenden nachgewiesen als SW. — **17** Benn, SW 3, S. 132 (1927). — **18** Benn, SW 4, S. 179 (1934). — **19** Benn, SW 3, S. 392 (1932) und SW 4, S. 179 (1934). — **20** Rudolf Borchardt: »Hölderlin und endlich ein Ende. An den Herausgeber der Neuen Zürcher Zeitung (20. 6. 1926)«, in: ders.: »Prosa I«, Stuttgart 1957, S. 469–471. — **21** Gottfried Benn: »Szenen und Schriften in der Fassung der Erstdrucke«, hg. von Bruno Hillebrand, Frankfurt/M. 1990, S. 293–300, hier S. 298 f.; vgl. ebd., S. 395 (Erstdruck: »Die Weltwoche«, 2. 1. 1953, S. 5; dann: »Trunken von Gedichten. Eine Anthologie geliebter deutscher Verse«, hg. von Georg Gerster, Zürich 1953, S. 91–99). — **22** Kurt Bartsch, a. a. O., S. 50–58. — **23** Franz Werfel: »Substantiv und Verbum. Notiz zu einer Poetik«, in: »Die Aktion«, 1917, Bd. 7; zitiert nach Kurt Bartsch, a. a. O., S. 45 f. — **24** Zitiert nach Kurt Bartsch, a. a. O., S. 46. — **25** Ulrich Gaier: »Hölderlin. Eine Einführung«, Tübingen, Basel 1993, S. 222 f. — **26** Gottfried Benn: »Gesammelte Werke«, hg. von Dieter Wellershoff, München 1975, Bd. 8, S. 2127 (Geburtsdatum seines Brieffreundes Oelze am 3. 1. 53), ebenso: ders.: »Gedichte in der Fassung der Erstdrucke«, Frankfurt/M. 1987 (1982), S. 578 und »Didaktisch-methodische Analysen. Handreichungen auf Grundlage der Texte im Lesewerk ›Kompaß‹ 3«, Paderborn 1965, S. 679; vgl. dagegen SW 1, S. 572 (7. 1. 53, nach Hinweis und Kopien der Handschriftenabteilung des Deutschen Literaturarchivs Marbach ein Fehler). — **27** Immanuel Kant: »Kritik der praktischen Vernunft«, hg. von Wilhelm Weischedel, Frankfurt/M. 1974, S. 300, A 289 (Beschluß). — **28** Benn, SW 1, S. 320 (zuerst in »Destillationen«, 1953). — **29** Jürgen Schröders Interpretationsmethode der Parallelstellenheranziehung führt auf »Weinhaus Wolf«, einen Text von 1937, der dem Ton der »Destillationen« nicht entspricht; vgl. ders.: »Destillierte Geschichte. Gottfried Benns Gedicht ›Nur zwei Dinge‹«, in: »Gedichte und Interpretationen«, Bd. 6, hg. von Walter Hinck, Stuttgart 1982, S. 24. Vgl. auch die eingehende, hinsichtlich der Benn-Wirkung kritische Interpretation von Hermann Korte: »Lyrik von 1945 bis zur Gegenwart«, München 1996, S. 53–56. — **30** Benn, SW 1, S. 264 (zuerst in »Destillationen«, 1953). — **31** Johannes Bobrowski: »Gesammelte Werke in 6 Bänden«, Berlin 1987, Stuttgart 1998, hg. von Eberhard Haufe und Holger Gehle, Bd. 1, S. 107 (datiert 30.5.1961); vgl. Bd. 5, S. 108–110; vgl. Maria Behre: »Rennen mit ausgebreiteten Armen‹. Johannes Bobrowskis Schreiben auf Hoffnung hin«, in: »Literaturwissenschaftliches Jahrbuch«, 32 (1991), S. 307–328. — **32** Johannes Bobrowski: »[Lyrik der DDR]« (20.4.1960 [Bd. 4] bzw. 26.4.1960 [Bd. 6]), in: ders.: »Gesammelte Werke«, Bd. 4, S. 427; vgl. »Eine vollkommene sensitive Rede ist ein Gedicht / oratio sensitiva perfecta est poema« (Alexander Gottlieb Baumgarten: »Meditationes philosophicae de nonnullis ad poema pertinentibus. Philosophische Betrachtungen über einige Bedingungen des Gedichtes (1735)«, hg. von Heinz Paetzold, Hamburg 1983, § IX, S. 10 f.) (Lessing und Moses Mendelssohn: »Pope ein Metaphysiker! (1755)«, in: Gotthold Ephraim Lessing: »Sämtliche Werke«, Bd. 6, Berlin, New York 1979 (ND Stuttgart 1890), S. 411–445) und Herders (Johann Gottfried Herder: »Drittes Kritisches Wäldchen« (1769), in: ders.: »Sämtliche Werke«, hg. von Bernhard Suphan, Berlin 1898, Bd. 3; vgl. Armand Nivelle: »Kunst- und Dichtungstheorien zwischen Aufklärung und Klassik«, Berlin 2. Aufl. 1971 (1960), S. 11; vgl. Hans Egon Holthusen: »Vollkommen sinnliche Rede«, »Mein Gedicht ist mein Messer. Lyriker zu ihren Gedichten«, hg. von Hans Bender, München 1964 (1961 (1955), S. 48–56; vgl. jetzt auch Johannes Bobrowski, Bd. 6, S. 533. — **33** Vgl. Maria Behre: »›An taube Ohren der Geschlechter‹. Das Gedicht als Zeugnis von ›Weltsituation‹ bei Peter Huchel«, in: »Von Celan bis Grünbein. Zur Situation der deutschen Lyrik im ausgehenden zwanzigsten Jahrhundert«, in: »Germanica«, 21 (1997), S. 117–132. — **34** Die Nähe des Gedichtes »Auffliegende Schwäne« zu Hölderlins Gedicht »Hälfte des Lebens« wurde zuerst von Gerhard Kaiser (»Geschichte der deutschen Lyrik von Heine bis zur Gegenwart. Ein Grundriß in Interpretationen. Zweiter Teil«, Frankfurt/M. 1991, S. 686–689) entdeckt und entfaltet. — **35** Peter Huchel: »Gesammelte Werke in zwei Bänden«, hg. von Axel Vieregg, Bd. 1: »Die Gedichte«, Frankfurt/M. 1984, S. 139 f. (zuerst in »Chausseen Chausseen«, 1963). — **36** Vgl. Blaise Pascal: »Gedanken. Eine Auswahl«, übersetzt, hg. und eingeleitet von Ewald Wasmuth, Stuttgart 1956, S. 119 (347); vgl. zur Deutung des Leitmotivs ›Schilf« bei Huchel: Gert Kalow: »Das Gleichnis oder Der Zeuge wider Willen. Über ein Gedicht von Peter Huchel (›Winterpsalm‹)«, in: »Über Peter Huchel«, hg. von Hans Mayer, Frankfurt/M. 1973, S. 55–61, hier S. 61. — **37** Vgl. Dieter Breuer: »›Wörter so voll Licht so finster‹. Hölderlingedichte von Günter Eich bis Rolf Haufs«, in: ders. (Hg.): »Deutsche Lyrik nach 1945«, Frankfurt/M. 1988, S. 367. — **38** Bernhard Böschenstein, a.a.O., S. 256; vgl. Rolf Selbmann: »Zur Blindheit überredete Augen. Hölderlins ›Hälfte des Lebens‹ mit Celans ›Tübingen, Jänner‹ als poetologisches Gedicht gelesen«, in: »Jahrbuch der Deutschen Schillergesellschaft«, 36 (1992), S. 219–228. — **39** Vgl. Axel Gellhaus: »Erinnerung an schwimmende Hölderlintürme. Paul Celan ›Tübingen, Jänner‹. Otto Pöggeler zum 65. Geburtstag«, Marbach 1992, S. 4 f.; Gellhaus verweist zur ›Januarszenerie‹ in »Tübingen, Jänner« auch auf Hölderlins Gedicht »Hälfte des Lebens«, wo Hölderlin »seinen eigenen Leidensweg und nicht nur den vorwegnehmend, kommen sah« (S. 8). — **40** Paul Celan: »Werke in fünf Bänden«, hg. von Beda Allemann und Stefan Reichert unter Mitwirkung von Rolf Bücher, Frankfurt/M. 1986, Bd. 1, S. 226 (zuerst in »Die Niemandsrose«, 1963). — **41** Pierre Bertaux: »Friedrich Hölderlin«, Frankfurt/M. 1978; Uwe Henrik Peters: »Hölderlin. Wider die These vom edlen Simulanten«, Reinbek 1982. — **42** Ernst Meister:, »Gedichte, auf Hölderlin bezüglich«, in: »Hölderlin-Jahrbuch«, 1978/79, S. 304; ders.: »Wandloser Raum«, Darmstadt, Neuwied 1979, S. 61 zu Hölderlins Gedicht der Turmphase »Der Frühling« (1841, StA 2, S. 292 und 914). — **43** Vgl. Maria Behre: »Das Gedicht als Lebensbogen. Vorsokratische Aphoristik bei Hölderlin und Meister«, in: »Zweites Ernst Meister Kolloquium. Ernst Meister und die lyrische Tradition. 3.–5. November 1993 in Münster, Sonderband IV zum Jahrbuch der Ernst Meister Gesellschaft«, hg. von Helmut Arntzen, Aachen 1996, S. 49–66. — **44** Hermann Korte, a. a. O., S. 96 f. — **45** Wolf Biermann: »Hälfte des Lebens. 27 Lieder nach Texten von Biermann, Brecht, etc.«, 1979, 1998, Wolf Biermann Edition Vol. 9 (CBS 83922). — **46** So Hans Werner Henzes Deutung der Gitarren (Sendung in der Reihe »Klassik« bei n-tv am 27. 2. 1999 über die Uraufführung seiner 9. Sinfonie; der Satz »Im Winde klirren die Fahnen« wird nach Henzes Angaben in seinem Brief an die Verfasserin vom 29. 4. 1999 in den Schlußakten seiner 7. Sinfonie aufgenommen). — **47** Vgl. zum Zusammenhang von ›klirren‹ und ›zittern‹, bildlich harte Worte zum Ausdruck von Zwietracht, Jacob und Wilhelm Grimm: »Deutsches Wörterbuch«, München 1984 (Leipzig 1873), Bd. 11, Sp. 1210. — **48** »Wolf Biermann und die Tradition: Von der Bibel bis Ernst Bloch mit Materialien«, Auswahl der Texte und der Materialien von Dieter P. Meier-Lenz, Stuttgart 1981, S. 31. — **49** Hölderlin: »Andenken«, StA 2, S. 189.

Norbert Hummelt

Mein Onkel Gottfried Benn

Der Neue Waldfriedhof Dahlem liegt ziemlich abgelegen, fast schon im Grunewald, neben einer Kaserne, im Südwesten Berlins. Mit der U 2 fährt man bis zur Haltestelle Oskar-Helene-Heim, hält sich dann zweimal links und gelangt über die Clay-Allee und den Hüttenweg in einer Viertelstunde Wegs an die Pforte. Der Friedhofsgärtner weiß die Lage des gesuchten Grabes zu beschreiben: geradeaus bis zur Kapelle, dann links und bei Feld 27 B rechts rein. Hier wurde am 11. Juli 1956 Gottfried Benn begraben, »ein brennend heißer Sommertag«, wie Thilo Koch sich in seiner biographischen Studie erinnert, darüber »groß, aus unbewegtem Blau gegossen, der Himmel über den alten Kiefern«[1]. Dort liegt inzwischen auch Benns erst 1995 verstorbene dritte Frau Ilse, geborene Kaul. Der Tote benötigte offenbar keinen Grabspruch, es brauchte auch sonst niemand einen für ihn, erstaunlich eigentlich angesichts des großen Bahnhofs, den ihm die junge BRD in seinen späten Jahren machte. So stehen auf dem weißen Stein nur die Lebensdaten: 2.5.1886–7.7.1956. Nichts weist diese Ruhestätte als Dichtergrab aus, es ist eher eines dieser Kleine-Leute-Gräber, wie sie mir seit der Kindheit vertraut sind. Und nur das gänzliche Fehlen christlicher Symbolik erinnert mich daran, hier nicht am Grab eines entfernten dubiosen Großonkels irgendwo im Rheinland zu stehen, von dem es womöglich hieß, er sei seinerzeit für die Nazis gewesen, habe aber dennoch »seine Qualitäten« gehabt. Ein mulmiges Gefühl von Verwandtschaft: Auch seine Dichter kann man sich nicht aussuchen. Das Grab ist übersät mit Kiefernzapfen, von den ringsum stehenden Bäumen herabgeweht. Kiefern, wie sie auch vor dem Fenster des Krankenzimmers im Oskar-Helene-Heim standen, in dem Benn starb. Ich hebe einige der Zapfen auf und stecke sie in meine Jacke an einem Sonntag Ende Juni 1996, über mir ein grauer Himmel mit bewegtem Wolkenspiel, windig, veränderlich und für die Jahreszeit zu kühl.

Unter den deutschsprachigen Lyrikern des 20. Jahrhunderts ist Gottfried Benn derjenige, dessen Werk für mich die stärksten Impulse aussendet und sich in der beständigen Auseinandersetzung am wenigsten zu verbrauchen scheint. Dabei gehöre ich nicht mehr einer Generation an, die mit seinen Versen – oder überhaupt mit Gedichten! – im Deutschunterricht traktiert worden wäre und sich deshalb besonders heftig von dem vermeintlichen Vorbild hätte abstoßen müssen. Ohne gezielt darauf hingewiesen, aber auch ohne davor gewarnt zu sein, entdeckte ich Benns Lyrik und auch die Prosa in den ersten Jahren meines Studiums, schon auf dem Weg zu eigenen Gedichten und für vielerlei Einflüsse und Anregungen offen. Begeisterung und Kopfzerbrechen: Neben der Anziehungskraft einer auf »Faszination« zielenden Dichtung und Poetik die beständige Irritation einer Biographie mit ihrem nie auslöschbaren geistigen Zusammenbruch bei der ›Machtergreifung‹ 1933. Die stark beunruhigende Frage, wie man sich denn damals selbst entschieden und verhalten hätte, geht ja von Benns Werk viel zwingender aus als von dem eines politisch ›korrekten‹ Autors. Vorläufig bleibt die auch nicht wirklich beruhigende Einsicht, daß gute Gedichte nicht den ›guten Menschen‹ fordern und umgekehrt.

In allen Werkphasen des Lyrikers Benn gab und gibt es für mich unterschiedliche Favoriten zu entdecken. Am meisten mag ich jedoch seit längerem die späten Gedichte aus den fünfziger Jahren, von denen viele – aber nicht alle – in den im Limes-Verlag erschienenen schmalen Bänden »Fragmente« (1951), »Destillationen« (1953) und »Aprèslude« (1955) enthalten sind. Kostbar nicht bloß wegen der schönen Erstausgaben, nach denen ich so oft in den Antiquariaten suchte. Ich finde in diesen späten Gedichten den Spannungsreichtum des ganzen Werks, die harten Fügungen aus Schroffem und Weichem, den schnoddrigen Ton und das hehre Bild, das Aufgehen im Großstadtleben gepaart mit einem Rest Natursehnsucht, abwägende Skepsis und Anflüge von Euphorie und die Fähigkeit, all dies im Gedicht mit- und gegeneinander agieren zu lassen, teils in klassizistisch strengen Formen, teils aus einer spontan anmutenden Sprachbewegung heraus. All das klingt jedoch nicht mehr so großspurig, dafür zugänglicher und menschlicher als die von mächtigen Gesten lebenden Gedichte früherer Werkphasen.

Von der Germanistik werden diese späten Bände immer noch zu wenig beachtet, und in der Regel wird ihre Betrachtung dabei auf diejenigen Texte verkürzt, die im engeren Sinne mit Benns Theorie einer »Phase II« des Expressionismus in Verbindung stehen. Nach dem Krieg gründete der Ruhm Benns vor allem auf den »Statischen Gedichten« aus der Zeit des Schreibverbotes, deren Veröffentlichung im Schweizer Verlag Die Arche 1948 sein ›Comeback‹ einleitete. Er zeigte sich der unverhofften eigenen Klassizität jedoch rasch überdrüssig und strebte in einem letzten poetologischen Aufbruch an, »von der weichen gesammelten introvertierten *edlen* Lyrik abzukommen«[2], wie er seinem Briefpartner Oelze anvertraute. In einer »Phase II« einen unter neuen Gesichtspunkten ansetzenden Expressionismus noch einmal als Speerspitze einer Kunst der Gegenwart ins Spiel zu bringen und damit an die eigenen wilden Anfänge anzuknüpfen, war in »Doppelleben«[3] erklärte Absicht. Dazu verlangte er nun den »Roboterstil«, der dem Bewußtsein einer neuen Zeit entsprechen und sie auf neue poetische Begriffe bringen sollte, wie es 1912 sein berühmter Zyklus »Morgue« getan hatte. Anstelle formal abgerundeter Tiefenschau des nach innen emigrierten Weisen, wie

126

sie die »statischen« Gedichte aus der Kriegszeit als bevorzugte Karte ausgespielt hatten, nun also neue Montagegedichte mit harten Schnitten statt symbiotischer Überblendungen, mit dem Vokabular aus Zeitung und Radio, Versatzstücken aus Kneipengesprächen und eingestreutem Wissenschaftsjargon – Wahrnehmungs- und Gedankensplitter, zu freien Versen montiert, als Ausdruck einer sich den fragmentarisierten Reizen der Moderne radikal aussetzenden subjektiven Weltsicht. Als Musterbeispiele für eine angewandte »Phase II«-Poetik können die folgenden Gedichte gelten: »Satzbau«, »Restaurant«, »Fragmente«, »Kleiner Kulturspiegel«, »Außenminister«, »Radio«, »Teils – teils«, »Impromptu«, »Bauxit«, »Menschen getroffen« – betont saloppe Gedichte aus der illusionslosen Sicht eines Kneipengängers mit Schreibutensil, der weniger das Ganze als den Nebentisch im Blick hat und seine Skizzen nonchalant mit rasch hingeworfenen Reflexionen verknüpft, deren Grundton ein launisch räsonierendes Parlando ist.

Hugh Ridley[4] lehnt diese Gedichte aus vorwiegend ideologiekritischen Überlegungen heraus ab, indem er die polemischen Ausfälle aufzeigt, mit denen der als Ideologe so furchtbar gescheiterte Lyriker noch einmal den Kulturkritiker gab und dabei das restaurative Klima in der jungen Bundesrepublik, aber auch kulturelle Irritationen durch die Westintegration aufs Korn nahm, welche den belagerten Westberlinern in Gestalt von schwarzen GIs und Jazz-Sängerinnen entgegentraten; charakteristisch dafür etwa das Gedicht »Bar« von 1953 mit seinen locker gereimten Impressionen aus der Zeit der Luftbrücke und der neuen nächtlichen Amusements: »Flieder in langen Vasen, / Ampeln, gedämpftes Licht, / und die Amis rasen, / wenn die Sängerin spricht«[5]. Tatsächlich kann man am Hang des alten Benn zu kleingeistigen Ressentiments, durch den sich dieser Kämpe des Geistes wohl in nichts von seinen Schöneberger Kassenpatienten unterschied, kaum vorbeisehen. Diese ungeschützten Einwürfe und Monologe, die mal gewitzt und mal dumm, mal lustig und mal ärgerlich wirken, jedoch an ihren inhaltlichen Aussagen zu messen, hieße, ihre Voraussetzungen zu verkennen. Verdanken sie sich doch gerade der aus der geschichtlichen Katastrophe gewonnenen Überzeugung, daß es mit dem abendländischen Geist, mit dem Gedanken überhaupt zu Ende sei. Das war natürlich die reine Schutzbehauptung eines Mannes, der sich furchtbar geirrt hatte und das doch immer noch nicht ganz einsehen konnte. Doch was in den Essays mit Vorsicht zu genießen blieb, wurde in den Gedichten wirklich: Da sprach nun zusehends weniger der summarische Überblicker, sondern seine Schwundstufe, der perspektivisch reduzierte Denker a. D., der sich wie du und ich an den Ecken und Kanten der Dinge stieß, zurückgeworfen auf die eigene Körperlichkeit.

Gottfried Willems sieht denn auch in der späten Lyrik Benns bereits einen Vorläufer dessen, was man in den Siebzigern »Neue Lyrik« oder Alltagslyrik nannte, und zeigt in seiner Studie über »Großstadt- und Bewußtseinspoesie«[6], wie der Griff der neuen Lyriker nach Dingen des Alltags und ihr Umgang mit einer medial vermittelten Wirklichkeit, jener für uns heute längst bestimmend gewordenen Welt aus zweiter Hand, in Benns späten Gedichten schon vorgeprägt erscheint – obgleich diese neuen Lyriker (darunter Rolf Dieter Brinkmann, Nicolas Born, Peter Handke, Jürgen Theobaldy, Wolf Wondratschek) ihre Schreibweisen zu einer Zeit entwickelten, da die Lage eindeutig nicht nach Liedern, sondern nach gesellschaftlicher Veränderung und Engagement verlangte und Brecht hoch im Kurs, Benn dagegen auf der Abschußliste stand. Willems kann in dieser Argumentation nur die »Phase II«-Gedichte gebrauchen. Die nicht geringe Zahl der im altmodischen Sinne schönen, gereimten und rhythmisierten, ästhetisch rückwärtsweisenden Gedichte, die in ihrer hochgeschlossenen Form noch an die »Statischen Gedichte« anknüpfen und deren Moll-Melodik in »Aprèslude« sogar wieder tonangebend wird, scheint den von ihm skizzierten poetologischen Zusammenhang eher zu stören, sie werden daher kaum erwähnt.

Dabei liegt für mich gerade im Kurzschluß kaum vereinbarer Schreibweisen die eigentliche Verlockung dieser lyrischen Spätlese: »Verweilen Sie vor dem Unvereinbaren«[7] wäre die Bennsche Losung, die man als Leseanweisung über die späten Gedichte stellen sollte. Die chronologische Ausgabe in der Fassung der Erstdrucke macht besonders deutlich, wie sehr der vermeintlich abgeklärte Dichter bis zum Schluß zwischen deutlich divergierenden Haltungen schwankte. So erklärt das 1950 verfaßte Gedicht »Satzbau« apodiktisch: »Alle haben den Himmel, die Liebe und das Grab, / damit wollen wir uns nicht befassen, / das ist für den Kulturkreis besprochen und durchgearbeitet.«[8] Da zeigt er sich, der Moderne, hier spricht er, der kühle Neuerer, der für Herzensergießungen im traditionellen lyrischen Stil endgültig nichts mehr übrig hat. Blättert man aber nur eine Seite zurück, so findet man denselben Dichter noch in sehnsüchtigem Verströmen begriffen, es ist die »Blaue Stunde«, das »Südwort schlechthin« schlägt ihn in Bann – »Ich trete in die dunkelblaue Stunde –/ da ist der Flur, die Kette schließt sich zu / und nun im Raum ein Rot auf einem Munde / und eine Schale später Rosen – Du!«[9] Ob man das gerade noch schön oder längst kitschig findet, ist hier nicht die Frage. Für interessanter halte ich, wie diese Spaltung, die Kluft, die Dissonanz zwischen beiden Tonlagen zu verstehen ist. Vielleicht wendet sich die eine in ihrer kategorischen Strenge gegen den harmonischen Exzeß der anderen, in einer Art poetischer Selbstkorrektur. Den Schritt von der einen zur anderen Tonlage jedoch gleich als qualitativen Sprung in der Genese des Kulturkreises zu deuten, entspricht der geläufigen Überhebung des Dichters, der ja auch den Begriff »Phase II« gleichermaßen auf die Phasen des nachantiken Menschen wie auf das eigene Schaffen bezog.[10] Wie lange hält nun dieser neu angeschlagene Ton vor? Nach »Satzbau« gerade einmal für drei weitere Gedichte, falls wir das unmittelbar folgende »Denk der Vergeblichen« überhaupt hinzuzählen wollen, denn auch da heben gleich wieder Rausch und Morgenröten an, wenn auch diesmal in freien Versen. »Restaurant« und »Notturno« folgen, typische »Phase II«-Gedichte – aber dann ist schon »Der Dunkle« da, so geht es los: »Ach, gäb er mir zurück die alte Trauer,/die einst mein Herz so zauberschwer umfing,/da gab es Jahre, wo von jeder Mauer/ein Tränenflor aus Tristanblicken hing«[11].

Kann oder will sich da einer nicht entscheiden? – Benn schreibt aus einer inneren Spannung heraus. Eine Reihe poetischer Möglichkeiten ist in seine Hand gegeben, die ihm gleich attraktiv erscheinen, mindestens aber zwei, und die meinen beide etwas Grundverschiedenes. Die eine weist weit zurück in die Geschichte der lyrischen Gattung, zur Klassik und Romantik, sie haftet am Traditionellen, echot die fernen Glücke sprachlicher Vollkommenheit und weiß zugleich, daß sie in ihrer tönenden Harmoniesucht nicht mehr geduldet sein darf, behauptet sich jedoch als endogener Trieb. Die andere ist ausgelöst durch Beobachtungen und Überlegungen des Tages, nicht von ungefähr gibt sie sich journalistisch, als habe sie gar nichts mit Dichtung zu schaffen; sie hält ihre Zeit aus und bringt sie zur Sprache, sie wähnt keine Gründe, sondern bietet Befunde, räumt auf mit der alten, falschen Verklärung. Und doch bleibt sie eines Widerspruchs bedürftig. Aus dieser inneren Spannung heraus können die Gedichte sich äußerlich klar und entschieden auf eine Seite stellen, ohne ihre grundlegende Ambivalenz einzubüßen. Und diese Spannung halte ich auch weiterhin für existent und produktiv, modifiziert natürlich, unter historisch völlig anderen Bedingungen. Doch falls ich eine Erklärung anbieten muß, warum um alles in der Welt mich diese Gedichte noch etwas angehen, so vermute ich sie hier.

Deshalb halte ich auch nur bedingt für richtig, was Bruno Hillebrand 1986 feststellte auf die Frage, was ihn denn dieser Benn eigentlich noch anginge.[12] Er unterscheidet dabei zwischen der »historischen Information«, die ein Gedicht übermittelt, und seiner »ästhetischen Verführung«. Historisch gesehen, so Hillebrand, markiere das Werk Benns das »Ende einer langen Epoche von Geistesgeschichte«, und was dieses Werk an Inhalten in sich trage, sei erlebnishaft für unsereins gar nicht mehr einzuholen, weswegen »jede Fassadenrenovierung« daran füglich zu unterbleiben habe. Demgegenüber könne von einzelnen Gedichten noch weiterhin eine anziehende klangmagische und musikalische Wirkung ausgehen.[13] Ich finde, das greift zu kurz. So weit wie Goethe sind diese Gedichte nicht weg. Und so einfach läßt sich zwischen Klang und Inhalt eben doch nicht trennen. Wen der Fall bestimmter Silben trifft, der ist nicht taub für das, was ihm gesagt wird. Er macht seine Erfahrungen damit, schließt sie in sein Erleben ein. Und kann dieses Erleben vergleichend neben das fremde halten, das ihm der Fall der Silben hinhält. Natürlich stößt er auf Diskrepanzen. Der metaphysische große Wurf, das Seherische und Sich-Berufen-Fühlen, alles, was hier von Nietzsche kommt, damit sind wir durch. Aber das war Benn am Ende auch. Die Melancholie, die fühlbare Leere, die die großen Ideen zurückließen, ist noch nicht ganz verebbt, ihre letzte Welle erreicht uns gerade noch in Strophen wie diesen, die auch Hillebrand zitiert:

> Was ist der Mensch, – die Nacht vielleicht geschlafen,
> doch vom Rasieren wieder schon so müd,
> noch eh' ihn Post und Telefone trafen,
> ist die Substanz schon leer und ausgeglüht,
> ein höheres, ein allgemeines Wirken,
> von dem man hört und manches Mal auch ahnt,
> versagt sich vielen leiblichen Bezirken,
> verfehlte Kräfte, tragisch angebahnt:
> man sage nicht, der Geist kann es erreichen,
> er gibt nur manchmal kurzbelichtet Zeichen.[14]

Restbestände einer hehren Trauer, die sich so konkret ans Körperliche hängen, daß sie sich auf komische Weise daran brechen: Für mich auf überraschende Weise anschließbar an Leseerfahrungen mit Ernst Jandl, der genau hier, Mitte der fünfziger Jahre, mit seinen Texten einsetzt und den Abschied der Kunst aus der hehren Geisteswelt später auf sprachlich weit radikalere Weise gestalten sollte. »leben und hirn / solle man nicht / kombinieren«, heißt es programmatisch in der Sprechoper »aus der fremde«[15], in der sich auch eine theatralische Feier dessen findet, was Benn an anderer Stelle »Aufstehmanipulationen«[16] genannt hat. Bei Jandl geht das so: »alsbald / ertöne der wecker / er ihn abstelle // viertel vor neun / er besitze kein / aufstehvermögen // halb zehn / und er wälze sich / im schweiß // er richte sich auf / und falle sofort / wieder zurück«[17]. Daß der einfache Weltkriegssoldat Jandl aus der Erfahrung des Schreckens viel klarere Schlüsse zog als der Stabsarzt Benn und sich nicht zufällig eher auf Brecht bezog, darf darüber nicht vergessen werden. Doch dem widerspricht nicht, daß sein frühes programmatisches Gedicht »zeichen« eng an Motive des ebenfalls poetologischen Gedichtes anschließt, mit dem Benn die »Fragmente« eröffnet: »Du könntest dich nochmals treiben / mit Rausch und Flammen und Flug, / du könntest –: das heißt, es bleiben / noch einige Töpferscheiben / und etwas Ton im Krug«[18]. Rausch, Flammen und Flug sind Jandl von Beginn an fremd, aber auch er nimmt das Bild des Töpfers zur Umschreibung der dichterischen Aufgabe in nicht unähnlichem Sinne auf: »zerbrochen sind die harmonischen krüge, / die teller mit dem griechengesicht, / die vergoldeten köpfe der klassiker – // aber der ton und das wasser drehen sich weiter / in den hütten der töpfer«[19].

Das Mißtrauen gegen das Schöne in der Kunst, mit dem Benn 1912 so vehement einsetzte, wird in seinen späten Gedichten noch einmal wach, auf eine Weise, die mich gerade in ihrer Widersprüchlichkeit anzieht. So beginnt das oben zitierte Gedicht »Melancholie« mit einer Strophe, die, ähnlich wie es der Redner Benn in den »Problemen der Lyrik« vorführte, die Harmlosigkeiten zeitgenössischer Naturlyrik zum Vorwurf nimmt:

> Wenn man von Faltern liest, von Schilf und Immen,
> daß sich darauf ein schöner Sommer wiegt,
> dann fragt man sich, ob diese Glücke stimmen
> und nicht dahinter eine Täuschung liegt,
> und auch das Saitenspiel, von dem sie schreiben,
> mit Schwirren, Dufthauch, flügelleichtem Kleid,
> mit dem sie tun, als ob sie bleiben,
> ist anderen Ohren eine Fraglichkeit:
> ein künstliches, ein falsches Potpourri –
> untäuschbar bleibt der Seele Agonie.[20]

Falter, Schilf und Immen – indem das Gedicht sich kritisch gibt und diese Bilder von sich weist als etwas, das wohl zu schön ist, um wahr zu sein, stellt es sie zugleich in einen Raum, in dem sie bleiben können, in den Erlebnisraum, der das Gedicht selber ist.

Dem Schönen mißtrauen und es gleichwohl herstellen: Das ist die Dialektik eines Gedichteschreibens nach dem Krieg, ein interessanter Ansatz. Aus Sicht meiner Generation, der um 1960 im Westen Geborenen, die wir historisch weniger gefordert wurden als jede andere Generation in diesem Jahrhundert, – für uns, die wir 1968 noch kaum eingeschult waren, zu Zeiten der RAF pubertierten, Anfang der achtziger Jahre kurz und halbherzig gegen das eine oder andere demonstrierten und (sofern wir nicht vollends Designer werden wollten) in jenem kühl und langweilig dekorierten Jahrzehnt zu schreiben begannen, weil es nichts Besseres zu tun gab, und denen auch die Wende zunächst nur ein weiteres Medienereignis sein konnte –, für uns war schon längst nicht mehr Benns Artistik, sondern gerade die »Neue Lyrik« der siebziger Jahre (mit der klaren Ausnahme Brinkmanns) dasjenige, was es schreibend zu überwinden galt: ihren Hang zur platten Inhaltlichkeit, ihre mangelnde Sprachreflexion und formale Nachlässigkeit, ihren schalen Realismus und vereinfachenden Subjektbegriff; alles Dinge, die beim alten Benn so nicht vorkamen. Was nicht hieß, daß die Suche nach einer interessanteren Dichtung nun unbedingt auf Benn zuführen mußte. Fortgeschrittenere Schreibweisen, einiges von dem, was man in den Sechzigern »experimentell« nannte, rückten wieder neu ins Blickfeld, die Arbeiten der Wiener Gruppe und ihrer Umgebung, das Werk Mayröckers, die Gedichte

Jandls. Aber sofern man darüber hinaus über eine literaturgeschichtliche Neugier verfügte, empfänglich war für widerstrebende Antriebe, eine Moderne ohne Tradition nicht begreifen konnte und immer zugleich meinte, ein Gedicht werde »gemacht« und »ströme« dennoch, wenn seine »Stunde« da sei, »aus dem Nichts zusammen«, so blieb Benn für solche Fälle eine erste Geheimadresse.

Und um endlich auch dem Klischee genüge zu tun: Ja, eine Affinität zu Benn bedeutet immer noch Distanz zu Brecht. Genauer, zu einer theoretischen Position, die Dichtung unter das Primat der Wirksamkeit und der Gesinnung stellt. Die poetologischen Debatten der späten zwanziger Jahre kreisen um diesen einen Punkt: Können Dichter die Welt ändern? Oder realistischer gefaßt: Sollten sie es zumindest können wollen? Hier Gottfried Benn als »Portalfigur« einer artistischen Kunstauffassung, die in der Arbeit am Gedicht eine je individuelle Monomanie am Werk sah, das Austragen tragischer Konflikte des Ich zwischen Auflösung und Selbstbehauptung, auf der Grundlage einer als unaufhebbar empfundenen Einsamkeit. Dort Bertolt Brecht, aber auch Becher, Kisch und andere als Verfechter eines »engagierten« Standpunkts, der die Literatur in den Dienst am Kollektiv nahm und vom Dichter einen Beitrag zu den sozialen und politischen Kämpfen seiner Zeit erwartete. Kunst also entweder als die metaphysische Tätigkeit des Lebens und dessen einzig sinnhafte Rechtfertigung, mithin als Zweck – oder aber Kunst als Faktor der gesellschaftlichen Veränderung, als Mittel im Kampf um eine bessere und gerechtere Welt: Die Frage nach der Art der Beziehung zwischen Leben und Kunst hat durch Benn und Brecht in diesem Jahrhundert ihre prägnantesten und denkbar weitest auseinanderliegenden Antworten erhalten, wiewohl die beiden Koryphäen ja nie öffentlich miteinander debattierten, wie es Benn und Becher 1930 immerhin in einer Rundfunkdiskussion taten. Wie es geschehen konnte, daß Benn zwischenzeitlich daran glaubte, seine solitäre Kunstauffassung ausgerechnet mit der alles Individuelle grausam verachtenden NS-Ideologie zusammendenken zu können, hat Dieter Wellershoff bereits 1958 hervorragend aufgearbeitet.[21] Seine Studie bietet immer noch bedenkenswerte Anregungen für die Auseinandersetzung mit dem politischen »Fall Benn«, um die kein Bewunderer seiner Gedichte herumkommt.

Brechts und Benns repräsentative Bedeutung für die Literatur der beiden deutschen Staaten nach dem Krieg und ihre zumeist mit weltanschaulicher Parteilichkeit einhergehende Rezeption seit den fünfziger Jahren hat dazu geführt, die Kontroverse um Leben und Kunst kürzelhaft mit beider Namen zu kennzeichnen. Die schlagende Polarität ihrer Auffassungen, die in der Rezeption oft polemisch aufeinander bezogen wurden, hat Schule gemacht und besonders die Poetik des deutschen Nachkriegsgedichts folgenreich geprägt. Benns Marburger Rede »Probleme der Lyrik«, in der er seine über

Jahrzehnte gewonnenen Ansichten über das Gedicht als expressive Wortkunst bündig zusammenfaßte, wurde für die westdeutsche Lyrik der fünfziger Jahre zu einer »ars poetica«, wie es Hans Bender im Vorwort zu seiner Anthologie »Mein Gedicht ist mein Messer« erstmals festhielt. Benns »Sound« wurde vielfach adaptiert, zumeist in vorgeblich parodistischer Absicht (etwa von Peter Rühmkorf). 1967 erschien eine Anthologie[22] mit teils rühmenden, teils rügenden Gedichten auf Benn, die seine anregende Wirkung auf mehrere Lyrikergenerationen bezeugt und neben den Versuchen längst Vergessener Gedichte von Bächler, Becher, Brecht, Hagelstange, Hillebrand, Lasker-Schüler, Lernet-Holenia, Meister, Rühmkorf und Seidel enthält: Der verfemte Expressionist war zum Klassiker einer ästhetisch orientierten Moderne geworden. Brechts Beispiel lieferte zur gleichen Zeit das Gegenmodell für eine am politischen Gebrauchswert orientierte Lyrik, das im Verlauf der sechziger Jahre allmählich tonangebend wurde. Versuche, beide Ansätze zu integrieren, bilden die Ausnahme (Hans Magnus Enzensberger). Gängiger blieb die Polarität: Wo immer zum Grundsätzlichen neigende Form-Inhalt-Debatten in Sachen Lyrik geführt werden, ob im Feuilleton, im Oberseminar oder in Schreibwerkstätten, ist man mit den Namen der beiden Säulenheiligen immer noch rasch bei der Hand.

Dies eilfertige Namedropping hat ein wenig den Blick dafür getrübt, daß Brecht und Benn, wenn sie über Kunst im allgemeinen sprachen, doch eigentlich haarscharf aneinander vorbeizielten, weil sie jeweils unterschiedliche Künste im Sinn hatten. Für Benn war das lyrische Gedicht, dessen monologischen Charakter er immer wieder entschieden herausstrich, das Paradigma des Künstlerischen schlechthin. Für Brecht war dagegen seine Konzeption des epischen Theaters, dessen dialogischer Grundzug offensichtlich ist, der Maßstab für seine Funktionszuweisungen an Kunst überhaupt. Das macht gerade für die Frage nach dem Für und Wider künstlerischer Wirksamkeit einen tiefgreifenden Unterschied. Das lyrische Gedicht von jedem Anspruch an eine durch es selbst mitzubewirkende progressive Weltveränderung freizustellen, sollte eine schlichte Forderung des Realitätssinns sein, nicht nur hinsichtlich seiner äußerst marginalen medialen Reichweite. Das Gedicht ist die konzentrierteste Arbeit eines einzelnen, mit seinem Körper und seiner Sprache allein. In diesem Alleinsein liegt die Eigenart und die Substanz des Gedichts, es ist zugleich sein erstes Thema. Das Theater dagegen, dem der literarische Text als Vorwurf für die gemeinsame Arbeit vieler dient, ist von vornherein auf soziale Praxis aus, die es mit den ihm eigenen Mitteln einüben, erproben und probeweise verändern kann. In seiner modellhaften Rolle für die modernen Massenmedien Film und Hörspiel, deren kommunikative Bedeutung Brecht erkannte, reichte es schon in den zwanziger Jahren in ganz andere Wirkungszusammenhänge hinein als die Lyrik. Es hat den Anschein, als habe die mediale Entwicklung der letzten Jahrzehnte die

Grundzüge beider Künste erst richtig herausgearbeitet: Das Gedicht spricht den Menschen in seiner vereinzelten Einmaligkeit an (so gefährdet sie sich auch immer ausnehmen mag), das Theater fragt ihn nach seinem (ebenso gefährdeten) Mitsein mit anderen.

Eine solche unterscheidende Sicht stand den Dichtern am Ende der Weimarer Republik nicht zu Gebote. Das Denken hatte auf allen Seiten totalitäre Züge angenommen. Der totalitäre Zug im Denken Benns hinderte ihn daran, die aus seiner Sicht zu Recht erkannte Differenz zwischen Kunst (als subjektivem Ausdruck) und Leben (als sozialer Interaktion) in eine ausdifferenzierte Sicht zu überführen, die beiden Aspekten menschlicher Existenz ihre notwendige und lebenswichtige Berechtigung zuerkannte. So konnte es geschehen, daß er sich in seinem Eintreten für die Autonomie der Kunst zu jenen verirrte, die jegliche Autonomie unter ihren Stiefeln zertraten. Aber eine solche Sicht, die die Frage nach dem Zusammenhang von Kunst und Leben mit der Frage nach der funktionalen Ausdifferenzierung der Künste verknüpft, steht uns heute offen, und wir sollten sie nutzen: Um nicht ewig die gleichen fruchtlosen Debatten um das Große und Ganze zu wiederholen. Und um niemals mehr die stille Humanität, die in der einsamen Arbeit am Gedicht liegt, gegen tätigere Formen der Humanität polemisch auszuspielen. Natürlich liegt in der vorgeschlagenen Unterscheidung viel unzulässige Vereinfachung. Das Theater kann Einsamkeit und Beziehungslosigkeit ebenso radikal gestalten wie die Lyrik, man denke nur an die Stücke Becketts. Gedichte können dialogisch sein, und das Du des Gedichts muß nicht zwingend eine Maske der Selbstansprache sein wie in der Lyrik Benns: Die Gedichte Else Lasker-Schülers, die ganz vom Bezug auf ein umworbenes Gegenüber bestimmt sind, geben davon ein eindrucksvolles Beispiel. Doch das unterstreicht den intimen Zug lyrischen Sprechens noch, der mir am ehesten geeignet scheint, das erstaunliche Beharrungsvermögen der kulturellen Randerscheinung Gedicht am Ende des Jahrhunderts zu rechtfertigen und zu erklären: Die Frage nach seiner intendierten Wirksamkeit wird ihm weniger gerecht als die nach den inneren Antrieben derer, die weiterhin nicht umhin können, »Satzbau« zu betreiben. Hierauf gibt das Werk Benns eine Fülle bedenkenswerter, uneinhelliger, produktiv irritierender Antworten.

Wenn ich damit vielleicht nicht für sehr viele spreche, so doch sicher auch nicht für mich allein. Wer als Lyriker oder Lyrikerin heutzutage überhaupt noch liest (was in der nachwachsenden Spoken-Word-Generation wohl kaum noch selbstverständlich ist), liest jedenfalls eher Benn als Brecht. Was man vielleicht einmal empirisch überprüfen sollte, man denke an den vielzitierten Fragebogen, der amerikanischen Lyrikern zum Ausfüllen vorgelegt wurde, wovon Benn in der Marburger Rede[23] berichtet. Eine solche Umfrage würde meines Erachtens zeigen: Brechts didaktischer Ansatz hat für Lyrikerinnen und Lyriker heute wenig Bedeutung. Benn dagegen wird weiter gelesen, ohne daß man sich über ihn jemals einig sein könnte. Gemeindebildungen sind also nicht zu befürchten, dafür sind die Anspielungen und Bezüge zu vereinzelt und die Ansätze zu disparat. Tendenzen lassen sich gleichwohl beobachten. Sofern ich in den Arbeiten ungefähr gleichalter Kollegen Bezugnahmen auf Benn entdecken kann, so gelten sie seltener der von mir favorisierten Spätphase und häufiger dem jungen Wilden, »der früher viel seziert hatte«[24], also dem Dichter der »Morgue« und der Rönne-Novellen mit seinem schonungslosen Blick auf die physische Hinfälligkeit des Menschen, die nur noch durch gesteigerten sprachlichen Ausdruck und andere Rauschmittel überflogen werden kann: »o nacht! ich nahm schon flugbenzin«[25], so reintoniert Thomas Kling einen berühmten Gedichtanfang des frühen Benn (»O, Nacht! Ich nahm schon Kokain«)[26] und setzt damit zugleich ein Fanal am Anfang eines der wichtigsten Gedichtbände der späten achtziger Jahre. Wie ein stilleres Pendant dazu beschließt die Kontrafaktur eines ebenso berühmten späten Benn-Gedichts (»Nur zwei Dinge«[27]) Marcel Beyers Gedichtband »Falsches Futter« von 1997: »Es bleiben nur / die zwei Koffer, Rasurfehler hier, und du: ich / stelle die Kinderfrage ebenso lautlos. Wozu.«[28]

Zwischen diesen beiden Zitaten spannt sich eine Tendenz der Literatur der neunziger Jahre aus, der die Engführung der Bildbereiche Sprache und Körper zur zentralen Metapher und die Anatomie zum bevorzugten Motivbereich geworden ist. Eine Literatur der Skepsis, sprachbewußt, analytisch, illusionslos, ohne didaktische Absichten. Nach dem Ende der Ideologien bleibt das Physische: Daß Gottfried Benn hier die geeignetere »Portalfigur« abgibt, liegt auf der Hand – »der Körper ist der letzte Zwang und die Tiefe der Notwendigkeit, er trägt die Ahnung, er träumt den Traum«[29] –, ohne daß dies als Indiz für eine prinzipielle Gesellschaftsferne dieser neuen Literatur mißverstanden werden könnte: Hier greifen die alten Polarisierungen nicht mehr. Der Körper in Texten der Neunziger trägt nicht mehr nur die Ahnung, den letzten Traum des Individuums, er trägt auch die Erinnerung an Mißhandlung und Erniedrigung: Er ist ein gesellschaftlicher Gegenstand geworden. Mit Blick auf Arbeiten von Marcel Beyer und Durs Grünbein, denen zutreffend attestiert wird, daß sie »die Gesellschaftsdefekte unseres Jahrhunderts im Zusammenspiel von Sprache und Physis« erkunden, kam ein Kritiker zu dem Schluß: »Jenseits alter Sinnzuweisungen an Geschichte entsteht offenbar eine deutsche Nachwendeliteratur unter der literarischen Mentorenschaft Gottfried Benns, die den Stallgeruch Ost oder West längst abgelegt hat.«[30]

Zugleich wird in den thematischen Rückgriffen der Nachgeborenen auf historische Stoffe (wie in Marcel Beyers Roman »Flughunde« auf die NS-Zeit) »die Gefahr einer neuen Unbekümmertheit«[31] gesehen. Dazu läßt sich zweierlei sagen: Sich mit problematischen Traditionen überhaupt zu beladen und daran abzuarbeiten, erscheint mir als ein Bekümmern, das Gefahren eher bannt als freisetzt. Und Gefahr für wen? Doch am ehesten für den, der schreibt. Literatur kann gesellschaftliche Prozesse nur kenntlich machen und reflektieren, aber sie ist heute wohl weniger als je dazu ausersehen, das Leben zu bessern oder zu verschlechtern. Sie bleibt jedoch Arbeit an der Existenz und damit gefährlich für diejenigen, die sich ernsthaft mit ihr einlassen, schreibend, lesend, jeder für sich allein. Wie tief man sich in ihr verstricken kann, dafür ist Benn weiterhin ein instruktives und faszinierendes, auch ein warnendes Beispiel. Deshalb ist eine Vorliebe für sein Werk immer auch ein Grund, sich selbst nicht ganz über den Weg zu trauen. Davon weiß das 1995 geschriebene Gedicht »dunst«[32], das sich fragend neben seinen Autor stellt, am Ende des Jahrhunderts.

    dunst

du suchst die nähe überlebter dinge
warum auch nicht? es schaut ja
keiner zu wie du die klinke drückst
der aus der thermoskanne grüne
bohnen ißt, nimmt selber kaum notiz
du hast ein dünnes heft aus dem regal
gezogen: die lettern haften noch
die widmung ausradiert, der sprache
fruchtfleisch riecht so süß verdorben
dein sakko durchgescheuert an den
ellenbogen u. der ihn vor dir trug
ist noch nicht lang verstorben. ist
auch egal. zuzeiten flüchtest du
obschon noch jung, ins stammlokal
mit den getönten scheiben, ganz
ohne aussicht auf die dämmerung
verrauchte luft, in fremder rede
dunst gehüllter mund, du bist nicht
mitgemeint. ist das jahrhundert
denn noch nicht zu ende? du sitzt
bei gulasch u. liest gottfried benn
aus einem jener alten limesbände.

1 Thilo Koch: »Gottfried Benn. Ein biographischer Essay«, Frankfurt/M. 1986, S. 72 f. — 2 Gottfried Benn: »Briefe an F. W. Oelze«, hg. von H. Steinhagen und J. Schröder, Wiesbaden 1977–1980, zweiter Band, zweiter Teil, S. 46. — 3 Gottfried Benn: »Gesammelte Werke in der Fassung der Erstdrucke«, vier Bände, textkritisch durchgesehen und herausgegeben von Bruno Hillebrand, Frankfurt/M. 1982, Band II: »Prosa und Autobiographie«, S. 470 ff. Nach dieser Ausgabe (GW) wird im folgenden zitiert. — 4 Hugh Ridley: »Gottfried Benn. Ein Schriftsteller zwischen Erneuerung und Reaktion«, Opladen 1990, S. 106 ff. — 5 GW I, S. 432. — 6 Gottfried Willems: »Großstadt- und Bewußtseinspoesie. Über Realismus in der modernen Lyrik«, Tübingen 1981. — 7 Aus »Drei alte Männer«, GW IV, S. 124. — 8 GW I, S. 370. — 9 GW I, S. 368. — 10 GW II, S. 472. — 11 GW I, S. 374 f. — 12 Bruno Hillebrand: »Gottfried Benn heute«, in: »TEXT + KRITIK«, H. 44, München 1985, S. 7–22. — 13 Ebd., S. 20. — 14 GW I, S. 445 f. — 15 Ernst Jandl: »Gesammelte Werke. Drei Bände«, hg. von Klaus Siblewski, Darmstadt, Neuwied 1985, Band III: »Stücke und Prosa«, S. 286. — 16 »Verzweiflung«, GW I, S. 409. — 17 Ernst Jandl, a. a. O., 274. — 18 GW I, S. 393. — 19 Ernst Jandl: »Gesammelte Werke«, a. a. O., Band I: »Gedichte«, S. 48. — 20 GW I, S. 445 f. — 21 Dieter Wellershoff: »Gottfried Benn. Phänotyp dieser Stunde. Eine Studie über den Problemgehalt seines Werkes«, Köln 1958. — 22 Jürgen P. Wallmann (Hg.): »Après Aprèslude. Gedichte auf Gottfried Benn«, Zürich 1967. — 23 GW III, S. 511. — 24 »Gehirne«, GW II, S. 19. — 25 Thomas Kling: »ratinger hof, zettbeh (3)«, in: ders.: »geschmacksverstärker. Gedichte«, Frankfurt/M. 1989, S. 9. — 26 GW I, S. 85. — 27 »Nur zwei Dinge«, GW I, S. 427. — 28 Marcel Beyer: »Nur zwei Koffer«, in: ders.: »Falsches Futter. Gedichte«, Frankfurt/M. 1997, S. 79. — 29 Zitat aus: »Zur Problematik des Dichterischen«, GW III, S. 95. — 30 Michael Lorenz: »›Reden wir über die Schuld von übermorgen‹«, in: »Dokumentation zum Uwe-Johnson-Preis 1997«, Neubrandenburg 1997, S. 34. — 31 Ebd. — 32 Norbert Hummelt: »singtrieb. Gedichte«, Basel, Weil am Rhein 1997, S. 28.

Klaus Schuhmann

»Ich brauche keinen Grabstein«
Der Lyriker Bertolt Brecht und seine Nachgeborenen

Obwohl Bertolt Brecht seinem Geburtsdatum nach noch in das 19. Jahrhundert gehört, setzt seine Wirkung als Lyriker in den beiden Teilen Deutschlands erst zu Beginn der fünfziger Jahre des 20. Jahrhunderts wirklich ein, fünf Jahrzehnte nach seiner Geburt. Dann aber um so nachhaltiger, bis ans Ende des Jahrhunderts.

Dafür gibt es leicht erklärbare Gründe. In den Jahren der Weimarer Republik erschien nur die »Hauspostille« als geschlossenes Gedichtbuch, und Brechts Bekanntheit beruhte mehr oder weniger auf jener Art von Lyrik, die er »Songs« nannte und die in seinen beiden Opern eine weitere Verbreitung gefunden hatten als im Druck. Die beiden nachfolgenden Gedichtbücher – »Lieder, Gedichte, Chöre« und »Svendborger Gedichte« – erschienen während seiner Exiljahre im Ausland und haben in Deutschland nur wenige Leser gefunden. Als der Emigrant 1948 nach Berlin zurückkehrte, brachte er einen beträchtlichen Fundus seiner lyrischen Produktion mit, veröffentlicht und ausgewählt wurden für den Druck in der DDR durch seinen früheren Verleger Wieland Herzfelde aber nur »100 Gedichte«. Immerhin eine Auswahl, die einen ersten Einblick in sein reichhaltiges lyrisches Werk gab, während Peter Suhrkamp sich entschied, die »Hauspostille« wieder zugänglich zu machen.

Als in den fünfziger Jahren zu Brechts Lebzeiten damit begonnen wurde, eine Werkausgabe in Frankfurt am Main und Berlin zu edieren, kam natürlich nicht zuerst die Lyrik an die Reihe, so daß der mehrbändige Gedichtteil erst in den sechziger Jahren eine Lektüre in größeren Werkzusammenhängen ermöglichte.

In welchem Maß Brecht im Verlauf dieses Jahrzehnts und in den Jahren zuvor von den »Nachgeborenen« wahrgenommen, aufgenommen und mit Kommentaren der verschiedensten Art begleitet worden ist, dokumentierte Jürgen P. Wallmann 1970 mit seiner Sammlung »Von den Nachgeborenen. Dichtungen auf Bertolt Brecht«. Dem hätte 1998, als Brechts 100. Geburtstag heranrückte, ein um das Doppelte erweiterter Band folgen können. Kein Zweifel: Bertolt Brecht ist – neben Gottfried Benn – zum wirkungsmächtigsten Lyriker in der zweiten Jahrhunderthälfte geworden. Diese Wirkungsgeschichte spiegelt zu einem guten Teil auch die politische und literarische Geschichte von Schriftstellern deutscher Sprache in einer ›geteilten

Welt‹ wider und gibt Einblick in jene Literatur, die sich seit der Existenz zweier deutscher Staaten herausgebildet hat, ablesbar an Fronten- und Gruppenbildungen, Anziehungs- und Abstoßungsvorgängen, Lob und Schelte, Verehrung und Verdammung. Wie auch immer: Brechts Gegenwärtigkeit unter den Nachgeborenen ist ein Zeichen seiner fortwährenden Wirkung (allen Prognosen von der Wirkungslosigkeit des Klassikers zum Trotz).

Daß er seit der Gründung des ›Berliner Ensembles‹ bestrebt war, für sein Theater vor allem Mitarbeiter in der jüngeren Generation zu gewinnen, ist hinlänglich bekannt. Sein Wirkungskreis dehnte sich bald auch auf die Akademie der Künste aus, wo Meisterklassen zur Förderung junger Autoren gebildet wurden. Als Lyriker wirkte er auf den literarischen Nachwuchs vor allem durch seine persönliche Präsenz im literarischen Leben der DDR, nicht zuletzt durch jene Gedichte, die er in der damaligen Zeit ganz gezielt für die Heranbildung einer neuen Leserschaft schrieb, die für den Aufbau der neuen Gesellschaft gewonnen werden sollte: die 1950 in der Zeitschrift »Sinn und Form« abgedruckten »Kinderlieder«, denen 1952 eine erweiterte Fassung unter dem Titel »Neue Kinderlieder« folgte, die in Heft 13 der »Versuche« ausgewählten »Buckower Elegien« des Jahres 1953, die zwei Jahre später veröffentlichte »Kriegsfibel«, deren Entstehung bis in das Jahr 1940 zurückreicht, und eine Anzahl bisher nicht veröffentlichter Gedichte aus verschiedenen Schaffensperioden im 2. Sonderheft von »Sinn und Form«, das Brecht nach seinem Tode gewidmet wurde. Hinzu kommen die seit 1951 mehrfach wiederaufgelegten »Hundert Gedichte«, die wohl populärste Auswahl zu DDR-Zeiten.

Für die Kriegsgeneration, aus der sich zu Beginn der fünfziger Jahre die ersten literarischen Debütanten zu Wort meldeten, war Brecht sowohl der durch sein Leben und Wirken im politischen Exil ausgewiesene Antifaschist als auch der beispielgebende Autor bürgerlicher Herkunft, der in den zwanziger Jahren zum engagierten Marxisten geworden war und auch seit der Gründung der DDR aus seinem politischen Engagement kein Hehl machte, wodurch er zunehmend in politisch-literarische Kontroversen geriet, die gesamtdeutsch ausgetragen wurden. Was Brecht in seinen früheren Schriften oft genug als Funktionsbestimmung seines Theaters angegeben hatte, konnte er nun *in persona* für die jungen Autoren der Kriegsgeneration sein: ihr Lehrer.

Daß dies dennoch mehr indirekt als direkt geschah – mit Ausnahme seines Meisterschülers Heinz Kahlau – ist offensichtlich. Das minderte keineswegs die Nachhaltigkeit der Wirkung und die gelegentlich übermächtige Rolle des Mentors, der seine Spuren in den Gedichten der Nachgeborenen oft allzu deutlich hinterließ. Günter Kunert lernte Brecht zwar auch persönlich kennen, aber von einem regelrechten Umgang mit ihm kann keine Rede sein, ebensowenig wie bei Heiner Müller und Peter Hacks, der in Brecht zuerst den Theatermacher sah, als Verfasser von Songs und Kindergedichten aber schon in beträchtlichem Maße Eigenes vorzuweisen hatte. Der junge Mann aber, auf den Brecht am meisten baute – Martin Pohl – ist bis heute der am wenigsten bekannte Autor geblieben.

Wer damals an Brechts aktuellen Publikationen lyrisch-epischen Charakters interessiert war – hier sei noch an den »Herrnburger Bericht« und »Die Erziehung der Hirse« erinnert –, mußte ihn einseitig als fast volkstümlichen Dichter wahrnehmen, der sich in Liedern, Sprüchen und Lehrgedichten mitteilte. Er schätzte die Prägnanz und Kürze, wie Brecht sie in den »Buckower Elegien« am eindrücklichsten demonstrierte. Gedankliche Klarheit und formale Stringenz gehörten dazu (was sich am sinnfälligsten bei seiner »Bearbeitung« der Gedichte von Ingeborg Bachmann zeigte). Kein Titel spiegelt dieses poetologische Konzept so überzeugend wider wie Günter Kunerts 1950 erschienener Gedichtband »Wegschilder und Mauerinschriften«, wo der Gestus des Zeigens schon im Titel als Programm formuliert wird.

Wie sich jetzt dem ersten Band der Heiner Müller-Werkausgabe entnehmen läßt, übertrifft Müller Kunert in der Breite der Brechtrezeption jedoch bei weitem. Der Sachse aus Eppendorf schreibt zu Beginn der fünfziger Jahre nicht nur Kinderlieder, die an Brecht erinnern, sondern verfaßt auch Spruchgedichte vergleichbarer Art. Und er ist offenbar auch mit jener Art des Sonettschreibens vertraut, die bei Brecht die »sozial-kritische« heißt.

Selbst der von Brecht geschätzte Horaz (an den er sich in den fünfziger Jahren erneut erinnerte) ist präsent. Sogar in der lakonischen Manier der alten Chinesen, die Brecht im Exil schätzen lernte, kann Müller schreiben. Auch eine Nachdichtung von Texten Mao Tse-tungs verbindet ihn mit Brecht. Nicht von ungefähr sind es Ereignisse aus den Jahren von 1933 bis 1945, die bei beiden Lyrikern in vergleichbarer Weise in Erinnerung gerufen werden. Das Gedicht »Wohin?« steht dafür:

> Dein Vater sollt marschieren.
> Dein Vater ist marschiert.
> Dein Vater – er ließ sich führen.
> Sie haben ihn geführt.
>
> Und heut sollst du marschieren.
> Dein Vater – der ist marschiert.
> Weißt du, wohin sie dich führen?
> Ihn haben sie sterben geführt.[1]

Vierzeiler wie »Deutsches Wiegenlied«, »Rätsel« und »Frage« umkreisen dasselbe Thema, nur noch karger in der Wortwahl und eindringlicher im Fragenstellen.

Was Brecht in seinem »Aufbaulied« (im Auftrag des Zentralrats der FDJ geschrieben) an die Jugend adressiert, richtet sich bei Heiner Müller im »Aufbaulied für Kinder« an eine noch jüngere Lesergruppe:

Bitte der Kinder
an die Bauleute

Wenn ihr die Häuser baut
an den neuen Straßen
laßt uns auch einen Fleck
weit, mit grünem Rasen!

Auch sehr viel Sand muß da –
nicht zu überschauen –
auf unserem Spielplatz sein
daß wir lernen bauen.

Dann zwischen Gras und Blau
wollen wir uns schwingen
auf einer Schaukel, hoch
über allen Dingen.[2]

So nahe dieser Junglyriker dem Vorbild kommt, ist in seinen Texten doch auch schon der spätere Gedichteschreiber zu erkennen, der die Wirklichkeit so unsentimental und nüchtern sah wie Brecht. Auch wirken seine Verse auf den ersten Blick kunstlos wie die des Meisters und sind dennoch schon mit der formenden Kraft eines Poeten geschrieben, der sich deutlich genug in eine durch Brecht vermittelte, eher römisch-chinesische Traditionslinie stellt als in die romantisch-deutsche des 19. Jahrhunderts.

Gelegentlich scheint es so, als habe Heiner Müller gleich von mehreren Gedichten Brechts profitiert, sowohl durch Übernahme einzelner Motive als auch durch Textanklänge, die seine Quelle verraten. Im Gedicht »Von den Wäldern« kann man es sehen und hören:

1
Des Morgens müßt ihr auch auf eure Wälder schauen
die grünenden: es scheint die Sonne drauf.
Bis in die höchsten Wipfel schaut hinauf
ob Wind weht. In den Himmel auch, den blauen.

2
Vergesset auch den kahlen Baum nicht zu loben:
er hat kein Blattwerk mehr, doch übers Jahr

141

ist er voll Blattwerks wieder wie ers war.
Auch weht der Wind in seinem Wipfel oben.

3
So sehet hin. Habt ihr sie lang genug besehen
die Wälder wie das Land, das euch sie gibt –
vielleicht geschieht es dann, daß ihr es liebt.
Solang ihrs liebt, kann es euch nicht vergehen.[3]

In diesem Gedicht hört man die Jugendbäume am Augsburger Lech aus
Brechts »Hauspostille« ebenso rauschen, wie man an den Pflaumenbaum
erinnert wird, der, selbst wenn er keine Früchte mehr trägt, nicht unbeachtet bleiben soll. Und ein wenig klingt auch die »Kinderhymne« in diesem
Text an.

Günter Kunert gab seine Brecht-Bindung, die man schon in »Wegschilder
und Mauerinschriften« sehen konnte, im Vorwort zu seinem zweiten
Gedichtbuch »Unter diesem Himmel« im Klartext kund. Hier sind es die
Leseanleitungen der »Hauspostille«, die ihm Pate gestanden haben. Die
Gedichte sind in Gruppen (fünf wie in der »Hauspostille«) gegliedert und
ihrer Bestimmung oder Machart nach überschrieben und werden – ironisch
wie bei Brecht – an einzelne Lesergruppen adressiert. Auch Kunert warnt wie
der Dichter der »Hauspostille« vor der bekannten »Gefährlichkeit« des
Gefühls. Für die Texte, die er »zeitraffer« nannte, griff er indes auf Brechts
Gedichte der dreißiger Jahre zurück, die dieser damals als Warntexte (vor
dem bevorstehenden Krieg) geschrieben hatte. In der Majuskelschreibweise
folgte er ihm ebenfalls:

DIE SONNE. AUS DEN FENSTERN
des neuen Hauses sehen die Frauen
auf spielende Kinder. Über den
Himmeln fliegt ein Flugzeug, über
Die Gesichter zieht ein Schatten.
Sie erinnern sich.[4]

Kunert hat es darauf abgesehen, Verhaltensweisen zu zeigen und Erkenntnisse herauszufordern, die freilich, wie bei den meisten Lyrikern damals, aus
einer unbezweifelbaren Weltanschauung abgeleitet werden, die in den
Spruchgedichten indes nur indirekt ausgesprochen wird.

In seinem 1961 erschienenen Gedichtband »Tagwerke«, in den auch eine
Gruppe »Neuer Stammtischverse« aufgenommen wurde, geschieht dies in
der Manier des Dialektikers Brecht. Wie am Schluß von »Der gute Mensch
von Sezuan« wird in einem »Schlußwort an den Leser« diesem mitgeteilt:

Gewöhn dich dran: Der Widerspruch stirbt nie.
Er wäre einer, könnte er einst sterben.
Er ist der Phönix. Wir sind seine Asche hie.
Wir werden ihn als unser bestes Teil vererben.

Gelöst entsteht er in der Lösung neu
Und treibt erneut uns, ihn zu lösen.
Wie nie ein Freund folgt er uns treu.
Doch sind wir folgsam ihm dabei gewesen.[5]

Dort, wo die Texte länger werden und in die Historie ausgreifen, entstehen meist Balladen, die im geschichtlichen Gleichnis zur Gegenwart sprechen und weitgehend an Reim und Strophenbau dieser alten Gedichtform anschließen.

Bei Heinz Kahlau geschieht das in »Hoffnung lebt in den Zweigen der Caiba« (1954) an einem fremdländischen Stoff, der chronikartig aufgearbeitet und in Liedform eingängig gemacht wird.

Mit weit mehr Gespür für die »plebejische Tradition« des Lyrikers und Stückeschreibers Bertolt Brecht ging Peter Hacks zu Werke. Nicht von ungefähr begegneten sich die beiden Dramatiker in zwei Stücken, die von Menschen in Kriegszeiten handeln: »Mutter Courage« und »Die Schlacht bei Lobositz«. In der Art, wie Brecht in seinen Stücken die Handlung unterbricht und einzelne Personen als Sprecher aus dem Ensemble heraustreten läßt, verfuhr auch Hacks, als er einen Invaliden seine Warnung vor dem Krieg aussprechen ließ; von ihm angekündigt als »etwas zu beklagen und zu lernen«. Dabei singt er zur Drehorgel:

Groß war der Mut. Das Horn zum Angriff blies.
Und wie ein Löwe kämpfte Marschall Traun.
Da wurde mir ein Loch ins Fleisch gehaun
Von einem Feinde, der auch Mut aufwies.

Das war bei Capua, als es so kam,
Daß nun mein Bein von mir Abschied nahm
Und lag, ein fremder Knochen, da.
Was war mir Capua?

(...)

Groß war der Mut. O Jüngling, bleib timid.
Groß war der Mut. Viel größer ist die Reu.
Folg nicht dem Kalbfell. Folg nur deiner Scheu.
Welch kleiner Schritt vom Held zum Invalid.

Das war bei Capua am fernen Ort.
Doch wo du mutig bist, bist du schon dort
Und spürst den Wurm im Gloria
Und hast dein Capua.[6]

Hier in der direkten Rede einer Person kann der Autor auch sprachlich aus Redeweisen schöpfen, wie sie bei Brecht in einigen Stücken die Regel sind.

Bis zum Ende der fünfziger Jahre bleibt dieser Modus der Begegnung zwischen Brecht und den Nachgeborenen ungebrochen. Es ist ein weitgehend einverständiges und übereinstimmendes Geben und Nehmen, das von Brechts literarischem Rang und seiner unmittelbaren Autorität dominiert wird. Die Schüler haben sich von ihrem Lehrer noch nicht emanzipiert. Vor allem haben sie von ihm noch nicht gelernt, wie die von ihm immer wieder postulierten Widersprüche so in Worte zu fassen sind, daß sie als Instrumente der Kritik gehandhabt werden können. Das geschah sichtbar erst in den sechziger Jahren, als auch Schriften aus Brechts Nachlaß publiziert wurden, die dazu ermutigen.

Von einer vergleichbaren Brecht-»Nachfolge« jüngerer Schriftsteller konnte in der Literatur der Bundesrepublik nicht die Rede sein. Dem war durch Boykott (1953) und Denunziation (durch Außenminister Brentano) ganz offiziell ein antikommunistischer Riegel vorgeschoben. Dennoch wurde Brecht, gelegentlich sogar als Gegengewicht zu Benn, von den Lyrikern, die in der BRD in deutscher Sprache publizierten, wahrgenommen, und seine Präsenz ist als Spurenelement in einzelnen Gedichten von Werner Riegel, Peter Rühmkorf, Ingeborg Bachmann und Paul Celan nachweisbar. Daß es nicht zu einer Brecht-Nachfolge wie in der DDR kommen konnte, hat mit den gesellschaftspolitischen Verhältnissen in den beiden deutschen Staaten zu tun, mit deren offizieller Kulturpolitik und mit dem jeweils eigenen Selbstverständnis der Schriftsteller in Ost und West. Das gilt auch für einige der Grundpositionen Brechts, die von den nonkonformistischen Autoren jenseits der Elbe nicht unwidersprochen hingenommen und – am deutlichsten bei Hans Magnus Enzensberger – aus ideologiekritischer Sicht zurückgewiesen wurden. Obwohl er in seinem Aufsatz »Poesie und Politik« eines seiner Gedichte (»Radwechsel«) lobend von jenen abhebt, die Ideologie an die Stelle von Sprachkunst setzen, wird Brecht letzten Endes doch in die Phalanx derer eingereiht, die Enzensbergers Diktum unterliegen, das er am Schluß seiner Erörterungen über das Gedicht verkündet: »Sein politischer Auftrag ist, sich jedem politischen Auftrag zu verweigern und für alle zu sprechen noch dort, wo es von keinem spricht, von einem Baum, von einem Stein, von dem was nicht ist.«[7] Keine Frage: Hier spricht einer, der die Schule der Kritik nicht bei Brecht, sondern bei Adorno besucht hat. Daß Enzensberger einige Jahre zuvor, als sein erster Gedichtband »verteidigung der wöl-

fe« erschien, mit Brecht verwandten Ansichten gegen ein bei Hugo Friedrich
ebenso wie bei Walter Höllerer propagiertes Konzept von »moderner Lyrik«
polemisierte, ist freilich ebenso offenkundig: »Hans Magnus Enzensberger
will seine Gedichte verstanden wissen als Inschriften, Plakate, Flugblätter, in
eine Mauer geritzt, auf eine Mauer geklebt, vor einer Mauer verteilt; nicht
im Raum sollen sie verklingen, in den Ohren des einen, geduldigen Lesers,
sondern vor den Augen vieler, und gerade der Ungeduldigen, sollen sie stehen und leben, sollen auf sie wirken wie das Inserat in der Zeitung, das Pla-
kat auf der Litfaßsäule, die Schrift am Himmel.«[8] Wer dieses Buch aufschlägt,
findet sich darin bestätigt, daß hier ein Autor zwar Gedichte nicht nach ihrem
Gebrauchswert ordnete, aber zumindest der inneren Verfassung und Wir-
kungsintention ihres Urhebers gemäß: in ›freundliche‹, ›traurige‹ und ›böse‹
Gedichte. Mehr noch: hier praktizierte ein Lyriker »Verfremdung« als ein
methodisches Vorgehen, das er »Ent-stellung« nannte. Im Gedicht »bildzeitung« war es nachzulesen:

> du wirst reich sein
> markenstecher uhrenkleber:
> wenn der mittelstürmer will
> wird um eine ganze mark geköpft
> ein ganzes heer beschmutzter prinzen
> turandots mitgift unfehlbarer tip
> tischlein deck dich:
> du wirst reich sein.[9]

Wie weit Enzensberger über Brechts in den dreißiger Jahren geschriebene
»Deutsche Satiren« hinausging, die sich mit der Presse des »Dritten Reichs«
auseinandersetzten, bedarf keines Kommentars. Worin er sich von Brecht
unterscheidet, wird überdies deutlich, wenn man beider Unterweisung der
Jugend miteinander vergleicht: Brechts in »finsteren Zeiten« (1940) ent-
standene mit der Schlußwendung »Ja, lerne Mathematik, sage ich / Lerne
Englisch, lerne Geschichte!« und die »ins lesebuch für die oberstufe« geschriebene des jüngeren Autors:

> lies keine oden, mein sohn, lies die fahrpläne:
> sie sind genauer. Roll die seekarten auf,
> eh es zu spät ist. Sei wachsam, sing nicht.
> Der tag kommt, wo sie wieder listen ans tor
> schlagen und malen den neinsagern auf die brust
> zinken. Lern unerkannt gehn, lern mehr als ich:
> das viertel wechseln, den paß, das gesicht.
> Versteh dich auf den kleinen verrat,

> die täglich schmutzige rettung. Nützlich
> sind die enzykliken zum feueranzünden,
> die manifeste: butter einzuwickeln und salz
> für die wehrlosen. wut und geduld sind nötig,
> in die lungen der macht zu blasen
> den feinen tödlichen staub, gemahlen
> von denen, die viel gelernt haben,
> die genau sind, von dir.[10]

Wie weit sich dieser Kritizismus und Skeptizismus im Verlauf der Jahre vom Hoffnungsprinzip in Brechts »An die Nachgeborenen« und mehr noch von dessen Fortschrittsdialektik unterscheidet, demonstrierte Enzensberger in seinem 1964 erschienenen Gedichtband »blindenschrift« mit dem Gedicht »weiterung«:

> wer soll da noch auftauchen aus der flut,
> wenn wir darin untergehen?
>
> noch ein paar fortschritte,
> und wir werden weitersehen.
>
> Wer soll da unserer gedenken
> mit nachsicht?
>
> Das wird sich finden,
> wenn es erst soweit ist.
>
> Und so fortan
> bis auf weiteres
>
> und ohne weiteres
> so weiter und so
>
> weiter nichts
>
> keine nachgeborenen
> keine nachsicht
>
> nichts weiter[11]

Ambivalenzen, wie sie für Enzensberger in diesem Jahrzehnt charakteristisch sind, lösten sich in der zweiten Hälfte der sechziger Jahre bei einer Anzahl jüngerer Lyriker rasch wieder auf, als diese im Umfeld der außerparlamentarischen Opposition in den Sog der Politisierung hineingezogen wurden, der sie nicht nur dem Lyriker, sondern auch dem Marxisten Brecht näherbrachte. Das literarische Signal dafür ging von einem Schriftsteller aus, der bislang eher als Kritiker der politischen Verhältnisse im Osten (als Kommentator bei der BBC) von sich reden gemacht hatte: von Erich Fried und von dessen Gedichtband »Und Vietnam und«.

Auf den Namen Brecht stößt man in diesem Buch am Schluß der letzten Gedichtgruppe. Der Titel »Fragen eines später Geborenen« bezieht sich eindeutig auf das Schlußgedicht in den »Svendborger Gedichten«, gibt das Thema aber mittels eines früheren Gedichts als Motto vor:

> Wenn die Irrtümer verbraucht sind
> Sitzt als letzter Gesellschafter
> Uns das Nichts gegenüber
> Bertolt Brecht[12]

Damit ist der Gestus vorgegeben, der Frieds Dialog mit Brecht bestimmen wird. Da spricht (schon dem Alter nach) kein Schüler, sondern einer, der selbst im Exil war und mitreden kann, wenn über die »finsteren Zeiten« Auskunft erbeten wird. Auch ist er längst kein Debütant mehr, der sich vom Meister beloben oder tadeln lassen muß. Fried ist ein Gefährte, kämpferisch und kritisch wie Brecht, und er steht ihm auch mit seinem sprachkritischen Bewußtsein keineswegs nach. Nicht von ungefähr bedient er sich solcher Techniken in seinen Texten, indem er die offizielle Berichterstattung über den Krieg in Vietnam sowohl in amerikanischen als auch in deutschen Blättern der bewußten Täuschung überführt.

In seinem Fragegedicht unterscheidet er sich von manch einem jüngeren Lyriker aus der Bundesrepublik, die bei Brecht vorwiegend nach klassenkämpferischer Ermutigung Ausschau hielten und politische Plattheiten nicht aussparten. Der Österreicher mit der britischen Staatsbürgerschaft ist dagegen ein souveräner Linker, der sich Zweifel und Ratlosigkeit erlaubt und sie nicht als Schwäche abtut:

> Zwar kenne ich diese Sitzung
> aber ich will versuchen
> die unscharfen Fragen
> so scharf zu stellen wie möglich
>
> Fragen die du mich gelehrt hast
> mit dem Vermerk:

Sie genügen nicht
aber frage sie!

Zum Beispiel:
Von wem
sind die Irrtümer
verbraucht?

Von uns
oder an uns
von unseren Feinden
und Freunden?

Und ist es gut
oder schlecht
oder beides
daß sie verbraucht sind?[13]

(...)

Auf andere Weise und mehr noch als Fried reaktivierten links orientierte Gedichtemacher in der Folgezeit Texte von Brecht, die sie mit eigenen Zugaben aktualisierten. Gerd Semmer verfaßte ein »Neues Courage-Lied«, Volker von Törne warnte mit dem jungen Brecht »Gegen Verführung« und formulierte »Fragen eines chilenischen Genossen«, und Robert Gernhardt notierte »Fragen eines lesenden Bankdirektors«. Klaus Kuhnke übernahm den Titel »Fragen eines lesenden Arbeiters« ganz direkt. Franz Josef Degenhardt schrieb einen neuen »Anachronistischen Zug« unter dem Titel »Der anachronistische Zug oder Freiheit, die sie meinen«, der Sänger Walter Mossmann griff in der »Ballade vom toten Matrosen« den ›Fall Filbinger‹ auf, und »Die Legende vom toten Soldaten« wurde nach dem Eifel-Treffen von 1985, das die Politiker Kohl und Reagan an den Gräbern von SS-Soldaten zusammenführte, zu mehr als einem nur literarischen Ereignis: nämlich zu einem Protestmarsch im Sinne einer Antikriegs-Aktion.

Die meistzitierten Zeilen aber entnahmen viele Lyriker Brechts Gedicht »An die Nachgeborenen«:

Was sind das für Zeiten, wo
Ein Gespräch über Bäume fast ein Verbrechen ist
Weil es ein Schweigen über so viele Untaten einschließt![14]

Darauf beziehen sich in den sechziger Jahren Erich Fried in »Gespräch über Bäume«, Paul Celan in »Ein Blatt, baumlos«, Hans Magnus Enzensberger in »zwei fehler«, Rose Ausländer in »Über Bäume«, Walter Helmut Fritz in »Bäume«, Sarah Kirsch in »Bäume« und Erika Burkart in »Von Bäumen reden«. Was hier in Frage und Antwort an Problemen aufgefächert wird, gibt Einblick in die nicht weniger schwierigen Probleme des Gedichte-Schreibens in der zweiten Hälfte dieses Jahrhunderts.

Verglichen damit – gemessen an der Zahl der Autoren, die Brecht rezipierten, und der Intensität, mit der das geschah – verlief dieser Prozeß in der DDR der sechziger und siebziger Jahre eher als Absetz- und Korrekturverfahren. Das Signal dazu gab Peter Hacks, als er, mit Blick auf die zurückliegenden fünfziger Jahre und seine eigene Fixierung auf Brecht, eine »postrevolutionäre« Dramatik proklamierte. Volker Braun machte sich, anders als Hacks, in seinen Notaten bewußt, daß die »einfache Wahrheit« der bei Brecht gezeigten sozialen Kämpfe nicht mehr genüge, zeigte zugleich aber auch seinen Unmut darüber, daß die Beschäftigung mit dem Werk Brechts zu einer Mode zu verkommen drohte:

> Zu Brecht, Die Wahrheit einigt
> Mit seiner dünnsten Stimme, um uns nicht
> Sehr zu verstören, riet er noch beizeiten
> Wir sollten einfach sagen wos uns sticht
> So das Organ zu heilen oder schneiden.
>
> Ein kräftiges: das ist es, und es kracht
> Wenn nicht – (wie bei den Klassikern, die es halt gab)
> Ein Eingeständnis, das uns Beine macht.
> Das war sein Vorschlag blickend auf sein Grab.
>
> So was ist noch auf dem Papier zu haben.
> Wir haben ihn nicht angenommen, nur
> Gewisse Termini und die Frisur.
> Jetzt trägt man auch die Haare wieder länger.
> Das Fleisch ist dicker, und der Geist enger.
> So wurde er Klassiker und ist begraben.[15]

Dabei war Volker Braun einer der maßgeblichen jungen Autoren gewesen, die ein Jahrzehnt nach der Kriegsgeneration eine andere Art des Brechtverständnisses eingeleitet hatten. Sein erster Gedichtband »Provokation für mich« übernahm nicht nur Äußerliches aus der »Hauspostille«, hier schrieb einer, der die Probleme der DDR-Gesellschaft offenlegte und deren Lösung eindringlich an die Oberen und die Unteren adressierte. Ein Gedichttitel wie

»Fragen eines Arbeiters während der Revolution« klärt aber auch darüber auf,
worin sich Brauns Dichtungsverständnis von dem Peter Hacks' oder dem
Günter Kunerts unterscheidet.

Kunert war es dann auch, der schrittweise die Abwendung von Brecht
vollzog und ganz einem eigenen Konzept von Lyrik folgte, angefangen mit
»Einigen Überlegungen zu den ›Teppichwebern‹«, zuerst 1973 im zweiten
Brecht-Band von »TEXT + KRITIK« veröffentlicht: »Verstehen wir Brecht?
Verstehen wir uns durch ihn? Oder feiern wir uns nur selber, indem wir ihn
feiern, den letzten deutschen Genius? Ist uns dieses umfangreiche Werk schon
fraglos geworden? Wenn wir es nicht mehr befragen, hat es uns auch nichts
zu sagen. (...) Befragen muß man Brecht und ihm abverlangen, was zu uns
selber führt. Um uns selber müssen wir uns selber kümmern, meint nicht,
daß der Einzelne, den es in großen Massen gibt, nun sein Selbst an die All-
gemeinheit delegiert und fernerhin die Verantwortung für sich selber einer
undefinierbaren Instanz überläßt: gemeint ist vielmehr, es gelte seiner selbst
ansichtig zu werden, sich selbst zu objektivieren suchen: ein Wagnis und eine
Leistung, vor denen man sich zwar drücken kann, nicht jedoch wenn man
meint, Brecht verstanden zu haben.«[16] Kunert verfuhr in diesem Sinne, und
er geriet dabei in Konflikte, die ihn nicht nur außer Landes führten, sondern
mehr und mehr das »Wir«, von dem er 1973 noch sprach, in Frage stellten.
In seinem Gedicht »Belagerungszustand« kommt Brecht nur noch in einer
sarkastischen Wendung vor:

> Wohin auch immer wovon weg
> ist immer
> der Benennung sicher: Weil Sonntag
> und vorm Haus drei Autos
> Stunde um Stunde
> im Fond Marx Engels Lenin Stalin
> ad usum Delphini
>
> Sie kommen direkt aus dem Hauptquartier
> der Utopie in Berlin-Lichtenberg
> rauchen und lesen Zeitung und
> den Widersatz
> meiner armen zaghaften Worte
> frisch geschlüpfte Zugvögel
> Wegbereiter
> dorthin wo das Gespräch über Bäume
> kein Schweigen mehr bindet
> dorthin wo keiner einem
> die Sprache verschlägt.[17]

An Erfahrungstexte dieser Art schließt in diesen Jahren auch Wolf Biermann mit der »Ballade von den verdorbenen Greisen« und dem Gedicht »Brecht, deine Nachgeborenen« an, in dem das große Experiment, von dem Brecht gesprochen hatte, als er sich in der DDR zum Aufbau einer neuen Gesellschaft bekannte, als gescheitert erklärt wird und just diejenigen an den Pranger gestellt werden, denen Brecht in seinem Gedicht »Die neue Mundart«, das 1980 zum ersten Mal veröffentlicht wurde, warnend gesagt hatte:

> (...)
> Jetzt
> Herrschen sie und sprechen eine neue Mundart
> Nur ihnen selber verständlich, das Kaderwelsch
> Welches mit drohender und belehrender Stimme
> gesprochen wird
> Und die Läden füllt – ohne Zwiebeln.
>
> Dem, der Kaderwelsch hört
> Vergeht das Essen.
> Dem, der es spricht
> Vergeht das Hören.[18]

Als es das Land, in dem Brecht gelebt und gewirkt hatte, nicht mehr gab, sanken seine literarischen Aktien schlagartig, und er geriet ein weiteres Mal in feuilletonistisches Zwielicht. Kommende Enttäuschungen voraussehend, schrieb Heinz Czechowski im Herbst 1989 das Gedicht »Die überstandene Wende«, dessen Machart Brecht in Erinnerung ruft.

> Was hinter uns liegt,
> Wissen wir. Was vor uns liegt,
> wird uns unbekannt bleiben.
> Bis wir es
> Hinter uns haben.[19]

Ebenso sarkastisch sekundierte ihm Volker Braun mit einem Brechtzitat am Schluß seines Gedichts »O Chicago! O Widerspruch«:

> Brecht, ist Ihnen die Zigarre ausgegangen?
> Bei den Erdbeben, die wir hervorriefen
> In den auf Sand gebauten Staaten.
> Der Sozialismus geht, Johnny Walker kommt.
> Ich kann ihn nicht an den Gedanken festhalten
> Die ohnehin ausfallen. Die warmen Straßen

Des Oktobers sind die kalten Wege
Der Wirtschaft, Horatio. Ich schiebe den Gum in die Backe
Es ist gekommen, das nicht Nennenswerte.[20]

Dem ordnet sich das Gedicht des Brechtschülers B. K. Tragelehn zu, das
1993 in »Sinn und Form« veröffentlicht wurde:

Beim Wiederlesen der Buckower Elegien

Dunkel steigt auf, schwarz steht Geäst
Vorm helleren Himmel, dann wird auch
Der schwarz und Sterne winken weit her
Nacht hat uns eingefangen und für lange.

Brecht las bei Horaz, les ich, daß selbst
Die Sintflut nicht ewig gedauert hat.
Und wieder werden die schwarzen Gewässer verrinnen.
Und wieder werden wenige länger dauern.[21]

Zum Regisseur der spektakulären Aufführung von Heiner Müllers Drama
»Die Umsiedlerin« gesellte sich nun auch dessen Verfasser, der sich 1992 mit
einem Band »Gedichte« spät, aber noch zu Lebzeiten, meldete: Brecht fand
im Lyriker Heiner Müller einen Nachfolger, der sich ihm in seinen letzten
Lebensjahren ebenbürtig erwies. Nicht zufällig rief er ihn in den Monaten
des Umbruchs in Erinnerung. Im Mittelteil des 1989 entstandenen Gedichts
»Fernsehen« wird er im Großdruck zitiert:

(...)
2 DAILY NEWS NACH BRECHT 1989
Die ausgerissenen Fingernägel des Janos Kadar
Der die Panzer gegen sein Volk rief als es anfing
Seine Genossen Folterer an den Füßen aufzuhängen
Sein Sterben als der verratene Imre Nagy
Ausgegraben wurde oder der Rest von ihm
BONES AND SHOES das Fernsehen war dabei
Verscharrt mit dem Gesicht zur Erde 1956
WIR DIE WIR DEN BODEN BEREITEN WOLLTEN
FÜR FREUNDLICHKEIT
Wieviel Erde werden wir fressen müssen
Mit dem Blutgeschmack unserer Opfer
Auf dem Weg in die bessere Zukunft
Oder in keine wenn wir sie ausspein[22]

Heiner Müller war es zudem, der bei der Vergabe des Büchner-Preises an Durs Grünbein in Darmstadt die Laudatio auf den Lyriker hielt. Wie Grünbein die »Wende« der Zeit erfahren hat und nach dem Nennenswerten Ausschau hält, fixierte er unter dem Titel »Variation auf kein Thema«, in dem die Ungeduld und Unentschiedenheit jenes Dichters anklingt, der 1953 »Der Radwechsel« schrieb:

> Fortfahren ... wohin? Seit auch dies
>   Nur der gefällige Ausdruck
> Für Flucht war, für Weitermachen
>   Gedankenvoll oder – los.
> Was aufs selbe hinausläuft, wie?
>   Zug um Zug einer neuen
> Erregung entgegen, einem Gesicht
>   Zwischen den Zifferblättern
> Im Schaufenster, Brillen für Liebe,
>   Für schärferes Fernsehn, Särge
> Und Möbel zum schnellen Wohnen,
>   Wo Engel an Kassen saßen, taub
> Gegen ihr süßes, nekrophiles Hallo.[23]

Was Brecht vor der schlimmsten ihm und der Welt bevorstehenden Katastrophe den Nachgeborenen noch an Hoffnung zu übermitteln vermochte, scheint am Ende des Jahrhunderts aufgebraucht zu sein.

Ist es mehr als ein Zufall gewesen, daß im Jahr seines 100. Geburtstages die von ihm bedichtete »Pappel am Karlsplatz« gefällt wurde, um Baufreiheit zu schaffen? Obwohl es sich nun schon um die zweite Pappelgeneration handelte, die Motorsäge und Axt zum Opfer fiel, schrieb Heinz Kahlau, dieser Bäume eingedenk, ein Epilog-Gedicht, in dem der Vorgang festgehalten wird:

> Naturliebe am Karlplatz
>
> Seit dem Winter achtundneunzig
> wird ein neues Haus gebaut
> und die Pappeln auf dem Karlsplatz
> wurden dafür abgehaut.
>
> Wie das schon einmal passierte
> in dem vierundfünfziger Jahr,
> Weil es für ein paar Diplomaten
> im Büro zu dunkel war.

Diesmal aber wurden Triebe
einer Pappel eingeweckt.
damit brechtsche Pappelliebe
nicht am Ende ganz verreckt.[24]

Es könnte ein hoffnungsstiftendes Zeichen dafür sein, daß auch der Lyriker Brecht mit diesen Trieben jung bleibt in der Erinnerung derer, die im 21. Jahrhundert Gedichte schreiben werden. Falls man dann noch Gedichte schreibt.

1 Heiner Müller: »Wohin?«, in: ders.: »Die Gedichte 1«, Frankfurt/M. 1998, S. 10. — **2** Heiner Müller: »Bitten der Kinder an die Bauleute«, ebd., S. 63. — **3** Heiner Müller: »Von den Wäldern«, ebd., S. 32. — **4** Günter Kunert: »Die Sonne scheint...«, in: ders.: »Unter diesem Himmel«, Berlin 1955, S. 32. — **5** Günter Kunert: »Schlußwort an die Leser«, in: ders.: »Tagewerke«, Berlin 1961, S. 131. — **6** Peter Hacks: »Die Schlacht bei Lobositz«, in: ders.: »Ausgewählte Dramen«, Berlin 1972, S. 99–100. — **7** Hans Magnus Enzensberger: »Poesie und Politik«, in: ders.: »Einzelheiten II«, Frankfurt/M. 1962, S. 136. — **8** Hans Magnus Enzensberger: »verteidigung der wölfe«, Begleittext, Frankfurt/M. 1957. — **9** Hans Magnus Enzensberger: »bildzeitung«, in: ders.: »verteidigung der wölfe«, a. a. O., S. 80. — **10** Hans Magnus Enzensberger: »ins lesebuch für die oberstufe«, ebd., S. 85. — **11** Hans Magnus Enzensberger: »weiterung«, in: ders.: »blindenschrift«, Frankfurt/M. 1964, S. 50. — **12** Erich Fried: »Fragen eines Spätgeborenen«, in: ders.: »Und Vietnam und«, Berlin 1966, S. 62. — **13** Ebd. — **14** Bertolt Brecht: »An die Nachgeborenen«, in: ders.: »Gedichte 2«, Berlin, Weimar, Frankfurt/M. 1988, S. 85. — **15** Volker Braun: »Zu Brecht, Die Wahrheit einigt«, in: ders.: »Training des aufrechten Gangs«, Halle 1979, S. 23. — **16** Günter Kunert: »Einige Überlegungen zu den ›Teppichwebern‹«, in: ders.: »Warum schreiben. Notizen zur Literatur«, Berlin 1976, S. 177. — **17** Günter Kunert: »Belagerungszustand«, in: ders.: »Abtötungsverfahren«, München 1980, S. 50. — **18** Bertolt Brecht: »Die neue Mundart«. in: ders.: »Gedichte 2«, a. a. O., S. 311. — **19** Heinz Czechowski: »Die überstandene Wende«, in: Karl Otto Conrady (Hg.): »Von einem Land und vom andern. Gedichte zur deutschen Wende 1989/90«, Frankfurt/M. 1993, S. 7. — **20** Volker Braun: »O Chicago! O Widerspruch«, in: ders.: »Die Zickzackbrücke. Ein Abrißkalender«, Halle 1992, S. 81. — **21** B. K. Tragelehn: »Beim Wiederlesen der Buckower Elegien«, in: »Sinn und Form«, 1993, H. 6, S. 589. — **22** Heiner Müller: »Fernsehen«, in: ders.: »Die Gedichte«, a. a. O., S. 232. — **23** Durs Grünbein: »Variation auf kein Thema«, in: ders.: »Falten und Fallen, Frankfurt/M. 1994, S. 11. — **24** Heinz Kahlau: »Naturliebe am Karlplatz«, in: »Der Tagesspiegel«, Berlin, 11. 3. 1998.

Helmut Göbel

»In der Asphaltstadt bin ich daheim«
Die große Stadt in der Lyrik des 20. Jahrhunderts

1

Lange Zeit galt, daß keine große Stadt wie die andere sei. Und doch bildete sich in den ersten Jahrzehnten des 20. Jahrhunderts ein grundlegend von der großen Stadt geprägtes Lebensgefühl aus. Die Facetten ihrer Wirklichkeit nahmen ungeheure Dimensionen an, die große Stadt zog an und entzog sich zugleich. Es wurde immer deutlicher, wie sehr das gesamte Leben, wie Vorstellungen und Wünsche von der Struktur und dem Rhythmus der großen Stadt bestimmt wurden und werden.

Im Verlauf des 19. Jahrhunderts kündigte sich das in der Dichtung an, zunächst im Roman und in der englischen und französischen Lyrik. Der Kriminalroman, ein typisches Großstadtprodukt, begann sich auszuprägen. Aus der Perspektive des unbeteiligt Beteiligten entstand in den Versen von Charles Baudelaire und Walt Whitman ein neues lyrisches Großstadtbild. Soziologen versuchten das besondere Soziale der großen Städte zu bestimmen, ja vielleicht ist die Soziologie recht eigentlich eine Stadtwissenschaft. Seit Georg Simmels berühmter Darstellung »Die Großstädte und das Geistesleben« vom Anfang des 20. Jahrhunderts befruchteten sich Gesellschafts- und Kunstwissenschaft mehr und mehr. Auch hier wird im folgenden auf Kategorien der Sozialwissenschaften zurückgegriffen. Im Rahmen dieses Essays soll auf eine Auseinandersetzung mit der wissenschaftlichen Literatur zum Thema allerdings ganz verzichtet werden. In mehrfachem Durchgang wird das Phänomen des Gedichts zur großen Stadt eingekreist. Dabei wird es einige Überschneidungen geben, da die systematische Darstellung der Großstadtlyrik und der historische Prozeß ihrer Entwicklung nicht immer scharf voneinander getrennt werden können.

2

Wenn noch ein wie auch immer problematisches Zuhause auszumachen ist in den neuen Lebenswelten des 20. Jahrhunderts, dann in der großen Stadt. Die folgenden Verse sprechen eine neue, eine innige und zugleich ironische Beziehung vom Ich und der Stadt beziehungsweise den Städten allgemein aus:

1

Ich, Bertolt Brecht, bin aus den schwarzen Wäldern.
Meine Mutter trug mich in die Städte hinein
Als ich in ihrem Leibe lag. Und die Kälte der Wälder
Wird in mir bis zu meinem Absterben sein.

2

In der Asphaltstadt bin ich daheim. Von allem Anfang
Versehen mit jedem Sterbsakrament:
Mit Zeitungen. Und Tabak. Und Branntwein.[1]

Mit starkem Selbstbewußtsein setzen diese unregelmäßigen und doch tradi-
tionell reimenden Verse ein: »Ich, Bertolt Brecht«. Der Gedichttitel aber gibt
einen anderen Ton vor: »Vom armen B. B.« Von Anfang an wird das Gedicht
also in Gestalt und Aussage von Gegensätzen geprägt. Und es scheint so, als
müßte das starke Ich behauptet werden, um gegenüber den Städten und
ihrem Sog der Vereinnahmung zu bestehen. Auch die Herkunft des Ich wird
zweifach angegeben im Sinn der natürlichen Geburt durch die Mutter und
bild- und rätselhaft aus »schwarzen Wäldern«, also aus einer dunklen, der
Stadt entgegengesetzten, vielleicht auch mythisch-geheimnisvollen Vergangenheit, aus der das Ich seine »Kälte« zu haben meint. Es klagt nicht über
die Stadtwelt, es ist einfach in ihr zuhaus, gemeinsam mit vielen anderen
Menschen. So wird aus dem Ich ein Wir. Dennoch ist sich das Ich seines Sta-
tus einer modernen Transitorität bewußt; mit leichtem Anklang an die biblische Jesusrede heißt es in der vorletzten Strophe: »Wir wissen, daß wir Vor-
läufige sind / Und nach uns wird kommen: nichts Nennenswertes.«
   Die Stadtwelt Brechts wird mit einem wichtigen Kompositum benannt:
»Asphaltstadt«. Das Wort »Asphalt« steht im Gedicht als aufgeladenes Zeichen für die moderne Stadt, also nicht nur für geteerte Straßen und abge-
dichtete Mauern, sondern für ein modernes Lebensgefühl. Der Autor Frank
Warschauer hat diese neue Lebenswirklichkeit der zwanziger Jahre in einem
kleinen Text verdichtet. In seinen unregelmäßigen Langzeilen schwingt
jedoch, anders als bei Brecht, eine Sehnsucht nach abhanden gekommener
metaphysischer Geborgenheit mit:

Mensch ohne Sterne, Asphaltgesicht,
wie trägst Du die schmierigen Abende mit Dir herum,
trüben Dunst, ausgeatmete Luft, ätzenden Dampf des Benzins,
Teerbrodem, Geruch von Kot und Modern aus Kellern,
Nacht ohne Wind und Tag ohne Licht,
Hinweg,
Mensch ohne Sterne, Asphaltgesicht.[2]

Dieses Gedicht bietet eher als das von Brecht ein typisches Bild der dichterischen Wahrnehmung der großen Stadt. Die Großstadt wird als Moloch gesehen; die Industrie- und Wohnwelt schafft einen Menschen, dessen gesamtes Schicksal im Wort »Asphaltgesicht« zusammengeschmolzen ist. Es ist der Mensch der Masse, der Mensch in der Anonymität, dessen Ich aufgelöst wird und der ganz in der großen Stadt aufgeht. Von solchen Bildern leitet sich das Klischee der Autorinnen und Autoren als »Asphaltliteraten« ab.

3

Zaghaft entstehen um die Jahrhundertwende auch in deutscher Sprache solche Stadtgedichte. Das spiegelt sich in den einschlägigen Anthologien: Fritz Hofmann und andere geben den Band »Über die großen Städte. Gedichte 1885–1967« heraus, und Wolfgang Rothe versammelt »Deutsche Großstadtlyrik vom Naturalismus bis zur Gegenwart«[3]. Beide Anthologien beginnen ihre Auswahl mit Gedichten des Naturalismus. Den dort versammelten Texten ist aber kaum zu entnehmen, welchen Stellenwert dieser naturalistische Beginn des Großstadtgedichts um 1900 hatte. Verdrängt das Stadtgedicht frühere Gedichtthemen? Reiht sich das Stadtgedicht gleichberechtigt neben Gedichte mit anderen thematischen Schwerpunkten?

Ein Blick in Anthologien des Jahrhundertanfangs gibt nähere Aufschlüsse. Bei aller Einseitigkeit der Auswahl – die Herausgeber waren dem naturalistischen Stadtgedicht nicht gerade wohlgesonnen, weil sie das Thema Stadt eher für analytische Studien als für die Lyrik geeignet hielten[4] – sprechen einige wenige Zahlen eine deutliche Sprache: Hans Benzmanns »Moderne Deutsche Lyrik«[5] und Hans Bethges »Deutsche Lyrik seit Liliencron«[6] enthalten jeweils rund 400 Gedichte. Davon handeln elf beziehungsweise sechs Gedichte im weitesten Sinn von einer Stadt. Und unter diesen so wenigen Beispielen finden sich verschiedene ältere Typen, etwa das Kleinstadtidyll oder das traditionelle Städtelob. In ihnen findet sich aber auch Liliencrons neuer Zugriff auf die große Stadt der Anonymität im »Meer des Nichts«[7], außerdem Julius Harts »Berlin« und Arno Holz' »Großstadtmorgen« mit der bekannten Klage über die Arbeitsfron des Proletariats. Unter den wenigen Beispielen für das naturalistische Großstadtgedicht finden sich auch Gedichte von Lyrikerinnen, Hedwig Dransfeld und Clara Müller etwa, die sich mit einem ganz dem Naturalismus verpflichteten Mitleids-Enthusiasmus der modernen Arbeitswelt und des problematischen Feierabends annehmen.[8]

1903 erscheint eine erste thematisch ausgerichtete Anthologie zur »Großstadtlyrik«.[9] Das eigentümlichste und wohl berühmteste Gedicht dieser ersten Phase aber stammt von Rilke aus dessen »Stunden-Buch« von 1905:

> Denn, Herr, die großen Städte sind
> verlorene und aufgelöste;
> wie Flucht vor Flammen ist die größte, –
> und ist kein Trost, daß er sie tröste,
> und ihre kleine Zeit verrinnt.
>
> Da leben Menschen, leben schlecht und schwer,
> in tiefen Zimmern, bange von Gebärde,
> geängsteter denn eine Erstlingsherde;
> und draußen wacht und atmet deine Erde,
> sie aber sind und wissen es nicht mehr.
>
> Da wachsen Kinder auf den Fensterstufen,
> die immer in demselben Schatten sind,
> und wissen nicht, daß draußen Blumen rufen
> zu einem Tag voll Weite, Glück und Wind, –
> und müssen Kind sein und sind traurig Kind.[10]

Dicht zusammengefaßt prägen dieses Gedicht durchaus naturalistische Themen in artistisch gefaßten Bildern. Es konstituiert sich im wesentlichen durch den alten Topos des Gegensatzes von Stadt und Land. Überhaupt spielt die Tradition des Stadtgedichts in den wenigen Beispielen um 1900 eine große Rolle, so wenn hier von der Stadt als einer Verlorenen die Rede ist, deren Zeit verrinne. In der Deutung der großen Stadt schwingt das biblische Babel mit. Und es wird deutlich gemacht: In der großen Stadt gehen die Menschen ihrer Identität verlustig.

Sind bereits im Expressionismus immer mehr Stadtgedichte entstanden[11], so nimmt dieses Genre in den zwanziger Jahren weiter zu. »Berliner Gedichte«[12] und »Um uns die Stadt« heißen schließlich zwei Anthologien aus dem Jahr 1931. »Um uns die Stadt« versammelt knapp 200 Gedichte von 91 Autoren und zwei Autorinnen.[13] Die Herausgeber hatten für diese Sammlung aus »vielen Tausend eingesandter Arbeiten« auszuwählen. Die Stadt ist Ende der zwanziger, Anfang der dreißiger Jahre offensichtlich das wichtigste Thema der Lyrik – und vielleicht der gesamten Dichtung. Die Herausgeber behaupten das jedenfalls, wenn sie von einer »Renaissance der Verskunst« schreiben und ihr Vorwort mit den pathetischen Worten beenden: »Und zum Träger dieser Wiedergeburt dürfte das Großstadtgedicht ausersehen sein, das in seiner Verbindung von künstlerischer Anschauung und lebendiger Fühlungnahme zum Zeitgeschehen den heutigen Menschen am ehesten bereichert.«[14] Dem ist unter der Einschränkung zuzustimmen, daß die traditionellen Themen der Lyrik, Liebe und Tod, die menschlichen Grundbefindlichkeiten, jetzt in der großen Stadt angesiedelt sind.

4

Das klassische Athen wurde ebenso besungen wie das antike Rom. In der Spätantike wurde eine Theorie des Städtelobs entwickelt.[15] Die Lage und Größe der Stadt mit ihren repräsentativen Bauten waren genauso Thema wie die Besonderheiten in der Pflege von Kunst und Wissenschaften. Gründungsmythen spielten eine Rolle, bedeutende Befestigungen und heldenhafte Bürger und der Topos, daß hier jeweils die ganze Welt zusammenkomme. Die große Stadt ist das Zentrum der Welt. Und wo die Welt sich trifft, stoßen viele Lebensformen aufeinander. Und immer entsteht in dieser vielfältigen Mischung das Bedürfnis nach Ordnung und Sicherheit. Diese und weitere Eigenschaften, die der großen Stadt zugeschrieben wurden, waren für viele so faszinierend, daß die Beschreibung der Stadt in ihre poetische Feier überging. Damit entstand auch das eigentliche lyrische Element der Großstadtdichtung. Das Sprechen über die Stadt rückte vom nüchternen Ton ab und bekam einen schwärmerischen Beiklang. Vom enthusiastischen Lob war der Weg zum Pathos des Stadtgedichts nicht mehr weit. Und das Pathos wiederum provozierte den sachlichen Gegenton, das Understatement und die lapidare Aussage.

Zu allen Zeiten wurden die alten Topoi mehr oder weniger klar weitergeführt; es entstanden aber stets auch neue Elemente des Städtelobs. In der christlichen Welt wurden die alten Sinnmodelle der großen Stadt biblisch umgewertet, die alten Helden durch Heilige und Märtyrer ersetzt; ihre Grabstätten bildeten einen wichtigen Gegenstand des Städtelobs. Mit dem Gegensatz vom sündigen Babel und dem himmlischen Jerusalem entstand ein ideelles Bezugsraster – die Stadt wurde ambivalent. Und ein weiterer Gegensatz gehörte früh schon zum Bild der großen Stadt: Die ungesunde und angeblich unproduktive Umtriebigkeit des Stadtlebens förderte den Gegenentwurf des ruhigen und produktiven Landlebens und der stillen kleinen Stadt. Die Stadtkritik Rousseaus verschärfte diesen Gegensatz als Gesellschaftskritik. Diesem Doppelcharakter entsprechend hielten sich im Zeitalter der Aufklärung die Städtebeobachter nicht nur an die Rousseausche Kritik, sondern schufen in einem neuen Fortschrittsglauben dazu wiederum ein Gegenbild von der großen Stadt als einem Ort der unbegrenzten Möglichkeiten.

In dem Band »Neuland« (1903) von Karl Henckell findet sich das Gedicht »Berliner Abendbild«. Das erste Drittel des Gedichts lautet:

> Wagen rollen in langen Reih'n
> magisch leuchtet der blaue Schein.
> Bannt mich arabische Zaubernacht?
> Tageshelle in dunkler Nacht!

Hastig huschen Gestalten vorbei,
keine fragt, wer die and're sei,
keine fragt dich nach Lust und Schmerz,
keine horcht auf der andern Herz.
Keine sorgt, ob du krank und schwach,
jede rennt ihrem Glücke nach,
jede stürzt ohne Rast und Ruh
der hinrollenden Kugel zu.
Langsam schlendr' ich im Schwarm allein –
magisch leuchtet der blaue Schein.
Kaufmann, Werkmann, Student, Soldat,
Bettler in Fetzen, Dirne im Staat.[16]

In einfachen, klischeehaft wirkenden Paarreimen (macht/Nacht; Schmerz/Herz), die stets einsilbig betont enden und mit Formeln (Lust und Schmerz; dem Glück nachrennen; ohne Rast und Ruh) angereichert sind, entsteht hier aus traditionellen und neuen Elementen eine Stadtrealität im Gedicht: endloser Verkehr; keine spezifische dunkle Nacht, sondern ein 24-Stunden-Tag; Massen von Menschen, die offensichtlich einander gleichgültig sind und die sich alle einem zufälligen Glücksstreben ausliefern. Unter den vielen Menschen werden im Fortgang des Gedichts einige Gruppen herausgehoben, zu denen jeweils kleine anklagende Geschichten mit eingestreuter wörtlicher Rede folgen. Die Ausgestoßenen dieser Gesellschaft dürfen dabei nicht fehlen, die Bettler und die Dirnen.

Etwas Tänzerisches geben die vierhebigen Verse vor, die fast stets nach der zweiten Hebung mit einer Doppelsenkung einen besonders temporeichen Rhythmus provozieren. Die dauernde Bewegung und Unruhe der Stadt wird also nicht nur benannt, sondern auch – wenn man sich die Verse laut vorliest – in Sprache sinnlich faßbar. Die Gleichförmigkeit der Menschen, der »Gestalten«, wird durch mehrfache Versanfangswiederholungen (keine, jede) ausgedrückt. Mit diesen Anaphern erhalten die Verse das suggestiv emotionale Element, zumal in diesen Versen auch eine Du-Ansprache eingebaut ist. Diese gemeinschaftslose Menge macht das Bild der großen Stadt aus. Die magische Wirkung eines Großstadtabends wird von Henckell mit einem Zauber aus der Fremde assoziiert. Daß dieser magische Schein blau ist, gehört ins traditionelle Bild. Hier ist sie, die Faszination, die von der großen Stadt ausgeht. Der Mythos der Großstadt entsteht. Und damit dieser magische Eindruck auch nicht verlorengeht, wird der entsprechende Vers nach dem ersten Drittel und am Ende des Gedichts abermals wiederholt:

Wie das rasselt, summt und braust!
Wie es mir vor den Ohren saust!

Jahrmarkt des Lebens, so groß – und so klein!
Magisch leuchtet der blaue Schein.

Wer spricht hier? Es kommt vielleicht nur wenig auf den realen Autor Karl Henckell (1864–1929) an, der es als einer der »modernen Dichter-Charaktere«[17] stets als Problem erlebte, aus bürgerlichem Haus zu stammen und sich nicht gebührend für die Arbeiter in ihrem sozialen Elend einsetzen zu können[18], ein Selbstzweifel, der aus dem Naturalismus mindestens bis in den Expressionismus hineinreicht.[19]

Wichtiger als das biographische Ich ist das lyrische Ich, das sich in Henckells Gedicht erst am Ende des Anfangsteils nennt, und dies auf eine spezifische Weise in einem interessanten Kontext. Im Gegensatz zum Tempo der Stadt ist dieses Ich »langsam«. Und während die anderen »vorbeihuschen«, »dauernd dem Glück nachrennen« oder »der rollenden Kugel zustürzen«, »schlendert« dieses Ich, und zwar allein. Und dieses Alleinsein kommt in der Menge zustande, die hier mit dem Bild des Schwarms etwas Tierisches erhält. Dieses schlendernde Ich nimmt in der Figur des Flaneurs eine neue Tendenz des Stadtgedichts auf.

Das »Berliner Abendbild« von Karl Henckell ist nicht sehr gut, aber wie so häufig ist auch hier im Mittelmaß das typisch Zeitgemäße besser zu erkennen als in der wirklich gelungenen Gestalt. Auf ein weiteres Moment des Gedichts muß noch hingewiesen werden: Das deutschsprachige Großstadtgedicht des 20. Jahrhunderts siedelt sich mehr und mehr in Berlin an, um dann in den zwanziger Jahren zu einer einmaligen Variationsbreite zu gelangen. Und dies ist dann wiederum ein Traditionselement: Die Geschichte des Stadtgedichts ist ganz wesentlich an die Metropolen oder sehr großen Städte der verschiedenen historischen Zeiten gebunden und von diesen Metropolen geprägt. Die Rolle, die lange Zeit London innehatte und im 19. Jahrhundert Paris, spielte von 1918 bis 1933 Berlin.[20]

Die Nationalsozialisten machten Schluß mit den »Asphaltliteraten«. Und im Zweiten Weltkrieg ging mit den Städten auch das Großstadtgedicht mehr oder weniger ganz unter. Reste blieben, neue Sehweisen bildeten sich aus. Einige Stadtgedichte nach 1945 nehmen die neue zerbombte Stadtwirklichkeit auf, wie sie Bertolt Brecht in seinem berühmten Gedicht »Rückkehr« andeutet (»Folgend den Bombenschwärmen / Komm ich nach Haus«) oder Dagmar Nick in »Städte« zeigt:

Da standen Städte. Doch jetzt liegen Steine.
Auf den Ruinen sitzt die Nacht.
Daneben hockt der Tod und lacht:
so habe ich es gut gemacht!
Da waren Menschen. Doch jetzt leben keine.

> Durch hohle Fenster greift mit langen Händen
> der Mond wie ein Gespenst aus Chrom,
> Zuckt durch die Rippen dort am Dom,
> springt wie ein Tänzer in den Strom
> und zittert schattenhaft an allen Wänden.
>
> Verkohlte Bäume starren steif, entblättert
> im Schutt. Das letzte Leben lischt.
> Nur eine schwarze Krähe zischt
> durchs Grau. Vergangenes verwischt.
> Da standen Städte. Doch sie sind zerschmettert.[21]

Abgelöst wurde Berlin wohl von New York. Und in diesem Zusammenhang entstand in den letzten Jahrzehnten ein neues deutschsprachiges Großstadtgedicht aus der klar markierten Perspektive des Fremden und des Besuchers. In Ludwig Fels' »Amerikagedicht« heißt es:

> Die Nächte verbrachte ich im Supermarkt Ecke Bleecker
> Mercer, ich aß Kraut und hörte James Cotton
> in einem Club, hörte ihn schwitzen
> es war gut, mexikanisches Bier zu trinken
> und Filme zu sehn mit
> Palmen im Schnee.
> Manchmal spuckt mich die Stadt
> hinaus nach Brighton Beach Coney
> Island an den klirrenden Strand
> und ich war verliebt in Brooklyn
> feierte unterirdisch einsame Hochzeit in der Subway Av. of
> Americas Line
> hatte Angst
> vor den Einöden Europas
> trank Vodka und Tee in den russischen Cafés von Little Odessa
> und schwor mir *Das Geheul* nochmal zu lesen.
> Damals war Ginsberg noch nicht tot.
> Jetzt ist das anders.
> Ich wußte, ich würde nicht bleiben
> lief rum in der Freude, ein Fremder zu sein
> machte mich bekannt mit den Karussellfiguren an der Surf Ave.[22]

Deutlich ist dem Gedicht anzumerken, daß es mit der alten Vorstellung spielt, die Metropole versammele die ganze Welt. Das Bier stammt aus Mexiko, das Café ist russisch. Wichtiger aber ist die Perspektive, die zu der Stimmung des

Gedichts gehört. Das, wovon das Gedicht spricht, wird in doppelter Distanz gehalten durch das Präteritum und durch das Bewußtsein, nur ein Besucher gewesen zu sein. Diese Distanz ist notwendig und wirkt als Gegenkraft zu der in den kürzesten Sätzen und Versen dargestellten spezifischen Subjektivierung des Erzählten, die als ihr poetisches Vorbild Allen Ginsberg nennt.

Am Ende des 20. Jahrhunderts scheint keine große Stadt mehr die einmalige Metropole der Welt zu sein. Vielleicht werden die großen Städte einander zu ähnlich, vielleicht aber gibt es in Rio, in Kalkutta oder in Singapur bereits eine Weiterentwicklung des Gedichts von der großen Stadt. Im »Amerikagedicht« von Fels heißt es zu dieser Frage:

> Ob New York die Stadt der Städte ist, ich
> weiß es nicht, auch Wien oder Istanbul
> sind im Winter kaputt und voller Poesie
> krank, alt, schmutzig. Machen wir uns nichts vor: Verklärungen
> sind abhängig vom Betrunkenheitsgrad der Nacht.[23]

Daraus spricht deutlich nicht mehr die Faszination der großen Stadt, die die ersten Jahrzehnte dieses Jahrhunderts geprägt hat, und als Moloch ist die Stadt auch nicht mehr dargestellt. Von der bewußt aufs Subjektive bezogenen Darstellung und Wertung ist es nur ein kleiner Schritt zur eigenen Konstruktion der Stadt, wo Wirklichkeiten nur noch Bilder sind, wo der Tag wie ein Foto »grobkörnig« genannt wird. Jürgen Becker hat diese »Neue Einsicht« in die Wirklichkeiten schon in den siebziger Jahren formuliert:

> Eine Zeit in Berlin
>
> Zwischen den Autobussen
>   (aber
> es ist ein Foto von drei Autobussen,
> eine Haltestelle der BVG)
>   steht
> ein Mädchen
>   (und
> es ist ein Foto von einem Mädchen,
> das zwischen den Autobussen steht
> an einer Haltestelle der BVG),
>   und
> es ist ein grobkörniger Tag
>   (ein
> graues Foto)
>   in den sechziger Jahren,

über die wir jetzt sprechen, über
etwas
　　　(du sprachst von der Resignation;
ich sprach von der Neuen Einsicht)
　　　　　　　　　　　　　　auf
einem Foto,
　　　　　das in der Zukunft
zwischen den Fotos
　　　　　　　aus anderen Zeiten
an meiner Wand hängt.[24]

5

Das Stadtgedicht des 20. Jahrhunderts handelt nicht nur von *der* Stadt allgemein oder von Berlin, Wien oder einer anderen großen Stadt, sondern mehr und mehr von Einzelheiten der Stadt. Ja, man kann grundsätzlich zwei Arten des neueren Stadtgedichts unterscheiden: Die eine thematisiert und reflektiert die große Stadt im Gedicht und spricht sich über ihr Wesen und ihre Wirkung aus. Die andere spielt lediglich in der Stadt und ruft in Analogie zur empirischen Wirklichkeit bestimmte Viertel und Straßen auf, die seit dem Ende des 19. Jahrhunderts mit den neuen Industrien, Geschäften und Verkehrsmitteln eine neue Bedeutung erhielten. Die neue Technik erscheint mit dem Auto, der Untergrundbahn, den Kanälen. Und es geht um sehr unterschiedliche Gebäude mit ihren Einrichtungen: Bahnhöfe, Warenhäuser, Cafés, Kinos, Kabaretts, Fabriken, Mietshäuser mit ihren Höfen; auch die Krankenhäuser, das Leichenschauhaus und Friedhöfe sind Gegenstand von Gedichten. Pflaster, Asphalt, Türen, Tore, Fenster, Fabrikschornsteine sind einige der wiederkehrenden konkreten Einzelheiten. Und die Stadt erstreckt sich nun nicht nur in der Horizontalen. Die früher nur mit den Kirchen gegebene vertikale Dimension der Stadt wird nun vielgestaltig: Die Schornsteine und Hochhäuser schießen in den Himmel. Im deutschsprachigen Gedicht allerdings erscheint davon wenig, René Schickeles Gedicht »Wolkenkratzer« ist eine Ausnahme[25], und bei Georg Heym findet sich wenigstens eine Andeutung der Vertikalen:

Die neuen Häuser
Im grünen Himmel, der manchmal knallt
Vor Frost im rostigen Westen,
Wo noch ein Baum mit den Ästen
schreit in den Abend, stehen sie plötzlich, frierend und kalt,
Ihre schwarzen und dürren Dachsparren himmelan.[26]

Bei all solchen Versatzstücken der städtischen Wirklichkeit im Gedicht scheint es, als müsse man sich ihrer erst über die gestaltete Sprache vergewissern und könne sie so erst deuten und bewerten. Wie in der bildenden Kunst oder dem Großstadtroman bringt die Großstadtlyrik die Deutung der modernen Wirklichkeit durch die gestaltete Sprache selbst hervor. Das Tageslicht und die Nacht mit den Lichtreklamen spielen dabei eine wichtige Rolle. Neben dem künstlichen Licht leuchtet der Mond in der Stadt häufiger als die Sonne. Die Welt der Stadt ist vorwiegend grau und schwarz, in der Nacht auch verführerisch rot. Im Expressionismus freilich wird von der gesamten Farbskala Gebrauch gemacht. Auch der Geruchssinn wird aufgerufen, wenn von den Straßen und Cafés gesungen wird. Die Abgase der Autos werden bei Georg Heym zum »Duft des Weihrauchs«[27]. Zu hören sind zuerst die Geräusche des Verkehrs und der unterschiedlichen Arbeiten. Geschrei mischt sich in das Grundgeräusch, »rasseln« ist für den akustischen Bereich das am meisten benutzte Zeitwort. Nur gelegentlich ist ein Vogel zu hören.[28] Auf einfache, neusachliche Art verbinden sich diese Merkmale in dem Gedicht »Abend« von Heinz Zucker:

> Du schönes Schreiten, abendwindumhüllt!
> Die Straßen flammen bunt, der Tag ist aus.
> Die Stadt beginnt ihr Lied: Autos rufen.
> Omnibusse rasseln. Straßenbahnen läuten.
>
> Von überall ertönt Musik, Rhythmus des Seins,
> Zieht über alles in den wilden Takt, Mond und die Sterne tanzen,
> Die Häuser wiegen sich mit heller Stirn danach,
> Ich habe keine Sehnsucht mehr nach schönen Dingen.[29]

Die Stadt, das sprechen diese Verse direkt aus, löst traditionelle Vorstellungen von Schönheit ab. In der Stadt ertönt nicht nur Musik, sie selbst ist das neue Lied. Diese Auffassung, ausgehend von einer geradezu vergöttlichenden Verehrung der Technik, hatte um 1910 bei den italienischen Futuristen eingesetzt, und sie findet sich nach einigen Variationen vom Lied aus »Stahlgeleis und Eisenschienen«[30] nun moderat in solchen Vierzeilern.

Und die Menschen in den Gedichten: Im Naturalismus ist es vor allem die neue Masse des Proletariats, es sind die Armen und sozial Schwachen, die lungenkranke Mutter, die hungernden Kinder, die viele Gedichte bevölkern. Etwas anders gestaltet sich das Personal ab etwa 1910. Da ist allgemeiner die Rede von Menschen und Leuten, von Mädchen, Frauen und Weibern, von Männern, von Kindern, von »Huren«.[31]

Eine andere soziale Wirklichkeit wird im Verlauf der zwanziger Jahre aufgerufen: »Der sonderbare Mann am Fenster«, »Der Schlottermann«, »Arme

Frau im Lärm«, »Die Frau mit dem Hute«, »Eine Invalide erzählt«, »Packer«, »Schöner Asphaltstampfer«, »Zeitungsträgerin«, »Briefträger«, »Der Mann im Stellwerk«, »Ein Mann, der Nachtschicht hat«, »Gastwirtstochter«, »Auf eine Eisverkäuferin«, »Kinder im Kaufhaus«, »Berlinerinnen«, »Nachtarzt auf Rettungswache«, »Müder Strolch«, »Der Bandoniumspieler«, »Angestellte«, »Ein Angestellter Ende August« – so lautet eine Reihe von Gedichttiteln in der Sammlung »Um uns die Stadt« von 1931: eine bunte Menge Volk aus der Arbeiterschicht, teilweise aus dem sogenannten Lumpenproletariat, dann einige aus der neuen Gruppe der kleinen Angestellten, schließlich der Bettler und andere anonyme Einzelne. Eine heterogene Vielfalt kennzeichnet die konkreten Stadtelemente mit ihren Menschen. Da ist im Gegensatz zum Dorf keine Übersicht über das Ganze mehr möglich; da sind die Details und Ausschnitte im einzelnen Gedicht wichtig; und in ihrer Addition geben die Gedichte eine Ahnung von den vielfältigen und durchaus kontroversen Deutungsmöglichkeiten der großen Stadt. Und diese Deutungen nimmt der Dichter vor, der sich ebenfalls immer wieder in die in seinen Versen beschriebene Gesellschaft einreiht.

6

Zu den zentralen Phänomenen der Stadtlyrik gehört der hohe Anteil an Naturbildlichkeit; in unmittelbaren und mittelbaren Bildern spielt die Natur in den Gedichten auf vielgestaltige Weise mit. Selbstverständlich ist die Stadt zunächst nicht Natur im herkömmlichen Verständnis, sie ist Menschenwerk. Doch alle Städte haben eine Fülle von Naturbeständen in Gärten, an Ufern der Flüsse und Seen. So ist es erstaunlich, daß Natur fast ausschließlich als karger Rest in den Stadtgedichten erscheint und in klagendem Ton beschworen wird. Freilich ließen die mit bis zu fünf Höfen gestaffelten Mietshäuser, die im letzten Drittel des 19. Jahrhunderts gebaut worden waren, nicht viel Platz für Natur. Insofern ist die Klage der Naturalisten, die sich dieses Milieus besonders angenommen hatten, verständlich. Es sieht aber so aus, als habe sich in den Gedichten sonst zum Verhältnis von Natur und Stadt eher eine Fülle von anklagenden Klischees und Sehnsüchten als eine konkrete Wirklichkeit niedergeschlagen.

In den Straßen aus Pflaster und Asphalt, in der großen Zahl der Häuser aus Stein und Beton fallen der einzelne Baum, die Allee oder der Park als das Besondere auf, was je nach Stilrichtung und Anliegen in die Gedichte aufgenommen wird. Das hängt zunächst auch mit einem alten Topos zusammen. Die nichtstädtische Landschaft ist die heile Welt, von ihr redet und träumt der Städter wie in Arno Holz' »Großstadtmorgen«.[32] Später wird die Blume auf dem Balkon als ein Zeichen gedeutet, das Sehnsucht nach dem

Land anzeigt, oder in der Vorstadt »brodelt mächtig / Der Acker unter steilen Häusern; schmächtig / Hebt Baum sich aus den Geräten, kaum entwirrt.«[33] Wie viele Dichter hat Erich Kästner diese Natursehnsucht festgehalten:

> Die Jahreszeiten strolchen durch die Felder.
> Man zählt die Tage. Und man zählt die Gelder.
> Man sehnt sich fort aus dem Geschrei der Stadt.
>
> Das Dächermeer schlägt ziegelrote Wellen.
> Die Luft ist dick und wie aus grauem Tuch.
> Man träumt von Äckern und von Pferdeställen.
> Man träumt von grünen Teichen und Forellen.
> Und möchte in die Stille zu Besuch.[34]

Im Gedicht nimmt die Stadt häufig Dimensionen an, die auch die letzten Reste der Natur verdrängen, die den Baum, und das heißt auch den Menschen, nicht gedeihen lassen. Diese Vorstellung hat Brecht in einem seiner schönsten Gedichte festgehalten. Es enthält nicht viele Elemente der Großstadt, doch mit der ersten Strophe wird die dunkle Enge des Hinterhofs eines großstädtischen Mietshauses als Ort genannt, und nur als Großstadtgedicht ist das »Kinderlied« Brechts »Der Pflaumenbaum« zu verstehen.

Es gibt eine Reihe von Großstadtgedichten, die sich in einem besonderen Ton an die Bevölkerung der Stadt richten und in denen der Stadt-Land-Gegensatz zu unterschiedlichen Konsequenzen führt. Begonnen mit diesen »Predigten« hat Richard Dehmel:

> Ja, die Großstadt macht klein.
> Ich sehe mit erstickter Sehnsucht
> Durch tausend Menschendünste zur Sonne auf;
> Und selbst mein Vater, der sich zwischen den Riesen
> Seines Kiefer- und Eichen-Forstes
> Wie ein Zaubermeister ausnimmt,
> ist zwischen diesen prahlenden Mauern
> nur ein verbautes Männchen.
> O laßt euch rühren, ihr Tausende!
> (...)
> Ihr steht und schafft euch Zuchthausmauern –
> So geht doch, schafft euch Land! Land! Rührt euch!
> Vorwärts! Rückt aus![35]

»Nein, *hier* sollt Ihr bleiben!« antwortete René Schickele auf Dehmel, »in diesen gedrückten Maien, in glanzlosen Oktobern. / Hier sollt ihr bleiben, weil es die Stadt ist, / wo die begehrenswerten Feste gefeiert werden / der *Macht*«[36]. Offenbar haben sich an dieser Kontroverse nicht viele Dichterinnen und Dichter beteiligt. Dennoch ist das Thema auch ohne Predigt- oder Aufrufton permanent anwesend. Vielleicht als Provokation gegen die wenig reflektierte Tradition formuliert Helmut Mader ein seltenes Gegenstück:

Parole an die Bewohner großer Städte

Werft die letzten Bäume hinaus
Und schließt die Parks mit den Springbrunnen.
Gegen das offene Land
errichtet eine Mauer.
Nichts soll bleiben als diese Stahl- und Beton-
konstruktionen. Die Leuchtreklamen
und der Himmel ohne Gestirne.[37]

Hier steht die Stadt als der neue Lebensraum, der eine neue Landschaft schafft und eine eigene Natur entwickelt, die teilweise auf den alten Naturwortschatz zurückgreift. Die Naturmetapher hat nicht die Goethesche organologische Funktion des der Natur auch wirklich Zugehörigen in einem direkten oder indirekten Sinn. Der Stadt insgesamt oder einigen Einzelheiten der Stadt werden Bedeutungen zugeschrieben, die eher eine neue Natur bezeichnen in Analogiebeziehungen zu der bekannten Natur. Die Natur verschiebt sich in den menschlichen Bereich: Da gibt es die »stahlmasterblühende Stadt aus Stein«[38], ein Ich bei Erich Kästner (im berühmten »Marschlied 1945«) stellt sich als »Großstadtpflanze« vor, aber auch eine kleine Metapher wie in Hans Egon Holthusens »Blick in einen Hinterhof« nimmt diese neue Natur der Stadt auf: »Doch abends blühn die Fenster warm und lange.«[39] Naturgemäß wird diese Metaphorik im expressionistischen Gedicht reichlich genutzt und vielfach mit Vergleichen oder anderer Metaphorik verbunden. Georg Heyms Gedichte demonstrieren diesen Gebrauch von Bildlichkeit besonders eindrücklich. Der fünfte Teil der »Verfluchung der Städte« zeigt dies in wenigen Versen:

Ihr seid verflucht. Doch eure Süße blüht
Wie eines herben Kusses dunkle Frucht,
Wenn Abend warm um eure Türme sprüht,
Und weit hinab der langen Gassen Flucht.

Dann zittern alle Glocken allzumal
In ihrem Dach, wie Sonnenblumen welk.[40]

Im Bild vom »Dschungel« der Großstadt wird dann die Neubewertung dieser Natur am deutlichsten. Das in Upton Sinclairs Roman »The Jungle« und Bertolt Brechts Drama »Im Dickicht der Städte« vorgeprägte Stadtbild ist in der Lyrik aber erstaunlich wenig anzutreffen. Die Analogie zur Natur meint hier das darwinistischen Überlebensstrategien folgende Eigeninteresse der Menschen, das der Stadt das Bild vom vielfältigen, so unterschiedlich gerichteten Kampf eben wie im Dschungel aufprägt.[41] In die Tradition des alten Stadt-Land-Gegensatzes gehört der Topos vom Untergang der Stadt, der dann das eigentlich Wahre, die Erde etwa, die unter dem Pflaster liegt, auferstehen läßt.

Daß nach den Zerstörungen im Zweiten Weltkrieg eine neu in den Ruinen wuchernde Natur im Gedicht erscheint, ist nicht verwunderlich. In »Rückkehr nach Frankfurt« heißt es bei Marie Luise Kaschnitz:

Das wußte ich nicht, wie bald
Ruinen verwittern,
Wie sie, noch ehe die Gestalt
Vergessen ist und die Namen
Ausgelöscht, sich besamen,
Wie die Gräser wehen und zittern
Über dem Bogen und drin
Zinnkraut und blühende Halme
Stehn wie am Urbeginn ...[42]

Von Beginn der Städtegeschichte an bis heute ist die Metaphorik des Wassers, der Ströme und des Meers mit ihren Entsprechungen in den Adjektiven und Verben eines der wichtigsten Muster an Beschreibungs- und Deutungsmöglichkeiten der Stadt. Bereits Liliencron nutzte die Meeresmetapher, und eine der ersten Anthologien der Stadtgeschichte in deutscher Sprache von 1910 trägt den Titel »Im steinernen Meer«. Dem »grauen Ozean gleich« ist Berlin[43], die große Stadt ein »Meer«, auch gelegentlich ein »Meer des Nichts«[44]. Und schon seit der Jahrhundertwende »brandet« die Menge, »und jedes Ich ertrinkt in dunklen Massen«[45], es »rinnt« das Arbeitsvolk[46]. Bereits im 19. Jahrhundert erscheinen, etwa bei William Wordsworth, die »überfließenden Straßen« im Gedicht. Selbst dort, wo wie im Vorort eine Fülle von Pflanzen vorhanden ist, gibt es bei Heym ein »Blättermeer« neben dem gewöhnlicheren »Häusermeer«[47], bei Armin T. Wegner im »Zug der Häuser« die »steinerne Welle«[48]. Gewähltere Bilder sind zu städtischen Einzelheiten zu finden: Die Bahnhofshallen erinnern an Muscheln, die den Verkehr wie »Meergetön« und als »die verklingende Musik eines wilden Abenteuers« lange gefangen halten.[49]

In dieser Metaphorik kommt zunächst in Analogie zum Naturphänomen Meer die unübersehbare Weite und Masse und die gewaltige Energie in der großen Stadt zum Ausdruck. Diese Metaphorik nimmt eine Entwicklung seit dem 18. Jahrhundert auf. In England und vor allem in Schottland wurde seit dem frühen 18. Jahrhundert der Blick auf das hohe Gebirge, auf die Unendlichkeit des Meers und auf die schweren Gewitter mit ihren Blitzen und Donnern neu bewertet. Was bis dahin unstrukturierte Öde und häßliches Chaos war, wurde nun ebenfalls als Schöpfung Gottes begriffen; an die Stelle der harmonischen Schönheit mit ihrer beruhigenden Wirkung trat das ungeheuer Große mit seinem berückenden Schauder. Es ist das Erhabene der Natur, das seitdem besungen wird. Das Stadtgedicht nimmt in den Naturbildern des Meers, dann auch in den Feuerbildern zu der neuen Wirklichkeit der Fabriken diese Tradition des Erhabenen auf. Mit Nietzsches Entmoralisierung hat dieses Erhabene neue Vitalität erhalten. Die besungene Größe der Stadt ist dementsprechend auch nicht Gottes, sondern des Menschen Schöpfung.

Zwei Entwicklungen des 18. und 19. Jahrhunderts kommen im modernen Stadtgedicht zum Erhabenen hinzu und bilden es insgesamt zu einer neuen ästhetischen Gestalt: die neu bewerteten Lebens- und Erkenntnismöglichkeiten der Nacht im Vergleich zum Tag, wie sie in der Romantik schon vielfach gestaltet wurden, und die Möglichkeit, auch Häßliches wie das Krankenhaus und die Morgue ins Gedicht aufzunehmen. Hier schließt das deutschsprachige Stadtgedicht an französische Vorbilder an. Zunächst wird diese Wirklichkeit nur benannt und in Distanz zu halten versucht. In Hugo von Hofmannsthals »Der Tod der Tizian« ruht »drunten« die Stadt mit verführerischer Schönheit. Aber es heißt dann auch: »Da wohnt die Häßlichkeit und die Gemeinheit, / Und bei den Tieren wohnen die Tollen; / Und was die Ferne weise dir verhüllt, / Ist ekelhaft und trüb und schal erfüllt / Von Wesen, die Schönheit nicht erkennen.«[50]

Doch im Stadtgedicht wird diese Distanz des Ästhetizismus bald aufgehoben. Die provozierenden Morgue-Gedichte des jungen Gottfried Benn sind bekannt. Und im Expressionismus sind Ausformungen dieser Art mehrfach zu finden, wie im »Fieberspital« Heyms. Ein anderes, nicht ganz so krasses Beispiel für diese neue Ästhetik der großen Stadt hat Jakob van Hoddis geschrieben. Das Gedicht löst sich von der Motivik im einzelnen und reflektiert allgemein und beispielhaft diese neue schöne Häßlichkeit:

> Wie schön ist diese stolze Stadt der Gierde!
> Ihr Elend und geschmähter Überfluß
> Und schwerer Straßen sehr verzerrte Zierde.

Schamloser Tag entdeckt dir die Konturen.
Die Häuser stehn befleckt mit Staub und Ruß,
Es flirrt um Eilende und Wagenhaufen
Furchtsame Weiber, Männer, blasse Huren

(...)

Ich starre lange in die schnelle Pracht
Ein Dumpfes ahnend drunten im Gedränge –
Ich weiß wie sie des blöden Tages Strenge
Gewaltig preisen: daß er herrschen macht.
(Es zieht sie nur zur wohlumbauten Enge.)

Komm! laß uns warten auf die kranke Nacht
Der schweren dröhnenden Gedankenpränge.[51]

Vor allem die Nacht beschwört dann in vielen Gedichten eine Synthese aus uralten und neuen Vorstellungen der Stadt herauf, die sich in Personalisierungen und mythischen Anspielungen niederschlagen.

7

In Stadtgedichten, insbesondere denen des Expressionismus, gibt es ein bedrohliches Personal, durch das sich der Wahnsinn der großen Städte, wie sie Trakl sah[52], erst erklärt. Es sind dies Gespenster, Götter, Dämonen und aggressive Personalisierungen des Kriegs. Heyms Dämonen der Nacht lassen die Schulter der Städte brechen[53], Baal sitzt gefräßig herum[54], manchmal auch ein Metaphernungetüm wie der »Eisenfeuergeldgott«[55]. Bernhard Orth liefert in seinem Gedicht »Die sterbende Stadt« die Deutung dieses Personals gleich mit:

Dämonen zersplitternden Reichs
Greifen die Tiefe auf
Fühlen umfassend erhabene Gewalt
Und brennend dem Ewigen aufgetan
Sinken umhüllend herab.[56]

Die Naturbildlichkeit bringt als Grundton die Klage über die Ungeheuerlichkeit der großen Stadt. Und wenn die Tradition des alten Städtelobs etwa von Berlin oder Paris gefeiert wird, so geschieht das selten mit ungebrochener Freude. Ein Ausnahmefall ist Julius Harts »Berlin«, das nicht ohne den Einfluß von Walt Whitman zustandekam. Die erste Strophe lautet:

> Endlos ausbreitest du, dem grauen Ozean gleich
> den Riesenleib; in dunkler Ferne stoßen
> die Zinnen deiner Mauern ins Gewölk, und bleich
> und schattenhaft verschwimmen in der großen
> und letzten Weite deine steinigen Matten:
> Weltstadt, zu Füßen mir, dich grüßt mein Geist
> zehntausendmal; und wie ein Sperber kreist
> mein Lied wirr über dich hin, berauscht vom Rausch
> und Atem deines Mundes: Sei gegrüßt du, sei gegrüßt.[57]

Vom ersten Vers an wird das Erhabene mitzusehen versucht – die Größe wird mit dem Ozean verglichen. Und zu dem Erhabenen gehört der enthusiastische Zustand, der Rausch, den die Stadt auslöst. Das Ich geht damit ganz auf in der Stadt. Daraus entstehe, behauptet das lyrische Ich, ein wirres Lied, das in den unregelmäßigen Versen immerhin noch den Endreim kennt. Als »wirr« könnten allenfalls die vielen unterschiedlichen Bilder bezeichnet werden, die aber bis hin zu den »steinigen Matten« zu den bekannten Bausteinen des modernen Großstadtgedichts gehören. Zusammengehalten werden diese Bilder von der Verlebendigung der Stadt. Hier hat sie einen »Riesenleib«.

Solche Verlebendigungen sind gelegentlich schon mit Verben gegeben. Hofmannsthal beginnt ein Gedicht mit der Frage: »Siehst du die Stadt, wie sie da drüben ruht, / sich flüsternd schmiegt in das Kleid der Nacht?«[58] Aus solchen Ansätzen werden dann die bekannten Personalisierungen, denen allen gemeinsam ist, daß sie deutlich weiblich zu sein haben. Im »Luder« oder in der »Hure« wird die biblische Hure Babylon des Neuen Testaments aufgerufen, die gepriesene »Geliebte« schwingt ebenfalls häufig mit. Alfred Lichtenstein zeigt, daß hier dann der Enthusiasmus durchaus ironisch gebrochen wird; die Schlußstrophe seiner kurzen »Gesänge an Berlin« belegt dies auch mit dem Bezug zu Goethe: »In fremden Städten treib ich ohne Ruder. / Hohl sind die fremden Tage und wie Kreide. / Du, mein Berlin, du Opiumrausch, du Luder, / Nur wer die Sehnsucht kennt, weiß was ich leide.«[59]

Nur gelegentlich tritt in der langen Tradition der Städtelyrik die Stadt als »Mutter« auf. Als »Mutter der Kunst« etwa wird bei Georg Heym Paris gefeiert.[60] Wolfgang Borchert nimmt später Strophe für Strophe all diese Personalisierungen in sein Gedicht auf, nun freilich wieder völlig unironisch klagend:

Großstadt

Die Göttin der Großstadt hat uns ausgespuckt
in dieses wüste Meer von Stein.
Wir haben ihren Atem eingeschluckt,
dann ließ sie uns allein.

Die Hure Großstadt hat uns zugeplinkt –
an ihren weichen und verderbten Armen
sind wir durch Lust und Leid gehinkt
und wollen kein Erbarmen.

Die Mutter Großstadt ist uns mild und groß –
und wenn wir leer und müde sind,
nimmt sie uns in den grauen Schoß –
und ewig orgelt über uns der Wind.[61]

Nicht erst hier wird deutlich: Ein großer Teil der Gedichte und vielleicht sogar der Dichtung zur großen Stadt überhaupt ist Männerrede, von der Bibel bis zu Borchert.[62] Die große Stadt ist die Überfrau, die Sehnsucht und Angst zugleich auslöst; die Bedrohung ist und Schutz verspricht. Die Imagines der Frau scheinen im Stadtgedicht auf und bilden eine Palette von Deutungskonstruktionen. Die Heterogenität der großen Stadt braucht ganz offensichtlich solche Orientierungen der Metaphorik und der Personalisierungen für das Ich. Neben der artistischen Form stiften diese Bilder im Zusammenwirken mit dem neuen Erhabenen den Sinn für die Stadt.

1 Fritz Hofmann u. a. (Hg.): »Über die großen Städte. Gedichte 1885–1967«, Berlin, Weimar 1968. — **2** Robert Seitz / Heinz Zucker (Hg.): »Um uns die Stadt. Eine Anthologie neuer Großstadtdichtung«, Braunschweig, Wiesbaden 1931, Nachdruck Berlin 1987, S. 31. — **3** Hofmann, a. a. O.; Wolfgang Rothe: »Deutsche Großstadtlyrik vom Naturalismus bis zur Gegenwart«, Stuttgart 1975 (= RUB 9448–52/52a/b). — **4** Hans Benzmann (Hg.): »Moderne Deutsche Lyrik. Mit einer literargeschichtlichen Einleitung und biographischen Notizen«, 2., gänzlich veränd. Aufl. Leipzig 1907, S. 46. Die erste Auflage erschien 1903. — **5** Ebd. — **6** Hans Bethge: »Deutsche Lyrik seit Liliencron«, Leipzig 1905. — **7** Ebd., S. 181. — **8** Den biographischen Angaben von Benzmann ist über die beiden Dichterinnen nicht viel zu entnehmen. Klara Dransfeld, 1871 geboren, stammt vom Rand des Ruhrgebiets; Klara Müller, 1861 geboren, stammt aus Pommern und starb bereits 1905 bei Berlin. (Benzmann, S. 614 und 622). Klara Müller war offenbar auch politisch aktiv. Vgl. Gisela Brinker-Gabler (Hg.): »Deutsche Literatur von Frauen«, Bd. 2, München 1988, S. 28. — **9** Heinz Möller (Hg.): »Großstadtlyrik«, Leipzig 1903. — **10** Benzmann, S. 459 f. — **11** Vgl. besonders die ersten Abschnitte in Kurt Pinthus' berühmter Sammlung »Menschheitsdämmerung. Symphonie jüngster Dichtung«, Berlin 1920. In ausgezeichneter Zusammenfassung auch der erste Teil in Silvio Vietta (Hg.): »Lyrik des Expressionismus«, unveränderte Aufl. Tübingen 1985. — **12** Kurt Lubatsch / Emil F. Tuchmann (Hg.): »Berliner Gedichte«, Berlin 1931. — **13** Vgl. Seitz, a. a. O. — **14** Seitz, S. 10. — **15** Ernst Robert Curtius: »Europäische Literatur und lateinisches Mittelalter«, 6. Aufl. Bern, München 1967, S. 166. — **16** Rothe, S. 46 f. — **17** Albert Soergel: »Dichtung und Dichter der Zeit. Eine Schilderung der deutschen Literatur der letzten Jahrzehnte«, 2., unveränd. Abdruck Leipzig 1912, S. 87. — **18** Ebd., S. 98–105. — **19** Vgl. dazu auch Peter Rühmkorf (Hg.): »131 expressionistische Gedichte«, Berlin 1976, S. 9. — **20** Vgl. etwa die schöne Anthologie von Michael Speier (Hg.): »Berlin, mit deinen frechen Feuern«, Stuttgart 1998 (= RUB 9640). — **21** Rothe, S. 352 f. — **22** Vgl. Bernd Hüppauf / Rolf M. Bäumer (Hg.): »Signale aus der Bleecker Street. Deutsche Texte aus New York«, Göttingen 1999, S. 171. – Zu New York in der deutschsprachigen Dichtung vgl. auch Assen Assenov / Peter Herbach (Hg.): »New York. Die Welt noch einmal. Deutsche Schriftsteller erleben die Stadt«, Düsseldorf 1982. — **23** Hüppauf / Bäumer, S. 172. — **24** Vgl. Jürgen Theobaldy (Hg.): »Und ich bewege mich doch. Gedichte vor und nach 1968«, 2. durchgesehene Aufl. München 1978, S. 181. — **25** Rothe, S. 98. — **26** Speier, S. 43. — **27** Vgl. dazu Karl Riha: »Deutsche Großstadtlyrik. Eine Einführung«, München, Zürich 1973, S. 71. — **28** Rothe, S. 146. — **29** Ebd., S. 287. — **30** Ebd., S. 71. — **31** So etwa in den ersten 25 Gedichten bei Vietta. — **32** Rothe, S. 44 f. — **33** Ebd., S. 288 f. — **34** Erich Kästner, zitiert nach Doris Halter (Hg.): »Als die Bäume noch grünten ...«, Zürich 1976, S. 31. — **35** Rothe, S. 58 f. — **36** Ebd., S. 68. — **37** Ebd., S. 419. — **38** Hofmann, S. 43. — **39** Rothe, S. 375. — **40** Ebd., S. 15 f. — **41** Ebd., S. 294. — **42** Ebd., S. 354. — **43** Ebd., S. 61. — **44** Ebd., S. 92. — **45** Ebd., S. 61. — **46** Ebd., S. 54. — **47** Ebd., S. 109 ff. — **48** Ebd., S. 135. — **49** Ebd., S. 130. — **50** Ebd., S. 77. — **51** Ebd., S. 138 f. — **52** Vgl. Georg Trakls Gedicht »An die Verstummten«, Hofmann, S. 34. — **53** Hofmann, S. 105. — **54** Rothe, S. 113. — **55** Hofmann, S. 134. — **56** Rothe, S. 281 f. — **57** Ebd., S. 61. — **58** Ebd., S. 77. — **59** Ebd., S. 142. — **60** Hofmann, S. 55. — **61** Ebd., S. 349. — **62** Doch das soll nicht heißen, daß es das Großstadtgedicht von Frauen nicht gäbe. In den zwanziger und frühen dreißiger Jahren gehören Gedichte von Elisabeth Langgässer oder Mascha Kaléko dazu. Und mehrmals wurden hier Gedichte von Frauen zitiert.

Ursula Heukenkamp

Zauberspruch und Sprachkritik
Naturgedicht und Moderne

1

Die Dichter der Moderne, die sich seit Beginn des 20. Jahrhunderts in der deutschen Lyrik durchsetzten, verstanden sich als Totengräber des Naturgedichts. Sie bekämpften das Paradigma und meinten die anthropologische Perspektive. Sie faßten es als System auf und begegneten seiner Ganzheitlichkeit mit destruktiven Methoden. Seine strukturellen Fügungen wie Unmittelbarkeit, Erlebnis, Dialog, Personifizierung begriffen sie als Herausforderung, Gegenstrukturen der Negation auszubilden. Seine Semiotik samt der zugehörigen Topik, den Konstellationen und Verweisungen boten ihnen Material, den Bruch mit der Teleologie der Überlieferung insgesamt zu formulieren. Die Balance zwischen dem Ich und der Natur, die als sein Ebenbild und zugewandtes Gegenüber im Gedicht erschien, wurde als Inbegriff harmonischer Weltdeutung aufgefaßt und darum in ein kontrastives System umgesetzt und restlos umgewertet. Das Resultat der Prozedur war ein untergehendes Ich in einer Außenwelt, die sich aus Fragmenten der einstigen Landschaft zusammensetzte.

So hartnäckig haftete von nun an das Vorurteil des Traditionalismus an dem Genre, daß sich ihm ein regelrechter Vorwurfsdiskurs zugesellte, der dann auch zu einem wesentlichen Bestandteil seiner Wirkungsgeschichte wurde. Immer gingen die Kritiker davon aus, daß Naturgedichte Ausdruck und Zuflucht einer rückwärtsgewandten Mentalität seien. Wendung zur Natur wurde als Abwendung von Geschichte, Gesellschaft, sozialer Verantwortung, Fortschritt aufgefaßt. Häufig war die Kritik politisch motiviert. So stand in den sechziger Jahren der Kampf gegen das Schweigen über die NS-Verbrechen im Zeichen von Bertolt Brechts Versen aus den »Svendborger Gedichten«: »Was sind das für Zeiten, wo / Ein Gespräch über Bäume fast ein Verbrechen ist / Weil es ein Schweigen über so viele Untaten einschließt!«[1] Da lag es nahe, die Metapher für den Sachverhalt zu nehmen und dem Naturgedicht moralische Indifferenz nachzusagen. Umgang mit Natur wurde als veralteter Erfahrungsbestand angesehen, so daß rationales Befremden mitspielte, wenn das gesamte Genre als anachronistisch und sentimental verurteilt wurde. So setzte sich die Meinung fest, daß ein modernes und kritisches Bewußtsein immer nur bei den Kontrahenten bestanden habe, während das Naturgedicht selbst die Moderne versäumte.

Hier dagegen soll der Modernisierungsprozeß behandelt werden, den das Naturgedicht selbstverständlich zusammen mit der gesamten Lyrik erfahren hat. Der Prozeß, der keinesfalls unberührt von der deutschen Geschichte und neben ihr her verlaufen konnte, stellt sich insgesamt als artifizielle und intellektuell motivierte Transformation des alten Naturgedichts dar. Was blieb, war die Nähe zur Naturbeziehung als leibhafte Erfahrung, zur Wahrnehmungswelt und zu nichtrationalem Sprachgebrauch. Das moderne Naturgedicht ist so wenig wie die früheren ein Spiegel von Lebensweisen und daher auch kein Organon der Zivilisationskritik. Obwohl viele Gedichte über verschmutzte Gewässer und sterbende Wälder geschrieben worden sind, repräsentieren Naturgedichte nicht die politischen und anderen Zeitströmungen.[2] Vielmehr entstehen sie aus dem Bedürfnis nach Orientierung des Menschen in der Welt und nach Bekräftigung des existentiellen Naturzusammenhangs. Dialektik der Beziehung bringt es mit sich, daß dieses Bedürfnis im 20. Jahrhundert häufig keine unmittelbare Berührung mehr zustande bringt, sondern nur das versachlichte Gegenüber findet, das auf seinen Urheber, den vergesellschafteten Menschen zurückweist.

So beansprucht, können Naturgedichte gar nicht mehr eingängig und sentimental sein. Bereits am Autorenprofil läßt sich eine Reserve gegenüber gesellschaftlichen Bewegungen, Moden und Opportunitäten erkennen. Die meisten Autoren lebten, freiwillig oder gezwungen, als Außenseiter, wie Oskar Loerke seit 1933, wie Elisabeth Langgässer seit 1935, wie Peter Huchel in den sechziger Jahren, wie schließlich auch Günter Eich; und sie legten Wert darauf. Alle favorisieren, ausdrücklich oder insgeheim, die Tendenz zum Hermetismus, die die Moderne insgesamt kennzeichnet, oder vermeiden wenigstens den populären Ton. Es ist kein Zufall, daß innere Emigration sich als immun gegen Naziideologeme gezeigt hat, daß auch Huchel und Bobrowski Eigensinn bewiesen, und nicht wenige Beispiele belegen, daß moderne Naturlyriker zur Kritik gesellschaftlicher Zustände ansetzten.

2

Der Wandel der Naturlyrik hatte sich vorbereitet in der Sprachskepsis Hugo von Hofmannsthals, im Austausch von symbolischen gegen emblematische Bilder bei Stefan George, in Theodor Däublers Bilderfolgen, aber auch in den Wahrnehmungsnotaten bei Arno Holz. Aus naiver Anschauung wurde programmatische oder intellektuelle Anschauung, die sich aus theoretischen oder experimentellen Absichten begründete und auf die Fiktion »sinnlicher Gewißheit«, das heißt die Gegenwärtigkeit der Erlebnislyrik verzichtete, statt dessen aber Melancholie, Reminiszenz, Spiel mit sprachlichen Mehrdeutigkeiten darbot. Die lyrischen Techniken der Verneinung wurden erfunden.

Dazu gehören die vielen Formen von Distanzierung, die schon vor dem Expressionismus verwendet wurden, sowie Simultanität, die Zerlegung des Ich oder sein Verschwinden in der Wahrnehmung. Was sich derart in reflektierter Sprachkrise und Symbolismus, in artifizieller Rekonstruktion der Naturgegenstände ankündigte, wurde dann in der Lyrik der expressionistischen Generation systematisch ausgenutzt. Der Konstruktivismus Georg Trakls, die experimentellen Formen der frühen Expressionisten, besonders Ernst Stadlers und Alfred Lichtensteins, negierten die Kohärenz des Bildes, indem alle Unmittelbarkeit und damit auch das erlebende Ich aus der lyrischen Rede entfernt wurden. Das geschah durch die Perforierung der Grenzen zwischen dem Ich und der gegenständlichen Welt und durch Fragmentarisierung der Sinneseindrücke oder Subjektivierung der Wahrnehmung.

Parallel dazu verlief die fast emphatisch betriebene Umwertung von Natur, die Eliminierung der Attribute ihrer vormaligen Göttlichkeit, die Austreibung des Pantheismus, die Erfindung der Dämonen oder des kosmischen Selbstlaufs, die Erhebung von Krankheit, Verwesung und Tod zum Hauptbeweis gegen ein sinnhaftes Naturbild. Die Konstellationen der Entfremdung von der Natur, die bereits während des 19. Jahrhunderts auftauchten, werden konsequent zu Ende geführt. Viele affektive Qualitäten des überlieferten Naturgedichts verschwinden für immer, so die Naturanrede und das inhärente Beziehungsspiel, die Korrespondenz von Erotik und Naturanschauung. Zum Beispiel werden in Gottfried Benns »Morgue«-Zyklus Naturerlebnis und Liebe für immer auseinandergeschnitten. Damit versiegte dann auch die immanente Sinnlichkeit von Natur- und Landschaftswahrnehmungen.

An deren Platz rückt die Wahrnehmung toter Gegenständlichkeit oder tödlicher Wirkung vegetativer Prozesse: »Hier schwillt der Acker schon um jedes Bett. (...) Erde ruft«[3]. Dies ist mehr als bloße Provokation; hier artikuliert sich das Zerwürfnis mit dem Denk- und Weltmodell, worin Natur als das verheißungsvolle Bild jener höheren Bedeutung aufgefaßt wurde, aus der all ihr Leuchten, Glänzen, ihr Frieden und ihre kosmische Dimension abgeleitet waren. Jetzt dagegen ist das Ich jeder Entäußerung blind wirkender Naturkräfte ausgesetzt. Nun erscheint Natur, selbst als Konstrukt denunziert, meist als Ort des Unwetters und der Untergänge, des Zerfalls, der Gleichgültigkeit und Zerstörung. Das korrespondierende Ich wird erfaßt vom Strudel der gewaltsamen, nicht selten orgiastischen Atomisierung. Trotz der Überschwemmung durch schnell wechselnde Gegenständlichkeit verweigert sich die Rede der äußeren Welt und zieht sich zurück auf den Text und die Selbstbewegung der sprachlichen Mittel. Damit endet Anschauung in der seriellen Kombination, Variation und dem Austausch von Notat und Denotat.

Nachdem der Expressionismus der Naturlyrik auch den Boden der konventionellen Rezeption entzogen hatte, wurde gegen Wahrnehmungsgewohnheiten und sinnliche Erfahrung geschrieben. Das leitete den Paradigmenwechsel ein, mit dessen Folgen sich die weitere Naturlyrik auseinanderzusetzen hatte. Dies erfolgte nicht zuletzt durch Poetiken der Spracherneuerung, die deren Nenn-, Zeige- und Darstellungsqualitäten experimentell behandelten, konstruktiv wie destruktiv zur Erkundung freigaben. Dabei erfuhr das generative Potential der Sprache im Gedicht eine folgenschwere Neubestimmung, indem, wie es Benn später formulierte, die Sprachlichkeit des lyrischen Ich auf einen autonomen Raum bezogen wurde, in dem Natur lediglich als Zitat eines empirischen Sprachgebrauchs vorkommen kann. Damit waren die idealisierte »natürliche Sprache«, von der angenommen worden war, daß sie eine menschliche Gemeinsamkeit sei und primär mit Natürlichkeit und »Natursprache« korrespondierte, unbrauchbar geworden.

Daher war Naturlyrik besonders davon betroffen, daß im Verhältnis von Sprache und Natur nichts mehr selbstverständlich ist. Meist erschien das als strukturelle Naturferne, die zahlreiche Varianten hat. Sie konnte topographisch als Entfernung bezeichnet sein; zeitlich in die Ferne gerückt werden, durch Versetzung des Ich in ursprüngliche oder mythologische Landschaften, durch die Techniken der Trennung von Ich und Natur, wie die Fensterperspektive (»Mehrere Minuten erwäge ich (...) ob ich zum Tisch gehn soll/Meine Brille holen, um wieder/Die schwarzen Beeren an den roten Zweiglein zu sehen«[4]), durch das Zitieren traditioneller Topoi oder die fingierte Selbstbeobachtung (»Undankbares Handwerk,/zu beschreiben, wie es/grün wird«[5]). Schließlich wird die Thematisierung von Zeit als Indikator der Naturferne eingesetzt: melancholisch in Peter Huchels »Löwenzahn« (»Zeitlose Stunde, die mich verließ,/da sich der Löwenzahn weiß zerblies«[6]), mit neusachlichem Einverständnis in Brechts »Über das Frühjahr« (»Und doch sind schon lange/Nicht mehr gesichtet worden über unseren Städten/Die berühmten Schwärme der Vögel«[7]).

Notierungen der Lebensbedingungen und Naturerfahrungen im Industriezeitalter, wie hier bei Brecht, sind insgesamt sekundär. Zwar haben Großstadt, Industrie, Verkehr, später auch Schlachtfelder veränderte Landschaften geschaffen, aber diese Verwandlung wurde anders als in der Romanliteratur von der Naturlyrik der zwanziger Jahre kaum verarbeitet.[8] Primär entstand die strukturelle Neuorientierung aus dem Bedürfnis, sich der Naturerfahrung wiederum zu vergewissern. Dieses äußert sich, wo es nach 1918 auftritt, ohne auf geschichtliche Ereignisse wie die sozialen Umschichtungen und auch ohne auf das Sterben auf den Schlachtfeldern Bezug zu nehmen. Die geschichtslose Dauer des Naturraums, auf die sich Wilhelm Lehmann nach 1933 ausdrücklich berufen hat, ist kein Reflex von innerer

Emigration, sondern war von Anfang an in das Konzept des neuen Naturgedichts integriert.

Oskar Loerke ignorierte zwar den Ersten Weltkrieg in seinem lyrischen Werk nicht, aber er dachte über Naturbeziehung und Poesie in naturphilosophischen Denk- und Anordnungsreihen nach. In seinen Essays sondierte er das dichtungsgeschichtliche Terrain und philosophische Niveau, wo eine naturmagische Poesie anzusiedeln sei, die ohne die Zentralstellung des Ich auskommen kann. Loerke hielt die Verbindung zur Natur für unauflöslich und positiv gegeben, aber er nahm an, daß deren Wahrnehmung dem Bewußtsein entfallen sei. Daher hielt er die rational bestimmte Sprache für untauglich und suchte nach einer Modifikation von Natursprache, die er als »magisch« bezeichnete. Das Vermögen zu deren Wiederbelebung legte er in die Sinne, den Körper und das Unterbewußte. Sie selbst sind Teilnehmer an der universellen Zeichensprache der Natur. Dem Naturgedicht kommt damit die Aufgabe zu, das Verdrängte hervorzuholen und eine unbewußte Kommunikation einzuleiten, und zwar sowohl, indem es die andere Erfahrung des Selbst vergegenwärtigt, als auch durch Präsentation der Signaturen der organischen und anorganischen Welt. Loerke bedient sich auch biophysikalischer Argumente, wenn er Reim und Rhythmus nicht als konventionalisiert, sondern als naturgesetzlich organisiert beschreibt und auf den Gleichklang mit den Körperfunktionen bezieht. Gebundene Rede, Poesie also, wird in Analogie zu körperlichen Bewegungsformen gestellt. Der ganzheitlich organologische Ansatz Loerkes ist geschöpft aus dem romantischen Denken und den frühneuzeitlichen Überlieferungen (Mystik, Paracelsus), die aber ausschließlich unter dem Aspekt der Evidenz angeeignet werden. Die Diskrepanz zwischen dem Dasein und der intellektuellen Erkenntnis, die den Menschen leiden macht, wird von Loerke selbst als ein Zeichen gedeutet: »Du hast die magische Figur befragt: / (...) Dein Magisches, dein Vogel-Leichtes jagt / entlang die unsichtbare lange Brücke.«[9] Die Befragung, von der hier die Rede ist, gleicht aber nicht dem berühmten Zauberwort Eichendorffs. Vom metaphysischen Grundgefühl der Romantik trennt ihn die Ausschließlichkeit, mit der er allen Sinn der Welt in die Natur legt. Das Dasein ist immer das jetzige »im schönen Erdengarten«[10].

Von Loerkes Gedanken gingen viele Anregungen aus, indem sie als eine Matrix der Sprachreflexion im Naturgedicht verwendet wurden. Sein »Von selbst dichtet die Welt sich weiter«[11] ist als Vorstellung vom Subjektcharakter der Natur und ihrer Sprache ebenso in Huchels »Wer schrieb / Die warnende Schrift / Kaum zu entziffern?«[12] wie noch in Johannes Bobrowskis »Der Baum / größer als die Nacht / mit dem Atem der Talseen / mit dem Geflüster über / der Stille«[13] wiederzufinden. Weitere Impulse lassen sich noch in der Gedichtsprache der sechziger Jahre finden, und zwar dort, wo mit Formel, magischem Zeichen, Verwandlung nach einer alternativen Semantik gesucht worden ist, die nun vorwiegend Verstoß gegen die offiziellen Diskurse sein sollte. In diesem Sinne gab Sarah Kirsch ihrem zweiten Gedichtband den Titel »Zaubersprüche«.

Das neue Naturgedicht[14] ist auch dadurch gekennzeichnet, daß Naturbeziehung nicht sentimentalisch unter dem Vorzeichen des Verlusts angesehen, sondern als ein neu zu ordnendes Existenzproblem aufgefaßt wurde. Dazu gehört eine Auffassung von Natürlichkeit, die als ein eigenschöpferisches System der Ordnung des sozialen und intellektuellen Raums entgegengesetzt wird. Die Verwendung von Mythen, Elementen spekulativer Imagination, Folklore ist nicht äußerlich, sondern zielt darauf, der Reduktion der Natur- und Selbstwahrnehmung entgegenzuwirken und die Kräfte der Natur als Willensäußerung faßbar zu machen.[15] Überall werden Zeichen gesehen beziehungsweise auch gesetzt, die in Analogien und Korrespondenzen die Berührung zwischen menschlichem Sinn und natürlicher Welt herstellen. Insofern ist das Verwandlungsbegehren, eines der wiederkehrenden Motive des neuen Naturgedichts, auch nicht Ausdruck von Rückwendung, sondern Deutung eines Zeichens, das die Ewigkeit aller Naturzyklen repräsentiert. Das »Zeichen« ist tröstlich und wird als Topos bei Lehmann, Eich, Huchel und Krolow aufgenommen. Als Botschaft der Natur erreicht es den ortlosen Menschen am Punkte der äußersten Entfernung von ihr.

Das neue Naturgedicht weiß auch von den Grenzen, die die Naturbindung dem Willen des Menschen setzt. Hierin trifft es sich mit der Anthropologie der neusachlichen Literaturströmung. Beide wenden sich vom geistigen Erbe des 19. Jahrhunderts ab, indem sie keine utopische Ansicht der Natur gelten lassen. Die eigene Natur, das ist der Körper, und die äußere werden aber als heilsame Begrenzung verstanden, weil sie dem Individualismus ein Ende macht. Bei Brecht erscheint der Körper um diese Zeit als ein Ärgernis, weil er sich der rationalen Kontrolle entzieht. In beiden Fällen wird Natur als Gegensatz zum Ich qualifiziert, sie ist unberechenbar, widersetzt sich der zweckmäßigen Nutzung und stört die gesellschaftlichen Konventionen. Dem neuen Naturgedicht und der Literatur aus neusachlichem Geiste liegt insofern trotz gegensätzlicher Auffassungen dieselbe Erfahrung der Naturferne der modernen Welt zugrunde. In beiden Fällen wird der Mensch als zweigeteilt oder gespalten gesehen, und die Natur erscheint in seinem Bewußtsein ebenso fremd, wie er sich selbst fremd ist. Bei Loerke sprechen die Bäume den Menschen zwar noch an, aber ihre Rede ist kühl und unsentimental: »Fühlst du dich fremd auf deinem Pfade, / So flehe nicht um Fremdlings Gnade, / Denn Fremde sind wir«.[16] Auch bei Brecht sprechen Mensch und Baum miteinander. Auch hier wird Fremdheit artikuliert durch die ironischen Distanzen in der Sie-Anrede: »Heute glänzt die gelbe Sonne in Ihren nackten Ästen / Aber Sie schütteln noch immer Zähren ab, Green? / Sie leben ziemlich allein, Green? / Ja, wir sind nicht für die Masse...«[17] In beiden Strömungen werden Strategien der Einordnung des einzelnen und der Befreiung von seiner Vereinzelung entworfen. Sie unterlaufen das Subjekt-Pathos. Das neue Naturgedicht enthält ganze Reihen solcher Figurationen: die Verwandlung, die dem Ich eine unfeste Gestalt gibt, ebenso wie die Vertauschungen oder die Verkörperung von Willensäußerungen im organischen Material. Auf der neusachlichen Seite werden Natur und Körperlichkeit als Anachronismen aufgefaßt und steigen dadurch nicht selten zu einer Gegenmacht auf, die willfährig im moralischen Sinne, letztlich aber unzähmbar ist, wie zum Beispiel in Brechts »Von der Willfährigkeit der Natur«.

Die Autoren des neuen Naturgedichts sammelten sich in den späten zwanziger Jahren um die Dresdner Zeitschrift »Kolonne«, die von Martin Raschke herausgegeben wurde. Sie dokumentiert gleichfalls Berührungen mit neusachlichen Ansichten. Hier wurde an einer Vermittlung zwischen poetischer Anschauung und naturwissenschaftlicher Forschung gearbeitet. Es war die Absicht, sachliche und emphatische Naturwahrnehmung einander anzugleichen, und zwar durch Zusammenstellungen von Aussagen zur biologischen Determiniertheit des Menschen und bildlichen Darstellungen der ästhetischen Organisation natürlicher Strukturen, die im Laubblatt ebenso aufgefunden wurden wie im Universum. Raschkes Berichte über Ergebnisse der Kristallographie und Astronomie hielten eine Balance zwischen vorwissenschaftlichen Ansichten (Signaturenlehre) und Beschreibungen des Funktionierens von Systemen. Besonders Photographien sollten durch die sachliche Gegebenheit der Selbstorganisation nach den Regeln der Wohlgestalt eine Vernunft in der Natur bezeugen. Die Wendung gegen den Expressionismus war deutlich, lief doch Raschkes These darauf hinaus, daß vermittels Beobachtung die Auflösung von Naturzeit, Naturraum, Natursinn in den subjektivistischen Kunstströmungen leicht zu widerlegen sei. Dabei grenzt er sich gleichzeitig ausdrücklich von den Volkstumsströmungen und den Apolo-gien der Bodennähe in den späten zwanziger Jahren ab.

Das neue Naturgedicht war kein Angebot zur Einfühlung. Das lyrische Ich wurde nicht gesteigert; seine Demut vor der Natur und seine Orientierung auf Äußerlichkeit, also auf sinnlichen Eindruck und präzise Wiedergabe haben die Spiegelung von Innerlichkeit abgetan. Solche Lyrik konnte nicht populär werden. Daneben schrieben sich gleichzeitig folglich auch die Reprisen des ›alten‹ Erlebnisgedichts in einer populären Gebrauchslyrik bis in die dreißiger Jahre fort. Das Liedgut der Jugend-, Arbeiter- und Wandervogelbewegung, die Vagantenpoesie und so weiter schmiegten sich epigonal oder wirklich naiv an das alte Paradigma an und bewiesen den Fortbestand von Bedürfnissen, die moderne Lyrik nicht mehr wahrnehmen kann. Bei Loerke konnte von einer Versöhnung der Natur mit dem Menschen keine Rede sein, höchstens von dem Versuch dazu. Bei ihm »reitet Pan vorbei«[18], und wo Natur lebt, da ist das Ich ausgeschlossen. Selbst in Lehmanns Auffassung ist der Mensch in der Natur nur geduldet: »Ich wanderte in die Wesen aus, / Sie litten mich traumeslang.«[19] Die Konstellation ist vorgebildet schon in Stefan Georges »Der Herr der Insel« und kehrt noch in den sechziger Jahren in Hans Magnus Enzensbergers »Das Herz von Grönland« wieder. So verschieden die jeweilige »subscriptio« ausfällt, immer bleibt die gleiche Faszination einer Weltzone, die kein Menschenfuß je betreten, keine Menschenhand nach eigenem Bilde geformt hat.

Schulebildend war das neue Naturgedicht auch durch die Anschauung von Naturzeit als zyklisch gegliederter Ewigkeit. Diese Zeitvorstellung wurde in den dreißiger Jahren bei Lehmann zum Herzstück der Naturbeziehung: »Kein Anfang macht, kein Ende bange –/ Seliges Immer. Es gelingt!«[20] Diese geschichtsfreie Gegenwelt erhielt allerdings durch die Nazizeit und den Krieg eine ungewollte Zusatzbedeutung. Die Zuflucht im Naturraum mußte unter diesen Bedingungen als Indifferenz erscheinen.[21] So veränderte die geschichtliche, zwar abgewehrte, aber dennoch nicht auszustreichende Zeit den Sinn des Naturgedichts fast in sein Gegenteil. Da werden Worte wie »heiteres Vergessen«[22] oder »Knallten die schwarzen Schoten, / Es bedeutete keinen Krieg«[23] Teile eines Vokabulars der Verweigerung vor der politischen und moralischen Verantwortung und klagen ihren Autor an.

Nachhaltig war auch die Mythenrenaissance bei Loerke und Lehmann. Sie ist als Symptom mehrdeutig: Einerseits Sympathiebeweis für magisches und nichtrationales Denken, signalisiert sie andrerseits die Distanz vom naiven Anthropomorphismus, der die Blume lachen läßt. Loerkes archaische Gottheiten und Naturwesen reproduzieren die Fremdheit als Eigenleben; bei Lehmann sind die mythischen Figuren Signale einer vergangenen Gegenwart. In beiden Fällen demonstrieren sie, daß es erinnerter Denkformen bedarf, um Zugänge zum Naturraum zu erschließen. Durch Verschmelzung von Mythenkreisen und älterer Dichtung – ein weiteres Erkennungszeichen des neuen Naturgedichts – wird statt des einen Mythos die gesamte Struktur der Denkform ins Bild geholt, für die Natur nicht objektive Wirklichkeit von Dingen war. Hier gehen Peter Huchel und Johannes Bobrowski weiter, indem sie auch abgesunkene und verdrängte Mythen unterdrückter Völker ans Licht holen. Aus gleichen Gründen wird bei Loerke und den nachfolgenden Autoren die Exotik der Geschehensorte gesucht, deren Anschauung durch Reisen, »Kriegserlebnisse« oder durch Lektüre erworben wurde. Die fernen Landschaften stehen für Denkwelten jenseits der Zivilisation; sie erstrecken sich vom Norden der »Kalevala« bis zum ägyptischen Nil, vom wendischen Dorf bis nach Sarmatien. Bei Günter Eich kommen noch chinesische Elemente hinzu.

Auch das naturweltliche Inventar ist verhältnismäßig konstant. Tiere werden bevorzugt, besonders die Vögel. Von Loerke bis zu Eich und Bobrowski sind Vögel und Vogelflug Chiffren der leibhaften Entsprechung und Verkörperung einer wesenhaften Zeichensprache. Zum Topos wurde ferner der Löwenzahn, der für Endlosigkeit, Verwandlung und Kürze des Daseins steht, also gleichfalls ein Naturzeichen. Schließlich gehört der insgesamt aufwendige poetologische Apparat zum neuen Naturgedicht: Anmerkungen, Auskünfte über Tiere, Pflanzen, Gottheiten werden nötig, um Gedichte zu erschließen. Dergleichen Strukturmerkmale bekunden Skepsis gegenüber dem Erlebnis und kehren die Haltungen des Beobachtens von Vorgängen, des Aufsuchens, Zuhörens und Beschwörens hervor. Das Ich wird dabei an den Rand zurückgezogen. Darüber hinaus wird die temporäre Gestalt von schöner Natur ausdrücklich hervorgehoben, zum Beispiel durch den Verfremdungseffekt artifizieller Bildentwürfe. Von Huchels klagender »Undine«: »Eine Legende bin ich«[24] bis zu Karl Krolows ironischer Diktion: »Frühling, ja, du bist's! / Man kann das nachlesen. / Die grüne Hecke ist ein Zitat / aus einem unbekannten Dichter«[25] läßt sich eine Textur des Erinnerns erkennen. Erlebnisrede und kümmerliche Versuche ihrer Fortschreibung im landläufigen »Naturgefühl« werden verschnitten mit Fragmentarisierung, Emblematik, Parodie, Kontrafaktur und Widerruf.

3

Eine Sonderstellung kommt der Naturlyrik von Frauen zu, weil hier die Abwertung des Ich sich als Leiden äußert und das Artifizielle als dessen Aufhebung verwendet wird. Elisabeth Langgässer bemerkte 1933, daß die Krise des Subjektbewußtseins in der Lyrik des Expressionismus die Frauen nicht betroffen habe, da diese sich die vorhergehende Identitätsbehauptung nie zu eigen gemacht hätten. Tatsächlich läßt sich beobachten, daß das Kapitel der Dekonstruktion der »Natursprache« in den Gedichten von Frauen ausgelassen ist und die Figurationen des lyrischen Ich signifikant abweichen. So ist die Verbildlichung des Körpers wesentlich anschaulicher und wird die Abhängigkeit in der Naturbeziehung schmerzhaft erfahren. Bei Langgässer steht neben jenen Gedichten, die eine Aussöhnung entwerfen, die größere Gruppe, wo, wie in den »Daphne«-Gedichten, die Gewalttätigkeit der rohen Natur und des Trieblebens vorherrscht. Das Opfer Apolls ist das Objekt seines Begehrens, die männliche Sexualität jagt die Frau.

Das Beispiel Daphne zeigt, daß die geläufigen Figurationen und Topoi bei Lyrikerinnen andere Bedeutungen annehmen. Bei Langgässer ist der Naturzweck, Sexualität und Gebären, auf direkte und drastische Weise dazu bestimmt, die körperliche Existenz als Beeinträchtigung auszustellen. Die sonst gesuchte Befreiung vom Ich erscheint als Zwang, den die Zyklen der Natur ausüben. Natur zeigt sich niemals zugeneigt oder schwesterlich, so daß der beliebte Topos des Verwandlungsbegehrens hier zum Wunsch nach

Befreiung vom Körperlichen mutiert. Auch Langgässer hebt geschichtliche Zeit in Urbildern und Mythen auf. Aber hier fällt die Deutung ursprünglichen Daseins als ständiger Konflikt aus, aus dem die Erwartung einer spirituellen Auflösung steigt. Der Richtungssinn ist ein anderer. Das Zyklische wird als triste Wiederholung angesehen. Davor »flieht Daphne in das Laubgefälle / Und steht am Rande unsrer Welt«[26]. Polarisiert ist derselbe Konflikt bereits im Titel des Gedichtbandes »Der Laubmann und die Rose«. Hier trifft die arme Natur, deren Leben sich in erzwungener Fortpflanzung erschöpft, auf die reine Natur, für die die Rose steht, deren Bedeutungsüberschuß sie zum mystischen Zeichen macht. Es weist auf eine ferne Erlösung.

Spirituelle Deutungen sind dem neuen Naturgedicht sonst fremd. Die Lyriker der ersten Generation waren Atheisten; man bezog sich auf Johann Jakob Bachofen und Ludwig Feuerbach, auf die Realisten Gottfried Keller und Theodor Storm. Die »Kolonne«, in der Langgässers Gedichte auf prinzipielle Kritik stießen, vertrat denselben Geist. Außer dem christlichen Bekenntnis weist Langgässers Lyrik noch eine andere Abweichung auf. Ihrem christlichen Weltbild ist Naturfeindlichkeit immanent. Doch fordert auch sie den »denkenden Lyriker«, der zum Beispiel die Heisenbergsche Unschärferelation zur Kenntnis genommen haben müsse, »(...) soll sich nicht der kosmologische Umkreis der Lyrik zum Weideplatz frommer Schäfer verändern«.[27] Daraus entsteht das Paradox eines Naturgedichts, das gegen die Natur operiert und die Ernüchterung bezweckt. In diesem Kontext läßt sich die Erlösungsmetaphorik auch als Reaktion auf den Ekel vor Sexualität und Gebären beziehen, so wie die Bildfolgen von Todeskampf und Verwesung unter dem Aspekt der Überwindung des Körperlichen gesehen werden können.

Der Konflikt mit der Körperlichkeit ist häufig zu finden bei Autorinnen dieses Jahrhunderts. Eine Entzauberung des Naturanteils an der Existenz und das Zerwürfnis mit den biologischen Gesetzen, beides immer unsentimental dargestellt, tritt bereits bei Gertrud Kolmar auf. Das Wort »Ekel«, kaum noch metaphorisch, bezogen auf die Gefangenschaft im eigenen Körper im Gedicht »Die Kröte«, verweist ebenfalls auf Verwandlungsbegehren und den Wunsch nach einem anderen Dasein. Das meint der »Edelstein«, den das auf Wasser, Schlamm und Dunkelheit angewiesene Tier an sich trägt. Die Erlösung, die das in vielsagendem Austausch der Rollen verwendete Märchen vom »Froschkönig« vorgibt, heißt hier: »Komm denn und töte.«[28] Aber keine Entzauberung, kein höheres Dasein kommen ins Spiel, und es gibt kein Entrinnen aus der eigenen Natur.

Ingeborg Bachmann geht später noch weiter. Ihr Gedicht »Sterne im März« hebt mit dem Entwurf der Freiheit im Reich der Gedanken an, um dann in eine Metaphernsprache zu wechseln, die aus dem pflanzlichen Bereich stammt. Am Ende beschreibt sich Existenz als Population: »An langen Tagen sät man uns ungefragt / in jene krummen und geraden Linien, / (...) Auf den Feldern / gedeihen oder verderben wir wahllos, / gefügig dem Regen und zuletzt auch dem Licht.«[29] Bachmanns »Sterne« vergleichen sich insofern mit Langgässers »Rose« und Kolmars »Edelstein«, als sie alle Metaphern für den Wunsch nach einer Existenz jenseits der Auslieferung an die Gleichgültigkeit der Reproduktion sind.

Lyrikerinnen berufen sich häufig auf das Vorbild der Annette Droste-Hülshoff. Das soll heißen auf das kleine Ich, das mit der großen Natur keine Berührung sucht, weil es die Überwältigung fürchtet. Aus den überlieferten Metaphern entnehmen sie konträre Bedeutungen, die die Differenz weiblicher Naturbeziehung ausdrücken. In Christine Bustas »Die Sonnenblume« heißt es: »(...) o Demut der Gebärde! // Die Vögel fliegen gierig ins Gesicht / der Dulderin und lösen ihr vom Grund / die Samensterne. Doch das leere Rund / träumt noch erblindet neuer Sonnen Licht.«[30] Das ist die Unterwerfung, die Bachmann mit dem Adjektiv »gefügig« bezeichnet hat. Das Wort »Demut« taucht in Sarah Kirschs Gedicht »Gebannt« auf.[31] Auch hier ist die Bedeutung ambivalent, meint sowohl eine angemessene als auch eine aufgezwungene Haltung. Damit korrespondiert das Verweilen bei der kleinen oder unteren Natur in Gertrud Kolmars Gedicht »Der Rosenkäfer«: »Es ist ein elend Sein, es ist ein Ding der Dinge, / Der Splitter, abgefeilt von Gottes Siegelringe.«[32] Bereits Langgässer konstatierte, daß Frauen keine Wahl bleibe, als sich dort unten, in Hör- und Reichweite der organischen Natur anzusiedeln: »Aus dem Umbruch dieser Zeit (...) trat die Frau in die Dichtung ein – in höchster Bewußtheit, von Zweifeln zerrissen, dem eigenen Spiegelbild und den Kräften des Unterbewußten gespenstisch gegenübergestellt. Sie tastete sich empor – aber der Himmel war schon ehern geworden, sehr weit und gnadenlos; so grub sie sich in die Erde ein, (...) saß bei Käfern und Asseln und fühlte den Untergang.«[33] Affinität zum Detail und die Bevorzugung von unscheinbaren oder in biologische Ketten eingebauten Lebewesen gehören zum symbolischen Inventar einer Lyrik, die konkrete, deskriptive Bilder als Zeichen einer Adäquatheitsrelation verwendet. So beschreibt Sarah Kirsch Schwangerschaft als Zusammenfall von Ichveränderung und Dominanz der Naturzeit: »Ich fühl mich Gehäuse werden.«[34]

Die Sprache dieser Gedichte ist weder melancholisch noch heiter; es ist sogar eine Sachlichkeit der Diktion zu beobachten. Einige Autorinnen geben sich als kundige Biologinnen zu erkennen und befassen sich mit unsteten Gestalten, Fruchtträgern, kurzlebigen Insekten, Imago-Stadien, unscheinbaren oder mißachteten Bäumen wie Weiden und Espen. Die Vermischung von sinnhafter Erfahrung der speziellen Bindung an Naturprozesse und von gesellschaftlicher Norm, die Weiblichkeit und Natürlichkeit verkoppelt, stellt sich für alle Lyrikerinnen als problematisch dar. Insofern enthalten Selbstbescheidung und Rückzug in die kleine Welt eine immanente Kritik an der herrscherlichen oder verklärenden Naturbeziehung der Tradition. Das Verweilen beim Mikrokosmos und den Funktionsverhältnissen ist keine Flucht ins Abseitige, sondern ihre Wahrheit. Sie betrifft die Verneinung ihrer Existenz durch die Rolle, die sie ungefragt hinnehmen müssen.

4

Unter der NS-Diktatur wurden Semantik und Kontext des modernen Naturgedichts wie auch das naturphilosophische Denken nachhaltig zerstört. Ein Faktor war dabei der Bruch innerhalb der »deutschen Literatur«, die von 1933 an in mindestens »zwei Literaturen« zerfallen war. Ein weiterer Faktor war die Zwielichtigkeit des Gegenstandes, beriefen sich doch Sozialdarwinismus und Rassismus auf Naturgesetze. Die Kulturpolitik sorgte dafür, daß es politische Neutralität nicht mehr gab. Die Isolierung bewirkte, daß die experimentelle Komponente des neuen Naturgedichts, die Kombination von Natur und Technik beziehungsweise Wissenschaft verlorenging. Maßgeblich dafür war die zunehmende Ideologiehaltigkeit beider Pole. Der Entwurf einer poetischen Zeichensprache wurde hinfällig, weil es von 1933 an keine Korrespondenz mit den übrigen ›Sprachen‹ einer pluralistischen Öffentlichkeit mehr gab. Abgeschnitten von dieser Korrelation, also von einer synchronen Beziehungsachse, war die Sprache der Naturlyrik allein auf den Dialog mit der Überlieferung angewiesen, also auf die diachrone Achse gedrängt. Jetzt, im Verlaufe der dreißiger Jahre, wurde das Naturgedicht tatsächlich antimodern; es fiel aus der Zeit heraus: »Das Lieschgras streichelt meine Hände, / Die Ammer singt ihr Lied zu Ende, / Die Welt bleibt heil.«[35]

Solche Verse standen für die Verleugnung des Zeitgeschehens. Die Lyriker der inneren Emigration korrigierten ihr Konzept nicht grundsätzlich, sondern blieben beim Vertrauen auf die Heilkraft der Natur, bei der Rückbindung an die natürliche Existenz und beim Konstrukt von »Natursprache«. Gegnerschaft zum NS-Faschismus, wie bei Oskar Loerke, wurde als persönliche Lebenskrise oder Trauer artikuliert, führte aber zu keiner Revision der Poetik. Die Zeitgeschichte, Raubkrieg, Völkermord ließen Konzepte wie das des neuen Naturgedichts nicht mehr zu. Nicht nur entzog der reale Krieg dem imaginierten Frieden der Gärten und Landschaften den Boden, es brach auch das anthropologische Prinzip zusammen, wonach die natürlichen Bedürfnisse als Korrektive der Zivilisation gelten sollten. Die Vorstellung, daß der Mensch von Natur aus gut sei, war unhaltbar geworden.

Wie sehr, brachte erst die Autorengeneration der sechziger Jahre zur Sprache. Deren Kritik war dann radikal und einseitig. Sie wollte nichts mehr davon wissen, daß die Naturlyrik der ersten Jahrhunderthälfte weder borniert konservativ noch antiintellektuell gewesen war, sondern den schnellen Modernisierungsprozeß mit der Mahnung begleitet hatte, die »Beständigkeit des Verletzlichen«[36] nicht zu übersehen. Als unabhängiger Beitrag zu einem breitgefächerten Diskurs über den Fortschritt und seine Grenzen hatte das Konzept dieser Lyrik einen Sinn gehabt, auch wenn sie sich später als hilflos angesichts der Verbrechen der NS-Diktatur erwies. Das kritische Bewußtsein der sechziger Jahre, das durch Adorno geprägt worden war, konnte die dezidierte Enthaltsamkeit eines literarischen Genres von gesellschaftlichem Engagement nicht tolerieren, schon gar nicht nachvollziehen. Daher wurde Naturbeziehung in der Lyrik als Residuum einer überständigen, schuldhaften »Kunstperiode« angesehen und nicht als Bestandteil eines emanzipatorischen Prozesses begriffen.

Das war die Zeit, in der Brechts Verse über die Unzulässigkeit eines »Gesprächs über Bäume« durch dauernden Gebrauch generalisiert wurden, während sie doch über die Bedingungen des Exils und die Schäden erzwungener Einseitigkeit sprechen. In der Exillyrik selbst wurde dem Naturgedicht ein hoher Stellenwert beigemessen, weil es dem vielberufenen »anderen Deutschland« die Erinnerung zur Seite stellen konnte. Johannes R. Becher hatte sich in seinem Zyklus »Das Holzhaus«[37], einem Selbstporträt aus Erinnerungsbildern und kommentierenden Reflexionen, die Aufgabe gestellt, die Landschaft in Gedichten zu bewahren. In diesem Sinne heißt es in »Die Heimat«: »Als ich aus Deutschland ging, nahm ich mit mir ein Bild, (...) Schwebendes Blau, darin schmilzt einer Glocke Ton – / Und ich begegne mir (...).«[38]

Becher hat das Naturgedicht nicht erneuert, aber er hat dessen utopische Option wiederbelebt, indem er ihr einen zeitgemäßen Sinn zuschrieb. Im Zeichen eines Versöhnungsdenkens, wie es bei Georg Lukács und bei Ernst Bloch ausgebildet worden war, verwendete Becher das Naturgedicht als eine Poesie des »Vorscheins«. Er ordnete dem Genre den Topos des amönen Ortes zu, der wiederum ausschließlich auf heimatliche Natur bezogen war. Aus dem Lebensgefühl des Exils wurde ein Raum konstruiert, der, wie herkömmlich, die geschichtliche Zeit ausgrenzte, jedoch ohne sie zu verleugnen. Bechers Exillyrik kann als Beispiel dafür gelten, wie sich das Bedürfnis nach Sublimation von Heimatverlust gleitend dem Paradigma der Erlebnislyrik einfügt. Seine Vergegenwärtigung des Dauerhaften antwortet auf Storms »So war es immer schon.«[39] In dieser imaginierten Heimat müssen weder Menschen noch die Spuren der Arbeit ausgeklammert werden. Die Verschmelzung von Kindheitserinnerungen, Hölderlins Naturbildern und realistischen Landschaftsbildern vollzieht sich mühelos, wo Natur, unbefangen sentimentalisch aufgefaßt, die Anschauung einer besseren Zeit bietet.

Die Bilder zeigen etwas, was nicht besteht, aber als unverzichtbar gelten soll. Das macht den emblematischen Charakter der Landschaftsdarstellungen aus. Ihre Anschaulichkeit, teilweise realistische Genauigkeit, etwa bei der

Raumgliederung, verdeckt nicht das regelmäßig wiederkehrende Muster, eben den Topos des amönen Ortes. Dieser trägt jedoch einen unvermeidlichen Widerspruch in sich, da er als Zeichen eines Wunschbildes immer zugleich gegen die politische Realität Deutschlands gestellt ist. Daraus resultiert die Melancholie, mit der endlich doch eine an der Gegenwart leidende Subjektivität zum Vorschein kommt. Der Topos war relativ verbreitet in der Exilliteratur, auch in der Prosa, wenngleich er selten so kunstfertig verwendet wurde wie bei Becher. Da auch populäre und triviale Ausformungen reichlich auftraten, wurden derartige Naturbilder später in der DDR für volkstümlich gehalten und als »Programm einer sozialistischen Naturpoesie«[40] zur Nachahmung empfohlen.

Doch handelt es sich nicht, wie Becher immer vorgeworfen wurde, um Epigonalität, denn hier wie in der Exillyrik insgesamt repräsentierte die »schöne Natur« ein subjektives Bedürfnis und ein intersubjektives Anliegen, das andere Deutschland nämlich. Nach 1945 ließ sich solche Angemessenheit eines konventionell idealisierenden Bildgebrauchs nicht mehr erreichen, obwohl Becher in den fünfziger Jahren noch einmal anfing, gescheiterte Hoffnungen in Naturbildern zu sublimieren. Jedoch die Schreckensbotschaften, die über Weichsel, Sund und Atlantik drangen, beglaubigten diejenige Distanz, die für den emblematischen Bildgebrauch unerläßlich ist. Die heimatlichen Landschaften mit ihrer friedlichen Ordnung und zwanglosen Harmonie waren nicht unzeitgemäß, sie waren Gegenbilder. Texte wie der folgende haben die Flußgedichte einer ganzen Generation von Lyrikern aus der DDR angeregt: »Die Ufer sind so flach, daß auch die Wiesen / Sanft mitzufließen scheinen mit dem Fluß. (...) Die Apfelbäume blühn. Ein weicher Schimmer / Liegt überm Land (...).«[41]

5

Die erste Welle der Kritik am neuen Naturgedicht der zwanziger Jahre kam nach 1945 von den Naturlyrikern selbst. Ihre Auseinandersetzung mit einer »doktrinär gewordenen Naturlyrik«[42] vollzogen sie als Eingriff in ihre eigenen Poetiken. Die Lyriker Huchel, Eich, Krolow und Bobrowski gaben die Vorstellung von der heilen Naturwelt und der denkbaren Heilung des Menschen auf. Huchel brachte mit der Erfahrung von Krieg und Rückzug den Zeitbezug in seine Gedichte ein. Die »Chausseen« als Wege der Armeen und Trecks sind Bild der Entfernung von der mütterlichen Natur; Krieg und Gewalt die Konsequenz dieser Entfremdung. Heimkehr dagegen erscheint hoffnungsvoll als Ausweg aus der Geschichte. In den Nachkriegsjahren steht Huchels Gebrauch der Zeichenmetapher in einer Polarität zwischen angenommenem Ziel der Geschichte und vorausgesetzter Naturhaftigkeit des

Menschen. Solange die Erwartung auf eine solche Heimkehr noch besteht, werden derartige Zeichen benannt und als Offenbarung eines großen Gesetzes verstanden, das als Wirken der Natur selbst aufgefaßt oder als ihre Identität mit dem Sinn der Welt gedeutet wird: »Denn nahe war die Zeit«[43], »Das Kind war nahe dem Tag«[44], »Aber am Morgen, / (...) Kam eine Frau aus wendischem Wald. / (...) Sah sie schon Schwalbe und Saat?«[45], »Und sah der Sonne steigende Glut / im nebligen Wasser leuchten.«[46] Natur zeigt sich als Person, spricht aber auch im Lichtstrahl, im Schwalbenflug und im Keimen der Saat. Ihre umhüllende Gegenwärtigkeit bietet jedem verlorenen Sohn bergendes Zuhause. In der Folgezeit verliert sich die Zuversicht auf Heimkehr aus der Geschichte in die Natur; die Zeichen bleiben aus. Die »Wendische Heide« verwandelt sich, füllt sich mit Bildern der Abweisung, wie »Kreuzotterndickicht«[47], »Hornissenwabe«, »Blanke Hacke des Mondes«[48].

Naturwelt war bei Huchel immer zweideutig, voller düsterer und gespenstischer Züge. Nachdem aber das Verhältnis zur Geschichte keine Hoffnung mehr bietet, steht auch die Natur sprachlos und kalt. Sie personifiziert nunmehr den Tod. Ebenso wird das mythologische Personal verändert. Wendische Reste von Naturreligion und Aberglauben treten zurück; der Lyriker mischt die ›hohe‹, antike Mythologie mit den rätselhaften Gestalten des wendischen Aberglaubens. In dem Maße, wie Natur in den Gedichten der sechziger Jahre zum Supplement der Menschenwelt herabsinkt, verlieren die Naturbilder alles Geheimnisvolle. Damit setzt eine Literarisierung der Naturbeziehung ein. Späte Gedichte erinnern mit Metaphern der Zersetzung gelegentlich an Georg Trakls »Starrend vom Staub der Sterne«[49]. Die Sprache der Moderne wird hörbarer, in den dunklen Metaphern verschwindet die Autonomie der Natursphäre.[50] Möglicherweise zeigt sich darin, daß der Zufluchtsraum Natur keinen Bestand mehr hatte, nachdem der Autor die gesellschaftliche Isolation am eigenen Leib erfahren hatte. Das war aber auch der Weg, die eigene Lyrik von der nach 1945 vorherrschenden Tendenz zur Moralisierung freizuhalten.

Denn Botschaft gegen Friedlosigkeit und Gewalt wollte die übrige Naturlyrik der Kriegsteilnehmer sein. Bobrowski stellte sich, indem er mit einer veränderten Konfiguration des Naturgedichts hervortrat, der Forderung, Geschichte zu bearbeiten. Das Sarmatien seines ersten Gedichtbandes (1957) ist zwar Vergangenheit, jedoch auf jüngste Geschichte bezogen, die dann als Abweichung vom natürlichen Zustand gedeutet wird. Entsprechend erfolgt Annäherung an Natur als Eintauchen in das Einst, in eine vormoderne Welt. Bobrowskis Naturlandschaften sind ohne Anschauung von Pflanze und Tier, ohne regionale Details. Sie liegen weit in der Ferne und tragen surreale beziehungsweise traumhafte Züge: »Strom, / alleine immer / kann ich dich lieben / (...) Nun im Dunkel / halt ich dich fest.«[51] Wenige Einzelheiten sind, wohl kalkuliert, als Erinnerungssplitter oder vereinzelte Namen in die sonst vagen Bilder eingefügt: »Ich bin gewachsen zu hören / die Quelle im Kalmusherzen, / weiß und rötlich, die Dehnung, / ich komm, und der Wasserläufer / unterbricht sich (...)«. In der einen Begegnung mit der Landschaft wird hier die Struktur aller versuchten Annäherungen sichtbar, und zwar immer als Störung. So bleibt denn auch die Anrufung am Schluß Anmaßung und ohne Antwort: »Hör, hier bin ich, ich geh / umher / in der Kälte des Sommers.«[52] Aus diesem Grunde ist in den Gedichten Natur ebenso wie Kindheit nur dem geistigen Auge sichtbar, bleibt also schemenhaft. Die Erinnerungslandschaften sind symbolisch aufzufassen und stehen sowohl für den Naturverlust des modernen Menschen als auch für die geschichtliche Schuld und die daraus resultierende Trennung von den Orten der Kindheit. Die Ungültigkeit jenes Menschenbildes, das der naturmagischen Lyrik zugrunde lag, wird verzeichnet, aber ›Neues‹ kommt nicht hinzu.[53] Friedlich, aber auch wehrlos sind alte Landschaften und die darin verwurzelten Götter und Menschen, slawische Hirten, Fischer, jüdische Händler, Frauen. Ihnen entgegengestellt werden Soldaten und Krieger oder Wolf und Raubvogel. Sie zerstören diese Welt, sobald sie eindringen. In Bobrowskis Vorzeit oder Naturzustand ist, anders als im naturmagischen Gedicht, ein Dualismus von Einst und Jetzt vorhanden, wodurch die Naturbeziehung sowohl historisiert als auch moralisiert wird. Das ist ein weitaus tieferer Eingriff, als es angesichts des Inventars, der sarmatischen Landschaft, der slawischen Mythen, der zeichenhaft erscheinenden Tierwelt, archaischen Völkerzüge und so weiter zu vermuten wäre. Das Thema Schuld mit seinem Überschuß an Moralität ordnet sich das Natürliche unter, so daß die archaischen Landschaften wie eine Welt vor dem Sündenfall erscheinen. Sinnlichkeit kommt nicht mehr vor. Diese Spiritualisierung hängt zusammen mit der sentimentalischen Auffassung des Verlustes. In den späteren Gedichten wird die artifizielle Konstruktion von Natur immer deutlicher, gleichzeitig nehmen Zitate und Verweisungen zu.

Das Ende der Naturzeit konstatierte nach dem Krieg auch Günter Eich. Sein eigentliches Thema ist der Verlust der Unmittelbarkeit. In der Gegenüberstellung der beiden Häher-Gedichte hat der Autor die unaufhaltsame Entfernung der Natur vom Menschen demonstriert. In »Die Häherfeder«[54] gelingt ein Dialog mit dem Naturwesen über den Sinn der Welt, denn Antwort ist den Sinnen des Fragenden anheimgegeben. Diesem Befund wird in »Tage mit Hähern« widersprochen, und zwar durch die Berufung auf das erste Gedicht und seine Sprache. Das zweite Gedicht beginnt, wie es endet, mit der Negation des Dialogs: »Ungesehen liegt in der Finsternis / die Feder vor meinem Schuh.«[55] Wie bei den Generationsgefährten ist das Eindringen der Jetztzeit irreversibel. Es gibt kein Zutrauen mehr in sinnhafte, emotionale oder sensuale Naturbegegnung, dafür aber viel Trauer über diesen Verlust. Noch »das Sterben der Bäume«[56], weil es das Menschenleben begleitet, ist ein Zeichen dafür, daß der Mensch nicht ganz mit sich allein ist. Die andere Zeit, die geschichtliche, ist immer als die gewaltsame gekennzeichnet. Endgültige Scheidung von der Natur konstatiert das Gedicht »Der große Lübbe-See«. Eine Fülle strahlender Bilder: »hügliges Ufer«, »güldene Heiterkeit«, »Kranichzüge«, »Einsamkeit« heben erinnerte Kindheit in den Rang einer poetischen Landschaft. Dann wird die Poesie durch eine Einblendung gebrochen. Denn der andere, zweckrationale Gebrauch, den sie verschweigt, macht Natur zum Objekt gewaltsamer Unterwerfung. Zum Vorschein kommt: »das Taubenauge mit sanftem Vorwurf, / als das Messer die Halsader durchschnitt, / der Beginn der Einsamkeit«[57], dabei versinkt die Landschaft vor seinen Augen, verdrängt durch die Hände mit dem Messer. Die dargestellte Dopplung des Bewußtseins, die zugleich dessen Spaltung bedeutet, bezeichnet die eine Seite des Problems. Auf der anderen steht die Einsicht, daß die poetische und die gewalttätige Seite sich nicht mehr auseinanderhalten lassen. Das bedeutet, daß im Gedicht keine Natur mehr erfunden werden kann; es scheint an einem vorläufigen Ende angekommen zu sein. Hier handelt es sich um eine Art Trauerarbeit, wie sie sonst in der Naturlyrik nicht vorkommt. Eichs Gedichte sprechen vom Naturverlust, aber immer noch von Gefühlen, zum Beispiel des Mitleidens beim Anblick der unvermuteten Wehrlosigkeit der natürlichen Wesen.

6

An der Wende von den fünfziger zu den sechziger Jahren traten die jüngeren Lyriker aggressiv gegen das naturmagische Gedicht auf. Theodor W. Adorno hatte 1957 in seiner Rede »Lyrik und Gesellschaft« die einzige ernst zu nehmende Reflexion über die Lage der modernen Lyrik nach Krieg, Holocaust und Völkermord vorgelegt. Er hatte eine Sprache des Widerstands gegen den grenzenlosen Bedarf nach Funktionalisierung aller Lebensäußerungen als *ultima ratio* postuliert, verhängte damit aber auch eine Art Bilderverbot über die Lyrik. Unter dem Einfluß Adornos und dem Brechts sowie Benns behandelte die neue Lyrikergeneration das Naturgedicht wie eine Projektionsfläche, auf der Natur als Metonym für allgemeine Verdrängung von Kriegsschuld und Verbrechen der Nazizeit behandelt wurde.

Ihrerseits betrieben sie die Umfunktionierung von Naturgedichten in politische Lyrik. Sie dachten dabei nicht nur an den Zweiten Weltkrieg, sondern sprachen auch über den Vietnam-Krieg. Das zweite Mal seit den zwanziger Jahren erschienen Naturbeziehung als das Anstößige und herkömmliche Naturgedichte als entsprechend affirmative Textsorte. Wie in allen vom Gedanken der Aufklärung beherrschten Strömungen dominierte die Orientierung auf Rationalität und Selbstkritik sowie gesellschaftspolitisches Engagement bei gleichzeitiger Abwertung nichtrationaler, als vorwissenschaftlich angesehener Denk- und Wahrnehmungsformen. Da gleichzeitig die Reflexion von Denkkonventionen und die Sprachkritik, nun erweitert zur Kritik der medialen Information, wieder zum Allgemeingut der Lyrik wurden, mußte gerade das sprachliche Bild als irrationalistisches Relikt und daher als doppelt problematisch aufgefaßt werden.

Befördert wurde diese Position zusätzlich durch die Kenntnisnahme der europäischen Moderne, die erst jetzt Wirkungen zeigte. Die aufkommende Poetik einer »Lyrik des wissenschaftlichen Zeitalters«, wie sie sich in Anlehnung an Brecht nennen ließe, verlangte die Analyse von bildlichen Darstellungen. Im Zeichen des Manipulationsverdachts wurden sie persifliert, hinterfragt, durch Techniken der konkreten Poesie zerlegt und schließlich mit der medialen Vielfalt von Bildproduktionen konfrontiert. Sämtliche Verfahren der Bildkritik zeugten gegen die Subjektivität einer zuverlässigen Wahrnehmung und überhaupt der Glaubwürdigkeit. In der Bundesrepublik kann Hans Magnus Enzensberger als Protagonist der politisch motivierten Richtung genannt werden, während Jürgen Becker und Karl Krolow für die der immanenten oder poetologischen Modernisierung stehen. Paradoxerweise mußte dabei jeweils auch die Moderne ›überwunden‹ werden, und zwar durch Öffnung der bis dahin vorherrschenden Hermetik und durch Aufnahme von Sachverhalten der Alltagswelt. Die Abgrenzung gegen Stadt, Kneipe und Firma wurde aufgegeben, und außerdem trat die Reproduzierbarkeit von Naturerfahrung ins Blickfeld. Ein ›neues‹ Naturgedicht entstand daraus nicht, wohl aber konstituierte sich die sogenannte Neue Subjektivität besonders im Spannungsfeld von Affinität zum Thema Natur und der Abstoßung vom überlieferten Naturgedicht. Krolow verwies darauf, daß infolge des Modernisierungsschubs »surrealistische Tendenzen in es (das Gedicht) eindrangen«[58] und mit ihnen das Lachen, so daß die sakrale Gebärde überholt war.

Von einem einzigen Paradigma konnte von nun an nicht mehr die Rede sein, vielmehr brachte dieser Umbruch Varianten hervor, in denen ausprobiert wurde, ob das nüchterne, in Beobachtung geschulte Ich mit der Natur noch etwas anfangen könne. Damit waren Naturgedichte ständig an Grenzsituationen fixiert, und eine generelle Skepsis war ihr Untertext. Entweder wurde der gesellschaftliche Umgang mit der Natur der Kontrolle unterzogen, oder ein Ich kontrollierte den eigenen Standort. Daraus entstanden sowohl das weitverbreitete Warngedicht als auch, dem Genre näherstehend, jene »fühllosen« Gedichte[59], in denen fortwährend versucht wird, das von der Bindung an Natur oder an Geschichte ledige Ich aus dem kritischen Bewußtsein oder der ästhetischen Aktion zu begründen. Eine Phase der Integration von Zeitgeschichte und Naturbeziehung setzte ein. Sie wurde rigoros, geradezu rückhaltlos vollzogen, wie an Enzensbergers »erinnerung an die sechziger jahre« abzulesen ist: »ruhig, ruhig lag das boot am steg, ruhig/gingen gespräche hin unter freunden,/(...) ruhig also überflüssig/heiter also unbarmherzig:/also schwanden wir/aus jenen jahren.«[60]

In den Zenit ihrer Politisierung trat die Naturlyrik, als »Naturmißtrauen« zum unerläßlichen Korrektiv von »Natursehnsucht«[61] wurde. Das geschieht exemplarisch in Erich Frieds Variante einer »Neuen Naturdichtung«[62]. Fried sah Wert und Gebrauchswert auseinanderfallen. Das veranlaßte ihn, in der Überlieferung das kulturelle Refugium des Konservatismus und der politischen Restauration anzugreifen. In seinen Gedichten wird die Natur als zweifach überwältigt aufgefaßt. Ihre reale Fortdauer wird als gefährdet durch unausgesetzte Vernutzung vorgeführt. Gleichzeitig wird den Gedichten die Funktion übertragen, die Scheinhaftigkeit einer Zeichensprache zu denunzieren, die mit schönen Bildern Illusionen stiftet und die Sachverhalte der Zerstörung leugnet. Daraus entsteht eine ungewöhnliche, für das Genre neue Verbindung. Ein Plädoyer zugunsten von Natur als wesentlicher Bestandteil des menschlichen Daseins vermischt sich mit Polemik gegen den Diskurs ihrer ästhetischen Aneignung. Beide Stränge treffen in dem Vorhaben zusammen, die Gesellschaft anzuklagen, der die Naturzerstörung ebenso nutzt wie deren Verleugnung. Der Umbau des Naturgedichtes, einer Textsorte, die in der deutschen Tradition als Textur des Rückzugs und der Innerlichkeit verstanden wurde, war folgerichtig. Wie tief der Bruch mit dem herkömmlichen Verständnis des »Lyrischen« war, läßt sich am Wortgebrauch Lehmanns ermessen, der noch 1963 auf der Identität von Lyrischem und Zeitlosem besteht: »Lyrik als Widerstand gegen die zeitgenössischen politischen Verhältnisse wird von vornherein auf das eigentlich Lyrische als ein zeitloses Element verzichten müssen.«[63] Gegen diese Behauptung eines gesellschaftsfreien Raums im Gedicht stellte Fried eine Poetik, die sich »vorwiegend auf die Möglichkeiten von Sprache im politischen Kampf« und die »Entstehung eines politischen Naturgedichts« orientierte.[64]

Darin wird Naturbeziehung zum Gegenstand komplexer Wahrnehmung gemacht und als gesellschaftliches Verhältnis behandelt. An die Stelle des einzelnen Ich der Erlebnislyrik wird ein Ich oder Er gesetzt, das sich wiederum gegen Indefinitpronomen wie »man« oder »jeder« austauschen ließe. Appellativer Gestus und bekennendes Engagement sind nie allgemein gehalten, sondern beziehen sich auf genau bezeichnete Situationen und ein entsprechendes Publikum. Diese Regel der politischen Lyrik liegt seiner Transformation des Naturgedichts zugrunde, das immer auf Zusammenhang oder Abhängigkeiten vom Gesamtzustand der Gesellschaft verweist und Umgang mit Natur als gemeinschaftliches Anliegen kennzeichnet. Die Rückbindung an die Gesellschaft erfolgt zum Beispiel dadurch, daß die Rede über Bäume im Kontext des Vietnam-Krieges bewertet (»Gespräche über Bäume«) oder die Vorstellung von den Tannen im Morgenlicht als privater Naturgenuß denunziert wird, die die Verweigerung von persönlicher Verantwortung einschließt (»Neue Naturdichtung«). Die aufklärerische Absicht realisiert sich durch die Darstellung der Relation zwischen Bändigung der gesellschaftlichen Destruktionskräfte und Erhaltung der Natur »für Enkel –/ nicht nur für unsere – und für Tiere und Gras und Bäume«[65].

Fried hat anregend gewirkt, auch wenn sein Eingriff in das Genre dessen anthropologische Perspektive so kräftig zurückgeschnitten hatte, daß sie für seine Nachfolger fast unkenntlich wurde. Gerade das beförderte die weitere Verwendung des Modells der Politisierung, aus dem die Gebrauchslyrik der Umweltbewegung, in Gestalt von Warn- und Umweltgedichten, hervorging. Appellative Strukturen, der Gestus des geselligen Sprechens und die Fixierung des Wortschatzes auf Alltagserfahrung waren wiederum bestimmt, den gesellschaftlichen Umgang mit Natur für jedermann erkennbar als öffentliche Angelegenheit zu deklarieren. Gleichfalls in der Tradition der politischen Lyrik stand die Tendenz zu Satire, Pamphlet, Aufforderungen zur Einmischung. Natur und Natürlichkeit traten unter ein neues, positives Vorzeichen.

Daraus resultierte in der Folge eine zaghaft einsetzende Sensibilisierung für die Wahrnehmung dessen, was den Sinnen als ›Natur‹ entgegenkommt. Bei Jürgen Theobaldy und Nicolas Born läßt sich beobachten, wie die äußerste Vorsicht bei der Annäherung an die nunmehr schon als problematisch aufgefaßte Natur ein Scheitern beinahe programmiert. Sinneseindrücke, wie zum Beispiel ein Sonnenuntergang oder die überraschende Offenheit einer Landschaft am Meer werden fast gleichzeitig mit der bloßen Ansicht so weitgehend relativiert, daß ihre reale Existenz in der Darstellung und durch sie fragwürdig gemacht wird. Keine Wahrnehmung kann ausgeführt werden, weil Skepsis gegen die Wahrnehmungsfähigkeit das Bild sogleich durchkreuzt. Meistens behauptet sich allein das Mißtrauen gegen die vermittelnden Medien, gegen Sprache und Bilder, die verfälschen, was sie zeigen: »Meer oder bist du bloß noch eine Postkarte so glatt / Hier glänzt du und jeder weiß daß es gelogen ist«[66]. Gedichte wie Theobaldys »Himmel und Meer« führen die Vereitelung aller Unmittelbarkeit vor, was als ein Dilemma diagnostiziert wird. Diese Zweigleisigkeit begründete ein Strukturmerkmal der Naturgedichte der siebziger Jahre und korrespondierte direkt mit dem skeptischen Profil der Neuen Subjektivität[67].

Korrespondenz und Überschneidung beider Muster, des Naturgedichts und der politischen Lyrik, sind auch im betreffenden Strang der Lyrik der DDR zu konstatieren. Der politische Stellenwert des Umweltgedichts beschreibt sich aber anders, weil offiziell die Naturlyrik als »bürgerlich« definiert war, aber gerade das traditionelle Paradigma akzeptiert wurde. Aus dieser paradoxen Lage ergab sich, daß das Auftauchen von beschädigter Natur, versehrten Landschaften und so weiter in Gedichten wie übrigens auch in den Bildenden Künsten sowohl als ästhetische wie auch als politische Provokation wirken konnte. Hier eröffnete sich ein Zugang zu weitgehend tabuisierten Bereichen der philosophischen Anthropologie wie der Naturdeterminiertheit und biologischen Existenz des Menschen. Eine halb unterdrückte Anthologie, »Veränderte Landschaft«, 1979 herausgegeben von Wulf Kirsten, dokumentiert die seinerzeit häufige Vermischung von authentischem Naturgedicht und Umweltlyrik, die auch quer durch die Texte ging. Den Standard setzte aber ein deskriptiver Texttyp, der den Verlust gewohnter Landschaften, die Klage über Vernutzung mit dem Aufruf zur Bestandswahrung verband. Auf Änderung von Herrschaftsformen zielend, hatte diese Lyrik am Anfang der Demokratiebewegung der DDR gestanden, aber zum Thema Naturbeziehung äußerten sich die Autoren in der Regel wertkonservativ und sentimentalisch. Diese Texte stehen der Publizistik nahe, weil sie fehlende Öffentlichkeit zu ersetzen hatten. Eines ihrer Merkmale ist die Verarbeitung medial vermittelter Sachverhalte und entsprechende Verweisungen. Der Umstand, daß die ganze Richtung gleichzeitig mit der unmittelbaren politischen Funktion abbrach, belegt zusätzlich, daß es sich um keinen weiterreichenden Ansatz handelte, sondern meistens um eine Lyrik mit respektablem Gebrauchswert.[68]

Daneben oder hineingestellt sind jene Gedichte, die von der Wahrnehmung der Wehrlosigkeit der Naturwesen geprägt sind, wie sie zuerst bei Eich als Schock einer neuen Erfahrung ins Gedicht kam. Ein Erschrecken über die offensichtlich gewordene Überwältigung der Natur verbindet sich überall mit spürbarer Verunsicherung des Ich, dem eine wesentliche Instanz und Orientierungsgröße abhanden kommt. Das demonstriert der Lakonismus von Enzensbergers »nänie auf den apfel« ebenso wie die Fragmentarisierung der Bilder in Heinz Czechowskis »Flußfahrt«. Kirsten hat die Hilflosigkeit der »neuen Subjektivität« vor der Macht der Verhältnisse auf den Punkt gebracht: »kahlschlagwirtschaft, das ende / der tannen. schiefergebirge, / beschreib seine schönheit anders.«[69]

Zunächst hatte die Ausformung der anthropologischen Perspektive des Naturgedichts in der DDR andere Phasen durchlaufen. Anfang der sechziger Jahre waren die Lyriker angetreten mit einer programmatischen Absage an die kulturell verbürgte Naturbeziehung des bürgerlichen Zeitalters. Die Kontrafaktur der Überlieferung war beliebt: »Gegen mittag der Bauplatz, die neue / Schönere Landschaft / (...) versetzt mit Maschinen und Händen.«[70] Autoren wie Heiner Müller, Volker Braun und Karl Mickel wollten nicht anders als Enzensberger seinerzeit provozieren, nur meinten sie den Geschmack der Repräsentanten des machtgeschützten, also kulturpolitisch legitimierten Kanons, der besonders herausfordernd in Vorschriften und Sprachreglungen formuliert war. Das veranlaßte die Lyriker zu einer Semantik der radikalisierten, politisch gesehen auch oppositionellen Anschauung, derzufolge der Objektstatus von Natur im Gang ihrer Aneignung durch Arbeit besonders herausgestellt wurde, um der idyllisierenden und sentimentalen Landläufigkeit zu widersprechen. Aber die Quellen dieser Ausgestaltung des Widerspruchs von Natur und Historie und der Entlarvung des Scheins aller ästhetischen Vermittlung lagen tiefer. Angeschlossen wurde an Brechts neusachliches »Einverständnis«, das die Zivilisation als Lebensort und die Natur als das Fremde klassifizierte. Begründet jedoch wurde der »kalte Blick« aus der marxistischen Auffassung von Naturaneignung, wie sie etwa aus der Kritik an Ludwig Feuerbach herzuleiten war. Problematisch war aus dieser Sicht nicht der Gegensatz von Genuß und Engagement wie gleichzeitig bei Enzensberger, sondern die Diskrepanz zwischen entliehener Idealbildung und Arbeitsgesellschaft. Überwiegend herrschte ein abfälliger Ton, die Lyrik proklamierte die Abschaffung des Naturgefühls, das als Verrat denunziert wurde bei Heiner Müller, als Sentimentalität und Folge mangelnder gedanklicher Konsequenz bei Karl Mickel[71], als Symptom der Verdrängung der NS-Verbrechen bei Rainer Kirsch[72]. Wie um sich der Progressivität ihrer Negation zu vergewissern, ignorierten die Autoren die Inkompatibilität der Zeiten und Werte, so daß die verdinglichte Natur als die Wahrheit der sozialen Verhältnisse dastand. In Mickels Gedicht »Der See«, das 1966 als exemplarisch diskutiert wurde, ist Naturzeit als Bewegungsform der rohen Materie und damit als Vorzeit und im Gegensinn zur Entwicklung stehend, aufgefaßt. Geschichte ist somit die andere, auf menschlichen Sinn bezogene Zeit und, obwohl als Kontinuum von Roheit und Kampf aufgefaßt, im Zeichen des Fortschritts Siegerin über die Natur, welche sich dabei, wohl ungewollt, wie das Fichtesche Nicht-Ich ausnimmt.

Im Selbstverwirklichungsdiskurs der Lyrik aus der DDR war die Naturbeziehung an einen kollektiven Akteur gebunden worden. So wuchs das zum Gattungssubjekt erhobene Ich gewaltig an und verdrängte dabei häufig die leibhaften Erfahrungen von Natur aus dem Gedicht. In Brauns Gedichten »Durchgearbeitete Landschaft« und »Landwüst« emanzipiert sich das Ich, indem es Natur verändert, aber so, daß diese in der aufgezwungenen Verwandlung verschwindet. In Mickels »Der See« wächst das Ich zur dämonischen Gottheit an und verschlingt die Natur. Bei Günter Kunert schließlich erscheint derselbe Siegeslauf des menschlichen Eingriffs unter negativem Vorzeichen, aber höchstens fragmentarisch tritt in seinen menschenleeren Wunschlandschaften noch Bildhaftes auf, so daß ungewiß ist, wie Natur eigentlich aussehen könnte. So kamen auch die DDR-Lyriker schließlich bei der für die sechziger Jahre insgesamt symptomatischen Intellektualisierung der Naturbeziehung an. Festgehalten wurde dagegen am Gedanken der Entwicklung und der »Humanisierung der Natur« als Ziel der Geschichte. Anregungen dazu sind sicher auch von Georg Maurer und möglicherweise von Ernst Bloch ausgegangen. Die Aporien dieses Ideenkomplexes stellten sich unvermeidlich, spätestens in den siebziger Jahren heraus, als die fatalen Wirkungen des Eingreifens in der Praxis nicht mehr zu übersehen waren.

Sprachverfassung und Struktur des Naturgedichts der sechziger Jahre aus beiden Teilen Deutschlands zeigen Gemeinsamkeiten, auch wenn, in Abhängigkeit vom jeweiligen kulturellen Klima, Bilder und Vorstellungen differierten. Vorgeführt wurde die Verfügbarkeit der Tradition, indem das Ich von der Natur abgesetzt oder distanziert gegenüber einer Landschaft positioniert ist. Sein soziales Bestimmtsein ist deutlich von der Fremdartigkeit der anderen Seite abgehoben, indem ihm die Rolle eines Beobachters und Herrn seiner Maßstäbe zugeschrieben wird. Diese räumliche Anordnung ist ein Topos ebenso wie die Thematisierung der registrierenden Wahrnehmung. Reden und Schreiben, Erörterung von Vernunft und Zweckmäßigkeit, Sprachhandlung und Kontemplation bilden Strukturen. Die Präsenz des rationalen Denkens wird geltend gemacht, indem das Ich sich konstruktiv zum Gegenstand verhält und die Grenzen zum Fremden markiert. Beliebt ist die Stilisierung des Gedichts als »Notat«, in dem Verständigung über Natur wie über die Tradition stattfindet: »So sah ich das. Jedoch das exponierte / Material reicht weiter (...)«[73] (Karl Mickel: »Die Elbe«); »wie ein wort auf der seite riesigem weiß«[74] (Enzensberger: »kirschgarten im schnee«); »Natürlich bleibt nichts. / Nichts bleibt natürlich. / Die Signale wachsen grün (...)«[75] (Volker Braun: »Landwüst«) und, schon postmodern wirkend: »Schnell, / ein Gedicht über Schnee im April, / denn schnell ist weg / Stimmung und Schnee (...)«[76] (Jürgen Becker: »Gedicht über Schnee im April«).

Wenn in den siebziger Jahren die Warnung vor dem Verschwinden der Natur einsetzt, dann ist das ein Anzeichen, daß auch die Lyriker der DDR sich zur Korrektur eines Subjektanspruchs genötigt sahen, als nämlich die erhoffte Praxis selbstbestimmten Handelns ausblieb. Neben ihrem übermäßigen Subjektanspruch waren aber gleichzeitig auch nennenswerte Versuche einer utopisch inspirierten und daher die dialogische Struktur wiederaufnehmenden Naturlyrik entstanden. Inszenierungen von Natürlichkeit, in denen das Ich mit Baum, Tier und Pflanze spricht und sich mit dem See wie mit dem Kosmos eins fühlt, wiesen die ersten Gedichtbände von Sarah Kirsch auf. Im Vergleich mit der naturmagischen Schule, mit Langgässer etwa, bewies sie eine bemerkenswerte Unbefangenheit gegenüber der Tradition, die sie ironisch oder erkennbar spielerisch, etwa im Märchenton, ausstellte. Doch sprach sich dabei ein ganz ernst gemeintes Selbstgefühl aus. Sogar die längst verlorene Erotisierung der Naturbeziehung gelingt ihr in Gedichten wie »Schöner See Silberauge«. Es handelt sich wie auch bei Uwe Greßmanns weitaus naiveren Gesängen aus dem Band »Der Vogel Frühling« um eine Naturpoesie, die vorgibt, von überhaupt keinem Modernisierungszwang zu wissen. Das war die Frucht eines glücklichen Augenblicks, als die geschichtliche Situation die Illusion eines wirklichen Neubeginns zuließ.

Lange konnte dieses Selbstgefühl nicht halten. Wie bei allen Lyrikern der DDR erwiesen sich bereits bald die Grenzen, auf die hier Imagination und Phantasie stießen, so daß die Korrektur des Subjektivitätsentwurfs unvermeidlich wurde, die bei Sarah Kirsch dann zur Drosteschen Lokalisierung der Naturbeziehung führte.

Die Bindung des Naturgedichts an Orte, Landschaften und Gegenständlichkeit in Reichweite oder Augennähe, die Zunahme von Deskription und Versachlichung läßt sich in den letzten beiden Jahrzehnten insgesamt beobachten. Überlieferung und ästhetische Norm werden auf den Boden der Gegebenheiten gestellt; Naturgedichte neigen zur Anschauung hin; halten aber mythische und visionär bezeichnete Bedeutsamkeit fern. An die Stelle von Reflexion treten Verfahren der Verfremdung: Bilder widerlegen Bilder, und zwar mit Hilfe der schon bekannten konkreten Effekte: »über den feldern, vollkommen melioriert, / kreist ein entenkeil in schöner staffel, / bis die nacht ihren schilfmantel öffnet (...)«[77]. In diesem Beispiel, einem Gedicht von Wulf Kirsten, dient der Wechsel der Ebenen dem Erhalt wenigstens von Resten einer Sprache, in der überhaupt noch von Schönem die Rede sein kann. Daneben laufen weiterhin die jahrzehntealten Dekonstruktionen der Sprache der schönen Natur ab. Nachdem Naturschönheit längst als Material der Werbung überlassen worden ist, werden dann doch wieder Versuche gemacht, sie zu reinigen. Heute entstehen neben den Demonstrationen der fortschreitenden Vernutzung von Landschaft und Natur auch wieder innige Gedichte, die sich zum Detail zurückwenden, dem Blatt, der Blüte, dem Schneckenhaus, die aus ansprechender Perspektive beschrieben werden. Nüchternheit und Selbstbeschränkung sind dort zu beobachten, wo Konstellationen vergangener Naturlyrik aufgenommen und nachgestellt werden. Epigonal ist Naturlyrik längst nicht mehr, daher wäre es denkbar, daß sich im Spiel mit überliefertem Material die Züge eines künftigen Musters ankündigen. So gesehen, könnte das Naturgedicht zu dem Genre werden, das Sprache und Bilder aller Art zusammenbringt. Das Gedicht hätte es dann nicht mehr mit Natur als einem komplexen und symbolisch bedeutsamen System zu tun, und das Ich als Textsubjekt könnte, von aller Innerlichkeit entlastet, leicht und ironisch mit verbleibenden Gewißheiten umgehen. Produktive Wahrnehmung und sprachliche Innovation, die im Naturgedicht immer einen Platz hatten, wären damit auf die Kritik des uralten, aber jetzt expandierenden bildlichen Denkens konzentriert und könnten so der Orientierungsfunktion neuen Sinn geben.

1 Bertolt Brecht: »An die Nachgeborenen«, in: ders.: »Werke. Große kommentierte Berliner und Frankfurter Ausgabe«, Berlin, Frankfurt/M. 1988 ff., Bd. XII, »Gedichte 2«, S. 85. — **2** Vgl. Jürgen Haupt: »Natur und Lyrik. Naturbeziehungen im 20. Jahrhundert«, Stuttgart 1983. — **3** Gottfried Benn: »Mann und Frau gehen durch die Krebsbaracke«, in: ders.: »Sämtliche Werke. Stuttgarter Ausgabe«, Stuttgart 1986 ff., Bd. I, »Gedichte 1«, S. 16. — **4** Bertolt Brecht: »Schwierige Zeiten«, a.a.O., Bd. XV, »Gedichte 5«, S. 294. — **5** Karl Krolow: »Blühen«, in: ders.: »Gesammelte Gedichte«, Frankfurt/M. 1965, S. 276. — **6** Peter Huchel: »Löwenzahn«, in: ders.: »Werke in zwei Bänden«, Frankfurt/M. 1984, Bd. 1, S. 80 f. — **7** Bertolt Brecht: »Über das Frühjahr«, a.a.O., Bd. XIV, »Gedichte 4«, S. 7. — **8** Vgl. hierzu Alfred Döblins Roman »Berlin Alexanderplatz« sowie Paul Gurks Roman »Berlin«. — **9** Oskar Loerke: »Die Vogelstraßen«, in: ders.: »Die Gedichte«, Frankfurt/M. 1984, S. 255. — **10** Oskar Loerke: »Diesseits«, ebd., S. 339. — **11** Oskar Loerke: »Keilschriftzylinder«, ebd., S. 301. — **12** Peter Huchel: »Das Zeichen«, in: ders.: »Werke in zwei Bänden«, a.a.O., S. 144. — **13** Johannes Bobrowski: »Sprache«, in: ders.: »Werke in vier Bänden«, Berlin 1987, Bd. 1, S. 177. — **14** Die Begriffsbildung stammt von Karl Krolow. Vgl. ders.: »Möglichkeiten und Grenzen der neuen deutschen Naturlyrik«, in: ders.: »Ein Gedicht entsteht«, Frankfurt/M. 1976, S. 53. — **15** Zur Kritik an der Abwertung des mythischen und nichtrationalen Denkens vgl. die aufschlußreiche Einleitung in Markus Winkler: »Mythisches Denken zwischen Romantik und Realismus. Zur Erfahrung kultureller Fremdheit im Werk Heinrich Heines«, Tübingen 1995. — **16** Oskar Loerke: »Fühlst du dich fremd«, in: ders.: »Die Gedichte«, a.a.O., S. 533. — **17** Bertolt Brecht: »Morgendliche Rede an den Baum Green«, in: ders.: »Werke. Große kommentierte Berliner und Frankfurter Ausgabe«, Berlin, Frankfurt/M. 1988 ff., Bd. XI, »Gedichte 1«, S. 55. — **18** Oskar Loerke: »Der Silberdistelwald«, in: ders.: »Die Gedichte«, a.a.O., S. 402. — **19** Wilhelm Lehmann: »Über die Stoppeln«, in: ders.: »Sämtliche Werke in drei Bänden«, o.O. 1962, Bd. 3, S. 450. — **20** Wilhelm Lehmann: »Aufatmen«, ebd., S. 501. — **21** Von den Kritikern sei hier angeführt: Uwe-K. Ketelsen: »Natur und Geschichte. Das widerrufliche Naturgedicht der 30er Jahre«, in: »Naturlyrik und Gesellschaft«, hg. von Norbert Mecklenburg, Stuttgart 1977, S. 161 f. — **22** Wilhelm Lehmann: »Heiteres Vergessen«, in: ders.: »Sämtliche Werke in drei Bänden«, a.a.O., S. 464. — **23** Wilhelm Lehmann: »Tag in Jütland«, ebd., S. 478. — **24** Peter Huchel: »Undine«, in: ders.: »Werke in zwei Bänden«, a.a.O., Bd. 2, S. 21. — **25** Karl Krolow: »Neues Wesen«, in: ders.: »Alltägliche Gedichte«, Frankfurt/M. 1968, S. 84. — **26** Elisabeth Langgässer: »Daphne«, in: dies.: »Gesammelte Werke. Fünf Bände«, Hamburg 1959, Bd. 3, S. 222. — **27** Elisabeth Langgässer: »Lyrik in der Krise«, in: »Gegenwart des Lyrischen. Essays zum Werk Wilhelm Lehmanns«, hg. von Werner Siebert, Gütersloh 1967, S. 76. — **28** Gertrud Kolmar: »Die Kröte«, in: dies.: »Das lyrische Werk«, München 1960, S. 159. — **29** Ingeborg Bachmann: »Sterne im März«, in: dies.: »Ausgewählte Werke«, Berlin 1987, Bd. 1, S. 20. — **30** Christine Busta: »Die Sonnenblume«, in: dies.: »Die Scheune der Vögel«, Salzburg 1958, S. 121. — **31** Sarah Kirsch: »Gebannt«, in: dies.: »Katzenleben«, Stuttgart 1984, S. 80. — **32** Gertrud Kolmar: »Der Rosenkäfer«, in: dies.: »Das lyrische Werk«, a.a.O., S. 153. — **33** Elisabeth Langgässer: »Die Frau und das Lied«, in: »Herz zum Hafen. Frauengedichte der Gegenwart«, hg. von Elisabeth Langgässer und Ina Seidel, Leipzig 1933, S. 6. — **34** Sarah Kirsch: »Dritter Monat«, in: dies.: »Zaubersprüche«, Berlin, Weimar 1973, S. 82. — **35** Wilhelm Lehmann: »Heile Welt«, in: ders.: »Sämtliche Werke in drei Bänden«, a.a.O., S. 540. — **36** Vgl. Oskar Loerke: »Die Laubwolke«, in: ders.: »Die Gedichte«, a.a.O., S. 345. — **37** Johannes R. Becher: »Das Holzhaus«, in: ders.: »Gesammelte Werke«, Berlin, Weimar 1966–1981, Bd. IV, »Gedichte 1938–1941«, S. 154. — **38** Johannes R. Becher: »Die Heimat«, ebd., S. 15. — **39** Theodor Storm: »Meeresstrand«, in: ders.: »Sämtliche Werke in vier Bänden«, Weimar 1972, Bd. 1, S. 113. — **40** Hans Koch: »Haltungen, Richtungen, Formen«, in: »Forum 15/16«, 1966. — **41** Johannes R. Becher: »Der Neckar bei Nürtingen«, in: »Forum 15/16«, 1966, S. 28. — **42** Karl Krolow: »Die Rolle des Autors im experimentellen Gedicht«. Mainzer Akademie der Wissenschaften und Literatur. Abhandlungen der Klasse Literatur. Jahrgang 1962«, S. 4. — **43** Peter Huchel: »Bericht des Pfarrers über den Untergang seiner Gemeinde«, in: ders.: »Werke in zwei Bänden«, a.a.O., Bd. 1, S. 142 f. — **44** Peter Huchel:

»Der Treck«, ebd., S. 143 f. — **45** Peter Huchel: »Heimkehr«, in: ders.: »Gedichte«, Berlin 1948, S. 97 f. — **46** Peter Huchel: »Die Schattenchausseen«, ebd., S. 89. — **47** Peter Huchel: »Das Zeichen«, in: ders.: »Werke in zwei Bänden«, a. a. O., Bd. 1, S. 113. — **48** Peter Huchel: »Unter der blanken Hacke des Mondes«, ebd., S. 211. — **49** Georg Trakl: »De profundis«, in: ders.: »Das dichterische Werk. Auf Grund der historisch-kritischen Ausgabe von Walter Killy und Hans Szklenar«, München 1977, S. 27. — **50** Vgl. die Kontroverse Lehmann – Huchel, in: Axel Vieregg (Hg.): »Peter Huchel«, Frankfurt/M. 1984, S. 31–38. — **51** Johannes Bobrowski: »Die Memel«, in: ders.: »Werke in vier Bänden«, a. a. O., S. 67 f. — **52** Johannes Bobrowski: »Wiesenfluß«, ebd., S. 167. — **53** Vgl. Johannes Bobrowski: »Absage«, ebd., S. 73: »Dort/war ich. In alter Zeit./Neues hat nie begonnen.« — **54** Günther Eich: »Gesammelte Werke«, Bd. 1: »Die Gedichte. Die Maulwürfe«, Frankfurt/M. 1973, S. 43. — **55** Günter Eich: »Tage mit Hähern«, ebd., S. 80. — **56** Ebd., S. 79. — **57** Ebd., S. 82. — **58** Karl Krolow: »Möglichkeiten und Grenzen der neuen deutschen Naturlyrik«, in: ders.: »Ein Gedicht entsteht«, a. a. O., S. 53. — **59** Hans Magnus Enzensberger: »Scherenschleifer und Poeten«, in: »Mein Gedicht ist mein Messer«, hg. von Hans Bender, München 1961, S. 144–148. — **60** Hans Magnus Enzensberger: »erinnerung an die sechziger jahre«, in: ders.: »Blindenschrift«, Frankfurt/M. 1967, S. 64 f. — **61** Jürgen Haupt: »Natur und Lyrik. Naturbeziehungen im 20. Jahrhundert«, Stuttgart 1983, S. 168. — **62** Erich Fried: »Neue Naturdichtung. Die Freiheit den Mund aufzumachen«, in: ders.: »Gesammelte Werke in vier Bänden«, Berlin 1993, Bd. 3: »Die Gedichte«, S. 60. — **63** Wilhelm Lehmann: »Maß des Lobes. Zur Kritik der Gedichte von Peter Huchel«, in: Axel Vieregg (Hg.): »Peter Huchel«, a. a. O., S. 33. — **64** Thomas Rothschild: »Durchgearbeitete Landschaft«, in: »Naturlyrik und Gesellschaft«, hg. von Norbert Mecklenburg, Stuttgart 1977, S. 198. — **65** Erich Fried: »Der Baum vor meinem Fenster«, in: »Gesammelte Werke in vier Bänden«, a. a. O., S. 350. — **66** Jürgen Theobaldy: »Meer und Himmel« in: ders.: »Zweiter Klasse«, Berlin 1976, S. 25. — **67** Zum Naturgedicht der siebziger Jahre in der Bundesrepublik sei verwiesen auf den materialreichen Aufsatz von Ralph Buechler, Adreas Lixl, Mary Rhiel, Steve Shearier, Fred Sommer, Sally Winkle: »Grauer Alltagsschmutz und grüne Lyrik. Naturlyrik in der BRD«, in: Reinhold Grimm/Jost Hermand (Hg.): »Natur und Natürlichkeit. Stationen des Grünen in der deutschen Literatur«, Königstein/Ts. 1981, S. 174–183. — **68** Für die siebziger Jahre dokumentiert bei David Bathrick: »Die Zerstörung oder der Anfang von Vernunft? Lyrik und Naturbeherrschung in der DDR«, ebd., S. 150–167. — **69** Wulf Kirsten: »schiefergebirge«, in: ders.: »die erde bei meißen«, Leipzig 1986, S. 89. — **70** Heiner Müller: »Gedanken über die Schönheit der Landschaft bei einer Fahrt zur Großbaustelle ›Schwarze Pumpe‹«, in: ders.: »Werke I, Die Gedichte«, Frankfurt/M. 1998, S. 46. — **71** Karl Mickel: »Abend am Fluß«, in: ders.: »Odysseus in Ithaka«, Leipzig 1976, S. 13. — **72** Rainer Kirsch: »Ausflug machen«, in: ders.: »Ausflug machen«, Rostock 1980, S. 10. — **73** Karl Mickel: »Die Elbe«, in: »Odysseus in Ithaka«, a. a. O., S. 149. — **74** Hans Magnus Enzensberger: »kirschgarten im schnee«, in: ders.: »Blindenschrift«, a. a. O., S. 86. — **75** Volker Braun: »Landwüst«, in: ders.: »Gegen die symmetrische Welt«, Halle 1974, S. 27. — **76** Jürgen Becker: »Gedicht über Schnee im April«, in: ders.: »Gedichte 1965–1980«, Frankfurt/M. 1981, S. 29. — **77** Wulf Kirsten: »verlandendes torfloch«, in: ders: »die erde bei meißen«, a. a. O., S. 101 f.

Karl Riha

Lyrik-Parodien

Anmerkungen zu ihrer Kontinuität und Vielfalt im 20. Jahrhundert

Die Literatur ist ein dynamischer Prozeß – und so verwundert es nicht, daß mit ihren anhaltenden Innovationen immer wieder neue Formen der Parodie gerade auch auf ältere Texte auftauchen, die schon sattsam satirisch hergenommen wurden, aber gerade auch auf jüngere und jüngste Texte, die eben erst das Licht der literarischen Welt erblickt haben. Solche Fortschreibungen in doppelter Richtung zu dokumentieren, darf ich auf den einschlägigen Publikationstypus der Parodien-Anthologie verweisen, der seit der Jahrhundertwende in regelmäßigen Abständen auf dem Buchmarkt nachgewiesen werden kann.[1]

Was die aktualisierende Parodie auf die deutschen Klassiker angeht, die bereits im 19. Jahrhundert zahlreiche Blüten getrieben hat, setze ich mit Karl Kraus ein, in dessen Weltuntergangsdrama »Die letzten Tage der Menschheit« die beiden pensionierten Hofräte Dlauhobetzky von Dlauhobetz und Tibetanzl in ein Streitgespräch darüber geraten, welcher von beiden die Erfinderrechte an einem U-Boot-Poem nach dem Muster von Goethes »Über allen Gipfeln ist Ruh« für sich beanspruchen darf, wie es der Autor des Stücks tatsächlich in der zeitgenössischen Presse vorgefunden und in seiner Zeitschrift »Fackel« aufgespießt hatte – hier der inkriminierte Text und der nachfolgende Kommentar:

> »Im ›Frankfurter Generalanzeiger‹ lesen wir:
> Frei nach Goethe!
>
> Ein englischer Kapitän an den Kollegen.
> Unter allen Wassern ist – ›U‹
> Von Englands Flotte spürest du
> Kaum einen Rauch ...
> Mein Schiff versank, daß es knallte,
> Warte nur, balde
> R-U-hst du auch!

Wo in aller Welt ließe sich so wenig Ehrfurcht aufbringen, den letzten, tiefsten Atemzug des größten Dichters zu diesem entsetzlichen Rasseln umzuhöhnen? Die Tat, die es parodistisch verklären soll, ist eine Wohltat,

Karl Riha

verglichen mit der Übeltat dieser Anwendung, und hundert mit der Uhr in der Hand versenkte Schiffe wiegen eine Heiterkeit nicht auf, die mit Goethe in der Hand dem Schauspiel zusieht.«[2]

Angesichts einer solchen, hier als zeitgenössisches Dokument im Originalwortlaut zitierten Klassiker-Verhunzung liegt es nah, den Klassiker selbst den Zeitgeist satirisch attackieren zu lassen, wie es Erich Kästner vorführt, der das »Mignon«-Lied aus dem »Wilhelm Meister« wie folgt konterkariert:

> Kennst du das Land, wo die Kanonen blühn?
> Du kennst es nicht? Du wirst es kennenlernen!
> Dort stehn die Prokuristen stolz und kühn
> in den Bureaus, als wären es Kasernen.
>
> Dort wachsen unterm Schlips Gefreitenknöpfe.
> Und unsichtbare Helme trägt man dort.
> Gesichter hat man dort, doch keine Köpfe.
> Und wer zu Bett geht, pflanzt sich auch schon fort!
>
> (...)
>
> Dort reift die Freiheit nicht. Dort bleibt sie grün.
> Was man auch baut – es werden stets Kasernen.
> Kennst du das Land, wo die Kanonen blühn?
> Du kennst es nicht? Du wirst es kennenlernen![3]

»Kanonen blühn«: Stoßrichtung des durch seine spezifische Paradoxie herausfordernden Bildes ist der deutsche Militarismus, der nach einem Ersten nur allzu rasch in einen Zweiten Weltkrieg führen sollte. Das Sehnsuchtsland Italien mutiert dabei ironisch in das nur allzu nahe Vaterland, wie es uns aus den Versen des Autors entgegengrimassiert.

Dem schloß sich nach 1945 der erfolgreiche Rundfunkhumorist, Kabarettist und Filmkomiker Heinz Erhardt an, als er seinerseits die bekannten Goethe-Zeilen aufnahm und in die folgende Gestalt brach:

> Kennst du den Ort, wo es stets muffig riecht?
> Dir feuchte Kälte in den Anzug kriecht?
> Wo stolze Flaschen stehen voll des Weins?
> Wo Dosen dösen mit dem Schmalz des Schweins?
> (...)

Und exakt wie bei Goethe wiederholen auch hier die Schlußzeilen den Anfang des Liedes:

Kennst du den Ort? O, Fremdling sprich!!
Du kennst ihn nicht? – Nun, aber ich![4]

Von ganz anderer Art hingegen präsentiert sich der ›Gegengesang‹ Serenus
M. Brezengangs, hinter welchem Anagramm-Pseudonym sich Hans Magnus
Enzensberger als Herausgeber und Mitautor seiner Anthologie »Wasserzeichen der Poesie« versteckt; in ihr versucht er, die Phantasie des Lesens zu sti-
mulieren und führt deshalb vor, daß es sich bei aller Lektüre immer auch um
ein Zerlegen und Neu-Zusammensetzen der Texte handelt – etwa in dieser
Art:

> Kreubst du das Lerd, wo die Zertissen breun,
> Im dischen Lurb die Gonten-Schaffeln geun,
> Ein sichter Wold vom bluschen Hierzel waust,
> Die Mespe strall und hiech der Leubahr staust,
> Kreubst du es wirl?
> > Derfarn! Derfarn
> Meut ich mit dir, o mein Gebeichler, zarn.

Analog zum anagrammatisch versetzten Namens-Pseudonym des Autors
wird auch die Lautgestalt des aufgenommenen Textes radikal verfremdet;
eben deshalb kann und muß die Versgestalt des Originals gewahrt bleiben –
wie in der ersten, so auch in den beiden sich anschließenden Strophen:

> Kreubst du das Hieß? Auf Satzeln riest das Drauch,
> Es glabscht der Suhl, es schappert das Gemauch,
> Und Müsseldrehler strohn und spaun mich an:
> Was hürscht man dir, du ampfes Kemd, gespran?
> Kreubst du es wirl?
> > Derfarn! Derfarn
> Meut ich mit dir, o mein Berasper, zarn.

> Kreubst du den Bragg und seinen Weifelzerg?
> Das Mohlmaar sämt im Nischel seinen Wärg,
> Im Hunkeln wast der Drannen alsche Brist,
> Es strift der Fauß und über ihn die Flißt;
> Kreubst du es wirl?
> > Derfarn! Derfarn
> Grapst unser Wärg! o Veichsler, leuß uns zarn![5]

In deutlichem Unterschied zu Kästner und Erhardt handelt es sich hier aber
um keine nur inhaltliche, sondern in radikaler Form um eine lautliche Kon-

trafaktur, bei der alle möglichen ›Spielformen der Literatur‹ Paten gestanden haben – bis hin zur Lautpoesie, die über die Dada-Bewegung um 1920 in die Konkrete Poesie der späten fünfziger, sechziger und siebziger Jahre hinausreicht. Metrum und Rhythmus der Klassiker-Vorlage bleiben erhalten, aber ihr Sinn löst sich in fremde und absurde Wortgebilde, in einen merkwürdigen Sprach-Surrealismus auf, der den vormals gegebenen Wortlaut allenfalls noch vage assoziieren läßt.

Das Paradigma ließe sich leicht um weitere Beispiele vermehren, wobei unter den Klassiker-Parodisten auch ausgesprochen experimentelle beziehungsweise an der Poetik des Experiments sich orientierende Autoren wie Franz Mon und Ernst Jandl beizuziehen wären – doch davon später in anderem Zusammenhang.

Wie rasch die Parodie in direkter Reaktion selbst extreme Formen der lyrischen Moderne prompt einzufangen vermag, läßt sich an einschlägigen Beispielen beobachten, die bereits auf die Bewegungen des Futurismus und Dadaismus ansetzen, die sich um 1910 beziehungsweise zum Ende des Ersten Weltkriegs in Italien und bald überall in Europa, im Züricher »Cabaret Voltaire«, in Berlin, Köln, Hannover, ja sogar in Rußland und im fernen New York und noch ferneren Japan konstituierten und mit verblüffenden ›Simultan‹- und ›Lautgedichten‹ hervortraten, wie man sie bis dahin noch nicht gehört hatte. Dabei agiert die forcierte Parodie keineswegs ausschließlich aus dem Geist der Reaktion, die in derlei Neuerungen lediglich ›Verfall der Literatur‹ zu erblicken vermag, sondern versteht sich durchaus und gerade auch als adaptierende sprachliche Mutation, die ihre Notwendigkeit in sich selbst hat. So der Fall zum Beispiel bei dem Münchener Volkskomiker Karl Valentin, der in seinem »Futuristischen Couplet« bei allem ›kontra‹ doch auch ›parallel‹ zur signalisierten Moderne-Programmatik anzusetzen ist. In seinem für seine Partnerin Liesl Karlstadt niedergeschriebenen »Chinesischen Couplet« mischt sich unter die Imitation des Sing-Sangs aus dem fernen Osten ein merkwürdig verfremdetes Bayrisch mit seltsamen, auch erotischen Anspielungen:

> Mantsche Mantsche Pantsche Hon kon Tsching Tschang
> Kaifu schin sie Pering gigi wai hai wai
> Titschi tatschi makka zippi zippi zappi
> Guggi dutti suppi Mongolei.
> Tingeles Tangeles Hundi Hundi guschdi
> Tschinschinati wuschi wuschi tam tam tam
> Wanni ko na kimmi, kummi aber nimmi
> Kim i, kumm i, aber i kim kam.
> Wo wie we wie bobi hopsi tsching tschang
> Asi Stasi Wasi Wisi Tschin Tschin Tschin

Taubi Taubi Piepi Piepi sei si indi ändi
Wase bobi widdi midi Lanolin.
China drinna kenna Kinda mi alsamm
Tam-Tam-Tam.
Refrain: Ziggi zam ziggi zam Tschin Tschin wuggi gu
Wassi Wassi tscheng patschi zsching wuh-hu wu.[6]

Und so fort – über zwei weitere Strophen, in denen etwa von »Tutti tutti
grossi, heiße Suppi blosi«, »Heidi bobi tschingreding ins bet« oder »Tsching
Tschang Tsching Tschang gibidani busi« die Rede ist.

Auf etwa gleicher Ebene liegen zwei parodistische Reflexe auf das dadaistische Lautgedicht, die sich in der populären, aus dem 19. Jahrhundert heraus sich behauptenden Humor- und Satire-Zeitschrift »Fliegende Blätter«
nachweisen lassen – eines davon hier zur Probe:

Vadda Vadda Adda Dadda
Zugg=zugg! Zugg=zugg! Mam=mam=mam!
Adda Babba Gagga Abba
Bibba Bibba ham=ham=ham.

Dies bedeutet: Mit Papachen
Fuhr klein=Abba zu Mamachen,
Wollte auf der Eisenbahn –
Bitte! – Ei und Apfel ha'n.[7]

Hans-Jürgen Hereth hat 1982 am Beispiel von Kurt Schwitters aufgezeigt,
welche Fülle an parodistischem Response sich mit diesem Autor verbindet,
der ja doch selbst in seinem MERZ-geprägten Werk immer wieder in derlei
Richtungen ausgeschritten ist – so etwa mit »Die Nixe« in Richtung Klassi-
ker-Parodie oder mit seiner berühmten »Anna Blume« in Richtung einer Pa-
rodierung der eigenen, zunächst »Sturm«-expressionistisch geprägten Anfänge. So meldet sich bereits am 5. Januar 1920 ein anonymer Versefax beim
hannoveranischen Verleger Paul Steegemann und klagt ihn scharf-›blumig‹
– das heißt: einzelne Formulierungen aus »Anna Blume« aufnehmend und
imitierend – in folgender Weise an:

O Du Verleger der 27 Sinne, schäme Dir!
Du, Deiner, Dich, Dir, ich, Dir, Du mir! Wir?
Das gehört beiläufig nicht hierher,
Geschmacksverderber, Geschmacksverwüster, Geldmacher!
(...)

Das Ganze endet:

> Auf Rindertalg spekulierender Geschmacksverderber,
> Steegemann, Du smarter, tropfer, schäme Dir![8]

Das ließ selbstverständlich ›Anna Blume‹ nicht ruhen – sie griff ihrerseits zur Feder und parodierte gegen derlei Attacken sich selbst durch die Feder Felix Neumanns unter dem Titel »Wie Anna Blume gegen den Dadaismus protestiert« – auch hier anspielungsgewandt auf die Schwitters-Vorlage bezogen:

> Ich, meiner, Du, Wir? – Deiner Dich!
> ich wehre und verwahre mich
> und wende flammend ein:
> Ich bin durchaus nicht ungezählt'
> und wenn mich schon ein Vogel quält,
> kann's nur der Deine sein!

Es folgen auf diese erste zahlreiche weitere Strophen, darunter:

> Weil ich – im Dadaistensinn –
> Anna von vorn und hinten bin,
> ich, meiner, Du, Dich, wir?
> so dreh ich Dir mit Seelenruh
> die kalte Glutenkiste zu –
> Du kannst (beiläufig) mir – – – –[9]

›Anna Blume‹ mutierte schließlich auch ihr Geschlecht und verwandelte sich in einen ›Herrn Anna Blume‹ – mit der modifizierten Frage: »Wer bist Du, unbezahltes Männerzimmer?«[10]

Die Dada-Bewegung verstand es offensichtlich, das zeitgenössische Publikum nicht nur zu provozieren, gehörig vor den Kopf zu stoßen, sondern auch produktiv herauszufordern, es ihr gleichzutun! Daß ein Hans Reimann, der doch selbst als Satiriker und Parodist auftrat, meinte, sich von »Anna Blume« und ihrem Verfasser distanzieren zu müssen, lag, wie er in seinem einschlägigen Text einbekannte, daran, daß er selbst bei Steegemann eben mit seiner Spottschrift auf Artur Dinters »Sünde wider das Blut« herausgekommen war und wohl die naheliegende Unterstellung fürchtete, nun auch seinerseits »in Dada zu machen«.[11]

Der von Dada ausgehende und auf Dada zurückweisende Elan läßt sich auch mit Erich Frieds anagrammatischer Verfremdung »An Anna Emulb«[12] und weiter bis in die literarische Gegenwart belegen, wobei es, wie Hans Wald mit seinem auf das Einbuchstabengedicht »i« angelegten »ü-Gedicht«-

Manifest zeigt, sogar zu Versuchen kommt, Kurt Schwitters mit seinen eigenen Mitteln parodistisch zu übertrumpfen und so erst recht in seinem MERZ-Dadaismus zu bestätigen:

> lies: rauf runter
> rauf runter rauf
> zwei pünktchen drauf.

»das ü-gedicht«, heißt es folgerichtig in unmittelbarem Anschluß, »ist die potenzierung des i-gedichts durch verdopplung, sprich tautologie: zwei i sind mehr als eines und aneinandergehängt ein ü. ein ü-gedicht zu schaffen, ist viel schwerer, als ein i-gedicht, denn es erfordert die doppelte anstrengung des raufrunterrauf«.[13]

Solche produktiven Rückverweise der Parodie einerseits auf die deutsche Klassik und sonstige tradierte Literaturgeschichte, andererseits auf Dada und andere lebendige und lebendiggebliebene Moderne-Phasen der Literatur der ersten Hälfte des 20. Jahrhunderts finden ihre Entsprechung in zahlreichen bis zum Ende des Jahrhunderts erschienenen parodistischen Texten. Dabei gilt es, zwischen Autoren, die generell von der Parodie herkommen, und solchen zu unterscheiden, die nur gelegentlich – dafür um so überraschender – zu parodistischen Elementen und Tonlagen tendieren, so zum einen der Fall etwa bei Peter Rühmkorf, zum anderen etwa bei Ingeborg Bachmann, die in ihr Poem »Früher Mittag« frappierend folgende drei Zeilen eingeflochten hat:

> (...)
> am Brunnen vor dem Tore,
> blick nicht zu tief hinein,
> die Augen gehen dir über.[14]

Einige Autoren sind deshalb besonders hervorzuheben, weil sie der Parodie aus neuen Poetik-Entwürfen heraus – etwa dem der Konkreten Poesie – neue Energien zugeführt haben. Hier ist – im breiteren internationalen Rahmen – auf die durch Raymond Queneau begründete beziehungsweise mitbegründete Autorengruppe »Oulipo« zu verweisen, für deren experimentell ausgerichtete Schreibspiele in Heiner Boehnckes und Bernd Kühnes »Anstiftung zur Poesie« betitelter Dokumentation aus der Feder respektive dem Computer Hans Hartjes ein als ›Gegengesang‹ aufgezogener Umgang mit Goethes »Über allen Gipfeln ist Ruh« dokumentiert ist, bei dem es zu über fünfzig Variationen und Kontrafakturen kommt. Hier einige davon als Beispiel:

Karl Riha

Über allen Zipfeln ist Ruh.

Über allen Gipfeln ist Känguruh.

In allen Höhlen ist Radau.

Im Luftraum über dem Gebirge herrscht Stille.

Das ökologische Gleichgewicht des Biotops ›Berg‹
hat einen eminent akustischen Aspekt.

Wer reitet so spät durch Nacht und Wald,
wo doch ansonsten über allen Gipfeln Ruhe ist?

Da über allen Gipfeln Ruhe ist,
und über allen Gipfeln nicht ein Hauch
und noch dazu die Vöglein dort im Wald:
das heißt du schweigst wie sie in Bälde auch.

Ist über allen Gipfeln wirklich Ruh?

(etc.)[15]

In etwa analog dazu darf man Ernst Jandl nennen, der auf seine Weise vorführt, daß die Klassiker längst noch nicht ausparodiert sind, sondern immer
wieder neu aufgenommen und umgesetzt, variiert und angegriffen werden
können, wenn nur der Ansatz neu und überraschend ins Auge beziehungsweise ins Ohr sticht – wie es zum Beispiel hier der Fall ist:

ÜBE!
rrrrrrrrrrrrrrrrrrrrrrrrrrrrrrrrrrrrrr
A!
lllllllllllllllllllllllllllllllllllllllll
(eng)
iiiiiiiiiiiiiiiiiiiiiiiiiiiiiiiiiiiiiiiiiiiii
PPP-
FEHL NIE!
ssssst
rrrrrrrrrrrrrrrrrrrrrrrrrrrrrrrrrrrrrr
(»uuuhii«)
NNNA!
lllllllllllllllllllllllllllllllllllllllll

EEE!
nnnnnnnnnnnnnnnnnnnnnnnnnnnnnnnn
WIPP!

‒‒‒‒‒‒

‒‒‒‒‒‒

‒‒‒‒‒‒

FEHL'N'S?

‒‒‒‒‒‒

(»püree«)
ssst! du!
　　　　»kau
　　　　meinen
　　　　(hhhhhhhhh)
　　　　auch ...«

　　　　‒‒‒‒‒‒‒‒‒
　　　　　　　»diii
　　　　　　　eee«

　　　　　　‒‒‒‒‒‒‒‒
　　　　»vögel!«

　　　‒‒‒‒‒‒‒‒
　　　　　　»eee«

　　　　　‒‒‒‒‒‒
　　　»ihn!« ...

　　　　‒‒‒‒‒‒‒‒
　　　　　　　»s-c-hwwwe‒‒‒‒‒‒‒‒‒‒‒i«

　　　　　　‒‒‒‒‒‒‒‒‒‒

　　　‒‒‒‒‒‒‒‒‒

‒‒‒‒‒‒

GEH NIE IM WALD
eeewa ...

‒‒‒‒‒‒

rrrrrrrrrrrrrrrrrrrrrrrrrrrrrrrrrrrrrrrrrrrrr
TEE.
nnn-
UUU?
(rrrrrrb
alder uuhe)

‒‒‒‒‒‒‒

ssst! du!

‒‒‒‒‒‒‒

　　　　»au!«
c ‒‒‒‒‒‒‒‒‒‒‒‒‒‒‒‒‒‒‒‒‒‒‒‒‒‒‒‒‒‒ h[16]

Als sofort ins Auge springendes Mittel der Parodie agiert hier das Prinzip der grammatikalischen Dekomposition, das auf die Zerlegung des Goethe-Textes in seinen Sätzen und Worten aus ist und seine Neu-Zusammensetzung aus den so gewonnenen Lauteinheiten erlaubt: aus »Über allen Gipfeln ist Ruh« wird so die Schreibmaschinen-Anleitung »ÜBE! rrrrr A! lllll (eng) iiiii ppp- FEHL NIE ssst rrrrr (uuuhii-)«. Durch die Freisetzung und serielle Reihung einzelner Buchstaben wie ›r‹, ›l‹, ›i‹ und ›n‹ kommt es zu quasi musikalischen Zwischen-Takten, die sich mühelos in ein »Sprechgedicht« – so der von Jandl selbst entwickelte poetologische Terminus – umsetzen lassen. Der Überraschungseffekt ist dabei vergleichsweise wie der einer Puppe in einer Puppe oder einer Geheimschrift anzusetzen, die sichtbar wird, wenn man die Primärschrift gegen das Licht hält oder auf ein verborgenes Wasserzeichen achtet. In der Radikalität seiner Verfremdung geht Jandl dabei, obwohl er doch ganz an Goethes Text festhält, weit über Franz Mon hinaus, der sich darauf beschränkt, unter dem Titel »über allen gipfeln« Bruchstücke des Originals mit Bruchstücken anderer Herkunft zu kombinieren und nach dem Prinzip der auch sonst von ihm gepflegten literarischen Montage zu einem einigermaßen wirren – sprich: rätselhaft-verrätselten – Zitat-Mischmasch zu verbinden:

> über allen wipfeln
> wer den finger krümmt
> warte nur alle vögel
> die spreu vom weizen
> ruhest du
> ein blatt vorm mund
> (etc.)[17]

Derlei kennen wir ansatzhaft bereits aus den prä-modernen Klassiker-»Quintessenzen« Edwin Bormanns, in denen die den Werken Goethes und Schillers entnommenen ›Geflügelten Worte‹, wie sie Georg Büchmann – als »Zitatenschatz des Deutschen Volks« markiert – zu jedwedem Gebrauch für jedermann jederzeit verfügbar gemacht hatte, wild durcheinandergeschüttelt, auf den Kopf gestellt und doch pointiert neu zusammengesetzt erscheinen:

> Ihr naht euch wieder? In die Ecke, Besen!
> Luft! Luft! Klavigo! Meine Ruh' ist hin.
> Der König rief: Ich bin ein Mensch gewesen;
> Das Ewig-Weibliche, das war mein Sinn.
> (etc.)[18]

Franz Mahler nahm kurz nach der Jahrhundertwende diesen Typus der Collage-Parodie auf und setzte ihn unter dem Titel »Konfusionen aus deutschen Dichtern«[19] fort; er seinerseits schrieb damit den Zustand fest, den die Klassikersentenz um die Jahrhundertwende längst erreicht hatte: dem ursprünglichen Zusammenhang entrissen, der ihren Sinn markierte und sie festlegte, ist sie als Billig-Artikel in unterschiedlichster Richtung beliebig verwertbar geworden.

Ernst Jandl und Franz Mon dienen andererseits und abschließend als Beleg meiner These, daß neben den traditionsbeladenen Klassikerversen speziell auch jüngere Autoren, deren Texte durch ihre innovative Poetik verblüffen, Parodien auf sich zu ziehen vermögen, wobei hier gerade nicht der Verschleiß durch allzu häufiges Zitieren bei jedweder Gelegenheit, sondern die Neuartigkeit zum Auslöser wird. Ausdrücklich mit Hinweis »Nach Ernst Jandl« versehen, meldet sich Kurt Bartsch zum Weltuntergangsthema »felt futsch« in folgender, dem österreichischen »Laut und Luise«-Autor nachempfundener Schreibweise zu Wort:

fom fleck feg
fald und fiese
feltuntergang
feltuntergang
fen ferd ich
fohl fiedersehn
feltuntergang
feltuntergang
for fier fochen
far feltuntergang
wortsetzung folgt.[20]

Die Pointe liegt hier in der letzten Zeile des Poems, mit welcher der parodierende Autor – trotz oder gerade wegen des bereits stattgehabten Weltuntergangs – in die normale Schreibweise zurückfällt, wenn er statt »fortsetzung folgt« auf »wortsetzung folgt« und damit – quasi post-katastrophal (sprich: post-modernistisch) – auf die Wiederherstellung des gewohnten Sprachlauts nach der Katastrophe verweist.

In gleicher Weise hat sich Bartsch mit anderen Autoren wie Hans Magnus Enzensberger, Peter Rühmkorf oder Ror Wolf auseinandergesetzt, wobei er deren spezifischen Stilgestus aufnahm und *ad absurdum* zu führen suchte.

Ich weiche jedoch den aus dieser Richtung sich anbietenden Texten aus und schließe mit einem Hinweis auf Rudolf Faßbenders parodistische Imitation von Matthias Koeppels eigenwilliger Dialektsprache »Starckdeutsch«

unter dem Titel »Paußt skröpptomm«, also lateinisch »Post scriptum«, zu deutsch »Nachschrift«, »Zusatz«:

Üßt donn dös Kadeucht kamocht,
kimmt dörr Winturr oibur Nocht!
Denn Gepfattur thaut mütnüchten
süch noch Pheilusauphen rüchten!

Hauch pfum Hümpel pfall dör Schnei,
karau üßt allur Theihurei
raupft dör Deuchtur süch dei Hooren
ont geiht pflauks tsom Tschleitun foohren![21]

1 Zu nennen sind etwa: Fritz Mauthner: »Nach berühmten Mustern«, Stuttgart 1879 u. ö.; Robert Neumann: »Mit fremden Federn«, Stuttgart 1927; Theodor Verweyen: »Deutsche Lyrik-Parodien aus 3 Jahrhunderten«, Stuttgart 1983. Als einschlägiger Sekundärliteratur-Titel: Erwin Rotermund: »Die Parodie in der modernen deutschen Lyrik«, Münster 1963. — 2 Karl Kraus: »Die Fackel«, Nr. 454/6, S. 2 f. — 3 Erich Kästner: »Herz auf Taille«, Leipzig 1928. — 4 »Das große Heinz Erhardt-Buch«, Oldenburg 1970, S. 160. — 5 Serenus M. Brezengang: o. T., in: »Das Wasserzeichen der Poesie oder Die Kunst und das Vergnügen, Gedichte zu lesen. In hundertvierundsechzig Spielarten vorgestellt von Andreas Thalmayr«, Nördlingen 1985, S. 267. Im kommentierten Inhaltsverzeichnis findet sich folgender Eintrag zum Stichwort »Parodie«: »Durch Nachahmen bloßstellen – warum nicht? Die Frage ist, wer dabei die Oberhand gewinnt, der Parodist oder der Parodierte«, ebd., S. XVII. — 6 »Alles von Karl Valentin, Monologe und Geschichten, Jugendstreiche, Couplets, Dialoge, Szenen und Stücke, Lichtbildreklamen«, hg. von Michael Schulte, München, Zürich 1978, S. 173. — 7 Bernhard Schäfer: »Dadaistisches Gedicht«, in: »Fliegende Blätter«, Bd. 151, Nr. 3869, S. 136. — 8 Steegemann: »Das enthüllte Geheimnis der Anna Blume«, in: »Kurt Schwitters Almanach« 1982, S. 102 f. — 9 »Die Post«, 6. 1. 1920. — 10 »Die Pille«, I. Jg. , 1920, H. 2. — 11 In: »Der Drache«, 2. Jg., H. 30. — 12 Erich Fried: »Liebesgedichte«, Berlin 1979, S. 40 ff. — 13 In: »Kurt Schwitters Almanach« 1991, S. 64 f. — 14 Ingeborg Bachmann: »Werke«, hg. von Christine Koschel, Inge von Weidenbaum, Clemens Münster, München, Zürich 1978, Bd. 1, S. 44. — 15 Heiner Boehncke / Bernd Kühne: »Anstiftung zur Poesie, Oulipo – Theorie und Praxis, Werkstatt für potentielle Literatur«, Bremen 1993, S. 127 ff. — 16 Ernst Jandl: »Gesammelte Werke«, hg. von Klaus Siblewski, Darmstadt, Neuwied 1985, Bd. 1, »Gedichte 1«, S. 488 f. (gemeinsam abgedruckt mit Goethes Poem unter dem Titel »ein gleiches«). — 17 Franz Mon: »Poetische Texte 1971 – 1982«, »Gesammelte Texte«, Bd. 4, Berlin 1997, S. 179 (datiert auf 19. 1. 1981). — 18 Edwin Bormann: »Goethe-Quintessenz, allen citatenbedürftigen Gemüthern gewidmet«, in: »Fliegende Blätter«, 1885, Nr. 83, S. 190. — 19 Franz Mahler: »Würzewein, Schelmenlieder und Scherzdichtungen«, Berlin, Leipzig 1903, S. 123 ff. — 20 Kurt Bartsch: »Hölderlinie. Deutsch-deutsche Parodien«, Berlin 1983, S. 29. — 21 Rudolf Faßbender: »Sammelsummarium«, Kakenstorf 1992, S. 23.

Yasmine Inauen

Verwandelter Körper, verwandeltes Ich

Tanzgedichte von Else Lasker-Schüler, Gertrud Kolmar, Nelly Sachs und
Christine Lavant

Im 20. Jahrhundert tritt eine bemerkenswert große Zahl weiblicher Autoren
mit Lyrik an die Öffentlichkeit, während uns vom 19. Jahrhundert nur wenige Namen überliefert sind: Annette von Droste-Hülshoff, Karoline von Gün-
derrode, Sophie Mereau und Ida Hahn-Hahn dürften die bekanntesten sein.
Mit Else-Lasker Schülers 1902 erschienenem Gedichtband »Styx« beginnt
hingegen das zwanzigste als ein Jahrhundert der Lyrikerinnen. Zu ihnen
zählen unter anderen Gertrud Kolmar, Claire Goll, Marie Luise Kaschnitz,
Rose Ausländer. Nicht nur ihre Biographie, auch ihr Schreiben ist von Zeitgeschehen und Politik stark geprägt – unter ihnen sind viele Jüdinnen, die
aus der breiten biblischen und orientalischen Tradition schöpfen, um die
Zeitsituation mit ihrer existentiellen Bedrohung zu bewältigen.

Auch die Lyrik der Autorinnen der zweiten Jahrhunderthälfte steht noch
unter dem Zeichen der Verarbeitung erlebter Geschichte – exemplarisch können Inge Müller, Hilde Domin, Rose Ausländer und Ilse Aichinger genannt
werden. Mit Ingeborg Bachmann, Friederike Mayröcker, Elke Erb und anderen gerät zunehmend ein weiblicher Blick auf die Gesellschaft ins Zentrum,
der die vorgefundene Ordnung von außen, von den Randzonen her betrachtet und nach einem eigenen Ort in der Überschreitung sucht, nach einer
Form der Artikulation von Subjektivität.

Läßt sich aus dieser kurzen und unvollständigen Zusammenstellung von
Dichterinnen auf einen Wandel der literarischen Produktion von Frauen
schließen, und worin liegt dieser gegebenenfalls begründet? Weibliche Autorschaft ist immer im Zusammenhang mit gesellschaftlichen Bildern der Frau
und der Geschlechtsrollenzuordnung zu sehen, die in den literarischen
Schöpfungsprozeß eingehen. Die beobachtete Entwicklung vom 19. zum 20.
Jahrhundert öffnet den Blick auf einen Wandel der historischen Bedingungen des Schreibens.

Die bürgerliche Gesellschaft des 19. Jahrhunderts beruhte auf einer
Geschlechterdichotomie, die der Frau den privaten Raum und die Natür-
lichkeit zuordnet, dem Mann hingegen den öffentlichen Raum, Reflexion
und Kunst. Nach zeitgenössischen Vorstellungen galten Weiblichkeit und
Autorschaft als unvereinbar. Der Gegensatz der Geschlechter wird auf dem
Gebiet der Literatur zu einem Gegensatz zwischen Poesie als einer »weiblich-

rezeptiven« Eigenschaft und der Produktion eigenständiger Werke, zu welcher der Mann befähigt sei. Diese Einschätzung bestimmt auch die Genres, in denen sich die Frau schreibend bewegen kann, in jenen nämlich, die als reproduktiv gelten und weniger als kreativ. Dazu zählen der Brief, das Tagebuch, die Übersetzung und die Liebeslyrik[1] – »weibliche« Genres, die gleichzeitig als minderwertig klassifiziert werden.[2] Diese Zuordnung gründet in der Überzeugung, die Empfindungen der Frau seien lebhafter, weshalb ihr Natürlichkeit des Ausdrucks und Individualität niederzulegen leichter falle. So ergibt sich eine Parallelentwicklung neuzeitlicher Vorstellungen von Subjektivität und weiblicher Beteiligung an Briefkultur, Briefroman und Lyrik. Die Fähigkeit zu »kreativem« Schaffen hingegen wird im Widerspruch zur weiblichen Bestimmung gesehen. Während aktives Künstlertum und Genie dem Mann zugesprochen werden, entfremden sie angeblich die Frau von sich selbst. Die im 19. Jahrhundert konstituierte Affinität von Poesie und Weiblichkeit eröffnet jedoch noch nicht die Möglichkeit öffentlicher weiblicher Autorschaft. Das Schreiben der Frauen bewegt sich weitgehend in halböffentlichen Lesezirkeln. Wenn sie publizieren, tun sie es anonym in den dafür vorgesehenen Zeitschriften. Hierin liegt auch die Tatsache begründet, daß so wenig Literatur von Dichterinnen überliefert ist. Anonymität verunmöglicht gleichermaßen die Zusammenführung eines Werks unter einem Namen wie auch dessen Tradierung.[3]

Eine Veränderung bahnt sich gegen Ende des 19. Jahrhunderts mit jener der gesellschaftlichen Verhältnisse an. So wird Autorschaft schon im Ausgang des Jahrhunderts zu einer Möglichkeit weiblicher Selbstbehauptung und -definition gegen das Ideal der erwerbslosen Frau, die ihren naturgegebenen Pflichten nachgeht.

Das vermehrte Auftreten von Lyrikerinnen im 20. Jahrhundert ist also einerseits im Zeichen einer Kontinuität zu sehen – immer noch scheint Lyrik ein bevorzugtes »weibliches« Genre zu sein. Andererseits manifestiert sich ein neues Selbstverständnis auch in veränderter weiblicher Autorschaft. Die Jahrhundertwende als eine Zeit radikalen gesellschaftspolitischen Wandels und der Krise des Subjekts wird zu einer Chance für die Frau und die Selbstbegründung ihrer Identität. Eine Reflexion auf Tradition und Erworbenes, die Analyse der Fremdbestimmung und das Streben nach neuer Besitznahme unter veränderten Bedingungen, die sich in Texten von Autorinnen immer wieder zeigen, zeugen von der Auseinandersetzung mit der eigenen Position. »Weiblichkeit« wird als Determinante der bürgerlichen Welt nachgewiesen, woraus ein Anspruch auf Emanzipation von solchen Festschreibungen abgeleitet werden kann. Eine liberalisierte Einstellung gegenüber schreibenden Frauen ermöglicht die Auseinandersetzung mit der Konstruktion der Geschlechterrollen und mit der Position der Autorin. Die wachsende Teilhabe von Frauen an der literarischen Szene erklärt sich aus der gestiegenen gesellschaftlichen Akzeptanz. Dennoch gibt es für sie kein Schreiben, das von Rollenerwartungen frei wäre.

Im folgenden soll am Beispiel mehrerer Tanzgedichte der Versuch unternommen werden, den Prozeß von der Hinterfragung der vorgegebenen Ordnung zur Neuformulierung einer weiblichen Position zu beschreiben. Die Gedichte werden im Hinblick auf eine mögliche Bestimmung von weiblicher Identität und Autorschaft betrachtet.

Tanzgedichte scheinen dafür geeignet zu sein, da der Tanz in mehrfacher Hinsicht eine Überkreuzung verschiedener Aspekte darstellt. Er steht im Spannungsfeld zwischen dem Persönlichen und dem Öffentlichen, zwischen individuellem körperlichen Ausdruck und gesellschaftlicher Rollenzuweisung, schreibt doch auch der Tanz sich von gesellschaftlichen Normen und Rollen gerade bezüglich der Geschlechter her und diese wiederum fest. Als Ausdrucksform des Körpers kann er diese wie die Schrift widerspiegeln, aber auch zum Feld experimenteller Neugestaltung des Subjekts werden.

Tanz ist Bewegung des Körpers, rhythmische Gliederung und Formung von Zeit und Raum. Im Tanz tritt der Tänzer, die Tänzerin in ein Verhältnis zum sozialen, kulturellen und ästhetischen Raum. Im Schreiben vom Tanz lesen Autorinnen und Autoren ein nicht diskursives Medium und gestalten es in der Schrift. Die flüchtige Gestalt des Tanzes, der bewegte Körper als Zeichen, das in einem Augenblick entsteht und verschwindet, wird in der Schrift bewahrt.

Betrachtet man den Tanz als Form körperlichen Ausdrucks und das tanzende Subjekt als Medium einer Körperschrift, so tritt die Lektüre von Körper- und Raumkonfigurationen neben jene der Schrift, tritt neben die Entzifferung des Tanzes als Zeichensystem die »im Tanz selbst inszenierte Form der Lektüre bestimmter kultureller Phänomene in Bild und Text«[4].

Verschiedene Studien untersuchen die literarische Gestaltung von Tanz und Tanzbewegung, die Bezüge zwischen den Kunstformen des Tanzes und der Literatur. Dies betrifft insbesondere den Anfang dieses Jahrhunderts, eine Zeit des Wandels kultureller Zeichensysteme. Der Tanz als Teil der Gesellschaftsgeschichte und Medium der Körpergeschichte wird zum Ausdruck einer Neukonzeption von Körperbildern.[5]

Kaum beachtet wurden in diesem Zusammenhang die zahlreichen Tanzgedichte von Lyrikerinnen und deren eigentümliche Inszenierung des tanzenden weiblichen Subjekts. Es fällt auf, daß es sich vorwiegend um Darstellungen eines lyrischen Ich handelt, das allein tanzt. Dies steht im Gegensatz zu den zahlreichen Tanzgedichten von Autoren, die von gesellschaftlichem Tanz reden, wie etwa Schillers bekannte Elegie »Der Tanz«, oder den männlichen Blick auf die Tänzerin umsetzen. Das bekannteste Beispiel dafür ist Rilkes »Spanische Tänzerin«.

Dieser Beitrag unternimmt eine Lektüre von Tanzgedichten im Hinblick auf die Fragen: Manifestiert sich im Tanz eine Selbstbestimmung und -definition der Tänzerin? Ist es möglich, von einer Rückbindung dichterischer Produktivkraft an weibliche Erfahrung zu sprechen?

Else Lasker-Schüler

In Else Lasker-Schülers »Mein Tanzlied« aus ihrer ersten, 1902 publizierten Gedichtsammlung erscheint der Tanz in extremer Form als Bewegung zu einer Auflösung hin.

> Aus mir braust finst're Tanzmusik,
> Meine Seele kracht in tausend Stücken!
> Der Teufel holt sich mein Mißgeschick
> Um es ans brandige Herz zu drücken.

> Die Rosen fliegen mir aus dem Haar
> Und mein Leben saust nach allen Seiten,
> So tanz' ich schon seit tausend Jahr,
> Seit meiner ersten Ewigkeiten.[6]

Das formal konventionelle Gedicht sprengt inhaltlich Grenzen. Es beschreibt den Moment der Grenzüberschreitung in seiner bedrohlichen und gleichzeitig befreienden Gewalt und mündet in einen Zustand aufgelöster Ich-Grenzen und schrankenloser Ewigkeitserfahrung. Mit dem zentrifugalen, vom Ich-Zentrum wegstrebenden Drehen um die eigene Achse nimmt die vom Orientalischen faszinierte Lasker-Schüler das Bild des Derwisch-Tanzes auf, der in religiöse Ekstase versetzt.[7] Das Fatale der Bewegung zeigt sich schon in der ersten Zeile. Das Ich ist der schicksalsmächtigen Musik nicht nur ausgeliefert, sie kommt aus seiner eigenen Mitte. Der Tanz ist hier Metapher für das Leben, die Musik drängt aus dem Innersten heraus. Das Kreisen um die eigene Mitte läßt das Zentrum, die Seele »in tausend Stücken« krachen. Das vom Tanzlied besessene Ich verliert die Kontrolle und Fähigkeit, die Seele und sein »Mißgeschick«, sein unheilvolles Schicksal, vor der Macht des Teufels zu schützen. Oft wurde der Tanz in seiner ekstatischen Kraft gerade in religiösen Kreisen mit Mächten des Bösen in Zusammenhang gebracht.[8] Die körperliche Lust der rhythmischen Erfahrung, der Taumel des Drehens, ist verbunden mit der Angst um das Seelenheil, das durch die Entgrenzung gefährdet ist.

In der zweiten Strophe beschleunigt sich die kreisende Bewegung, die Zentrifugalkraft läßt nicht nur den Schmuck der Tänzerin, die Rosen, wegfliegen. Sie läßt gar das Leben »nach allen Seiten« sausen. Die ungewohnte Verbindung der Verben »kracht« und »saust« mit »Seele« und »Leben« deutet auf die körperlich materielle Energie des Strudels dieses Lebens-Tanzes hin. Die lebensbedrohliche Kraft des Grenzzustandes, die Nähe von Leben und Tod, die auch dem Gedichtzyklus den Namen »Styx« gegeben hat – Styx, der Fluß der griechischen Unterwelt, der die Welt der Lebenden und der Toten trennt und zugleich ihre Berührung markiert –, und die Bildwelt des Gedichts evozieren das Lebensgefühl des barocken *memento mori*. Die Hingabe an das Leben ist immer auch vom Ende her bestimmt. Der Tod tanzt mit.

Die ekstatische Selbstentäußerung gipfelt schließlich in einer rauschhaften Ich-Auflösung und transpersonalen Zeiterfahrung, die ein Gefühl von Ewigkeit und Vereinigung mit der Welt vermittelt. In ihrem Mittelpunkt dreht sich die Tänzerin – ewig. Das Gedicht vermittelt die Ambivalenz der Gefühle im Wunsch nach Kontrollverlust. Die strenge Form hält die explosive Bewegung in Schranken und bildet deren aus der Wiederholung des Gleichen – nämlich des Drehens im Kreis – sich steigernden Impuls ab. Die Aufregung spiegelt sich in der leichten Suspension vereinzelter doppelter Senkungen im jambisch gestalteten Vers und fließt schließlich in die vollkommen regelmäßigen letzten zwei Zeilen ab, wo sie sich beruhigt. So wird der Lebenssturm, der ein wilder Tanz ist, und dessen Aufruhr beschwichtigt im Aufgehen in einem transzendentalen Raum, wo das Ich nicht mehr gefährdet und ein distanzierter Blick auf den vorangegangenen Taumel möglich ist: »So tanz' ich schon seit tausend Jahr,/ Seit meiner ersten Ewigkeiten.« Das Ich findet sich auf einer anderen Seinsstufe wieder. Auch in »Der letzte Stern«, einem anderen Tanzgedicht Lasker-Schülers, endet der bewegte auf- und niedersteigende, im Strudel der Drehbewegung Leben und Welt schaffende Tanz in einem Moment zeitloser Unendlichkeit und Konzentration: »Und ein Punkt wird mein Tanz/ In der Blindnis........«[9]

Gertrud Kolmar

Eine andere Möglichkeit, im Tanz zu eigenem Leben und zu einer veränderten Raumerfahrung zu finden, beschreibt Gertrud Kolmars Ende der zwanziger Jahre entstandenes Gedicht »Der sonderbare Tanz«:

> Wie Paukenwirbel hab ich meine Füße einst geschlagen,
> Und meine Füße taten mir nicht weh.
> Nun muß ich schwer und säumig mich durch Zimmerfluchten
> tragen,
> Ein Schlitten, plump im Schnee.

Von Sommerufern schwamm ich unter flitternder Libelle
Den gelben Mummeln nah.
Nun schäumt von Tannenscheiteln eine bleiche Flockenwelle;
Sie stehen dumpf und greisend da.

Auf buntem Teppich mach ich nackte, mißgefügte Schritte.
Wie gut, wie gut, daß niemand sie erblickt,
Die wider alle Anmut sind und wider jede Sitte,
So häßlich ungeschickt.

Ich will doch tanzen, aber ja, ich muß doch einmal tanzen;
Denn Lieder haben keinen solchen Dank.
In meinen Händen aber schwillt ein Zweig mit Pomeranzen,
Auf diesem Haupt glüht unvergossen süßer Trank.

Weil ich so fröhlich bin! Nur ganz ein seliges Erzittern,
Ein Früchtebaum in Wind,
Der seine Reife strahlend wiegt hin über grauen Gittern,
Das tausendfach empfangne Kind.

Um meine Schultern unsichtbar ziehn tönende Paläste,
Wächst sausend düstrer Stein,
Und silbern irrt ein Nachtstern durch mein bräunliches Geäste
Der grünen Krone ein.

Was war ich? Kleines Weiberwesen, Unrast und Beschwerde,
Das Zündholz, das sich einer strich. –
Die Mutter bin ich; wenn ich kreise, tanzt auch Gottes Erde
Mit mir, in mir, um mich.[10]

Das Gedicht beginnt düster, traurig und erzählt von einem vitalen Verlust, endet aber in der triumphalen Setzung des Ich als Weltmitte. In den ersten drei Strophen vergleicht das lyrische Ich seine momentane Situation mit der erinnerten Vergangenheit, wobei die Strophen 1 und 2 über eine Opposition aufgebaut sind. Einem Innenraum (»Zimmerfluchten«) steht die freie Natur, dem Sommer steht der Winter gegenüber. Der kraftvollen, leichten Bewegung, dem Tanz wie »Paukenwirbel« und dem Schwimmen mitten in flirrender Natur kontrastiert träges, schwerfälliges (»plumpes«) Herumstreichen in der Enge des Hauses, dessen Richtung wie von Kufen vorgegeben ist. Die Tänzerin – die Metaphern evozieren das Bild einer schwangeren Frau – empfindet ihren Zustand als Einschränkung. Die Natur selber, früher in unablässiger Oszillation (»flitternder Libellen«) und farbenfroh, ist ihr nun statisch und monochrom, in Kälte erstarrt wie Tannen im Winterschnee. Sie ist allein und in ihrer Bewegung auf den Innenraum begrenzt. Die Schritte sind »mißgefügt«, ihre Geschicklichkeit und Anmut gingen verloren.

In der vierten Strophe kommt mit dem Willen und Drang zu tanzen (»ich will doch tanzen, aber ja, ich muß doch einmal tanzen«) der Umbruch. Nicht Lieder allein, nur der Tanz kann mit seiner Ausdruckskraft von der Beengung befreien. In ihm wird die Schwerfälligkeit der Schwangeren zu einem Zeichen der Fülle und Reife umgestaltet. Er macht es möglich, der düsteren Stimmung zu entfliehen. Die anschließende Befreiungsimagination folgt der im Körper festgeschriebenen Erinnerung an das Verlorene und dessen Belebung.

Der Tanz beginnt mit Fröhlichkeit. Er ist keine raumgreifende Bewegung, sondern nur ein leises »seliges Erzittern«, das sich in einer Metaphorik weiblicher Sexualität bewegt: von »Reife strahlend« über das »tausendfach empfangne Kind« zur Mutter. Mit leisem sachten Wiegen versetzt sich die Tänzerin in eine andere Seinsstufe. Sie verwandelt sich. In ihren Händen »schwillt ein Zweig von Pomeranzen«. Die Früchte des immergrünen Baums tragen südliche Wärme und Farbe in den nördlichen Winter. Das in den folgenden Strophen entwickelte Bild erinnert an die Figur der Pomona, welche, allein in ihrem Garten, »ihr Vergnügen am Gartenbaue, und Erziehung guter und fruchtbarer Bäume hatte, hierbey aber weder die Liebeshändel, noch sonst etwas achtete«[11]. Im geschützten Bereich des Gartens geht sie ihrem pflegenden Tun nach. Die als Göttin der Bäume und des Obsts Verehrte wird auf Bildern an einem Baum lehnend gezeigt, mit Zweigen und Früchten in der Hand und auf dem Schoß, die »Haare mit einer Fruchtschnur umwunden«[12]. Über diesen intertextuellen Bezug werden die Ausdrucksform des Tanzes und mythisches Erzählen überblendet. Die Frucht erhält etwas unschuldig Reines. Was das Ich empfangen hat, formt es nun zu poetischen, ja märchenhaften Bildern: »unsichtbar ziehn tönende Paläste« um die Schultern der leise sich wiegenden Frau. Tanzend schafft sie eine neue Bedeutung für ihren Zustand, neue Bilder für ihre Welt und damit diese selbst neu.

Die Kraft des Tanzes und der Dichtung läßt die Fesseln der düsteren Vergangenheit zerspringen. Vergessen sind die Tannen, die »greisend« dastanden. Die Tanzbewegung geht in die Vertikale, wächst reif und voller Früchte über sich hinaus, über die Enge der Gefangenschaft in den geschlossenen Räumen des nun zurückgelassenen Vergangenen (»über grauen Gittern« wiegt der Früchtebaum seine Reife) und auch über den realitätsbezogenen irdischen Raum bis in die Höhen des Nachtsterns, der durch die Krone des Baumes zieht. Der Baum ist hier ein Bild individueller Verwandlung. Tanz und Klang besiegen den Zwang der Gitter und die Schwere der leiblichen Frucht. Durch den Kontrast der irdischen Dimension und der kosmischen Höhe wird die Ekstase der Befreiung dargestellt.

In »sausend«-kreisender Drehung wachsen Paläste und Mauern um die Tanzende, die mit ihnen über sich hinaus strebt, ohne sich aber zu verlieren. Der Baum, der auch Lebensbaum ist, bleibt das Zentrum. Mit Wurzeln in der von Menschen gebauten Welt reicht er über sie hinaus ins Transzendentale, in den nächtlichen Sternhimmel hinein. Die Tänzerin verliert nicht den Boden unter den Füßen. Aber es gelingt ihr die ekstatische Teilhabe an Gottes Welt, wie die letzte Strophe zeigt. Die Anfangssituation hat sich umgekehrt. Die Verwandlung ist gelungen. Nun ist die Zeit vorbei, als »einer«, ein Mann, »das kleine Weiberwesen« als Objekt seines Begehrens ge- und verbrauchen konnte (als Zündholz, das für ihn verbrennt). Jetzt definiert sich die tanzende Frau aus sich selber: »Die Mutter bin ich«. Sie ist Subjekt geworden, Gebärende und Schöpfende. Ihr Tanz ist nach außen und nach innen gerichtet, »Mit mir, in mir, um mich.«[13] So geht sie in den kosmischen Tanz der Welt ein. Tanzen wird in diesem Gedicht zum Schöpfungsakt der Dichterin wie auch der Mutter in einem absoluten Sinn. Die Bildebenen des Weiblichen und des Dichtens überkreuzen sich. Tanzen und Dichten werden, in Übereinstimmung mit der chassidischen Mystik, zum Gebet und zu einer eigenen Form der Partizipation an Gottes Schöpfung. Gleichzeitig wird das eigene Begehren in kreativem Schaffen sublimiert, und weibliche Sexualität geht in der Verschiebung auf die Mutterrolle auf.[14] Im Tanz gelingt es, den Mangel, der die Situation am Anfang beschreibt, durch körperliche Erinnerung und Wiederholung des früher Erfahrenen zu beheben.

Deutlicher und unverstellter noch zeigt sich die Auseinandersetzung mit dem eigenen Begehren in einem früheren Gedicht Kolmars, in »Einsamer Tanz«. Das Gedicht spricht von Sehnsucht und der schrittweisen Erkenntnis der Abwesenheit des begehrten Objekts. Es stellt dem Ideal einer entsagungsvollen Liebe im Tanz die nicht erfüllten Wünsche der Frau entgegen.

> Meine Füße tauchen in den Teppich, gaukeln auf dem bunten Meere,
> Klappernd um die Knöchel hüpft grüner Kugelketten Zier.
> Meine nackten Füße wissen nichts von Müh und Schwere,
> Meine Lenden wissen nichts von Scham vor dir.
>
> Mein bemalter Schwebeschleier
> Sprengt mit Rosen einen Leib, der ist Elfenbein;
> Weiße Seide streicht, wie geballter Windhauch über einen Weiher,
> Meine Arme stoß ich tief in die luftige Lust hinein.

Im Tanz findet die unschuldige Lust des weiblichen Körpers Ausdruck. Innen- und Außenraum, Zimmer und Natur sind ungetrennt. Die Tänzerin bewegt sich frei auf dem Teppich wie auch im Wind. Die reine, schamlose Anmut zeigt ein Körperbild, das von unbewußter Natürlichkeit zeugt.

Der Schleier, erotisches Attribut des Verhüllens und Enthüllens, verbindet in der tänzerischen Bewegung den schönen Leib und die Natur, läßt ihn Teil von ihr werden.

Dagegen gestellt wird ein vergangener Tanz vor dem Spiegel und dessen blanker Oberfläche, einer Oberfläche, die kalt blieb und nichts Lebendiges zurückgab.

> Vor dem harten, kalten Spiegel tanz ich immer.
> Deine wasserhellen Augen werden Spiegel für ein Weib,
> Dennoch starrst du mit so toten, äußren Blicken in dies Zimmer:
> Du erschaust die Seele durch den dargebotnen Leib.

Die Augen des Geliebten, dessen Blick die Tanzende zum »Weib« machen und sie zum Bewußtsein körperlicher Sinnlichkeit bringen, werden nicht zum Weiher, der die vom Windhauch gekräuselte Haut abbildet und auf das Begehren der Frau antwortet. Es entsteht kein dialogischer Blickwechsel, und die Identität als Frau, das weibliche Begehren, wird nicht bestätigt. Der männliche Blick bleibt ein »äußerer« ohne lebendige Teilnahme. Auch hier ist die Tänzerin ins Zimmer gebannt, unfrei, einem Blick ausgeliefert, der ihre Seele aus der Distanz analysiert. Der zur Sinnlichkeit erwachte Körper wird nicht wahrgenommen. Der andere Blick bleibt ein fremder, denn »wenn ich mich von dem Anderen angeblickt weiß, erfahre ich mich als Objekt. Der Blick der anderen ist konstitutiv für die Gestaltung der zwischenmenschlichen Beziehungen. Der Blick im Spiegel gefährdet aber eher das Selbstbewußtsein und erzeugt eher Fremdheit mit sich.«[15]

Doch dann kommt die Ent-täuschung. Das Ich realisiert, daß sogar die »toten, äußren Blicke« und die Gegenwart des Geliebten imaginiert waren. Nur dem »eignen Bilde«, der eigenen Vorstellung kann sich der Tanz gereifter Leidenschaft zeigen, der die Ordnungsfaktoren zusammenbrechen läßt, für die der Mann steht. Von der männlichen Welt bleibt er abgeschlossen und daher »einsam«. Der Platz des Mannes bleibt leer. Seine Gedanken sind fern von ihr.

> Doch ich irre. Nur dem eignen Bilde warf ich dieser Blöße Glanz
>   entgegen,
> Und der Sessel, drin du sitzen sollst und sehen sollst, ist leer;
> Du fährst über Feld zu Knecht und Herde, wiegst den Ackersegen –
> Denkst du einmal her?

> Deine Hände schaffen plagevolles Werk am Ende,
> Meiner Lippen Wünsche gehn im Schritt der Schenkel, scheu wie
>   Diebe,

Küssen deine schmalen, schlanken, deine bleichen, eisigen Hände,
Die ich innig liebe.[16]

Dem weiblichen Begehren im Tanz steht die entsagungsvolle Unterwerfung gegenüber. Nur im Tanz, und zwar im einsamen, nicht einmal im Spiegel, in dem die Tänzerin sich selber mit männlichem Blick sieht, ist die Unschuld frei, die Leidenschaft rein. Nur dem imaginierten Gegenüber kann sie ohne Scham begegnen. An den Geliebten hingegen kann das Ich nur in entsagungsvoller Distanz denken, sein tätiges Werk bewundern und ihm in keuscher Verehrung die kalten Hände küssen. Dieses Ich bleibt ganz auf das Du ausgerichtet und unterwirft sich bedingungslos. Der Tanz bleibt ein Moment verborgenen Lebens und verborgener Körperlichkeit. Die Besinnung auf die eigene Stärke und auf die eigene schaffende Kraft, die das spätere Gedicht »Der sonderbare Tanz« prägt, findet hier noch kaum Ausdruck.

Dennoch ermöglichen es Tanzen und Dichten auch hier, einen Mangel zu beheben, indem das Begehren des Fehlenden und damit dieses selber festgehalten wird. In den Körper ist das vermißte Vergangene eingeschrieben, und im Tanz wird es als physisches Zeichen wiederbelebt und damit lesbar gemacht. Indem der Tanz nun in der Schrift festgehalten wird, bleibt es über den Moment des Tanzes hinaus gegenwärtig.[17]

Nelly Sachs

Nelly Sachs' Tanzgedicht aus der 1961 erschienenen Sammlung »Fahrt ins Staublose« zeigt die Tänzerin beziehungsweise ihren tanzenden Körper als Medium und Bindeglied zwischen Vergangenheit, Gegenwart und Zukunft einerseits und zwischen irdischem und tranzendentalem Raum andererseits.

> Tänzerin
> bräutlich
> aus Blindenraum
> empfängst du
> ferner Schöpfungstage
> sprießende Sehnsucht –
>
> Mit deines Leibes Musikstraßen
> weidest du die Luft ab
> dort
> wo der Erdball
> neuen Eingang sucht
> zur Geburt.

Durch
Nachtlava
wie leise sich lösende
Augenlider
blinzelt der Schöpfungsvulkane
Erstlingsschrei.

Im Gezweige deiner Glieder
Bauen die Ahnungen
Ihre zwitschernden Nester.

Wie die Melkerin
in der Dämmerung
ziehen deine Fingerspitzen
an den verborgenen Quellen
des Lichtes
bis du durchstochen von der
Marter des Abends
Dem Mond deine Augen
Zur Nachtwache auslieferst.

Tänzerin
kreißende Wöchnerin
du allein
trägst an verborgener Nabelschnur
an deinem Leib
den Gott vererbten Zwillingsschmuck
von Tod und Geburt.[18]

Der Tanz ist konsequent durch die Überblendung der Ebenen des Körpers und der Schöpfung der Erde gestaltet. Er wird als Neugeburt der Welt in der Bewegung des weiblichen Körpers imaginiert, eines unschuldigen »bräutlichen« Körpers. Dieser hat die Fähigkeit, Botschaften (»ferne Sehnsucht« aus einem »Blindenraum« aufzunehmen, welcher eine doppelte Funktion hat: er stellt eine Verbindung zwischen Vergangenheit und Gegenwart her, er birgt einen Bezug zum Göttlichen der Schöpfung. Und er bewahrt zugleich Vergangenes, verlorene Utopien wie geschehenes Unrecht. Worauf die Sehnsucht gerichtet ist, zeigen die folgenden Strophen des Gedichts.[19]

Mit diesem Tanzraum ist nicht nur allgemein eine verdorbene Welt gemeint, sondern konkret ein Zeit-Raum nach dem Holocaust, mit dem sich Sachs in ihrem ganzen Werk immer wieder auseinandersetzt. Die Tänzerin bewegt sich also in einem Raum, in dem Wahrnehmungs- und Erklärungsmuster blind geworden sind. Ihr Körper wird tanzend zum Medium eines neuen Verständnisses und neuer Weltschöpfung (»mit deines Leibes Musikstraßen«), indem er auf vor der Sprache Liegendes zurückgeht.

Die Tänzerin erhebt sich wie ein Vogel oder ein Schmetterling – bei Sachs ein häufiges Motiv[20] – in die Luft. Eine Art körperlicher Bahnungen (»Musikstraßen«) gewährt Einklang und gemeinsamen Rhythmus der Bewegungen der Tanzenden mit dem Universum, das die Erde umgibt. Diese Form von physischer Erfahrung oder Wissen befähigt sie zur Teilhabe an einem transzendenten Weltwissen. Aus diesem fliegenden Tanz auf erhöhtem Standpunkt die Zeichen der Luft lesend entspringt eine doppelte Genese: die Braut wird Frau, und eine neue Welt beginnt, im Licht zu erscheinen. Blick (»Durch (...) Sich lösende / Augenlider / blinzelt«) und Stimme (»Erstlingsschrei«)[21] werden im vormals blinden Raum tragend. Die Tänzerin verwandelt ihn, indem sie ihn durchquert.

Die Fähigkeit des weiblichen Körpers, zu empfangen und zu gebären, gibt ihr die Möglichkeit, die Neugeburt der Welt leiblich zu erfahren und zu inszenieren. Der Tanz ist ein Moment der Verwandlung, auch dies ein zentrales Motiv in Sachs' Texten, und titelgebend für den Zyklus »Flucht und Verwandlung«, zu dem dieses Gedicht gehört. Der Raum ist verändert: Das Aufsteigen der Tanzenden wird wie bei Kolmar im Bild des Baumes gefaßt, wo »zwitschernde Nester« gebaut werden. Allerdings wird das Bild nicht konkret. Es bleibt im Geistigen, denn es sind Ahnungen, die den Baum beleben. Die Atmosphäre ist nun nicht mehr finster. Mit der »Dämmerung« »bricht Licht herein«. Und es soll sich noch mehr Licht ausbreiten, damit Sehen und Erkenntnis wieder möglich werden. Indem die Tänzerin die »verborgenen Quellen des Lichtes« ergründet, schafft sie eine Verbindung über das Irdische hinaus. Klaus Weissenberger nennt dieses Licht »die eigentliche menschliche Nahrung als die von Gott ausgehende erlösende Kraft«[22]. Der Tanz ist auch hier wieder eine Metapher für das Leben. Er ist eine weibliche Existenzform, und nur die Tänzerin trägt ein geheimes Körperwissen von Anfang und Ende, »von Geburt und Tod« und damit auch von Gott, der das Leben schafft und begrenzt. Sie verbindet hier in der Bewegung Körper und Geist, Mensch und Natur, Irdisches und Transzendentales. Ihr Tanz ist Weltschöpfung. So kann erneut der Tanz als poetologisches Modell für das Dichten gelesen werden. Der Körper wie die Schrift sind Medien des Kreierens, und dieses Gedicht schafft aus der Figur der jungfräulichen Tänzerin die »kreißende Wöchnerin«, welche, die Welt gebärend, neue Sinnzusammenhänge stiftet. Es repräsentiert eine Bewegung hin zu einem Mangel und dann zu dessen Behebung. Damit versucht es, die Grenzen des Erkenn- und Faßbaren zu überschreiten, welches dennoch erhalten bleibt in der Hermetik der Bilder.

Christine Lavant

Christine Lavants 1956 veröffentlichtes Tanzgedicht geht ebenfalls von einem Mangel aus, von einer Abwesenheit. Im Laufe des Textes wird dieser jedoch umgewertet und dadurch zur Voraussetzung veränderter Präsenz des lyrischen Ich. Das Gedicht unterläuft das transzendentale Wertesystem, das es scheinbar setzt.

> Der Mann im Mond ist nicht zuhaus,
> Wer wirft mir jetzt das Seilchen aus,
> auf dem ich tanzen lerne?
> Die rote Sternlaterne
> geht mit dem Turmhahn zum Gebet
> und eine taube Glocke dreht
> den Strick um ihren Nacken.
> Drei Totenlichter blaken
> den Segenbaum im Friedhof an,
> der Heiland leuchtet wie ein Schwan
> am Kreuz, das leise schaukelt.
> Ich hätt' gar gern gegaukelt,
> so hingetanzt, um dann ein Wort
> mit Gott dem Herrn zu sprechen.
> Er soll das Kreuz abbrechen,
> damit der Sohn nach Hause kann,
> und das Gelichter soll der Mann
> im Mond gefügig machen.
> Der hat ja auch dem plumpen Ding,
> das früher winselnd an ihm hing,
> das Tanzen und das Lachen
> oft beigebracht
> in Elendsnacht.[23]

Der erste Satz konstatiert die Abwesenheit des Mannes im Mond. Da er dem Ich das Tanzen beibringen sollte, ist nun der Tanz nicht möglich. Was folgt, ist also nicht, wie in den bisher betrachteten Gedichten, die Beschreibung, sondern die Imagination eines Tanzes. Der zweite Satz definiert, um welche Art Tanz es sich handeln sollte. Es wäre ein Seiltanz von der Erde weg Richtung Mond, dessen Bewohner mit dem Seil das Verbindungsmedium und die Voraussetzung hält und dem Ich zum Tanz überlassen kann. Ein Seiltanz ist ein Balanceakt, und den soll das Ich lernen, das heißt, daß es hier nicht um die spontane Bewegung geht, sondern um eine gezügelte, kontrollierte unter dem Auge der Autorität des Mannes im Mond.[24]

Der Tanz geht in die Höhe, von der Erde weg in den Himmel. Im christlich fundierten Gesamtzusammenhang des Gedichts erinnert das Aufsteigen auf dem »Seilchen« an die Jakobsleiter, die Leiter in den Himmel, von der Jakob träumte (Gen. 28.10 ff.). Sie wird als Brücke zwischen Himmel und Erde, zwischen Mensch und Gott verstanden wie auch als Pforte zum Himmel. Dies macht hier insbesondere bezüglich der folgenden Verse Sinn. Die Jakobs- oder Himmelsleiter führt die Verstorbenen in den Himmel. In dieser Bewegung ist Sterben kein Erstarren. Es ist die Befreiung von der Erdenschwere und die radikalste aller möglichen Veränderungen, die Auferstehung. Der Tanz, den das Ich lernt, und die Vorstellung einer solchen Erfahrung der Transzendenz werden ironisch gebrochen durch das Diminutiv in »Seilchen«. Drückt sich darin etwa das Bewußtsein der Anmaßung aus, die es bedeutet, daß das tanzende, weibliche Ich eine Erfahrung imaginiert, wie sie Jakob, heimgesucht von Engeln Gottes, im Traum gemacht hat?

Das daran anschließende Friedhofsszenario zeigt eine verrückte, verkehrte Welt. Die Versatzstücke der unheimlichen Szene sind anthropomorphisiert. »Sternlaterne« und »Turmhahn« gehen zum Gebet – sie stehen symbolisch für das Beten zu Gott. Doch dieses muß verstummen, denn eine »taube Glocke« – selber Gott verkündend, aber nicht fähig, Gebete zu hören – legt den Gläubigen einen Strick um den Hals und erstickt das Gebet im eigenen Lärm. In der Übertragung auf die Kirche zeichnet dies ein bitterböses Bild einer Institution, die als Künderin von Gottes Lehre das – im folgenden noch zu bestimmende – richtige Gebet erstickt. Der Heiland am Kreuz schaukelt in wacklig gewordener Position, im Schein der Totenlichter, die den Segenbaum »blakend« mit ihrem Ruß schwärzen und seine Reinheit beschmutzen. Die Beschreibung des Friedhofs denunziert eine Kirche, welche die Insignien, auf denen ihre Macht ruht, entweiht.

Die blasphemische Vorstellung des religiösen Raums wird noch verstärkt durch die Wunschphantasie des Tanzes, der nun anschließt. Das Verb ›gaukeln‹ referiert auf die Berufsgruppen der fahrenden Schauspieler, die von der Kirche jahrhundertelang verboten und bekämpft wurden.[25] So wird der Wunsch als Ausbruchsphantasie erkennbar, verstärkt noch durch die Leichtigkeit, mit der sich die Tanzende entfernen möchte (»wär gerne übers Seilchen fort/so hingetanzt«), und das Ziel, mit Gott zu sprechen. Die Bewegung hat sich aus der Vertikalen von unten nach oben transformiert in eine von Gleich zu Gleich, indem das Ich sich Gott zum Dialog gegenüberstellt. In den anschließenden Versen wird die Rebellion gegen das schon in der bildlichen Beschreibung ins Wanken gebrachte Wertesystem offenbar. Das Wort zu Gott ist eine Aufforderung, kein Bitten und Beten mehr. Er soll die Insignien der christlichen Religion entfernen, »das Kreuz abbrechen« und den Sohn, der daran leidet, »nach Hause« lassen, was heißt, menschlich an ihm handeln. Parallel zu Gott, der für das Transzendentale zuständig ist, erhält der Mann im Mond die Aufgabe, als Autorität über Unheimliches und Dämonisches auf das »Gelichter« (verächtlich für Sippschaft; der Gleichklang schafft einen Bezug zu den blakenden Totenlichtern) Einfluß zu nehmen, das den Friedhof – der sich hier zur irdischen Sphäre ausweitet – unheimlich macht. Er muß es »bezähmen«, was wohl bedeutet, es mit Helligkeit seiner Bedrohlichkeit zu berauben. Die ungeheuerliche Forderung an Gott greift die Grundfeste der christlichen Religion an. Das Leiden, das im Tod in den Himmel führen soll (zur Auferstehung über die Jakobsleiter, das »Seilchen«), soll von der irdischen Welt genommen werden. Und mit ihm die unheimlichen Erscheinungen, die den Menschen in Angst (vor dem Tod) versetzen und dadurch im Gottesdienst unfrei machen.

Diese Forderung – so zeigt der Schluß – entspringt aus der Erfahrung des Tanzens und des Lachens. Dem früheren schwerfällig »plumpen Ding«, das in elenden Nächten »winselnd« und wohl auch »gefügig« vom Mann im Mond abhängig war (wie ein Hund von seinem Herrchen) steht nun ein verändertes Ich gegenüber. Es ist zum selbstbestimmten Subjekt geworden, das sich in einen freien Bezug zur patriarchalischen Ordnung der kirchlichen Welt stellen und deren martialische und angsteinflößende Symbolik hinterfragen kann. Das Außerordentliche des Geschehens, das diese Befreiung darstellt, zeigt sich auch formal in einer doppelten Retardierung am Schluß des Gedichts. Sie produziert einen dramatischen Effekt (Verzögerung des Reims »machen«/»lachen« und Verkürzung der letzten zwei Zeilen).

Der Tanz ist hier Verwandlung, die Suche nach einer neuen Art, das Transzendentale zu erfahren und zu denken, jenseits vom bestimmenden Diskurs. Er schenkt der Tänzerin ein unabhängiges Verhältnis zum Absoluten, nicht von Angst bestimmt. Auf der Ebene der christlichen Religion geht es um die Befreiung des gläubigen Subjekts aus der patriarchalisch und hierarchisch strukturierten Ordnung der Kirche, hin zu einem Glauben, in dessen Zentrum der unvermittelte Dialog des Ich mit Gott steht. Das Ich gewinnt so sein ehemals abwesendes Gegenüber aus eigener Kraft. Die erlangte Unabhängigkeit und Selbstbestimmung reicht natürlich über die kirchliche Ordnung hinaus in das freie Denken überhaupt. Insofern sich das Ich dieser Vaterwelt entzieht, war »das Tanzen und das Lachen« eine Grenzerfahrung oder, wie der Titel des Gedichtzyklus anzeigt, »Eine Feuerprobe«, die bestanden wurde. Das Ich ist vom Seiltanz, bei dem es genau der vorgegebenen Linie zu folgen hatte, zum ungebundenen Tanz befreit.

Christine Lavants Gedicht beschreibt eine Bewegung, die sich in der Tanzgeschichte dieses Jahrhunderts wiederfindet: weg von der festen Form und den Rollen des klassischen Tanzes, in denen eine Geschichte erzählt, das Subjekt in sozialen Relationen gezeigt oder die Tanzende betrachtet wird, hin zu einer freien Bewegung. In deren Zentrum lebt ein tanzendes Ich, das erst mit dem Ausdruckstanz selbst entsteht. In der Entwicklung und

Veränderung des Tanzes drückt sich eine neue Konzeption des Subjekts aus.

Lavants Gedicht unterscheidet sich von den anderen dadurch, daß die Imagination eines Tanzes gezeigt wird, während diese dessen Bewegung verbildlichen. Vielleicht kommt gerade deshalb vieles, was allen Gedichten trotz großer Unterschiede gemeinsam ist, bei Lavant besonders deutlich zum Ausdruck. Ihr Text zielt auf die Wirkung des Tanzes. Damit unternimmt er den Versuch, eine vorsprachliche Erfahrung reflexiv zu fassen, welche die anderen Texte bildhaft vorführen.

In allen Gedichten hat der Tanz die Funktion einer Verwandlung, deren Ziel Veränderung und Neuschöpfung des tanzenden Ich und von dessen Welt ist. Im Hintergrund dieser Transformation steht ein Mangel, eine Abwesenheit, die verschiedene Ebenen berührt: sei es fehlender Spiel- und Lebensraum, mangelnde soziale Bestätigung der Identität des Subjekts oder – und dies insbesondere – die Abwesenheit der weiblichen Erfahrung in der geltenden Sprache, im bestimmenden Diskurs, in der vermittelten Transzendenz. Der Tanz greift zurück auf eine Identitätserfahrung der Tänzerin, die sich aus dem Körper speist und vor jeder Reflexion steht.[26] An dieses Körperwissen wird in der ekstatisch-rauschhaften Bewegung angeknüpft, die bekannte begriffliche Scheidung außer Kraft gesetzt. Der Körper als Medium gestaltet seine Erfahrung zu Handlung und erzählt eine Geschichte des Leibes, welche die Dichterin liest und in Sprache überführt. So werden Tanz und Gedicht Ausdruck eines schöpferischen Akts, der dem weiblichen Körper entspringt. Dieser befreit sich im »einsamen«, von gesellschaftlichen Normen gelösten Tanz von vorgegebenen Körper- und Weiblichkeitsbildern, ertanzt und erschreibt sich einen eigenen Lebensraum. Das Ich entledigt sich so der Zwänge, die als geschlechtlich geprägte Körperbilder in seinen Leib eingeschrieben wurden. Der wiederholte Rekurs auf die weibliche Natur (vom Begehren bis zur Möglichkeit des Empfangens und Gebärens) verweist darauf, daß die Frau zu einem spezifisch weiblichen Wissen vorstößt.

Im Moment der Entgrenzung macht es der Tanz möglich, Schranken zu sprengen und auf neues Terrain – auch der Selbstbestimmung und der weiblichen Rolle – vorzustoßen oder, konfrontiert mit den herrschenden Diskursen und Normen, tanzend hinter diese zurückzugehen. Insofern können die Tanzgedichte als paradoxes Bemühen betrachtet werden, in Sprache zu fassen, was sich ihr entzieht. Sie sind der Versuch, Veränderungen der Selbstdefinition des weiblichen Subjekts festzuhalten. Diese manifestieren sich zuallererst körperlich. Alle hier vorgelegten Tanzgedichte dokumentieren einen schöpferischen Akt im doppelten Sinn. Sie zeigen eine Tanzbewegung an, die ein neues weibliches Körperbild schafft, und beschreiben gleichzeitig die Suche nach einem adäquaten Ausdruck für dieses Neue.

1 Bis zu Goethes »Wilhelm Meister« gehörte auch der Roman zu den sogenannten »weiblichen« Genres, die den Autorinnen offen standen. — **2** Vgl. dazu ausführlich: Karin Tebben: »Soziokulturelle Bedingungen weiblicher Schriftkultur im 18. und 19. Jahrhundert«, in: dies. (Hg.): »Beruf: Schriftstellerin. Schreibende Frauen im 18. und 19. Jahrhundert«, Göttingen 1998, S. 10–46. — **3** Vgl. Barbara Hahn: »Unter falschem Namen. Von der schwierigen Autorschaft der Frauen«, Frankfurt/M. 1991. — **4** Gabriele Brandstetter: »Tanz-Lektüren. Körperbilder und Raumfiguren der Avantgarde«, Frankfurt/M. 1995, S. 21. — **5** Die wichtigsten: Gabriele Brandstetter, a. a. O.; Gregor Gumpert: »Die Rede vom Tanz. Körperästhetik in der Literatur der Jahrhundertwende«, München 1994; Gabriele Klein: »FrauenKörperTanz«, Berlin 1992; Roger W. Müller Farguell: »Tanz-Figuren. Zur metaphorischen Konstitution von Bewegung in Texten. Schiller, Kleist, Heine, Nietzsche«, München 1995; Leona Van Vaerenbergh: »Tanz und Tanzbewegung. Ein Beitrag zur Deutung deutscher Lyrik von der Dekadenz bis zum Frühexpressionismus«, Frankfurt/M. 1991. — **6** Else Lasker-Schüler: »Werke und Briefe«, Bd. I.I, »Gedichte«, bearbeitet von K. J. Skrodzki, Frankfurt/M. 1996, S. 65. — **7** Zum Dreh- und Derwischtanz vgl. Gabriele Brandstetter, a. a. O., S. 247–274. Zum Motiv des Derwischtanzes in Lasker-Schülers Prosa, insbesondere in »Die Nächte des Tino von Bagdad«, vgl. Iris Hermann: »Raum – Körper – Schrift. Mythopoetische Verfahrensweisen in der Prosa Else Lasker-Schülers«, Paderborn 1997, S. 144–155. — **8** Marion Koch: »Salomes Schleier. Eine andere Kulturgeschichte des Tanzes«, Hamburg 1995, S. 214–260. — **9** Else Lasker-Schüler, a. a. O., S. 101 f. — **10** Gertrud Kolmar: »Das lyrische Werk«, München 1960, S. 231 f. — **11** Johannes Heinrich Zedler: »Großes vollständiges Universallexikon«, Bd. 28, Graz 1961. — **12** Ebd. — **13** Die Beschreibung entspricht in der Bildlichkeit jener der bekannten Ausdruckstänzerin Mary Wigman zu »Dreh-Monotonie«: »An denselben Fleck gebannt und sich einspinnend in die Monotonie der Drehbewegung, sich allmählich an sie verlierend, bis die Umdrehungen sich vom eigenen Körper zu lösen scheinen und der Umraum zu kreisen begann. Nicht mehr selbst sich bewegend, sondern bewegt werdend, selbst Mitte, selbst ruhender Pol im Wirbel der Rotationen.« In: Mary Wigman: »Die Sprache des Tanzes«, München 1968 (zuerst 1963), S. 39. — **14** Der sinnliche Bezug zur Natur, die schwermütige Niedergeschlagenheit und die Geburt der Dichterin, die wiederum schaffende Mutter wird, mögen im Zusammenhang mit Kolmars Biographie eine zusätzliche Dimension erhalten. In der wahrscheinlich ersten Liebesbeziehung tief enttäuscht, war sie gezwungen, das Kind um des Ansehens willen abzutreiben. Diese einschneidende Erfahrung schreibt sich immer wieder in Kolmars Texte ein. — **15** Farideh Akashe-Böhme: »Fremdheit vor dem Spiegel«, in: dies. (Hg.): »Reflexionen vor dem Spiegel«, Frankfurt/M. 1992, S. 38–49, hier S. 44. — **16** Gertrud Kolmar, a. a. O., S. 297. — **17** Zur Schreibposition Kolmars, die Abwesendes belebt und im Moment von Mangel oder Bedrohung (im Holocaust) vor dem Verstummen in der Apathie bewahrt, vgl. Birgit R. Erdle: »Antlitz – Mord – Gesetz. Figuren des Anderen bei Gertrud Kolmar und Emmanuel Lévinas«, Wien 1994, S. 319–327. — **18** O. T., in: Nelly Sachs: »Fahrt ins Staublose«, Frankfurt/M. 1961, S. 263 f. — **19** Zu »Sehnsucht«, einem häufigen Begriff bei Sachs, vgl. Bengt Holmqvist: »Die Sprache der Sehnsucht«, in: ders. (Hg.): »Das Buch der Nelly Sachs«, Frankfurt/M. 1968, S. 7–70. — **20** Auch an anderer Stelle bringt Sachs die Tänzerin mit dem Schmetterling in Verbindung, der sich häufig als Motiv der Verwandlung und Geburt in ihren Texten findet, so im Gedicht »Die Tänzerin«: »Wo du schliefst, da schlief ein Schmetterling / Der Verwandlung sichtbarstes Zeichen / Wie bald solltest du ihn erreichen – / Raupe und Puppe und schon ein Ding.« In: Nelly Sachs, a. a. O., S. 37. Zu diesem Gedicht: Johannes Anderegg: »Nelly Sachs: Gedicht und Verwandlung«, in: M. Kessler / J. Wertheimer (Hg.): »Nelly Sachs. Neue Interpretationen«, Tübingen 1994, S. 137–149. — **21** Zum Tanz als Sprache des Schweigens vgl. Bengt Holmqvist, a. a. O., S. 26 f. — **22** Klaus Weissenberger: »Zwischen Stein und Stern. Mythische Formgebung in der Dichtung von Else Lasker-Schüler, Nelly Sachs und Paul Celan«, München 1976, S. 132. — **23** O. T., in: Christine Lavant: »Die Bettlerschale«, Salzburg 1956. S. 26. — **24** Waltraud A. Mitgutsch zeigt, daß der Mond, ein häufiges Motiv bei Lavant, eines der ambivalenten Bilder ist, »die sowohl die Ichwelt als auch der patriarchalischen, religiösen Vaterwelt zufallen können«. Das Ich kann ihm also freundlich wie auch feindlich begegnen. Dies gilt im untersuchten Gedicht auch vom Mann im Mond. Waltraud A. Mitgutsch: »Christine Lavants hermetische Bildsprache als Instrument subversiven Denkens. Österreichische Dichterinnen«, Salzburg 1993, S. 85–110, hier S. 104. — **25** Dazu ausführlich: Marion Koch, a. a. O., insbesondere S. 188–213. — **26** Ein weiteres Beispiel, in dem sich dies deutlich zeigt, ist Silja Walters Gedicht »Tänzerin«. Eine Deutung dazu in: Peter von Matt: »Die verdächtige Pracht. Über Dichter und Gedichte«, München 1998, S. 147–149.

Thomas Kling

Zu den deutschsprachigen Avantgarden

Avantgarde-Bashing I

Im Rahmen des allgemeinen Kassensturzes zu Ende des 20. Jahrhunderts ist nichts so billig geworden wie das Abqualifizieren der ästhetischen Avantgarden. Dies geschieht unter fragwürdigen Behauptungen und unzulässigen Verallgemeinerungen, wie beispielsweise der des Kunstkritikers Eduard Beaucamp, daß »das (!) System der einzelnen Schulen (...) klar durchschaubar« sei. Daß hier im trüben gefischt wird, ist klar durchschaubar. Klar durchschaubar ist, außer der Durchschaubarkeit derartiger Gewagtheiten und des staatsanwaltlichen Stils ausgesuchter Eisigkeit, der bei den Abrechnungen mit den Avantgarden stets zu beobachten ist, zunächst einmal gar nichts. Solch schmallippige Ismen-Bilanz darf in aller Regel als das freudlose Ergebnis einer rumpelnden Pauschalreise durch den wehen Kritikerkopf gesehen werden. Sie fußt nicht zuletzt auf Umständen, die Nietzsche (in »Jenseits von Gut und Böse«) als »Tölpelei moralischer Entrüstung« bezeichnet hat.

Ich möchte noch vorausschicken, daß ich kein Avantgarde-Fetischist bin, daß dieser Ausschnitt an Tradition mir gleichwohl immer verteidigenswert erschienen ist. Wie, um zwei Dichter der europäischen Moderne zu nennen, Ungaretti und Lorca, wie die ältesten, von Rhapsoden überlieferten Dichtungen der Menschheit überhaupt. Das Interesse an Dichtung aller Sprachen und Epochen, auch wenn ich den Sinn, in Übertragungen transportiert, oft nur erahnen kann. Das ist bis heute so geblieben. Kein Moderne-Fetischismus für mich. Einen Vaché (»Lettres de Guerre«, 1919) kann ich übrigens gut verstehen, wenn er über Apollinaire sagt: »Mit Telephondraht flickt er Romantik zusammen und weiß nicht einmal, was Dynamos sind.« Bei dieser Königskinderhochzeit zwischen Gedicht und Naturwissenschaft, aus zutiefst romantischem Sehnen entsprossen, die in den neunziger Jahren, angeregt durch Benn- und Poundlektüre, wieder vereinzelt angestrebt wird, werde ich nicht die Blumen streuen.

Ich sagte: Avantgarde-Bashing. Wie sieht das aus? Es handelt sich in Sonderheit um verbissene bis verbitterte Aburteilungen von Dichtern, Künstlern und Theoretikern der klassischen Avantgarden *in toto* als utopisch-begeisterte, spirituell-fanatische, respektive kriegsgeil-vernebelte Steigbügelhalter und Zungenredner der totalitären Jahrhundertregime. Avantgarde-Bashing gehört, darüber ist nicht hinwegzusehen, inzwischen zum *common sense*. Den

Ansichten einflußreicher und marktorientierter Kunsthistoriker beziehungsweise -kritiker wie dem Amerikaner Donald Kuspit, wie dem oben genannten verantwortlichen Redakteur der »FAZ«, Beaucamp, dem konservativen Direktor des Pariser Musée Picasso, Jean Clair, oder Boris Groys, dem Spezialisten für russisch-sowjetische Avantgarden und deren poststalinistische Erben, ist an dieser Stelle nicht nachzugehen. Bei Hans Magnus Enzensberger, seines Zeichens Verfasser von treuherziger Lyrik und süffigen »Spiegel«-Essays, liegt der Fall näher. Sein Avantgarde-Bashing werden wir weiter unten einer knappen Betrachtung unterziehen.

»Und das haben Sie alles gelesen?«

1970 gab mein Großvater mir die »Menschheitsdämmerung« in die Hand. Er war 1886 geboren, vom Jahrgang Benns und Balls, und hatte als Akademiker des Dandy-Typs die Schlachterei des Ersten Weltkriegs überstanden. Dieser wichtige Gedichtband war 1933 bei einer Hausdurchsuchung, gekoppelt mit umfangreicher Buchbeschlagnahmung, offenbar nicht aufgefallen – letztlich auch ein Zeichen für die Harmlosigkeit von Avantgardelyrik; die Exekutive interessierte sich mehr für den marxistischen und reformpädagogischen Teil der Bibliothek des Großvaters. Bei jenem Polizeiauftritt wurde angesichts des Bücherumfangs von seiten des Einsatzleiters übrigens folgende Frage an den Großvater gerichtet: »Und *das* haben Sie alles *gelesen*?!« Kurz, ich konnte als Dreizehnjähriger, nicht ganz typisch für meine Generation, die Rowohltausgabe der »Menschheitsdämmerung« von 1920, zweite Auflage, lesen. Daran schloß sich sehr bald konsequenterweise die systematische Lektüre der wesentlich schärferen Dadaisten an.

»Eine fragwürdige Sache«. Expressionismus

Die *Generation Verdun*: abseitige Figuren wie der dichtende Postangestellte aus dem mittleren Management, Stramm, oder der Koks-Junkie Trakl, der als Drogist, beziehungsweise Dank seines Mäzens v. Ficker, auf keinerlei Beschaffungskriminalität angewiesen war. Trakls den Drogen geschuldete autistische Tiefgekühltheit, Stramms sentimentgeladen-gehetztes Reichspostsekretärs-Stakkato, Benns Realitäts-Präparate oder Lichtensteins avancierte Körpermetaphern: »Ich kann die Augen nicht mehr unterbringen« (»Nachmittag, Felder und Fabrik«). Stadt – dies gilt für die Metropole in besonderem Maß –, Stadt bedeutet seit Jahrhundertbeginn: Kino. Bei der Generation Verdun gilt: Silben zappeln Stummfilm. Überhaupt ist zu wenig beachtet worden, wieviel die (bessere) Lyrik der Generation Verdun dem frühen Film verdankt: seiner raschen Schnittechnik, den flimmernden Blenden, den die Information instantmäßig verknappenden Zwischentiteln. Die Kunst dieser Avantgarden endet auf allen Seiten im Augenverdrehen an der Front, ob Freiwilliger oder nicht, in der Militärpsychiatrie oder in den Lazaretten. Ein Augenverdrehen an der Front, an der auch Wittgenstein sein »Geheimes Tagebuch« führt: »8. 3. 15 – Von Ficker ein nachgelassenes Werk Trakls erhalten. Wahrscheinlich sehr gut.–––«

Die Lyrik läßt sich auch in der Heimat, aus sicherer Entfernung inspirieren: Bechers real-futuristische Ode, angelehnt an Marinettis einnordende Maschinengewehrphantasien, dabei seine, Bechers, Sehnsucht, es dem Nervenfaun Rilke gleichzutun an empfindsamer Lyrik, darf hier als Beispiel gelten. Aus fast sicherer Entfernung (die sogenannte Enzensberger-Konstante) sieht der, von der sogenannten nachdrängenden Generation nicht mehr wahrgenommene ältere Erfolgs-Poet Dehmel dem Krieg und dem unappetitlichen Treiben der Avantgarde zu. Der Interviewer der Familienzeitschrift »Universum« berichtet von seinem Dehmel-Besuch im Stil der *home story:* »Und so trete ich eines Tages in das freundliche Zimmer des in ein Lazarett umgewandelten Schlößchens zu A., das den Dichter während seiner ungefährlichen, aber hinderlichen Krankheit beherbergt. (…) und reden, reden über alles, was Beruf, Persönlichkeit und Zeiten uns nahelegen. Über Futuristen und Wahlrecht, Schützengraben und Theater, Kriegslyrik und 38-cm-Geschütze.«

Karl Kraus, als besessener Presse-Analysant, berichtet vom staatlichen Einsatz des Films bei Soldaten-Laien-Theatern zur Verschärfung des Realitätsgehalts – *mixed media* während des Weltkriegs: *CNN Verdun.* Pinthus' Anthologie ist bekanntlich der Friedhof der sogenannten frühexpressionistischen Dichtergeneration, die bei Kriegsausbruch 1914 ihren Höhepunkt erreicht und überschritten hatte. Die »Menschheitsdämmerung«: im Zoom ein Soldatenfriedhof, pathetisches Epitaph einer ausgeglühten Epoche, des Wilhelminismus. Wer ist übriggeblieben, wessen Werk hat überlebt? Zwei Werke haben sich gehalten, Benns und Trakls, beide erste Namen für das deutschsprachige Gedicht, für die Weltliteratur überhaupt. Benn und Trakl, interessanterweise beides Dichter vom drogendurchströmten Blut Baudelaires. Das ist nicht wenig für »eine belastete Generation« (Benn 1955), die, bei aller Heterogenität und Diskrepanz der ästhetischen Ansätze, noch ein letztes Mal als *eine* Künstlergeneration (sich) aufspielt.

»Eine fragwürdige Sache« war der Expressionismus für den Überlebenden Benn, der nach dem Zweiten Weltkrieg Auden gefeatured hat. Benn gab an, sich für deutsche Gegenwartslyrik kaum mehr zu interessieren. Fragwürdig – würdig also (auch), daß nach einer Sache gefragt werden soll. Bei allem Vorbehalt für das Label stellt der Dichterarzt zu den europäischen Avantgarden im allgemeinen, im besonderen zum Expressionismus fest: (Er sei)

»vielfältig in seiner empirischen Abwandlung, einheitlich in seiner inneren Grundhaltung als Wirklichkeitszertrümmerung« gewesen.

Die charakteristische Lyrik der *Generation Verdun,* in ihrer deutschen Variante ihre Findungen zur »Wirklichkeitszertrümmerung«, besser wohl: Bestandsaufnahme von wilhelminischer Wirklichkeit, ist, mit den ausschlaggebenden Anthologien – der »Menschheitsdämmerung« sowie Kurt Hillers »Der Kondor« (1912) – im wesentlichen gut dokumentiert. Das Erscheinen des berlinzentrierten »Kondor«, für dessen zielsichere Plazierung nicht zuletzt das punktgenau-aggressive Vorwort Hillers sorgte, war dementsprechend von einem schrillen Medienecho begleitet. Hier standen mit Blass oder Hardekopf – neben Heym oder Lasker-Schüler – wichtige Dichter im Mittelpunkt, die vom Herausgeber der kanonbildenden »Menschheitsdämmerung« schon nicht mehr berücksichtigt wurden und verschwanden. Visuelle Dokumentation? Dafür hatten die Avantgarden fast nie Geld. Auch die Aktionen der Wiener Gruppe um 1960 sind gerade mal mäßig durchfotografiert worden. Film? Zu teuer!

In der »Menschheitsdämmerung« gibt das Mainstream-Programm eines Werfel, das der ekstatischen Parfümiertheiten, den Ton der »Symphonie jüngster Dichtung« an. Und dieser pappig-zuckerwattige Nachgeschmack eben ist es, den die in Form der Pinthus-Sammlung überlieferte Lyrik der sogenannten expressionistischen Avantgarde prägend hinterläßt. Hierin liegen auch die Gründe für das generell zu beobachtende Desinteresse zeitgenössischer Autoren an der »expressionistischen« Dichtung – neben der massiven Tatsache, daß gerade in Deutschland die Epoche des Ersten Weltkriegs fast gänzlich aus dem Blickfeld der jetzt Lebenden verschwunden ist.

Avantgarde-Bashing II

Kriegsfreiwillige junge Künstlergeneration. Kriegsfreiwilliger Dehmel 1914. Daß Enzensberger, der sicherlich als Museumswärter seine größten Meriten hat, mit den Avantgarden auf Kriegsfuß steht, ist nicht weiter verwunderlich, teilt er diese haßvolle Abneigung doch mit dem Mainstream der west- wie der ostdeutschen Nachkriegsliteratur. Seine ausgiebige Minderschätzung, dargelegt in den »Aporien der Avantgarde« aus den sechziger Jahren, ist für mich über weite Teile nachvollziehbar; vieles ist geschenkt, geschenkt, geschenkt, vor allem aber ist hier vieles erklärlich aus dem Geburtsjahrgang des Autors, seiner akademischen Sozialisation und eben aus der Zeit der Niederschrift seiner dann doch nicht so brillant durchdachten Polemik. Daß aber derselbe Verfasser, jüngeren Autoren zumeist aus dem Deutschunterricht flüchtig bekannt (wie übrigens auch die von ihm bekämpften Konkreten Poeten), in seinen »Aussichten auf den Bürgerkrieg« (1993) in aller Pauschalität »die Dichter und die Theoretiker der Moderne« (S. 66) – hier in ungenauer Gestalt der frühen Expressionisten und Futuristen – für den Untergang des Abendlandes verantwortlich zu machen versucht, ist denn doch lächerlich. Überzeugender wird seine Randale auch deshalb nicht, wenn es dem Intelligenzler im Ruhestandsalter gefällt, in hurtigem Parforceritt zwei Seiten später die »Industrialisierung der Massenkultur« (sprich Pop), sogenannte »Lumpenkünstler« als leibhaftigen Gottseibeiuns auszumachen, um eine Seite darauf, nun vielleicht doch schon etwas außer Atem, den »Vandalismus« der »Graffitischmierer« zu bepeitschen, deren »tautologische Kringel (…) unverzüglich ins Museum« wandern. Befremdlich. Doch Vorsicht: Enzensberger ist in Schutz zu nehmen: Seine Generation, die in ihrer Studentenzeit erstmals die ›Entartete Kunst‹ eines Nolde oder sagen wir Munch zu Gesicht bekam, ist bei zeitgenössischer Kunst – oder eben: Literatur – verständlicherweise einfach überfordert! C'est la guerre. Ein Zitat noch aus den häufig zitierten »Aporien«, ein Satz, aus dem uns die bekannt frische Luft der Adenauer-Gesellschaft entgegenfächelt, ein Zitat, das nachgerade ein putziges Instant-Psychogramm der Flakhelfergeneration insgesamt bietet und das wir als Vorzeit-Zeugnis der paläolithischen sechziger Jahre den Nachfahren nicht vorenthalten wollen: »Noch hat keine Avantgarde der Welt nach der Polizei gerufen, um sich ihrer Widersacher zu entledigen.« Jaja, genau!

»Dadaists have their own idea of beauty« (»New York Times«, 1919)

Dada hat nun von allen ästhetischen Avantgarden das denkbar schlechteste Image. Dies gilt in besonderem Maß für den literarischen Dadaismus, der keine Jahrhundertfigur vorzuweisen hat, wie es Duchamp (der erklärtermaßen ein großer Mallarmé-Verehrer war) für die Kunst der Moderne ist. Dieses schlechte Image hat, abgesehen von der schwer zu leugnenden Tatsache, daß in Deutschland auf Ironie bekanntlich die Todesstrafe steht, neben den bekannten geschichtlichen rezeptionsgeschichtliche Gründe. Albert Soergel, der in seiner berühmten, 900 Seiten starken Studie »Im Banne des Expressionismus« (1925) dem Dadaismus gerade mal 11 (elf) Seiten widmet, macht mit seiner pejorativen, geradezu ängstlichen Haltung den Anfang. Wobei der Einfluß seiner Literaturgeschichte nicht überschätzt werden kann – sie erlebte bis 1927 bereits vier Auflagen, um weiterhin Wirkung im Deutschland wie im Österreich der fünfziger Jahre zu zeigen als Einführung für an Apokryphen interessierte junge Autoren und Germanisten. Bis heute hat sich an der Marginalität, am Hautgout des Unseriösen, das dem Dadaismus anhaftet, hat sich am Verdacht des Staatsumstürzlerischen nicht eigentlich etwas geändert: Das Diktum von der dadaistischen »Unsinnspoesie« hat sich über Generationen festgefressen. Zum heutigen, nicht nur journalistischen Gebrauch des Begriffs »dadaistisch«: immer, wenn ein Phänomen, das obendrein scheinbar alogisch daherkommt, als unterhaltsam-verjuxt beschrieben werden soll, hat man das Wörtchen »dadaistisch« parat. Eine Beobachtung, die in den Medien durchgehend gemacht werden kann.

Die Stärken und Verdienste des Dadaismus, der von Karl Heinz Bohrer dem »rationalistisch-materialistischen Flügel der ästhetischen Avantgarden« zugerechnet wird, die Verdienste des Dadaismus, wie er zwischen 1915 und 1918/1919 in der Schweiz entwickelt wurde, haben nur mit Ausnahmen in der Lyrik gelegen. Eher in der Theorie, die ja zu nicht unwesentlichen Teilen den Surrealismus vorbereitet hat, der bekanntlich in Deutschland, aus geschichtlichen wie mentalitätsgeschichtlichen Gründen, nie fruchtbaren Boden gefunden hat. Lag das Hauptgewicht des deutschen Expressionismus vor Kriegsausbruch in der Lyrikproduktion, so bemühte man sich in Zürich und Lugano, hat man den Eindruck, eher um neue Präsentationsformen von Literatur, zumal von Lyrik. An der im Netzzeitalter höchst aktuellen Simultantext-Entwicklung und deren Live-*Sendung* sind von deutschsprachiger Seite Serner und Arp beteiligt. Ball, Serner, Huelsenbeck sind die bedeutendsten Vertreter von frühen Formen der Performance. (Das gräßliche Wort der Literatur- beziehungsweise Lyrik-Performance, Mißgeburten der neunziger Jahre, war noch unbekannt.) Allein durch die Einführung von Simultangedicht und Performance – ästhetisch-medienmäßig ein Quantensprung! – sind die Dadaisten den Expressionisten deutlich überlegen.

»Innerste Alchimie des Wortes«. Ball

1921, nun als Erforscher frühchristlich-mönchischer Mystik ganz Geistes-Wissenschaftler, notiert Ball in seinem berühmten Tessiner Tagebuch, rückblickend auf seine Zürcher Aktivitäten des zelebrierten Klanggedichts: »Damals trieb ich Buchstaben- und Wort-Alchimie.« Hierin zeigt er sich als orphischer Schüler Mallarmés, der seinerseits, opfervoll, in Entsagungsgeste, von der »Alchimistengeduld« gesprochen hat, mit der er sein utopisches *Le livre*-Projekt verfolgt habe: »(…) wie man einst sein Mobiliar und die Balken seines Hauses verbrannte, um den Ofen des Opus magnum zu heizen.« (Brief an Verlaine, 1885). Ebenso wie Hugo Ball zeigt sich Marcel Duchamp affiziert von Mallarmé: »…und zwar vor allem hinsichtlich der Klangwerte, der Lautmalerei, das heißt, der *hörbaren* Poesie und nicht nur wegen seines Versbaues oder Gedankenreichtums.« (Interview von Pierre Cabanne, 1966). Während sich Duchamp unter Mallarmés Einfluß zu *dem* Titel-Spezialisten der modernen Kunst entwickelt, führt Ball für das deutschsprachige Gedicht die Überwindung des Expressionismus am konsequentesten durch, indem er, der hergebrachten Semantik mit tiefstem Mißtrauen gegenüberstehend, gleich vollständig auf den puren Sprachklang setzt: »Man ziehe sich in die innerste Alchimie des Wortes zurück, man gebe auch das Wort noch preis, und bewahre so der Dichtung ihren letzten heiligsten Bezirk.« (»Die Flucht aus der Zeit«, Eintrag vom Juni 1916). In Ausschließlichkeitsgestus und Weltentrücktheit, im sicheren Gespür für das ursprünglich Magisch-Theatralisch-Histrionische der Dichtung treffen sich hier auf verstörende Weise zwei deutsche Mallarmé-Schüler, zwei poetologische Ansätze des Extremen berühren sich: Ball und Stefan George (die beide in der Südschweiz starben). Darüber hinaus darf man sich entsinnen, daß zwei andere Gründerväter der literarischen Moderne, Poe und Baudelaire, beide ausgemachte Histrionen gewesen sind.

Balls *opus magnum,* sein *livre,* seine Sprachinstallation, ist das Akustische Gedicht. Das unausführbare Buch, da es ja nicht über die Schrift funktioniert, nur im Live-Erlebnis, im *event,* existent ist – der Rest ist verpackter Körper, Puppe. Die Performance – Ball, vor dem Krieg in München Theaterdramaturg im kubistischen, Schlemmer nahen Kostüm, in seinem Element: der Styliten-Rolle des frühchristlichen, noch an-archisch funktionierenden Eremiten. Des Mönches, der in schweigendem Lobpreis auf einer Säule sein Leben verbringt. Predigt er, kann es sein, daß die Leute glänzenden Augs in Scharen und von weither kommen. Diese sonderbaren Heiligen hielten Sprech-Stunden ab. Wenn sie als Stars der Selbstversenkung oder des epiphanischen Worts Ruf erlangt hatten, wenn ihnen das wüste Fleisch, die Haut eine Papyrusoberfläche, das Fleisch Rauchfleisch unter der ägyptischen oder palästinischen Sonne gedörrt über das Knochengerüst spannte, die Prediger-Stimme ihnen immer pfingstlicher wurde, dann bildet sich der Stylitenwald, die Schule. Die Zunge, Dörrfleisch, wird immer geschmeidiger, geiler: das ist der Dichter als Stylit. Ball, in der wilhelminischen Körperfeindschaft seiner Generation korsettiert, erlöst sich in seiner (Meßdiener-) Performance, promoviert sich zum »magischen Bischof« (Tagebuch), von dem eines der am häufigsten publizierten Fotos einer Performance der Avantgarde während des Ersten Weltkriegs zeugt. Balls Porträt, zeittypisch inspiriert von afrikanisch-ozeanischen Kulturen, gehört, neben dem des kopfbandagierten Apollinaire, auch zu den Abschiedsfotos der frühen Avantgarden. Sicherlich hatte Hugo Balls Masken-Performance gerade im ikonoklastischen Zürich eine derart durchschlagende Wirkung: Er bot sozusagen ein Stück starkriechendes Barock, der Stimmapparat als schwärende Wunde, eine sehr deutsche Aufführung, früher Beuys, »Zeige deine Wunde«.

Ball und Chlebnikov, Exponenten der Avantgarde mystischer Ausrichtung – letzterer verkörpert den Typ des Wandermönches, des manisch-nomadischen Sprachreisenden, dessen Wurzeln die Etymologien alter, entlegener, mythischer Sprachen ist. Ball, in seinem letzten Lebensjahrzehnt, entwickelt seine Nerven unter anderem (für mich stark mit seinen Gedichtperformances zusammenhängend) für das vorderorientalische Phänomen geistlicher Rhetoriken, dessen erstaunliches Resultat die Fallbeispiel-Studie über das »Byzantinische Christentum« ist. In der Dichtung will und kann Ball nichts mehr an Höchstleistung bringen; sein lyrisches Werk ist abgeschlossen. Der Zungenredner der Moderne schweigt – Ball wird, wie seine Frau Emmy Hennings, die Punksängerin, römisch-katholisch; macht die aus der Romantik bekannte mystische Kehre. Ball forschte weit. In der Sprache bis hinein ins Ereignislose.

Noch einmal Cabaret Voltaire. Die romantische Performance des Dadaisten Ball, der sich zu diesem Zeitpunkt nicht entscheiden kann zwischen Bekenner- und Märtyrertum, startet. Totentanznähe dieser Rituale, Tanz und Dichtung haben ja von Anfang an zusammengehört. Ball, in halbheidnischem Ritual. Ball im Kostüm kommunizierende Röhre... Der Sprachgott spricht durch Balls Mund. In der Mundhöhle spielt sich das Höhlengleichnis ab. Ball spricht unversehens. Der Dichter spricht, lallt, röhrt: eigentlich spricht er die gelöschte Tonspur aller Sprachen, der lebenden wie der toten. Immer wieder sehen wir uns das Ball-Video an, spulen zurück, wollen alles nochmal von Anfang an sehen.

Seit Poe gibt der Dichter sich immer wieder als Histrione. Der Dichter, der den Histrionen (auch noch) gibt... Arp, Tzara, Serner performen ihre Gedichte. Hier geht das Gedicht in den Äther: das Gedicht wird *Sendefläche*. Die Nachwelt guckt in die Röhre: die Dadaisten haben, bis auf Ausnahmen (das ist Avantgarde: Schwitters benutzt bekanntlich die konservative Sonatenform und zeichnet, als Werbefachmann, auf), keine Mitschnitte in Form von archaischen Tonaufzeichnungen hinterlassen können. Die Konservenindustrie war im Verdunjahr 1916 sozusagen noch nicht in den Gängen. Ball, Serner, Tzara performen ihre Gedichte in den Städten. Performance geschieht in der Stadt: »Man lebt in Zürich: Ländlich unter Morphinisten« – 1915 Balls knapper Verriß des Exil- und künftigen Arbeitsortes. Dann erkannte er das Gedicht als Ort der Frequenzüberlagerung, des Fadings, um konsequent das weiße Rauschen des Wortes anzusteuern: »Man ziehe sich in die innerste Alchimie des Wortes zurück.«

»Lyrik: ein Knabe befindet sich in der Klemme«. Serners »Letzte Lockerung«

Ferdinand Schmatz (»Sprache, Macht, Gewalt«) hat darauf hingewiesen, daß mit der »Letzten Lockerung« zugleich das Dandytum seinen Abschied nimmt. Serner hat die »Letzte Lockerung« 1918 in Lugano geschrieben. Gerade rechtzeitig, um vom PR-Chef Dadas, Tristan Tzara, der die besseren Kontakte nach Paris hatte, schamlos bestohlen zu werden. Der Fall Serner-Tzara ist markant. Ein in der Erforschung der Avantgarden zu wenig beachteter Vorfall, ein pikantes Beispiel für Zitatkultur, die Eskamotage (aus der Rezeption) per Plagiat.

1917 hatte der seit zwei Jahren in den USA lebende Duchamps sein *ready made* »Fontäne« hergestellt, das Urinoir. Die Gestorbenen auf den Schlachtfeldern verwesten, in den Künsten lag Urin in der Luft. Manifeste sind als eine moderne Form der Verwünschung zu verstehen. In ihnen geht es darum, die Wirklichkeit von Vorgängern zu zerstören.

Auf den Sprach-Körper bezogen, dieser seit den achtziger Jahren grassierenden Metapher, bemerkt schon Michail Bachtin in seiner Rabelais-Studie: »Verwünschungen (…) krempeln den ganzen Körper um und stülpen den Unterleib vor.« Allen Marktplatz-Verwünschungen »ist die *Ausrichtung nach unten* gemeinsam«. Zu Dadas Zeiten lag Urin in der Luft, die Hinterlassenschaft der Weltkriegstoten, zu beiden Seiten des Ozeans. In der »Letzten Lockerung« ist folgendes nachzulesen: »Die weiteste Bewußtheit (Patent Oil Urinoir) ist lediglich die letzte Unsicherheit, die der vorletzten aber als Sicherheit imponiert (…).« Eine Totentanz-Wirklichkeit, wie sie zu Ausgang des Mittelalters, dann während des Dreißigjährigen Kriegs der Fall gewesen ist. In solchen Situationen überschlägt sich die Stimme der Dichter, erreicht den äußersten Grad an Schärfe.

Abgesehen davon, daß sich die »Letzte Lockerung« als *manifest dada* versteht und es dem Manifest eigen ist, daß es versucht, autoritär gegen Vorgänger-Autoritäten vorzugehen, um sie abzuschalten, gehört Serners Text zum psychologisch Durchdachtesten, nicht allein der Gattung – sie (Femininum) ist zum Intelligentesten zu rechnen, was Avantgarde über Avantgarde zu äußern imstande war. Zudem ist die »Letzte Lockerung« sprachphilosophisch auf der Höhe der Zeit. Mit Abstand die beste theoretische Prosa in deutscher Sprache ihrer Zeit – übrigens zum ersten Mal unter Einbeziehung von Slang und O-Ton. Die ästhetische Theorie bedient sich, unterbrochen und ergänzt von kommentierenden Interjektionen, comichaft-onomatopoetischen Ausrufen, der Ausrufe der Straße *(street speech)* hier erstmals überzeugend und, in Vorgriff auf Pop-Ästhetiken, der umgangssprachlichen Jargons. Sein Autor, Serner, legt ein beeindruckendes Bekenntnis zur lebensvollen »Sprache des Marktplatzes« (Bachtin) ab.

»Sprich deutlicher!« Serners Lyrik, seine Performance

Von Serners Werk ist augenblicklich, mit Ausnahme seines Romans »Die Tigerin«, nichts (nichts!) greifbar. Also auch nicht die Gedichte, die in weitere Kreise erreichende Anthologien nicht vordringen konnten. Ebenso sprachenhaltig wie seine berühmten Kriminalstories sind Walter Serners Gedichte aufgebaut. Slangnähe findet sich auch hier. Serner hat wenige, aber erstklassige Gedichte geschrieben. Der Autor der »Letzten Lockerung« hielt überhaupt wenig von Lyrik, kurz fertigt er das gefühlskontaminierte Gedicht ab: »expressionistisch« und »vorsäuseln« waren für den Dichterperformer Synonyme, man kann es in seinem Manifest nachlesen. Folgerichtig demonstriert Serner in seinem knapp gebliebenen lyrischen Werk einen präzisen Bruch mit dem Expressionismus. Mit überzeugendem Ergebnis. 1919 erscheinen Gedichte aus der »Manschetten«-Serie, in der wichtigen Zeitschrift »Der Zeltweg« (eine Nummer erschienen), zusammen mit Auszügen der »Letzten Lockerung«. Serner zeigt und verbirgt sich als passionierter Beobachter im Sinne Baudelaires. Registrierblick des Flaneurs, Sprache als Präzisionsinstrument. »Manschette« ist ein Slang-Titel, rotwelsch, Sprache des Milieus, ist Unterweltsprache für »Angst haben« und »Handschelle«. Jedes der durchnumerierten Sernergedichte eine Handschelle (Maulschelle?) für den Kopf? Zusammenge*mansch*te, unter dem hohem Druck der Gegenwart erzeugte Sprache. Kaltgehaltenes Material, wie es Benn liebte und forderte, schockgefrorenes Wort, in der zynisch-neusachlichen Manier schon der zwanziger Jahre, bei aller Liebe zu sprachlogischen »Unvereinbarkeiten«.

Die Dadaisten haben naturgemäß eben keine Unsinnspoesie abgeliefert! (Daß auch in dieser Sparte viel Blödsinn geschrieben wurde, ist normal.) Gedichte schreiben, Kinder manschen im Dreck; das Ergebnis: *Manschetten*. Wiederholt ergeht an das Kind (lies: Leserschaft) die patriarchalisch-ironische Ermahnung »Sprich deutlicher!« (»Manschette 9«). »O warum sich nicht langsam streicheln«, fleht das lyrische Ich Serners in dieser neunten »Manschette«, die als Elegie ausgewiesen ist – sicherlich keine nach dem Verständnis des ironiefreien Rilke. Serner fordert für das Gedicht: »Alle Bilder sind plausibel« (»Letzte Lockerung«). Damit wird die Leserschaft ernstgenommen, sie muß nur mit den zunächst harsch wirkenden Schnittechniken (Montage), den filmischen Blick- und Bildwechseln vertraut werden, die seit Baudelaire, Mallarmé, dem Berliner Expressionismus der *grotesken* Variante mit Hardekopf, Benn oder Lichtenstein eingeführt worden sind. Zudem wenden sich die ausgesprochen *kriegsgegnerischen* Dadaisten Schweizer Prägung gegen eine Literatur des ideologisch-sozialen Engagements, wie sie in Deutschland ab 1918 fortgesetzt wird. Strikt abgelehnt werden letztlich brav bleibende realistisch-deskriptive Literaturmodelle – »Revolutionsliedchen im Kaiser-Geburtstags-Stil«, »Klischee-Zeugs«, wie Serner in »Dada-Park«, Pfemferts »Aktion« im »Zeltweg« angreifend, bemerkt: »Man spreche nicht von Realismus (...).« Die Neue Sachlichkeit wurde zum Mainstream der Weimarer Republik, so daß Paul Zech um 1930 klagen mußte: »Zu dem hohem Kurs der Sachlichkeiten / wird man heute jeden Abfall los.«

Serner ist, wie Ball und Emmy Hennings seit 1915 in der Schweiz, vornehmlich in Zürich, dann in Genf, gemeldet. Sein Einfluß darf nicht unterschätzt werden: Serner – nicht Tzara – eröffnet in Genf im Dezember 1919 den »Ersten Weltkongreß der Dadaisten«.

Sein Einfluß als Performer von literarischem Text ist evident, denkt man etwa an die legendäre Schneiderpuppen-Performance, die von Nadeau in der »Geschichte des Surrealismus« (Paris 1945, deutsch erst 1965) mitgeteilt wird. Bei der Schneiderpuppen-Performance legt der Akteur einen Strauß Blumen einer kopflosen Atelierpuppe zu Füßen. Und liest daraufhin *keine* Gedichte vor. Sehr gut! Ausgezeichnetes Konzept. Zeitgenau und klima-technisch sauber geplant und partiturgerecht durchgeführt, indem es sich des im öffentlichen Verständnis frisch verankerten Kriegerdenkmal-Erleb-nisses (im zeremoniellen Kostüm der Kranz-Niederlegung) bedient, sich somit seiner Wirkung im vorhinein versichern kann. Die erwünschte Wir-kung bei den ästhetischen Avantgarden ist immer: der medienwirksame, am besten weitestgehend selbstgesteuerte Skandal. Die Dadaisten hatten Erfah-rungen mit Printmedien. Serner war Sohn eines Zeitungsverlegers, hatte für die expressionistische Fachpresse als Kunstkritiker geschrieben, Schwitters verdiente sein Geld als freiberuflicher Werbe-Consultant. Die Skandal-Sehn-sucht der Avantgarden, zuletzt, auch schon zwanzig Jahre her, ab 1976 bei Punk. Die *lyrics* – auch deutscher – Punk-Bands waren ästhetisch der neo-neurasthenischen westdeutschen Lyrik überlegen. Das wurde im bürgerli-chen Feuilleton der achtziger Jahre nicht wirklich wahrgenommen, ebenso-wenig wie die ersten Lyrikbände der heute Vierzigjährigen – ich nenne Waterhouse, Czernin, Papenfuß – nicht wirklich als Einschnitt begriffen wur-den. Das änderte sich, langsam, erst ab ziemlich genau 1989; ab Anfang / Mit-te der neunziger Jahre wird ein Interesse an zeitgenössischer – bitte nicht *zu* komplizierter! – Lyrik im deutschsprachigen Raum scheinbar größer. Schein-bar, natürlich.

Die Wirkung von Serners sprachkritischer Dada-Performance geht über den Tagesskandal hinaus: sie wird, modifiziert, als apokryphes Zitat, von der Wiener Gruppe relaunched. Man ist geneigt, von einer Wiederaufnahme ins Programm zu sprechen. Dada selbst war schnell ein Fall für das renommier-te Verlagswesen. Der angesehene Kurt Wolff Verlag in München konnte 1919 den Dadaco-Katalog mit einem Artikelauszug der »New York Times« über die aktuelle europäische – die Zürcher – Avantgarde (»literary and arti-stic group of Dadaists«) bewerben. Die hatte die Schweizer Dadaisten *pre-termodern* genannt.

Breitseite gesprochen. Notiz zu Slangnähe und Lesung des Gedichts

Die schnelle Rhetorik der Straße, die immer sich in Rasanzen entwickelnde Privatsprache des Quartiers, die Berufssprache der kriminellen oder der kri-minalisierten Szenen, der Ruf des Blocks: alles für die Dichter in Frage kommende Sprachen. Das Antidot zum hohen Ton, der ja nur in homöopathischen Dosen dem menschlichen Gehirn zumutbar ist. Zu den Erstverwendern von Rotwelsch in der deutschen Literatur gehört, im 17. Jahrhundert, nach dem jargonkundigen Luther, Johann Michael Moscherosch.

Die schnelle Rhetorik randständiger Sprachen, *offene Hermetik,* von Orpheus im Studio eingesprochen. Orpheus nähert sich liebend den Sprachen, er nähert sich allen Sprachen: unterschiedlos. Der Sänger-Dichter hält sich in der Nähe des Hermes auf, in der Nähe des Seelenführers Hermes, der viele Posten bekleidet, so ist er der Verwalter des Diebsschatzes der Sprachen, der Fach- und Sondersprachen. Hermes, der *Gott der Zitatkultur,* arbeitet auf seine nomadisch-viehdiebische Art am Projekt der Erinnerung. Die Unterwelten sprechen ihre Weltsprachen verschieden. Bachtin in seiner berühmten Rabelais-Studie zur Sprache des öffentlichen Raums, zur Sprache des sprachenvereinigenden (Jahrmarkt-)Platzes, dem Gewirr von Dialekten und Argots, die überspült werden von Ausrufersprüchen und -liedern (Werbe-jingles), die sitzen. Bachtin analysiert Plätze, auf denen Eigenes und Fremdes sich trifft, in kreative Konkurrenz tritt: das gesprochene Wort als laut gesprochenes, als gestenreich histrionisch sich beweisendes Wort – ganz Stimme, ganz bildreich verkörperte Sprache. Bachtin sieht über Fluch und Verwünschung den »grotesken Körper« in Aktion (s. o.: Ball in kubistischer Verpackung). Seit dem Manierismus ist die Entstellung des Körpers (Martyrien-Darstellungen undsofort), das sogenannte Häßliche, das Häßlichgemachte, kurz, das als pervers und abirrend Begriffene fester Bestandteil der künstlerisch-ästhetischen Avantgarden. Slangs neutralisieren das Pathos. Slangs ölen die Synapsen: die schnelle, schnellzüngige, zügige Rhetorik der Straße, *popular speech,* in dichterisch gesprochener, beziehungsweise geschriebener Sprache – Nachrichten aus dem Zeitraffer.

Umgangssprache: 'n gefährlich' Dingen für die Lyrik, die deutsche zumal, wenn sie im Aschenputtelfetzen des Alltagsgedichts (sogenannte *Neue Subjektivität*) nach 1968 längsschleicht: depressiv, schlecht gearbeitet, sprachschlampig, sackförmig schlackernd in ostentativer Schlechtdraufität. Geradezu Anlaß für meine Generation, die in den siebziger Jahren das Gedichtschreiben begann, andere Wege einzuschlagen, andere, als die von der Gruppe 47 abgesegneten Traditionen, aufzugreifen. Nicht zuletzt: die Ergebnisse können sich, 1999, sehen lassen.

Gegen die trostlose Lesung, die dichterische Sprache, die dichterisches Sprechen nicht ernstzunehmen vermag, ist eine jüngere Dichtergeneration angetreten. Das Wort Dichter stand nach 1968 bekanntlich auf dem Index, wurde nicht mehr verwandt, so ließ der Verfasser sich 1986 auf einer Preisurkunde als Beruf folgendes schriftlich bestätigen: »Dichter und Sprachinstallatör«. Wir setzten dagegen die *Sprach-Party* Gedicht! Genau, die Feier! Sprachfunk! Das *Gedicht als Sendefläche!* Freilich nicht in der brokatenen

Steifheit à la George, der von der Lesung des romantischen bürgerlichen Salons nur eine wächserne Maskenhaftigkeit gelten ließ. Die Sprach-Party Gedicht seit dem imperialen Rom: seit Catull *street talk* als angemessenes Instrument erkannte, um das Gedicht städtisch zu machen. Sumpfblüte Stadt: das Paris Baudelaires ist die Ganz-Körper-Stadt, in deren Marktplatzruf – dem *dernier cri* – die Werbebranche ihren Geburtsschrei ausstößt. Das laut gesprochene Wort, neben dem klandestin geflüsterten, die chiffrierte Abmachung des sprachenberühmten Lyoner Jahrmarkts, den Bachtin im Zusammenhang mit Rabelais' ebenso gelehrter wie bildkräftig-volksnaher Sprache erwähnt, »gehörte zu den weltweit führenden Märkten im Buch- und Verlagswesen.«

Slangverwender Arno Holz: man hat sich billig daran gewöhnt, Holz als einen Ahnherren moderner Dichtungsansätze in der Rolle des neobarockjugendstilig überschwappenden »Phantasus«-Autors zu nennen. Seine Rolle wird überbewertet, einmal. Hierzu kann weiter gesagt werden, daß Holz als Lyriker da wirklich stark ist, wo er auf den naturalistischen Sekunden-Sprachstil der frühen Theaterstücke (mit Johannes Schlaf) zurückgreift, der mit direkten Alltagszitaten arbeitet, den grölligen Tagesschlager ins Gedicht umlenkt: »Pankow, Pankow, Pankow – kille-kille!« Was für ein Unterschied: In den USA »around 1900, the reading public was fascinated with slang and social dialect«, so der Slangforscher Irving Lewis Allen in seinem Bestseller »The City in Slang. New York Life and Popular Speech« (Erstdruck: Oxford University Press, 1993).

T. S. Eliot sagt anläßlich der Untersuchung von Shakespeares Vers über dessen ausführlichen, teils bis ins Programmatische gehenden Einsatz der Umgangssprache: »Er experimentiert, um zu sehen, wie kunstreich, wie kompliziert die Musik angelegt werden kann, ohne daß sie den Zusammenhang mit der Umgangssprache gänzlich einbüßt.«

Bei Pound, dessen puritanische Didaktik, doziert er über Poetik, als störend empfunden werden kann, wie – anders gelagert – bei Artmann, sind Sprachen (Dialekte), je abgelegener desto reizvoller, klarermaßen durchgehend Programm. Überhaupt fällt nach 1945 die (Wieder-)Entdeckung der Dialekte, der Argots und der Sondersprachen für die Dichtung nach Österreich. Ebenso die der Ethnologie und Anthropologie als sprachliche Materiallager und Themenpools. All dies wird in Österreich erarbeitet, ausgehend von H. C. Artmann, der den Blick auf das der sterbensverliebten Wiener Melancholie nah verwandte Barock lenkt – wie er überhaupt Augen und Ohr für das (seit einiger Zeit in vielen Hinsichten hochaktuelle) 17. Jahrhundert schärft. Das linguistische Interesse, das für die Dichtung entwickelt wird, macht bei Licht besehen nur einen Bruchteil der deutschsprachigen Avantgarde Wiener Provenienz nach dem Zweiten Weltkrieg aus! So wird, über die sattsam erörterte Durchleuchtung des sprachskeptischen Komplexes als

Fond dichterischer Arbeit hinaus, die *gesprochene Sprache* des Live-Auftritts um 1960 in Wien wieder wichtig. Hier wird offenbar an die brillante, zwischen U- und E-Themen ein breites Spektrum bildende Vortragskultur der österreichischen Hauptstadt angeschlossen, wie sie seit Grillparzers und Nestroys Tagen als Trainings-Center die nützliche Erfindung des Kaffeehauses bereithält. Angeschlossen wird bei den Aktionen der Wiener Gruppe auch an begnadete Didaktiker wie Kraus, ein, wie Film-Mitschnitte seiner Lesungen beweisen, ebenso zündend-bühnenwirksamer Histrione. Zu nennen wäre Kraus' Widersacher, Anton Kuh, der *Sprechsteller,* eine berühmte Fachkraft für *spoken word* und gnadenlos präziser Timingspezialist. Alles im Kaffeehaus geschulte Kräfte – echte Live-Stars! Wien – hier sitzt das »guade sprücherl« (um 1900 schon »Galeristensprache« der Wiener Unterweltler). Der gute, die Polemik führende, gesprochene Satz, die drastische Ansage, der warnend-paßgenaue Satz, der über den gut bis reichlich eingeschütteten, gern breitschulterigen Inhalt hinaus im Timing perfekten Sitz haben muß, um als guter Spruch rüberzukommen. Der gute Spruch kann (vom Gegenüber, das das Publikum sein *kann*) *nicht gewechselt werden.* Hauptleistung der Wiener Gruppe ist sicherlich sie selbst, als Live-act, gewesen. Die Wiener Gruppe mit Jandl jedenfalls hat dafür gesorgt, daß seit eineinhalb Jahrzehnten wieder von jungen Dichtern gute Lesungen zu hören und zu sehen sind. »Experimentelle Dichtung«? Nie gehört. Die Bühnenperformance jedenfalls hat mit Experiment überhaupt nichts zu tun, das ganze nennt sich: Histrionenfieber. Histrionenfieber, *face dancing:* die Lesung, auch als Austausch zwischen Musik und Poesie begriffen, wie er seit Anfang der achtziger Jahre durch Auftritt-Teams stattfindet: Köllges / Kling machten für den Köln-Düsseldorfer Raum 1983 den Anfang, gefolgt von Marcel Beyer und Norbert Hummelt, die auch schon deutlich vor 1989 gemeinsam aufgetreten sind. Auftrittsmöglichkeiten, mit denen jüngere Dichter der spezifisch deutschen Ausprägung der literarischen Lesung mit ihrer ganzen unglückseligen Holzigkeit entgegengetreten sind, so daß eigentlich nicht mehr sein muß, was Witold Gombrowicz (»Ferdydurke«) im Adenauer-Deutschland beobachten mußte: »O diese beseelten Gesänge, denen niemand zuhört! O diese Klugrednereien der Kenner und diese Begeisterung bei (…) Dichterlesungen und jene Einführungen, Bewertungen, Diskussionen und die Gesichter der Personen, wenn sie deklamieren oder zuhörend das Mysterium gemeinsam zelebrieren!«

Zitierte Literatur: Irving Lewis Allen: »The City in Slang. New York Life and Popular Speech«, Oxford 1993. — Michail Bachtin: »Rabelais und seine Welt. Volkskultur und Gegenkultur«, Frankfurt/M. 1987. — Eduard Beaucamp: »Der verstrickte Künstler. Wider die Legende von der unbefleckten Avantgarde«, Köln 1998. — Hugo Ball: »Byzantinisches Christentum. Drei Heiligenleben«, Frankfurt/M. 1979. — Hugo Ball: »Die Flucht aus der Zeit«, München 1931. — Hugo Ball: »Der Künstler und die Zeitkrankheit. Ausgewählte Schriften«, hg. von Hans Burkhard Schlichting, Frankfurt/M. 1984. — Gottfried Benn: »Expressionismus«, in: ders.: »Essays, Reden, Vorträge«, Gesammelte Werke in vier Bänden, hg. von Dieter Wellershoff, Bd. 1, Wiesbaden 1959. — Karl Heinz Bohrer: »Hat die Postmoderne den historischen Ironieverlust der Moderne aufgeholt?«, in: »Merkur«, Sonderband: Postmoderne. Eine Bilanz, 1998, H. 9/10. — Pierre Cabanne: »Gespräche mit Marcel Duchamp«, Köln 1972. — T. S. Eliot: »Musik im Vers«, in: »Der Vers«, Frankfurt/M. 1952. — Hans Magnus Enzensberger: »Aporien der Avantgarde«, in: ders.: »Einzelheiten«, Frankfurt/M. 1962. — Hans Magnus Enzensberger: »Aussichten auf den Bürgerkrieg«, Frankfurt/M. 1993. — Witold Gombrowicz: »Tagebücher«, 3 Bde., Pfullingen 1970. — Kurt Hiller (Hg.): »Der Kondor«, Heidelberg 1912. — Arno Holz: »Phantasus«, Leipzig 1916. — »Museum der modernen Poesie«, eingerichtet von Hans Magnus Enzensberger, Frankfurt/M. 1960. — Maurice Nadeau: »Geschichte des Surrealismus«, Reinbek 1965. — Kurt Pinthus (Hg.): »Menschheitsdämmerung. Symphonie jüngster Dichtung«, Berlin 1920. — Alfred Lichtenstein: »Nachmittag, Felder und Fabrik«, in: »Die Aktion«, 1914, H. 4. — Friedrich Nietzsche: »Jenseits von Gut und Böse«, Sämtliche Werke in Einzelbänden, Kritische Studienausgabe, Bd. 5, München 1988. — Ferdinand Schmatz: »SPRACHE MACHT GEWALT. Stich-Wörter zu einem Fragment des Gemeinen«, Wien 1994. — Walter Serner: »Letzte Lockerung. Ein Handbrevier für Hochstapler und solche die es werden wollen«, Berlin 1964. — Albert Soergel: »Im Banne des Expressionismus«, Leipzig 1925. — Jacques Vaché: »Lettres de guerre à Jeanne Derrien«, Paris 1991; dt.: »Kriegsbriefe«, Hamburg 1979. — Ludwig Wittgenstein: »Geheime Tagebücher 1914–1916«, hg. von Wilhelm Baum, Wien 1991. — Paul Zech, zitiert nach: »Deutsche Gedichte zwischen 1918 und 1933«, hg. von Helmut und Ingrid Kreuzer, Stuttgart 1999.

Hugo Dittberner

Das Authentische...

Das Authentische eines Werkes einzufordern oder zu rühmen, gar noch frontal und als *sine qua non* der Kunst, wirkt heutzutage eher grobschlächtig und übertrieben, ja komisch und reif für die Parodie. Beiläufig freilich fließt es als Prüfstein der Wertschätzung in fast jede Argumentation jedenfalls dieses Jahrhunderts, zumal angesichts seiner Katastrophen, ein. Sei es die (persönliche) Stimme, die Erfahrung, Wahl der Form oder Zusammenhang des Textes, die Tatsächlichkeit der Befunde, die Rigorosität ihrer Verweigerung oder Bearbeitung des Materials...: es läuft in jenen Nebensätzen oder Parenthesen, die man sich merkt, auf die Bewährung eines Letztinstanzlichen, nicht Hintergehbaren hinaus, an dem sich eine Echtheit zu erweisen scheint. Der Göttinger Philosoph Josef König spricht in seiner Studie »Die Natur der ästhetischen Wirkung« von dem »Eigennamen seiner Wirkung«. In der Beschreibung des Ästhetischen kann sein Authentisches in dem Moment gefunden werden, wenn die Beschreibung selbst ästhetisch ist. Dann ist es in der Übersetzung aufgedeckt, eher noch eben als Eigenname entdeckt. Der eigentümlich evidente und zugleich flüchtige, dem nüchternen Zugriff sich entziehende Charakter des Authentischen wird in solchen Annäherungen, wenn sie nicht Triviales sagen, offenbar. Das Authentische ist demzufolge eher etwas, das man spüren kann, ein Ruf, den nicht alle hören; merkwürdigerweise selten etwas für Wissenschafter oder Schwärmer, eher für Staunende und Übende, auch wenn der Begriff im »Historischen Wörterbuch der Philosophie« gefunden und bei Adorno immer wieder entdeckt werden kann. Als bedürfe es des vorherigen Zuspruchs des Authentischen durch eine Autorität, um dem als Publikum unbefangen folgen oder als Eigenbrötler, Purist oder Satiriker widersprechen zu können.

Das mag daran liegen, daß dem Authentischen nicht nur Vorstellungen von etwas Purem, von Quelle, Hain oder heimatlichem Gelände zukommen, sondern auch solche von etwas Zusätzlichem, ähnlich einem majestätischen Gewand, das herrschaftlich und notwendig in einem, ein Sinnbild der Ernennung ist. Ein Königsmantel des Menschlichen. Doch indem ich solche Formeln sage, verfehle ich es schon; und ich nähere mich ihm, indem ich sie gleichwohl wage. Etwa: Eigensinn als Wahrheit des Mitgefühls. Oder es spricht in würdevollen Formulierungen der Tradition, in biblischen Versen wie: »dem eigenen Stern folgen« (das Eigene in einem Kosmos suchen); »Das Reich Gottes ist inwendig in Euch.« Simone Weil sucht in ihren Aufzeichnungen immer wieder, immer erneut den Bezirk solches Authentischen zu formulieren; in dem Titel »Schwerkraft und Gnade« ist die Doppelbewegung des Gründenden und des Erhebenden, wenn man so will: die Hoffnung der Tradition, das Programm der Konservativen, poetisch und religionsstiftend zusammengefaßt.

Auch W. H. Auden, wenn er über das »echte Gedicht«, über das Authentische des Dichterischen nachdenkt, spricht von dem »Namen einer Erfahrung«: »Was immer dessen tatsächlicher Inhalt und offenkundiges Anliegen ist – jedes Gedicht wurzelt in imaginativer Ergriffenheit. Dichtung kann hundertein Ding vollbringen, kann erfreuen, betrüben, verwirren, belustigen, unterrichten – sie mag jede mögliche Nuance des Gefühls zum Ausdruck bringen und jedes nur vorstellbare Ereignis beschreiben, doch eines, und nur dieses eine, ist aller Dichtung aufgegeben: sie muß preisen – alles, was sie vermag, dafür preisen, daß es da ist und sich ereignet.« So wäre denn das Authentische, das wir einem literarischen Kunstwerk abzulesen meinen, dieses namenfindende Preisen, das Siegel der Schöpfung?

So weit ist das nicht von Adornos Gedanken des sich durch die Textur transzendierenden Gehalts des Textes entfernt – nur daß bei Adorno das Metaphysische an die Oberfläche reflektiert erscheint. Denn was man als Lob des Gelungenen nehmen könnte, beansprucht die Gültigkeit des Endspiels. Weniger anspruchsvoll, für unser pragmatisches Vorgehen einsichtiger ist Seamus Heaneys Vorstellung von der »Richtigstellung der Poesie«. Indem das Poetische ein eigenes Maß nimmt, wirkt es authentisch. Die Betonung liegt auf dem Vorgang: daß es nach eigenem Maß flüchtig oder gründlich wird, eingreift (so nannte Brecht sein Denken). Das Authentische ist gerade nicht etwas Festes, ein für allemal zu Definierendes, sondern ein zum Schweben Herangebrachtes, die Aura, es kommt zu und verblaßt, es ist Offenheit zu Lesarten, eine Korrektur aus dem Geist der Freiheit. Existentiell, wie Simone Weil es versteht: »Jedes Wesen ist ein stummer Schrei danach, anders gelesen zu werden.« Poetologisch im Sinne von Heaneys Richtigstellung: das Gedicht eines Gesichts für ein Gesicht (das nicht entstellt); das Aufbrechen des einen (der Konvention); ein Heimkommen des anderen (aus dem Eigenen); was nach dem Zusammenreimen für eine Weile übrig bleibt... Erinnerung ist in der Nähe solcher wesentlichen Korrektur, persönliche Dokumentation, das beglaubigte Ereignis, alles, was die Sprache an die Zeit bindet. Kurz, das Authentische ist gerade nicht das, was Propheten und Ungläubige wahrhaben wollen, wenn sie darauf losgehen, sondern das andere, das den Atem gibt, der Geist des Versuchs, das Hindeuten des *experimentum crucis*.

Zitierte Literatur: Josef König: »Die Natur der ästhetischen Wirkung«, in: ders.: »Vorträge und Aufsätze«, hg. von Günther Patzig, Freiburg, München 1978. — Simone Weil: »Schwerkraft und Gnade«, München 1952. — W. H. Auden: »Des Färbers Hand und andere Essays«, Gütersloh 1962. — Seamus Heaney: »Die Richtigstellung der Poesie«, in: ders.: »Die Verteidigung der Poesie«, München 1996.

Friedrich W. Block

Erfahrung als Experiment
Poetik im Zeitalter naturwissenschaftlicher Erkenntnistheorien

1 Zum Begriff des Experiments in der Poesie

Im folgenden soll es lediglich um eine bewußt enggeführte Reflexion zum poetologischen Begriff des Experiments in der Poesie gehen, nicht um eine historische Erzählung.[1] Allerdings bezieht sich die Reflexion im wesentlichen auf bestimmte literarische Erscheinungen seit Ende der sechziger Jahre. In diesem Zeitraum zeichnen sich sowohl in wissenschaftlichen als auch poetologischen Diskursen Tendenzen ab, die nach dem *linguistic turn* nun einen *cognitive turn* vermuten lassen. Hier beginnt die Formel der ›Erfahrung als Experiment‹ zu greifen. Daher auch der Untertitel dieses Beitrags, der dem Untertitel eines bemerkenswerten Essays von Oswald Wiener aus dem Jahr 1987 angeglichen ist.[2] Der Autor der »verbesserung von mitteleuropa« beschäftigt sich darin ausführlich mit epistemologischen Fragen zu kognitiven Strukturen und Prozessen nach dem Modell der Turingmaschine.

Es gibt in Wieners Artikel keinen einzigen expliziten Hinweis auf Poesie, Literatur oder Kunst – abgesehen vom besagten Wort ›Poetik‹ im Untertitel –, dafür um so mehr Referenzen zu Kybernetik und Künstliche-Intelligenz-Forschung. Gleichwohl erschien der Text nicht in einem einschlägigen Fachjournal, sondern in den »manuskripten«. Was ist von diesem ›Einbruch‹ naturwissenschaftlicher Semantik in die Literatur zu halten? Ein einzelnes Randphänomen, eine Wienerische Kuriosität? Oder nicht doch ein sehr drastisches Symptom für den Flirt der Kunst mit der Wissenschaft, einen Flirt, der durchaus auf Gegenliebe stößt?

Von literarischer Seite steht der Begriff des Experiments jedenfalls die ganze Moderne hindurch für Analogiebildungen zur (Natur-)Wissenschaft, bekanntlich schon bei Novalis: »Experimentieren mit Bildern und Begriffen im Vorstellungsvermögen ganz auf eine dem physikalischen Experiment analoge Weise. Zusammensetzen. Entstehenlassen – etc«.[3] Da wäre durchaus eine Nähe zur Kognitionspoetik Wieners auszumachen. Im Verlauf der modernistischen Evolution bezieht sich das Etikett ›experimentell‹ aber zunächst weniger auf ein »inneres Experiment«[4] als mehr auf bestimmte Schreibweisen, sei es als narrative Milieustudie (Emile Zola), als Reflexion der Reproduktionsmittel (Arno Holz), als Innovation und Revolte (Dada), als Verfremdung (Bertolt Brecht) oder als Präsentation des verbivocovisuellen Materials (Konkretismus).

Betrachten wir noch kurz die sechziger Jahre. Hier stehen die Namen Max Bense und Helmut Heißenbüttel für theoretisch avancierte Positionen zum poetischen Experiment in Nachbarschaft zur Wissenschaft. So waren für Bense »experimentelle schreibweisen«[5] im informationsästhetischen Kontext rationalisierte Methoden: ›Textalgebra‹ und ›Programmierung‹, wobei die Verbindung von Mathematik und Dichtkunst auch zu den ersten Computergedichten führte. Das jeweilige Resultat, der ›materiale Text‹ wurde vor allem als Zeichen sprachlicher und ästhetischer Selbstreferenz aufgefaßt, nämlich als Text, »der verwendung und stellung des worts nicht von seiner (außertextlichen) bedeutung abhängig macht und diese bedeutung in einem ›kontext‹ fixiert, sondern von seinen strukturellen und ästhetischen funktionsmöglichkeiten als element in der sprachlichen eigenwelt der ›konnexe‹ des textes«.[6] Heißenbüttel hat ebenfalls den Zusammenhang von Literatur und Wissenschaft »als vergleichbare Tätigkeiten« betont[7], ging aber über das cartesische Denken Benses insofern hinaus, als er Rationalität und Irrationalität, Aufklärung und Unendlichkeit des »nichtrationalisierbaren Rests« in ein dialektisches Verhältnis setzte.[8] Allerdings riet er zur Vorsicht bei der Verwendung des Begriffs ›Experiment‹, forderte, ihn auf konkretere sachliche Bezüge zurückzuführen. Als solche benannte er zum Beispiel: Atomisierung, Diskontinuität und Zufälligkeit der »stofflichen und formalen Einheiten« wie der »zeitlichen und prozessualen Vorgänge«.[9]

Gegen den schnell modischen und verwässerten Gebrauch des Begriffs ›Experiment‹, aber auch überhaupt gegen seine Anwendbarkeit in der Literatur, wandten sich damals Hans Magnus Enzensberger oder Alfred Andersch in scharfer Form, ebenso auch Beda Allemann in einem grundlegenden Aufsatz.[10] Heute ist es ein Dichter wie Franz Josef Czernin, der sich zum einen gegen die bloße Etikettierung verwahrt, zum anderen auf die Geschichtlichkeit des Begriffs hinweist. Für eine Dichtung, wie Czernin sie versteht, nämlich als »systematische Erforschung der Dichtkunst (...) mit dem Ziel, die eigenen Absichten in dem Entdecken oder Herstellen der Gesetze des Dichtens selbst aufzubrauchen«[11], für eine solche Dichtungsauffassung ist der Begriff ›experimentelle Poesie‹ schlicht pleonastisch. Was die Tradition angeht, heißt es in einem Essay zu Reinhard Priessnitz und dessen Standortbestimmung, mit der dieser sich von den ›post-experimentellen‹, das heißt die experimentelle Tradition unreflektiert ausbeutenden Autoren absetzte: »Dass Priessnitz das, was ich Sozialisation als Künstler bzw. Dichter bezeichnet habe, gegebenenfalls zu essayistischer Parteinahme gebracht hat, hat ihn vielleicht übersehen lassen, dass sich sein eigenes Verhältnis zu jener ›experimentellen‹ Tradition in ein subtiles, variantenreiches Verhältnis zu literarischen Traditionen überhaupt einordnet.«[12]

Man sollte grundsätzlich davon ausgehen, daß der Begriff ›experimentell‹ – wie andere poetologische Leitbegriffe auch – weniger Werke klassifiziert als mehr über eine bestimmte künstlerischen Haltung orientiert und der kommunikativen Verständigung über diese Haltung oder auch der poetischen ›Sozialisation‹ dient. Siegfried J. Schmidt, in der Doppelrolle als Künstler und Wissenschaftler, charakterisiert eine entsprechende Einstellung dann mit Aspekten wie: Ablehnung eines eindeutigen Kanons von Themen und Verfahren, Rechnen mit der Offenheit von künstlerischen Funktionen, Varianz von Erwartungshaltungen, Ausgestaltung neuer Handlungsmöglichkeiten. Experimentell sei, was vom Werk auf offene Prozesse umstellen, die Rezipienten zu Ko-Produzenten machen wolle oder was die Kunstmittel und Wahrnehmungs- wie Denkvorgänge thematisiere, was Kunst insgesamt abzuschaffen oder das Verhältnis zwischen Werk und Kommunikation zu verändern versuche.[13]

Von daher kann das poetische nicht mit dem wissenschaftlichen Experiment identifiziert werden, zumal es letzterem um die wiederholbare Bestätigung von Forschungshypothesen unter theoretisch begründeten, logisch einwandfreien sowie auch prinzipiell von jedermann lernbaren Regeln geht. Andererseits erhält das Experiment auch zunehmend von wissenschaftlicher Seite quasi-ästhetische Züge in einer Zeit, da Unschärfen, Unbestimmtheit, Spekulation, ja geradezu literarisierte Modelle auch die sogenannten exakten Wissenschaften kennzeichnen und diese ein verstärktes Interesse an ästhetischen Prozessen dokumentieren: So beteiligen sich ja heute am aktuellen Diskurs zur Medien- und Techno-Kunst nicht nur Künstler und Kulturwissenschaftler, sondern auch Kybernetiker und Neurophysiologen. Ganz anschaulich geschieht dies zum Beispiel in einem amerikanischen Journal, das sich den Namen des Stammvaters künstlerischer Wissenschaft, wissenschaftlicher Kunst gegeben hat: »Leonardo«.

2 Experiment – Experience

An dieser Stelle wird es sinnvoll, einen zweiten Begriff ins Spiel zu bringen, der mit dem Experiment etymologisch eng verwandt ist: den der Erfahrung (experience). Dieser Begriff ist in den poetologischen Diskurs zum Experiment kaum eingebracht, allenfalls antinomisch verwendet worden. Zum Beispiel etwa von Allemann, der mit Enzensberger festhielt, die zeitgenössische Poesie mache den Eindruck, daß sie sich je ›experimenteller‹ desto weiter von jeder Erfahrung entferne.[14] Dabei war ihm das »Wesen der literarischen Erfahrung« eine eigenständige geistesgeschichtliche Größe, in der moderne Wirklichkeit entfaltet werde und die gegenüber einem positivistisch wissenschaftlichen Experimentieren ins Recht zu setzen wäre.

Andererseits mag der Erfahrungsbegriff in der Poetik des Sprachexperiments fehlen, weil er zu sehr nach Subjektivität riecht – die galt es lange Zeit herauszuhalten, zumindest in ihren idealistischen Erscheinungsweisen abzuwehren: Das »seiner selbst bewußte punktuelle Ich erweist sich als fiktiv und löst sich auf in ein Feld von Bezugspunkten«, so Heißenbüttel. Die Reflexivität sprachlicher Experimente verabschiede die »Relaisstation der Imagination« und damit »die des selbständigen und autonomen Subjekts. Es reduziert sich, überspitzt ausgedrückt, zu einem Bündel von Redegewohnheiten.«[15]

Konstruktivistisch gewendet aber bezeichnet der Erfahrungsbegriff den Zusammenhang kognitiver Autonomie und sozialer Orientierung oder: das Zusammenspiel eines Bewußtseinssystems mit seiner (sozialen) Umwelt. So ähnlich formulierte es bereits John Dewey: »Erfahrung ist das Resultat, das Zeichen und der Lohn einer jeden Interaktion von Organismus und Umwelt, die wenn sie voll zum Tragen kommt, die Interaktion in gegenseitige Teilnahme und Kommunikation verwandelt.«[16]

Die Eigenheit der Erfahrung bestünde daher in der kognitiven Prozessualität, in einem flüchtigen, spontanen, letztlich unberechenbaren, doch strukturell definierten und von der Umwelt abhängigen Verlauf. Erfahrung ereignet sich demnach wie ›von selbst‹, wird vom Standpunkt eines Beobachters passiv erlitten. Die Option des Experiments läge dann darin, in diesen Ereignisstrom aktiv und gestaltend einzugreifen. Diesen Vorschlag übernehme ich von Wolfgang Müller-Funks Bestimmung der essayistischen Einstellung, die Erfahrung in Experimente transformiere: Dem Experiment wohne »ein selbstgesetzter Impuls inne, der der Erfahrung, die einem zukommt, die zu einem kommt, abgeht. (...) Experimente werden im emphatischen Sinne des Wortes tatsächlich gemacht, weil man etwas Neues kennenlernen will, weil man etwas erreichen möchte, und sei es nur: Erfahrungen zu machen.«[17]

Für die poetologische Formel ›Erfahrung als Experiment‹ bedeutet dies, daß im poetischen Ereignis auf das kognitive oder bewußtseinsmäßige Medium verwiesen wird. Systemtheoretisch gesprochen geht es um die Markierung der Differenz von Bewußtsein und Kommunikation, etwa nach Form der berühmten Frage Niklas Luhmanns »Wie ist Bewußtsein an Kommunikation beteiligt?«[18] Eine These: Erfahrung als poetisches Experiment thematisiert Bewußtsein im Gebrauch semantischer und materialer Medien. Systemtheoretiker wie Luhmann oder auch Dirk Baecker reklamieren diese Funktion generell für die moderne Kunst. Weitaus vorsichtiger würde ich dies versuchsweise für bestimmte poetische Erscheinungen formulieren, die sich einer experimentellen beziehungsweise essayistischen Haltung verdanken.

Meines Erachtens läßt sich diese Bewußtseinsreferenz verstärkt seit Ende der sechziger Jahre an bestimmten Phänomenen der Dichtkunst feststellen.

Spätestens seit dieser Zeit wird auch immer deutlicher, daß (spät-)moderne Poesie sich nicht rein sprachtheoretisch begründen läßt, wie Bernd Scheffer es im Bezug auf Heißenbüttels Poetik herausgestellt hat. Eine Gleichsetzung von Sprache und Welt erscheint für die Dichtungstheorie mittlerweile als nicht komplex genug.[19] In den Diskurs werden auch vor- und außersprachliche Phänomene einbezogen: etwa subjektabhängige Warhrnehmungen, Gedanken und auch Gefühle oder kommunikative Modalitäten des Mitteilens und Verstehens von Information. Kurz gesagt mit Scheffer: »Sprachgebrauch übersteigt Sprache.«[20] Dem entspricht diskursgeschichtlich und erkenntnistheoretisch der oben bereits erwähnte *cognitive turn*.

Im weiteren Verlauf meines Beitrags möchte ich diese Auffassung durch einige Beispiele skizzenhaft veranschaulichen.[21] Dabei werde ich den Zusammenhang von Erfahrung und Experiment auf das Verstehensproblem zuspitzen, das eingangs schon mit Wiener anklang. ›Verstehen‹ markiert selbst noch einmal die Differenz von Bewußtsein und Kommunikation, insofern ein psychisches Verstehen als Erfahrungmachen oder ›inneres Experiment‹ vom bloßen ›act of confirmation‹, der für die Anschließbarkeit von Kommunikationen notwendig ist, unterschieden wird.[22] Es ist vor allem das psychische Verstehen, auf das es in der ›normalen‹, dem *Common sense* verpflichteten Kommunikation gar nicht so sehr ankommt, dafür um so mehr in meinen poetischen Beispielen:

1. Die Poetiken von Oskar Pastior, Carlfriedrich Claus und Oswald Wiener thematisieren exemplarisch und in Nachbarschaft zu wissenschaftlichen Diskursen Erfahrung und psychisches Verstehen.

2. Das Programm ästhetischer Intermedialität steht als Beispiel für ein konkreteres Programm zur Durchführung des Verstehens von Verstehen beziehungsweise zur Adressierung von Bewußtsein über die Inszenierung und Reflexion von Mediengebrauch.

3. Das poetologische wie poetische Konstrukt eines produktiven Rezipienten steht für den Versuch, die Selbstbeobachtung des Verstehens zu personalisieren, sowohl ideell als auch empirisch.

Diese Beispiele beziehen sich auf unterschiedliche Dimensionen des gleichen Problems oder Interesses. Dies führt zu drei Thesen über die poetologische Thematisierung von Bewußtsein.

3 Poetik des Verstehens

Poetiken des Verstehens zeigen auffällige Parallelen zum konstruktivistischen Diskurs. In einem essayistischen Flirt mit der Wissenschaft lenken sie die Aufmerksamkeit auf psychische Mechanismen und Spielräume unter dem Einfluß von Sprache.

Experimentelle Poetik des Verstehens und konstruktivistische Erkenntnistheorie treffen sich insbesondere in der Denkfigur der Selbstreferenz von Verstehen.[23] Gemeint ist damit ein Verstehen, das den Sinn, den es erkennen will, und seine eigenen Voraussetzungen notwendig selbst hervorbringt. Und dieses Verstehen wird an Erfahrung gebunden: »Epistemologien erklären das Wesen unserer Erfahrungen. / Daraus folgt: / Erfahrung ist die Ursache. / Die Welt ist die Folge. / Die Epistemologie ist die Transformationsregel.«[24]

An der naturwissenschaftlich-philosophischen Diskussion dieses Prinzips fällt auf, daß sie sich ausgiebig ästhetischer Metaphorik bedient: Verstehen als ein Machen, Erfinden, eine Fiktion oder Inszenierung von Ich und Welt, die unter der Bedingung der Auto-*Poiesis* des Lebens stattfindet – das sind Vokabeln, mit denen Autoren wie Heinz von Foerster, Francisco Varela oder Humberto Maturana jeden Glauben an eine unabhängige Wirklichkeit abweisen.

Kommen wir gleich zur literarischen Poetik: Für Oskar Pastior besteht die Transformationsregel in der jeweiligen poetischen Versuchsanordnung. Die poetologischen Essays des Autors, der sich ironisch im ›populärwissenschaftlichen Zeitalter‹ verortet, importieren ihrerseits Vokabular aus den Naturwissenschaften, insbesondere aus Genetik, Kybernetik und Chaostheorie. Die jeweilige Versuchsanordnung seiner kleinen Kunstmaschinen – etwa Sestine, Palindrom oder Anagramm, Vokalise oder Gimpelstift – gilt ihm, wie es heißt, als »Katalysator der Autopoesis« des Textes[25], »der sich selber liest, das Unding«.[26] Das Sprachexperiment wird zugleich zum Modell für Lesen, Sprechen, Schreiben, Denken, kurzum für das Verstehen erklärt: »Das Wort von der Versuchsanordnung, die mir in allen Existenz- und Wahrnehmungsbereichen plausibel erscheint – bereits in dem Versatzstück ›Bewußtsein‹ alias ›Leben‹ alias ›Sprache‹... Die Wissenschaften, z.B. Mathematik, als Spielregel oder Sprache oder Versuchsanordnung... jetzt kennen Sie die Regel und können die Begriffe einsetzen, die alle irgendwie nicht stimmen.«[27]

Dabei lassen sich Pastiors poetologische Texte ihrerseits als große poetische Versuchsanordnung auffassen, die sich ständig in sich selbst fragmentiert, kopiert und verknüpft und deren Autor sich, seine Sprach-Biographie als Material im Spiel begreift. Eine Haltung, die ich an der Schwelle zum *cognitive turn* ansiedeln würde, wenn sie auch noch ganz im sprachlichen Paradigma bleibt.

Carlfriedrich Claus hat diese Schwelle mit seinen Sprachexerzitien überschritten. In den »Notizen zwischen der experimentellen Arbeit – zu ihr« aus dem Jahr 1964 wird deutlich, was unter Sprachexerzitium verstanden wird: nämlich eine »anti-kontemplative Meditation«, eine »Erprobung: im Selbstversuch«[28], die die gegenseitige Beeinflussung von sprachlichen, mentalen und physischen Prozessen bis in die feinsten Verästelungen verfolgen soll.

Friedrich W. Block

Die Schrift gilt Claus demnach als ›Rückseite‹ des Selbst. Vermittelt über die Schnittstellen von Auge und Hand ›inkarniere‹[29] sich in der Schrift die innere Rede der Triebe, Emotionen, Träume und Gedanken. Die ›Lautprozesse‹ erhalten im Grunde die gleiche Aufgabenstellung, wobei die Körpererfahrung noch deutlicher hervortritt, wie Claus noch einmal in seinem letzten zu Lebzeiten veröffentlichten Text deutlich macht: »Indem ich während bestimmter Experimentzeiten die tradierte Funktion der Sprechorgane – als Instrumentarium lautsprachlicher Kommunikation – willentlich aufhebe, nehme ich alles neu wahr: die Organe selbst, ihr komplexes Zusammenwirken, Atmung, unterschiedliche Muskelspannungen, aktive und passive Bewegungen, Öffnung, Enge, Verschluss...«[30]

Damit ist die reichhaltige psychologische Semantik nur angedeutet, die der *poeta doctus* aus Semiotik, Psychoanalyse, Kybernetik, Mystik und besonders der Philosophie Ernst Blochs entwickelt. Dem Programm entsprechen auch zahlreiche Werktitel wie: »Bewußtseinstätigkeit im Schlaf«, »Denklandschaft«, »Introspektion«, »Studium der Verstandestätigkeit«, »Triebvorgang«, »Wer ist im Moment Ich?« und so weiter.

Noch radikaler vollzieht Oswald Wiener den *cognitive turn* in seiner Poetik. Anders als Pastior, der bewußt nur assoziativ Versatzstücke aus der Naturwissenschaft und ihren Sprachen herausklaubt, hat Wiener sich über Jahrzehnte intensiv mit Kybernetik und Künstlicher Intelligenz beschäftigt. Das fließt ein in seine Essays seit den siebziger Jahren, die sich dem »einzig großen thema unserer epoche, dem begreifen der elementaren mechanismen des verstehens« verschreiben.[31] Mit seinen Schriften wird er von der Techno-Kultur wiederentdeckt, gilt aber vor allem den nächsten Dichtergenerationen Österreichs von Reinhard Priessnitz über Franz Josef Czernin und Ferdinand Schmatz bis zu Franzobel als Vorbild. Sie teilen Wieners Aufgabenstellung für die Literatur und zudem seine Auffassung, daß jene Mechanismen des verstehenden Erfahrens und Erlebens zwar von Sprache beeinflußt werden, aber auch unabhängig von ihr verlaufen. Darin liegt ein weiterer Unterschied zu Pastior und seinem Sprachdenken. Das Modell für Verstehen ist daher auch nicht der Text, sondern die autopoietische Turingmaschine. Der experimentelle Künstler untersucht sich selbst als künstliche Intelligenz ohne jede Metaphysik: »die funktion von literatur in den naturwissenschaften ist es heute, jenes persönlichkeits-, ich-, transzendenzgefühl zu untergraben, auf welches die ermüdete abstraktion immer wieder zurückfällt...«[32]

Die Selbstbeobachtung, auch Wiener stellt diese Methode für künstlerische *und* wissenschaftliche Erfahrung heraus[33], bleibt auf das Wie des Machens, die Simulation, die Poiesis gerichtet und nicht auf deren Ergebnisse. Dies anzustoßen sei, so etwa Ferdinand Schmatz im Ergebnis seiner Wiener-Lektüren, die Funktion des Gedichts: »Es versucht aber nicht, das

Wissen, das Denken, die Automatismen des Bewußten und Unbewußten hinterher in Wörtern oder Sätzen auszudrücken, sondern ist bestrebt, quasi vor diesem ›Hinterher‹ zu experimentieren; zu beobachten, wie die, sagen wir: vorsprachlich-individuell-semiotische Phase abläuft, in der innere und äußere Zeichenkomplexe, Bilder, Symbole zusammengesetzt, auseinandergefaltet, umgeordnet etc. werden.«[34]

Ob nun ganz im sprachlichen Paradigma wie Pastior oder aber auch im vor- und nachsprachlichen wie bei Claus, Wiener oder Schmatz, also diesseits und jenseits des *cognitive turns,* poetisch Experimentieren heißt für diese Autoren, sich im unhintergehbaren Prozeß des Erfahrens beobachtend und gestaltend hervorzubringen – ein essayistisches Verfahren, das Max Bense so umrissen hat: »Essayistisch schreibt, wer experimentierend verfaßt, wer seinen Gegenstand nicht nur hin und her wendet, sondern diesen während der Mitteilung seiner Gedanken findet oder erfindet, befragt, betastet, prüft, durchreflektiert und zeigt, was unter den ästhetischen und ethischen manuellen und intellektuellen Bedingungen des Autors überhaupt sichtbar werden kann.«[35]

4 Intermedialität als Programm

Ein konkretes Programm zur Durchführung der Poetik des Verstehens besteht in der ästhetischen Intermedialität. Sie ermöglicht, die Formtypik symbolischer Medien zu distanzieren und zu reflektieren und damit in der künstlerischen Kommunikation Bewußtsein zu markieren.

Intermedialität ist ein Begriff, der momentan in Mediendiskursen Hochkonjunktur hat.[36] Als poetologisches Programm wird Intermedialität im Einzugsbereich experimenteller Poesie im genannten Zeitraum seit den späten sechziger Jahren theoretisch entwickelt und praktisch durchgeführt. Im mitteleuropäischen Raum lösen sich hybride Gattungskonzepte aus der Diskussion um den Konkretismus, zum Beispiel allgemeinere wie visuelle oder phonetische Poesie oder auch individuelle wie Schriftzeichnung (Gerhard Rühm) oder Sprachblatt (Carlfriedrich Claus). Auf dem Kolloquium für Konkrete Poesie in Lille 1972, poetologisches Dokument des historischen Abschlusses der Konkreten Poesie, wurden unter anderem in Anlehnung an aktuelle bildende Kunst neue Konzepte unter den Stichworten Medienintegration und Medienmischung diskutiert: Zum Beispiel begründet Klaus Peter Dencker sein Konzept von visueller Poesie mit Parallelen zur Pop-Art, die sich aus dem Umgang mit audiovisuellen Medien ergeben würden.[37] Siegfried J. Schmidt erläutert seine Vorstellung von konzeptioneller Dichtung im Kontext der Konzeptkunst als »produktive Medienintegration« für offene Interpretationsprozesse.[38]

Die ästhetische Vorgeschichte des Begriffs Intermedialität reicht zurück bis in die Romantik. Er wurde in den Schriften Samuel T. Coleridges von Dick Higgins aufgefunden und von ihm 1965 erstmals einer breiteren Öffentlichkeit zugänglich gemacht. Der Begriff wird von Higgins verwendet, »um Werke zu definieren, die konzeptuell zwischen bereits bekannte Medien fallen«[39]. Entscheidend ist also der Gedanke methodischer Fusion und Innovation eingeführter Medien. Das adverbiale ›konzeptuell‹ verweist dabei nicht nur ebenfalls auf die Konzeptkunst, sondern verdankt sich besonders einer Rezeption der Hermeneutik Gadamers, dessen Leitbegriff der Horizontverschmelzung von Higgins übernommen wird. Intermedialität ist für ihn vor allem ein Prozeß der konzeptuellen Fusion von Horizonten (das sind »Informationen, Gefühle, Erfahrungen und Vorstellungen«[40]), die sich bei Künstlern oder Rezipienten mit bestimmten Medien verbinden. Higgins hängt den Begriff also auch an Erfahrung beziehungsweise kognitive und verstehende Aktivität.

Dieses erneute Adressieren von Bewußtsein läßt sich theoretisch stützen: Wenn davon geredet wurde, daß in der experimentellen Poesie die Differenz von Bewußtsein und Kommunikation expliziert und dabei das psychische Verstehen markiert wird, so ist ein Drittes dabei zu berücksichtigen: Systemtheoretisch werden *Medien* als die Möglichkeit gefaßt, die organisatorisch geschlossenen und für einander nicht direkt zugänglichen Bereiche von Kommunikation und Bewußtsein zu verbinden (zugleich dabei zu trennen) und deren Aktivität zu koordinieren. Die Aufmerksamkeit für Medien als solche ermöglicht damit zugleich die Aufmerksamkeit für die Differenz von Kommunikation und Bewußtsein. In diesem Sinne entspricht das poetologische Programm der Intermedialität der Ausgangsthese. Es steht ebenfalls für die Möglichkeit, Verstehen zu verstehen. Das wird dann deutlicher, wenn man den Gedanken der ›Fusion‹ beziehungsweise ›Horizontverschmelzung‹ operativ und funktional begreift – nur so macht er meines Erachtens Sinn: Denn dann geht es in erster Linie um das ›Inter‹ der Medialität, um die ästhetische Aufmerksamkeit für Grenzen ›zwischen‹ Unterschiedenem, zwischen Medien, das heißt für ihre kulturell eingeführte oder typisierte Form (z. B. Buchstaben, Wörter, Sätze für Texte oder Punkte, Linien, Flächen, Farbwerte für Bilder) und damit auch für ihre angestammte Funktion.

Zu diesem Programm gehört entsprechend die Topik der Grenz- und Zwischenbereiche, die die experimentelle Poetik seither wie ein roter Faden durchzieht. Das soll noch einmal am Gebrauch der Gattungsbezeichnung ›visuelle Poesie‹ anschaulich werden:

Im gleichen Jahr wie die Akten des Kolloquiums in Lille erschienen – neben Eugen Gomringers Retrospektive zur Konkreten Poesie – zwei Anthologien, die mit ›visueller Poesie‹ bestimmte Konzepte verbinden: das von Siegfried J. Schmidt betreute Schullesebuch »konkrete dichtung. texte und theorien«

und eine von Klaus Peter Dencker herausgegebene Textsammlung, die den Begriff zusammen mit dem der ›Textbilder‹ nun auch ausdrücklich im Titel führt.[41] Bei Dencker wird den Rezipienten gleich eingangs vermittelt, daß es sich bei visueller Poesie und Textbildern um »zwischen der Literatur und der bildenden Kunst liegende sogenannte intermediale Versuche« handele.[42] Das Schullesebuch definiert: »Visuelle Poesie ist Sinnkonstitution im optisch semantischen Präsentationsfeld auf der Schwelle zwischen Noch-Sprache und Schon-Sprache, zwischen Schon-Sinn und Noch-Sinn.«[43] Im Vorwort zu »Sprachen jenseits von Dichtung« wird der Titel von Ausstellung und Katalog so paraphrasiert: Es geht um Künstler im »Grenzbereich zwischen Sprache und Dichtung, Schrift und Zeichen (...), die sich um die Grenzen der Gattungen nicht scheren und im Grenzüberschreiten Territorialgewinne des Geistes und der Ästhetik verzeichnen«.[44] Im Vorwort zum Katalog »Wortlaut« informiert Dietrich Mahlow die Leser, welche auch Betrachter seien, darüber, daß die »de-konstruktive« Verbindung von Text und Bild in der visuellen Poesie sie zu einem erweiterten und kreativen Denken anregen will.[45] Zu Beginn der neunziger Jahre wurde das Publikum in Ostdeutschland – in einem der letzten Bücher ›printed in GDR‹ – mit visueller Poesie aus dem ästhetischen Untergrund der DDR und im »Grenzgebiet zwischen Dichtung und bildender Kunst« vertraut gemacht.[46] In »Kritzi Kratzi«[47] markiert visuelle Poesie ebenfalls die Grenze zwischen Bildwahrnehmung und Lesen. Gomringers zweite, auf eigene Traditionsbildung bedachte Anthologie betont jetzt unter dem Titel »visuelle poesie« die »Grenzüberschreitungen«.[48] In den »ersichtlichkeiten« lanciert der Herausgeber Schmidt seine seit Ende der achtziger Jahre vertretene systemtheoretische Variante einer paradoxen Fusionstendenz: »Der Theorie nach wird ein Kontinuum von Aktivitäten vom Sehen zum Lesen, vom Bild zum Text, von der Semiose zur Semantik, von der Kunst zur Literatur und zurück angestrebt.«[49]

Mit der Bezeichnung und ihrer Beschreibung also werden Teilnehmer an der künstlerischen Kommunikation im erklärten Sinne auf das ›mediale Differenzial‹[50] eingeschworen – soweit zum Programm. Dem entsprechend ist ästhetische Intermedialität strukturell gesehen ein Kippphänomen auf der materialen, sinnlich wahrnehmbaren Ausdrucksseite der Formulierungen. Es lassen sich nämlich – wie zum Beispiel in den Sprachblättern von Claus – zugleich unterschiedliche Medienschemata anschließen, was individuelle und bewußte Interpretation erfordert: Handelt es sich um sprachliche oder bildliche Signifikanten, gattungsmäßig um ein Gedicht oder eine Zeichnung, um Literatur oder bildende Kunst? Zur Disposition stehen daher auch die kognitiv und kulturell eigenständigen Techniken des Schreibens und Zeichnens (oder anderer bildkünstlerischer Verfahren) beziehungsweise des Lesens und Betrachtens.

Intermedialität verlangt ein Beobachten in dritter Instanz, das sich auf Unterschiedenes im Oszillieren zwischen Trennen und Verbinden (und nichts anderes ist Mediation[51]) richtet: ein Beobachten von Beobachten oder Verstehen von Verstehen. Das ›Inter‹ der Medialität markiert ein Differenzbewußtsein und eine ›wilde Semiose‹, wie Aleida Assmann es nennt.[52] Sie meint das lange Starren auf die materiale Oberfläche, statt den schnellen, identifizierenden Blick in die Tiefe des Sinns. Das Starren wird reflexiv, so vermittelt es auch die Programmatik, und das Verstehen des Verstehens erfaßt dabei dann nicht nur begriffliche, sondern auch perzeptive und motorische Aspekte. Die ästhetische Erfahrung besagt dann gleichsam: Am schönsten, interessantesten oder erkenntnisreichsten ist's dazwischen, also nirgendwo.

5 Das Konzept des Rezipienten

Die Selbstbeobachtung des Verstehens wird personalisiert im Entwurf eines produktiven Rezipienten als ein alter ego des Künstlers, das sich historisch von einem vergeistigten zu einem verkörperten Konzept wandelt.

In der Nachkriegsavantgarde wird immer wieder der Neue Leser beschworen, so schon in Gomringers Manifest »vom vers zur konstellation«.[53] 1967 heißt es dann im Nachwort Heißenbüttels zu Franz Mons »Lesebuch«, dieses sei »ein Buch zum Lesen, an dem der Leser erfahren kann, was in dieser Zeit, in diesem historischen Moment Lesen bedeuten kann. (...) Es wäre gerade deshalb unter anderem auch ein Lesebuch für den Schulgebrauch.«[54]

1972 wird diese Forderung eingelöst – mit dem bereits erwähnten Schullesebuch »konkrete dichtung«. Für den Bereich experimenteller Poesie handelt es sich hier um ein einmaliges Phänomen: ein bundesweit in Klassensätzen ausgegebenes Lesebuch, Auflagenhöhe etwa 12.000 Exemplare, ein Lesebuch, das auf der Höhe aktueller Text- und Theoriebildung bleibt (d.h. diese nicht, wie bald in der Deutschdidaktik üblich, trivialisiert) und das bei der Kritik Reaktionen zwischen euphorischem Zuspruch und Konsternation auslöste. Dieses Buch will den Neuen Leser in der Jugend heranbilden, es wünscht sich »Produktive, spontane Leser, die Veränderungen als notwendig und interessant betrachten und bereit sind, ohne gelernte Vorurteile neue Möglichkeiten zu durchdenken«.[55] Die poetologischen Texte des Buches dienen in diesem Sinne zum Aufbau neuer »Erwartungshorizonte« und dazu, die fehlenden Anschlußmöglichkeiten an geläufige lyrische Verfahren zu ersetzen, wie es an anderer Stelle heißt.[56] So wird zum Beispiel dann in der Mitte des Lesebuchs »statt einer Lesehilfe« ein Essay von Franz Mon über »text und lektüre« abgedruckt, der ästhetische Rezeption als selbstreflexiven Akt konzentrierter Erinnerung beschreibt. Und am Schluß leistet der Herausgeber eine exemplarische Lektüre eines eigenen Textes, die insbesondere die Rezeption selbst thematisiert: »die qualitative Grenze zwischen Autor und Leser wird aufgehoben, beide sind gleichberechtigte Mitspieler im kreativen Prozeß. (...) Der Betrachter / Leser eines konzeptionellen Textes bleibt frei, er bleibt im Raum der Möglichkeit, in dem er sich selbst entscheiden muß; weder die Fragestellung noch die Mühe der Antwortfindung wird ihm abgenommen.«[57]

Zu dieser ›Geburt des Lesers‹, die dem vermeintlichen Tod des Autors auf dem Fuße folgt, gibt es wiederum eine parallele wissenschaftliche Entwicklung in Form von Textpragmatik und Rezeptionsästhetik. Allerdings kommt es hier vielfach zu direkten Überschneidungen. Das gilt für das Schullesebuch und seinen Herausgeber, der hier wissenschaftlich Grundlegendes formuliert hat, oder auch für das erwähnte Intermedialitätskonzept von Higgins mit seiner Adaption der Hermeneutik Gadamers. Offenheit der Texte, kreativ deutende Aktivität des Rezipienten, Dialektik von Frage und Antwort, Aufbau von Erwartungshorizonten – das sind eingängige Belege für diese Diskursverwandtschaft von Poetik und Textwissenschaft. Im »offenen Kunstwerk« sieht etwa Umberto Eco den Rezipienten als »aktives Zentrum eines Netzwerkes von unausschöpfbaren Beziehungen«, Offenheit beruht demnach auf der »theoretischen mentalen Mitarbeit des Rezipienten«. Und für die aktuelle avancierte Option des »Kunstwerks in Bewegung« steigere sich dies zum »Machen des Werkes«.[58] Allerdings hat Eco dann mit »Lector in Fabula« und »Die Grenzen der Interpretation« herausgestellt, daß es sich bei diesen Rezeptionskonzepten um eine ›intentio operis‹ handele, die einen idealen Modell-Leser vor-schreibe. Mit dieser strukuralistischen Klärung trifft er den Nagel auf den Kopf:

Der Rezipient beziehungsweise Leser / Betrachter der Rezeptionsästhetik wie auch der Poetik des Verstehens personalisiert das Interesse am Zusammenhang von Textstrukturen mit kognitiven Prozessen der Sinnbildung. Der Rezipient steht für das Ungesagte, für multiple und kontingente Semiose, ist ein vergeistigtes Konstrukt der Immaterialität. Der empirischen, auf Körper und Geist gerichteten Selbstbeobachtung der Künstler steht ein ideales und man darf sicher sagen weitgehend utopisches Konzept namens Leser, Betrachter oder Rezipient gegenüber. Offensichtlich soll dieses Konzept die kommunikative Anschlußfähigkeit des künstlerischen Solipsismus einerseits, die Kontingenzerfahrung der wissenschaftlichen Expertenleser andererseits beschwören.

Diese Funktion ändert sich deutlich mit interaktiver Poesie unter Einsatz der Hypermedien. Der Teilnehmer am – beziehungsweise nun buchstäblich ›im‹ – Kunstwerk bleibt hier nicht reine Idee, sondern gewinnt sozusagen an ›Fleisch‹. Interaktivität verstehe ich so, daß die Benutzer in Echtzeit und in der Regel reversibel in die wahrnehmbare Oberfläche eines Medienangebots eingreifen können.[59] Das hat zunächst natürlich weniger etwas mit Interaktion der Handlungstheorien zu tun. Vielmehr besteht eine Abhängigkeit des aktuellen virtuellen Textraumes von der perzeptiven, imaginären und – meist sehr beschränkten – motorischen Aktivität des Benutzers. Darüber hinaus bemühen sich Informatik und Künstliche-Intelligenz-Forschung um die Entwicklung sogenannter intelligenter Agenten, problemlösende Dienstleistungsprogramme, die den Anspruch haben, mit dem Benutzer in eine ›partnerschaftliche Kooperation‹ zu treten. Das sind zunächst künstlerisch unspezifische Fragen der Technik, die allerdings immer noch euphorisch gefeiert werden. Wird das – auch in der Hypertexttheorie von Jay D. Bolter, George Landow und vielen anderen – neu belebte Ideal des produktiven, spontanen ›Reader/Authors‹ – nicht zu einem trivialen technischen Mechanismus?

Es kommt darauf an, wie Interaktivität künstlerisch konzeptualisiert wird. Um diese Frage zu beantworten, sei die Perspektive nun auf drei poetologische Beispiele aus der internationalen Dichtkunst mit neuen Medien erweitert.[60]

Kommen wir zunächst zu dem Franzosen Philippe Bootz, der eine differenzierte Rezeptionspoetik zu seinen elektronischen Texten ausgearbeitet hat. Bootz unterscheidet zwischen drei unterschiedlichen Textdimensionen, die jeweils einen eigenen gestalterischen Wert erhalten: den wahrnehmbaren Text, der betrachtet wird (texte-à-voir), den gelesenen Text (texte-lu), der verbal verarbeitet wird, und den geschriebenen beziehungsweise programmierten Text (texte-écrit), der für den Rezipienten weitgehend unerreichbar bleibt, aber als solcher von diesem dennoch erfahren werden soll.[61] Die drei Dimensionen sollen nun so in Spannung gebracht werden, daß die damit verbundenen kognitiven Strategien reflexiv werden. Dazu gehört auch, die interaktiven Eingriffe des Lesers zu konzipieren – von Bootz eindrucksvoll in seinen poèmes-à-lecture-unique umgesetzt: Jede Aktion oder auch Nichtaktion des Rezipienten wird vom Programm auf eine für den Leser nicht vorhersehbare Weise interpretiert und führt zu einer Reihe von irreversiblen Lektüreverläufen. Bootz betont, daß für die Produktion des texte-écrit dabei die Konzeption individueller Leseprozesse entscheidend ist: »Was den Lesern vermittelt wird, ist – außerhalb eines jeden Semantizismus –, daß ihr Lesen als grundlegendes Element des Textes berücksichtigt wird; das heißt, dem Lesen wieder seine Bedeutung zurückzugeben, den Leser in seiner menschlichen Dimension des Handelns, nicht des Konsumierens zu verstehen, seine Befähigung zur Bedeutungsbildung anzuerkennen.«[62]

Ähnlich äußert sich auch der Brasilianer Eduardo Kac im Zusammenhang seiner Holopoetry, die das Medium des Hologramms für Gedichte ›zwischen‹ Lesen und Betrachten einsetzt. Textwahrnehmung, -betrachtung und -lektüre vollziehen sich hier abhängig von der körperlichen Bewegung des individuellen Teilnehmers im Raum – ein entscheidendes Kriterium für die

Rezeptionserfahrung. Das hat, laut Poetik, Konsequenzen für die Produktion, die sich auch von rezeptionsästhetischen Idealen verabschieden müsse: »Ein Schriftsteller, der holographisch arbeitet, muß die Vorstellung vom Leser als idealem Dekodierer seines Textes aufgeben. Er muß mit einem Leser rechnen, der sehr persönliche Entscheidungen in bezug auf Richtung, Geschwindigkeit, Distanz, Anordnung und Blickwinkel trifft, je nach Leseerfahrung. Bei der Textherstellung muß der Autor berücksichtigen, daß diese Entscheidungen in ihrer Subjektivität vielfältige und verschiedene Realisierungsmöglichkeiten des Textes erzeugen und – wichtiger noch – daß all diese Ereignisse gleichwertige Begegnungen mit dem Text sind.«[63]

Auch in den interaktiven und poetischen Installationen des Australiers Jeffrey Shaw spielt der Körper des Benutzers eine ganz besondere Rolle – zum Beispiel, wenn er sich auf einem Fahrrad (»The Legible City«) oder in einem Sessel (»The Virtual Museum«) im physischen Raum der Installation und zugleich in einem dreidimensionalen virtuellen Textraum bewegt. In Shaws Auffassung erfährt der Benutzer seinen Körper, indem dieser den Raum beeinflußt, als Konstrukt ›zwischen‹ Realität und Möglichkeit. Der Zuschauer werde »mit dem paradoxalen Verlust des körperlichen Leibes im Virtuellen konfrontiert. Im Austausch dafür gewinnt er eine allwissende entkörperte Präsenz in dieser virtuellen Umgebung, die das Kunstwerk versucht, seinem wirklichen Körper einzuverleiben. Auch hier gibt es also das zentrale Thema der Einverleibung der Erfahrung aus dem Virtuellen hin zum Wirklichen und umgekehrt.«[64]

Die Beobachtungssituation der Benutzer in interaktiven Dichtkunstwerken eröffnet so eine neue Ebene der Befragung und Erforschung unserer symbolischen Entwürfe von Subjektivität. Als Teilnehmer am und im Kunstwerk wandelt sich der idealistische Rezipient in einen individuellen, empirischen und dynamischen Beobachter. Er mag dann vor allem daran Vergnügen finden, Wege zu entdecken, mit denen er seine eigenen Abhängigkeiten manipulieren kann. In diesem Zusammenhang sei noch erwähnt, daß Dirk Groeneveld, der die Texte für die »Legible City« konzipiert hat, kürzlich in einem Essay die verschiedenen Rezeptionssituationen und recht unterschiedliche Benutzertypen dieser Arbeit beschrieben hat.[65] Das künstlerische Verstehen von Verstehen wird zur empirischen Rezeptionsforschung.

6 Resümee

Erfahrung als Experiment in der Dichtkunst der letzten Jahrzehnte vermittelt ein Interesse für individuelle kognitive Prozesse im Umgang mit symbolischen Medien. Darüber orientieren verschiedene Facetten von Poetik ›im Zeitalter naturwissenschaftlicher Erkenntnistheorien‹. Dem entspricht eine ganze Reihe natur- und kulturwissenschaftlicher Fragestellungen. Daß auch die (Dicht-)Kunst Erkenntnisse vollzieht und nicht etwa nur eine Unterhaltungsfunktion bedient, wie Gerhard Plumpe in systemtheoretischer Abgrenzung der Literatur von der Wissenschaft meint[66], dürfte allen Beteiligten an entsprechenden Kunstereignissen klar sein. Allerdings verfährt die Poesie anders: natürlich in den vielfältigen Möglichkeiten künstlerischer Formulierung, in der Methodik, die, wie deutlich wurde, der Selbstbeobachtung von Künstlern und auch individuellen Rezipienten einen hohen Stellenwert einräumt, aber auch grundsätzlich insofern, als Erkenntnisse hier mehr ›simulativ‹ denn ›wahrheitsfähig‹ hervorgebracht werden – im engsten Sinne von ›Poiesis‹. Zudem kann Wissenschaft sich ja gar nicht leisten, im Kommunikationsprozeß ständig ihre Bewußtseinsdimension zu beobachten, damit würde sie sich permanent blockieren (aber etwas mehr Aufmerksamkeit in diese Richtung täte ihr sicherlich ganz gut).

Stellt sich abschließend noch die Frage, was der Zusammenhang von Erfahrung und Experiment, wie er hier vielleicht etwas überspitzt dargestellt wurde, im Kontext der übrigen Literatur, auch der »Lyrik im 20. Jahrhundert« bedeutet. Die Beantwortung dieser Frage würde einen eigenen Beitrag erfordern. Sicherlich haben wir es hier im Möglichkeitsraum der Dichtkunst mit recht radikalen Formen von ›Grenzerfahrung‹ in der spätmodernen Mediengesellschaft zu tun. Meines Erachtens ist gerade hier ein literarisches Feld eingekreist, auf dem natürlich nicht nur in der Poetik, sondern in allen Dimensionen künstlerischen Handelns der prekäre Zusammenhang zwischen Subjektivität und Symbolprozessen verarbeitet wird. Dabei hat man sich für Fragestellungen sensibilisiert, die in einschlägigen Wissenschaftsdiskursen, aber auch in der bildenden beziehungsweise einer allgemeinen Medienkunst behandelt werden: Fragen nach den Bedingungen und Abläufen symbolisch-technologischer (Selbst-)Vermittlung des Menschen, des Individuums, Subjekts, seines ›Geistes‹, ›Inneren‹, ›Ich‹ in Abhängigkeit von seinem Körper und seinen Sozialformen.

Eine große Konferenz, die 1997 in Newport stattfand und Künstler wie Wissenschaftler zusammenführte, stand unter dem Thema »Consciousness reframed« mit dem Ziel: »Uns interessiert die Bedeutung von digitalen Technologien, Bio-Technologien und künstlichem Leben für die Kunst. Ebenso gilt es herauszufinden, was Kunst zum Verstehen kognitiver Prozesse, konzeptuellen Modellierens und Theorien des Geistes beitragen kann.«[67] Man darf gespannt sein, welche Formen der Koexistenz von Kunst und Wissenschaft zwischen Erfahrung und Experiment das nächste Jahrhundert hervorbringen wird.

1 Vgl. dazu z. B. Karl Riha: »Das Experiment in Sprache und Literatur. Anmerkungen zur literarischen Avantgarde«, in: »Propyläen Geschichte der Literatur. Literatur und Geschichte der westlichen Welt«, Bd. 6: »Die moderne Welt. 1914 bis heute«, Berlin 1982, S. 440–463. — **2** Oswald Wiener: »Persönlichkeit und Verantwortung. Materialien zu und aus meinem Versuch über ›Poetik im Zeitalter naturwissenschaftlicher Erkenntnistheorien‹ bei Matthes und Seitz, 1988«, in: »manuskripte«, 1987, H. 97, S. 92–101. — **3** Novalis: »Schriften«, im Verein mit Richard Samuel hg. von Paul Kluckhohn, Bd. 3, Leipzig o. J. (1929), S. 229. — **4** Ebd., S. 170. — **5** Max Bense: »experimentelle schreibweisen«, serie rot, text 17, Stuttgart 1964. — **6** Ebd., o. S. — **7** Helmut Heißenbüttel: »13 Hypothesen über Literatur und Wissenschaft als vergleichbare Tätigkeiten«, in: ders.: »Über Literatur«, Olten 1966, S. 206–215, hier S. 206. — **8** Ebd., S. 214. — **9** Helmut Heißenbüttel: »Was bedeutet eigentlich das Wort Experiment?«, in: »Magnum«, 1963, H. 47, S. 8–10, hier S. 10. — **10** Beda Allemann: »Experiment und Erfahrung in der Gegenwartsliteratur«, in: Walter Strolz (Hg.): »Experiment und Erfahrung in Wissenschaft und Kunst«, Freiburg, München 1963, S. 237–251. — **11** Franz Josef Czernin: »Gedichte (aus: die Kunst des Dichtens)«, Graz, Wien 1992, S. 5. — **12** Franz Josef Czernin: »Zum Werk Reinhard Priessnitz'«, in: ders.: »Sechs tote Dichter«, Wien 1992, S. 185–223, hier S. 204. — **13** Vgl. Siegfried J. Schmidt: »Experimentelle Literatur. Der Fall ›Konkrete Dichtung‹«, in: »Diagonal«, 1992, H. 1, S. 211–235, hier S. 218. — **14** Allemann: »Experiment und Erfahrung«, a. a. O., S. 269. — **15** Heißenbüttel: »Über Literatur«, a. a. O., S. 213 f. — **16** John Dewey: »Kunst als Erfahrung«, Frankfurt/M. 1980 (1934), hier S. 32. — **17** Wolfgang Müller-Funk: »Erfahrung und Experiment: Studien zur Theorie und Geschichte des Essayismus«, Berlin 1995, S. 36. — **18** Niklas Luhmann: »Wie ist Bewußtsein an Kommunikation beteiligt?«, in: Hans Ulrich Gumbrecht / K. Ludwig Pfeiffer (Hg.): »Materialität der Kommunikation«, Frankfurt/M. 1988, S. 884–905. — **19** Bernd Scheffer: »Moderne Literatur läßt sich nicht länger sprachtheoretisch begründen. Helmut Heißenbüttels Theorie als Beispiel«, in: »Merkur«, 1986, H. 40, S. 565–577. — **20** Ebd., S. 577. — **21** Ausführlich und theoretisch etwas gesättigter werden Thesen und Beispiele diskutiert in: Friedrich W. Block: »Beobachtung des ›ICH‹. Zum Zusammenhang von Subjektivität und Medien am Beispiel experimenteller Poesie«, Bielefeld 1999. — **22** Vgl. Wolfgang L. Schneider: »Die Beobachtung von Kommunikation. Zur kommunikativen Konstruktion sozialen Handelns«, Opladen 1994, S. 174. — **23** Heinz von Foerster: »Entdecken oder Erfinden. Wie läßt sich Verstehen verstehen?«, in: Heinz Gumin / Heinrich Meier: »Einführung in den Konstruktivismus«, München 1992, S. 41–88. — **24** Heinz von Foerster: »Wissen und Gewissen. Versuch einer Brücke«, Frankfurt/M. 1993, S. 369. — **25** Oskar Pastior: »Und Nimmt Sinn und Gibt Sinn. Aus der Werkstatt der Nämlichkeit«, in: »Schreibheft«, 1993, H. 43, S. 148–154, hier S. 153. — **26** Oskar Pastior: »Das Unding an sich. Frankfurter Poetikvorlesungen«, Frankfurt/M. 1994, S. 82. — **27** Oskar Pastior: »Vom Umgang in Texten«, in: »manuskripte«, 1995, H. 35, S. 20–47, hier S. 22. — **28** Carlfriedrich Claus: »Notizen zwischen der experimentellen Arbeit – zu ihr«, in: ders.: »Erwachen am Augenblick. Sprachblätter«, Karl-Marx-Stadt, Münster 1990, S. 91–122, hier S. 105, 92. — **29** Ebd., S. 106. — **30** Carlfriedrich Claus: »Diesseits natürlicher Sprachen: Lautprozesse«, in: Friedrich W. Block (Hg.): »neue poesie und – als tradition«, Passau 1997, S. 126 f. (»Passauer Pegasus«, 1997, Sonderheft 29/30), hier S. 126. — **31** Oswald Wiener: »Wer spricht?«, in: »Schreibheft«, 1985, H. 25, S. 108–111, hier S. 111. — **32** Ebd. — **33** Vgl. Oswald Wiener: »›Information‹ und Selbstbeobachtung«, in: ders.: »Schriften zur Erkenntnistheorie«, Wien, New York 1996, S. 278–321. — **34** Ferdinand Schmatz: »Die Vierteilung des Hasen«, in: Franz Josef Czernin / Ferdinand Schmatz: »Die Reise. In achtzig flachen Hunden in die ganze tiefe Grube«, Wien, Linz 1987, S. 7–20, hier S. 18. — **35** Max Bense: »Über den Essay und seine Prosa«, in: Ludwig Rohner (Hg.): »Deutsche Essays. Prosa aus zwei Jahrhunderten«, Bd. 1, München 1972, S. 48–61, hier S. 52. — **36** Vgl. Jürgen E. Müller: »Intermedialität. Formen moderner kultureller Kommunikation«, Münster 1996; Joachim Paech: »Intermedialität. Mediales Differential und transformative Figurationen«, in: Jörg Helbig (Hg.): »Intermedialität. Theorie und Praxis eines interdisziplinären Forschungsgebiets«, Berlin 1998, S. 14–30. — **37** Goethe-Institut (Hg.): »Konkrete Poesie. Akten des Kolloquiums in Lille vom 4.–6.

Mai 1972«, Lille 1972, S. 87–90. — **38** Ebd., S. 23, 107 f. — **39** Dick Higgins: »Horizons. The poetics and theory of the intermedia«, Carbondale, Edwardsville 1984, S. 23, Übersetzung der fremdsprachigen Zitate durch den Verfasser. — **40** Ebd. S. 137. — **41** Eugen Gomringer (Hg.): »konkrete poesie. deutschsprachige autoren«, Stuttgart 1972; Siegfried J. Schmidt (Hg.): »konkrete dichtung. texte und theorien«, München 1972; Klaus-Peter Dencker (Hg.): »Textbilder. Visuelle Poesie von der Antike bis zur Gegenwart«, Köln 1972. — **42** Dencker: »Textbilder«, a. a. O., S. 7. — **43** Schmidt: »konkrete poesie«, a. a. O., S. 144. — **44** Thomas Deecke: »Vorwort«, in: »Sprachen jenseits von Dichtung«, hg. vom Westfälischen Kunstverein Münster, Münster 1979, S. 5 f. — **45** Dietrich Mahlow: »Immer neue Namen für die gleiche Sache?«, in: »Wortlaut«, hg. von der Galerie Schüppenhauer, Köln 1989, S. 8–12, hier S. 8, 12. — **46** Guillermo Deisler / Jörg Kowalski: »Zeichen-Sprache«, in: dies. (Hg.): »Wortbild. Visuelle Poesie in der DDR«, Halle 1990, S. 137–148, hier S. 137. — **47** Franzobel (Hg.): »Kritzi Kratzi. Anthologie gegenwärtiger visueller Poesie«, Wien 1993, S. 7. — **48** Eugen Gomringer (Hg.): »visuelle poesie. anthologie«, Stuttgart 1996, S. 10. — **49** Siegfried J. Schmidt (Hg.): »ersichtlichkeiten. internationale visuelle texte der 90er«, Siegen 1996, hier S. 8. — **50** Vgl. Paech: »Intermedialität«, a. a. O. — **51** Vgl. Block: »Beobachtung des ›ICH‹«, a. a. O., S. 37 ff. — **52** Aleida Assmann: »Die Sprache der Dinge. Der lange Blick und die wilde Semiose«, in: Hans Ulrich Gumbrecht / K. Ludwig Pfeiffer (Hg.): »Materialität der Kommunikation«, Frankfurt/M. 1988, S. 237–251. — **53** Gomringer: »konkrete poesie«, a. a. O., S. 157. — **54** Helmut Heißenbüttel: »Nachwort zum Lesebuch von Franz Mon«, in: Franz Mon: »Lesebuch«, Neuwied, Berlin 1967, S. 109–112, hier S. 112. — **55** Schmidt: »konkrete poesie«, a. a. O., S. 6 f. — **56** Siegfried J. Schmidt: »Zur Poetik der konkreten Dichtung«, in: Thomas Kopfermann (Hg.): »Theoretische Positionen zur konkreten Poesie«, Tübingen 1974, S. 76–88, hier S. 88. — **57** Schmidt: »konkrete poesie«, a. a. O., S. 150 f. — **58** Umberto Eco: »Das offene Kunstwerk«, Frankfurt/M. 1977, S. 31. — **59** Söke Dinkla: »Pioniere Interaktiver Kunst von 1970 bis heute«, Karlsruhe, Ostfildern 1997, S. 16. — **60** Vgl. dazu ausführlicher: Friedrich W. Block: »Auf hoher Seh in der Turing-Galaxis. Visuelle Poesie und Hypermedia«, in: Heinz Ludwig Arnold (Hg.): »TEXT+KRITIK. Sonderband Visuelle Poesie«, München 1997, S. 185–202; ders.: »New Media Poetry«, in: Sigrid Schade / Georg Christoph Tholen (Hg.): »Konfigurationen zwischen Kunst und Medien«, München 1999, S. 198–208. — **61** Vgl. Philippe Bootz: »Poetic Machinations«, in: »Visible Language«, 1996, H. 30.2, S. 119–137. — **62** Ebd., S. 136. — **63** Eduardo Kac: »Holopoetry und darüber hinaus«, in: Friedrich W. Block (Hg.): »neue poesie und – als tradition«, a. a. O., hier S. 118. — **64** Jeffrey Shaw: »Der entkörperte und wiederverkörperte Leib«, in: »Kunstforum«, 1995, Nr. 132, S. 168–171, hier S. 169. — **65** Dirk Groeneveld: »The Legible City«, in: Sigrid Schade / Georg Christoph Tholen (Hg.): »Konfigurationen zwischen Kunst und Medien«, München 1999, auf beigefügter CD-ROM. — **66** Gerhard Plumpe: »Epochen moderner Literatur. Ein systemtheoretischer Entwurf«, Opladen 1995, S. 81. — **67** CAIIA (Centre for Advanced Inquiry in the Interactive Arts): 1st International CAIIA Conference. Abstract, http://caiimind.nsad.newport.ac.uk.

Ludwig Völker

Hilfswerk, Begleitmusik
Dokumente zur Poetik und Poetologie

> »Aus den Gedichten kann man die Zielrichtungen ablesen, die poetologischen Äußerungen sind Hilfswerk, Begleitmusik.«
> Walter Höllerer: »Anmerkungen zur Autorenpoetik«[1]

Vorbemerkung

Richtig ist: Keine noch so schlüssige oder interessante Theorie kann ersetzen, wofür Gedichte selbst einzustehen und den Beweis zu erbringen haben, daß nämlich auf neue Weise die Formulierung eines authentischen Sprach- und Welt-Verhaltens gelungen ist. Über den poetischen Rang und die geschichtliche Bedeutung von Gedichten entscheidet nicht die Tiefsinnigkeit oder Eleganz, mit der ihre Existenz und Entstehung begründet wird, sondern die Evidenz ihrer Sprachgestalt, ihrer Machart und Beschaffenheit als ästhetische Gebilde. Insofern kann die Theorie nie mehr sein als ein kommentierender, sekundärer Sprechakt, der sich davor hüten muß, sich selbst an die Stelle des primären lyrischen Sprechakts setzen zu wollen.

Richtig ist aber auch, daß sich die Verhältnisse im 20. Jahrhundert in dieser Hinsicht wesentlich geändert und zu einer anderen Gewichtung der Theorie und ihrer Bedeutung für die Praxis geführt haben. Rein statistisch und quantitativ gesehen, ist bei den Autoren der lyrischen Moderne eine auffällige Zunahme ihrer Aktivitäten auf dem Gebiet der Lyriktheorie und Poetologie zu verzeichnen. Kaum ein Autor, der sich nicht verpflichtet fühlte, in Form von Interviews und Werkstattgesprächen, von Essays und Selbstkommentaren, von Poetik-Vorlesungen, Dankreden zu Preisverleihungen und Publikums-Diskussionen nach Dichterlesungen Auskunft zu geben über die Intentionen und Prämissen seines Schaffens und Rechenschaft über Sinn und Zweck seines Tuns als Lyriker abzulegen.

Gewiß trägt der Kulturbetrieb und literarische Markt mit seinen nicht unproblematischen Eigeninteressen das Seine zu solcher Aufschwellung des sekundären Theoriebereichs bei. Deshalb darf aber doch nicht übersehen werden, daß der Aufwertung der Theorie bedeutsame literaturgeschichtliche Sachverhalte zugrundeliegen.

Sie hängen zum einen mit dem für die Moderne konstitutiven Wesenszug potenzierter ästhetischer Selbstreflexion zusammen. Zum andern haben sie mit dem zu tun, was von Baudelaire in der Mitte des 19. Jahrhunderts, am Beginn der lyrischen Moderne, als ›Verlust der Aureole‹ konstatiert worden war: nämlich der Infragestellung der bis dahin allgemein anerkannten privilegierten Stellung des Lyrikers und der Lyrik im kulturellen und literarischen System. Der moderne Lyriker ist von seinem Sockel herabgestiegen, und die Lyrik muß, dem Urteil einer breiteren Öffentlichkeit unterworfen, ihre spezifische Bedeutung gegenüber den anderen Formen sprachlicher, kultureller Praxis neu begründen.

Beides, der kulturelle und gesellschaftliche Legitimationsdruck und die ästhetisch motivierte Selbstreflexion, hat dazu geführt, daß Theorie und Praxis sich einander annähern, wenn nicht sogar – wie an der um sich greifenden Praxis der ›poetologischen Lyrik‹ und des ›Gedicht-Gedichts‹ zu beobachten – ineinander übergehen.

Mit anderen Worten: Das moderne Gedicht des 20. Jahrhunderts braucht den Beistand und die Ergänzung durch die ästhetische Theorie. Die theoretische Reflexion ist nicht mehr nur bloße »Begleitmusik«, auf die notfalls verzichtet werden könnte, sondern echtes »Hilfswerk«, welches der lyrischen Praxis unterstützend und entlastend zur Hand geht. In der Rolle eines Sekundanten und Juniorpartners nimmt der Theorie-Diskurs das Gedicht vor unangemessenen Erwartungen und Forderungen in Schutz, führt die notwendigen kritischen Auseinandersetzungen und sondiert das Terrain für neue Möglichkeiten der lyrischen Sprach- und Formpraxis.

Die folgende Dokumentation gibt einen Überblick über die einzelnen Gesichtspunkte und Zielvorstellungen, die in der deutschen Lyrik-Diskussion des 20. Jahrhunderts eine Rolle gespielt haben. Der Akzent liegt dabei ganz auf der Autorenpoetik; die akademisch-literaturwissenschaftliche Diskussion bleibt – bis auf wenige, besonders aufschlußreiche – Schlaglichter ausgeklammert. Die chronologische Anordnung zeigt den Wandel der Gesichtspunkte und Paradigmen weniger – wie nicht anders zu erwarten – als eine kontinuierliche Entwicklung denn als einen komplexen und widerspruchsvollen Prozeß, in welchem das Alte und das Neue bisweilen anachronistisch hart nebeneinander stehen und radikale Neuansätze von Kehrtwendungen und Zurücknahmen – nicht selten bei ein und demselben Autor – begleitet werden.

---

1 In: »Lyrik – Von allen Seiten. Gedichte und Aufsätze des ersten Lyrikertreffens in Münster«, hg. von Lothar Jordan, A. Marquardt, W. Woesler, Frankfurt/M. 1981, S. 31.

1873

»(...) ich bin der Letzte einer langen Reihe bedeutender Lyriker, der, wenn auch bei eigentümlich gefärbter Individualität, doch nur die Töne seiner Vorgänger noch einmal in gediegenster und durchgebildetster Form zusammenfaßt.«

Emanuel Geibel, zitiert nach: »Emanuel Geibels Werke. Vier Teile in einem Band«, ausgewählt und hg. von R. Schacht, Leipzig 1915, S. 19.

1894

»Erst heute komme ich dazu, Dir für Dein Geibelbuch zu danken. Es war mir ein Klang aus alter Zeit... Im übrigen ist mir unser ehemaliger Heros natürlich längst ein toter Mann geworden, und wenn ich heute überhaupt noch etwas in ihm zu sehn vermag, so ist es nur noch das eine: den vollendetsten Typus des Eklektikers in unserer Literatur. Eine totale Null in der Entwicklung! Uhland, Eichendorff, Lenau, Heine, sogar Freiligrath, alle haben Töne gefunden, wie sie vor ihnen noch nie erklungen waren, Geibel ist Reproduzent geblieben all sein Lebtag.«

Arno Holz, aus einem Brief an Max Tippenbach, 2.12.1894, in: ders.: »Briefe. Eine Auswahl«, München 1948, S. 98.

1896

»Ich kann die ›Individualitäten‹ nicht gut begreifen, die keinen eigenen Ton haben, deren innere Bewegungen sich einem beiläufigen Rhythmus anpassen. Ich kann ihre Uhlandschen, ihre Eichendorffschen Maße nicht mehr hören und beneide niemanden, der es noch kann, um seine groben Ohren.

Der eigene Ton ist alles; wer den nicht hält, begibt sich der innern Freiheit, die erst das Werk möglich machen kann. Der Mutigste und der Stärkste ist der, der seine Worte am freiesten zu stellen vermag; denn es ist nichts so schwer, als sie aus ihren festen, falschen Verbindungen zu reißen. Eine neue und kühne Verbindung von Worten ist das wundervollste Geschenk für die Seelen und nichts Geringeres als ein Standbild des Knaben Antinous oder eine große gewölbte Pforte.«

Hugo von Hofmannsthal, aus: »Poesie und Leben«, in: »Gesammelte Werke in zehn Einzelbänden, Reden und Aufsätze I«, Frankfurt/M. 1979, S. 17.

1898

»Man revolutioniert eine Kunst also nur, indem man ihre Mittel revolutioniert (...).

Die Revolution der Lyrik, von der so Viele schon fabeln, daß sie längst eingetreten sei, wird nicht eher eintreten, als bis auch diese Kunst, gleich ihren voraufgegangenen Schwestern, sich von jenem Prinzip, das sie noch immer einengt und das ihre Schaffenden noch immer in Zungen reden läßt, die

schon ihre Urururgroßväter gesprochen, endlich emanzipiert und ein neues, das sie von allen Fesseln, die sie noch trägt, erlöst, das sie von allen Krücken,
auf denen sie noch humpelt, befreit, endlich an dessen Stelle setzt.«

Arno Holz, aus: »Selbstanzeige«, in: ders.: »Revolution der Lyrik«, Berlin
1899, S. 23 f.

1898

»Und es sei denn ein für allemal gesagt, daß das Wesen des Gedichtes keineswegs mit dem Reim und dem Rhythmus steht und fällt; denn wo es sich
darum handelt, letzte Empfindungen in der unwillkürlichsten, also indivi-
duellsten Form austönen zu lassen, ist neben anderen auch eine Form möglich, welche der Prosa ziemlich ähnelt. Aber sie wird sich doch nie mit der
Prosa der betreffenden Persönlichkeit verwechseln lassen (...) und also immer
noch eine höhere gebundene Form darstellen als jede noch so poetische
Prosa.«

Rainer Maria Rilke, aus: »Moderne Lyrik«, in: ders. »Sämtliche Werke«,
Bd. V, Frankfurt/M. 1965, S. 388 f.

1899

»Der famose ›freie‹ Rhythmus führt seinen Namen mit Recht. Er ist in der
That so frei, als dies der Dichter für seine Bequemlichkeit, oder, was meist
wohl noch ›treffender‹ sein dürfte, für sein mangelndes Unterscheidungs-
vermögen, wünscht. Der notwendige Rhythmus, den ich will, darf sich solche, oder auch nur ähnliche Scherze nicht mehr erlauben. Er wächst, als wäre
vor ihm irgend etwas andres noch nie geschrieben worden, jedes Mal neu
aus dem Inhalt. Er unterscheidet sich dadurch genau so auch von der Prosa.
Die Prosa kümmert sich um Klangwirkungen überhaupt nicht. Wenigstens
nicht um Klangwirkungen in dem Sinne, um den einzig es sich hier drehen
kann. Ich schreibe als Prosaiker einen ausgezeichneten Satz nieder, wenn ich
schreibe: ›Der Mond steigt hinter den blühenden Apfelbaumzweigen auf.‹
Aber ich würde über ihn stolpern, wenn man ihn mir für den Anfang eines
Gedichts ausgäbe. Er wird zu einem solchen erst, wenn ich ihn forme: ›Hinter blühenden Apfelbaumzweigen steigt der Mond auf.‹ Der erste Satz referiert nur, der zweite stellt dar. Erst jetzt, fühle ich, ist der Klang eins mit dem
Inhalt. Und um diese Einheit bereits deutlich auch nach außen zu geben,
schreibe ich:

> ›Hinter blühenden Apfelbaumzweigen
> steigt der Mond auf.‹

Das ist meine ganze ›Revolution der Lyrik‹.«

Arno Holz, aus: »Revolution der Lyrik«, in: ders.: »Revolution der Lyrik«,
Berlin 1899, S. 45.

1904

»Wovon unsere Seele sich nährt, das ist das Gedicht, in welchem, wie im Sommerabendwind, der über die frischgemähten Wiesen streicht, zugleich ein Hauch von Tod und Leben zu uns herschwebt, eine Ahnung des Blühens, ein Schauder des Verwesens, ein Jetzt, ein Hier und zugleich ein Jenseits, ein ungeheures Jenseits. Jedes vollkommene Gedicht ist Ahnung und Gegenwart, Sehnsucht und Erfüllung zugleich. Ein Elfenleib ist es, durchsichtig wie die Luft, ein schlafloser Bote, den ein Zauberwort ganz erfüllt; den ein geheimnisvoller Auftrag durch die Luft treibt: und im Schweben entsaugt er den Wolken, den Sternen, den Wipfeln, den Lüften den tiefsten Hauch ihres Wesens, und der Zauberspruch aus seinem Munde tönt getreu und doch wirr, durchflochten mit den Geheimnissen der Wolken, der Sterne, der Wipfel, der Lüfte.«

Hugo von Hofmannsthal, aus: »Über Gedichte«, in: »Die Neue Rundschau«, 1904, H. 1, S. 138.

1910

»Ach, aber mit Versen ist so wenig getan, wenn man sie früh schreibt. Man sollte warten damit und Sinn und Süßigkeit sammeln ein ganzes Leben lang und ein langes womöglich, und dann, ganz zum Schluß, vielleicht könnte man dann zehn Zeilen schreiben, die gut sind. Denn Verse sind nicht, wie die Leute meinen, Gefühle (die hat man früh genug), – es sind Erfahrungen.«

Rainer Maria Rilke, aus: »Die Aufzeichnungen des Malte Laurids Brigge«, in: ders.: »Sämtliche Werke«, Bd. VI, Frankfurt/M. 1966, S. 723 f.

1910

»Das lyrische Ich (...) beweist eben hieran am klarsten die Einheit seines Wesens – diese durchgehende Einheit, die darin beruht, daß es kein Ich im real empirischen Sinne, sondern daß es *Ausdruck*, daß es *Form* eines Ich ist. Diese Tatsache ist übersehen worden. Es ist kein gegebenes, sondern ein erschaffenes Ich, das, wie das Kunstwerk selbst, völlig unabhängig von seinen individuellen oder allgemeinen Inhalten seinen rein formalen Charakter bewahrt. Der Dichter findet dieses Ich nicht in sich vor, sondern ähnlich den redenden und handelnden Gestalten eines Dramas muß er auch das lyrische Ich erst aus dem gegebenen erschaffen.«

Margarete Susman, aus: »Das Wesen der modernen deutschen Lyrik«, Stuttgart 1910, S. 18.

1911

»Diese kommende Kunst wird den Assoziationen von ›Lyrik‹, die der mittlere und auch der bessere Bürger notwendigerweise hat, noch heftiger zuwi-

derlaufen als selbst der Georgesche Brokat und die erschütternde Konden-
siertheit Rilkescher Gesichte. Dieser kommenden Kunst, aus der auch die
allerletzten Rudimente von Waldesgrün und Lerchensang, von Herz und
Schmerz und Lust und Brust, von Sinnigkeit und Innigkeit und Kühen auf
der Weide verduftet sein werden –: jeder schöngeistige Advokat und jede
Lyzeumsziege wird dieser Kunst einfach das Dasein absprechen. Und ich höre
schon, als Argument, entrüstet gefistelt die rhetorische Frage: ›Ist denn das
noch Lyrik?!‹«

Kurt Hiller, aus: »Gegen Lyrik«, in: »Der Sturm«, 1 (1910/1911), Nr. 52;
zitiert nach: »Expressionismus. Manifeste und Dokumente zur deutschen
Literatur. 1910–1920«, hg. von Thomas Anz und M. Stark, Stuttgart 1982,
S. 635.

1912

»Darum wollen wir zunächst alle Lyriker preisen, die das Moderne sich überhaupt angehen lassen. Wir wollen die Großstädte, die Weltstädte dichten,
die beinahe so jung wie wir sind. Wir wollen die Sinfonien des Stahls, des
Eisens und aller schnellen Kräfte hören, die fast noch jünger sind als wir. Wir
wollen das moderne Tempo wiederschaffen, weil es uns schafft. Wir wollen
unsere feinen, kranken Nerven singen, sie werden davon gesund werden.
Hinausgetrieben werde, wer die Mühe um all das bekämpft, totgeschlagen
werde er, wenn er ein Künstler ist.«

Oskar Loerke, aus: »Von der modernen Lyrik«, in: »Zeit im Bild«, 10
(1912), Nr. 27; zitiert nach: »Expressionismus. Manifeste und Dokumente
zur deutschen Literatur. 1910–1920«, hg. von Thomas Anz und M. Stark,
Stuttgart 1982, S. 639.

1914

»Von allen Künsten hat keine so sehr die Religion umworben und an ihr
gelebt, wie die Lyrik; sie ist in ihrer Lebensbedeutung für die neue Zeit nur
hieraus ganz zu begreifen. Was sie in früheren Zeiten von der Religion empfing, das sucht sie in der modernen Zeit, der Zeit ihrer eigentlichen, selbständigen Entwickelung, der Religion wieder zuzuführen, an religiösen Inhalten selbst zu erschaffen.«

Paul Zech, aus: »Die Grundbedingung der modernen Lyrik«, in: »Das neue
Pathos«, 1 (1913/1914), H. 1; zitiert nach: »Expressionismus. Manifeste und
Dokumente zur deutschen Literatur. 1910–1920«, hg. von Thomas Anz
und M. Stark, Stuttgart 1982, S. 642.

1917

»Wörter, Schlagworte, Sätze, die ich aus Tageszeitungen und besonders aus
ihren Inseraten wählte, bildeten 1917 die Fundamente meiner Gedichte.

Öfters bestimmte ich auch mit geschlossenen Augen Wörter und Sätze in Zeitungen, indem ich sie mit Bleistift anstrich. Ich nannte diese Gedichte ›Arpaden‹. Es war die schöne ›Dadazeit‹, in der wir das Ziselieren der Arbeit, die verwirrten Blicke der geistigen Ringkämpfer, die Titanen aus tiefstem Herzensgrund hassten und belachten.«

Hans Arp, aus: »Wegweiser«, in: ders.: »Wortträume und schwarze Sterne«, Wiesbaden 1953, S. 6.

1919

»Niemals war das Ästhetische und das *L'art pour l'art*-Prinzip so mißachtet wie in dieser Dichtung, die man die ›jüngste‹ oder ›expressionistische‹ nennt, weil sie ganz Eruption, Explosion, Intensität ist – sein muß, um jene feindliche Kruste zu sprengen. Deshalb meidet sie die naturalistische Schilderung der Realität als Darstellungsmittel, so handgreiflich auch diese verkommene Realität war; sondern sie erzeugt sich mit gewaltiger und gewaltsamer Energie ihre Ausdrucksmittel aus der Bewegungskraft des Geistes (und bemüht sich keineswegs, deren Mißbrauch zu meiden). Sie entschleudert ihre Welt ... in ekstatischem Paroxismus, in quälender Traurigkeit, in süßestem musikalischen Gesang, in der Simultaneität durcheinanderstürzender Gefühle, in chaotischer Zerschmetterung der Sprache, grausigster Verhöhnung menschlichen Mißlebens, in flaggelantisch schreiender, verzückter Sehnsucht nach Gott und dem Guten, nach Liebe und Brüderlichkeit. So wird auch das Soziale nicht als realistisches Detail, objektiv etwa als Elendsmalerei dargestellt (wie von der Kunst um 1890), sondern es wird stets ganz ins Allgemeine, in die großen Menschheitsideen hingeführt. Und selbst der Krieg, der viele dieser Dichter zerschmetterte, wird nicht sachlich realistisch erzählt; – er ist stets als Vision da (und zwar lange vor seinem Beginn), schwelt als allgemeines Grauen, dehnt sich als unmenschlichstes Übel, das nur durch den Sieg der Idee vom brüderlichen Menschen aus der Welt zu schaffen ist.«

Kurt Pinthus, aus: »Zuvor«, in: »Menschheitsdämmerung. Ein Dokument des Expressionismus«, Hamburg 1959, S. 29 f.

1919

»Kurt Hiller hat einmal von der Lyrik gesagt, es sei unausstehlich, wenn ein Mann, der Husserl studiere, sich in seinen Gedichten künstlich zurückschraube und den naiven Toren spiele. Das ist ganz richtig. Aber wie, wenn ein Mann, der nie Husserl gelesen hat, intuitiv weit über Forschungsergebnisse hinausgeht und tastend und ahnend das berührt, was der Psychologe – der schon garnicht – niemals erreicht? Denn das scheint mir das Wesen der Lyrik zu sein: nicht Erkenntnisse zu vermitteln, überhaupt nicht in der zufällig gewählten Form eines Gedichts ein Resultat zu liefern, das man ebenso gut oder noch besser in einem Essay hätte niederlegen können – sondern eben in dieser einzig möglichen Form etwas zu geben, das keine andre Form und keine andre Wortfolge zu geben vermag: Erkenntnis und, fußend auf dieser Erkenntnis, die Schwankungen der Seele, die man Gefühle nennt.«

Kurt Tucholsky, aus: »Christian Wagner«, in: »Die Weltbühne«, 13.2.1919; zitiert nach: ders.: »Gesammelte Werke«, Bd. II, Reinbek 1975, S. 46 f.

um 1920

»Als Kafka bei mir ein Gedichtbuch von Johannes R. Becher sah, bemerkte er: ›Ich verstehe diese Gedichte nicht. Es herrscht hier so ein Lärm und Wortgewimmel, daß man von sich selbst nicht loskommen kann. Die Worte werden nicht zur Brücke, sondern zur hohen, unübersteigbaren Mauer. Man stößt sich fortwährend an der Form, so daß man überhaupt nicht zum Inhalt vordringen kann. Die Worte verdichten sich hier nicht zur Sprache. Es ist ein Schreien. Das ist alles.‹«

Franz Kafka, aus: Gustav Janouch: »Gespräche mit Kafka«, Frankfurt/M. 1968, S. 132.

1921

»Dichtung ist die Zusammensetzung von Worten, die untereinander in künstlerischen Beziehungen stehen. Dichtung ist Wort-Komposition. Sie kann mit Logik und Grammatik im Einklang stehen, aber sie muß es nicht. Notwendig sind nur die Rhythmen schaffenden, künstlerischen Beziehungen.«

Rudolf Blümner, aus: »Die Dichtung«, in: ders.: »Der Geist des Kubismus«, Berlin 1921; zitiert nach: Klaus Schuhmann: »Lyrik des 20. Jahrhunderts. Materialien zu einer Poetik«, Reinbek 1995, S. 90.

1926

»Ich fand die Frage *Kerr's*, ob zur Gedichtfabrikation ein Grad von Verblödung erwünscht sei, bemerkenswert (...). Das schöne Gedicht hat meiner Ansicht nach ein schöner Leib zu sein, der aus den gemessenen, vergeßlich, fast ideenlos auf's Papier gesetzten Worten hervorzublühen habe. Die Worte bilden die Haut, die sich straff um den Inhalt, d.h. den Körper spannt. Die Kunst besteht darin, nicht Worte zu sagen sondern einen Gedicht-Körper zu formen, d.h. dafür zu sorgen, daß die Worte nur das Mittel bilden zur Gedichtkörperbildung, d.h. die Verblödetheit *Kerr's* liegt darin, daß der Gedichtelidichter es versteht, Inteligentika's in Menge nach links und rechts, zu Gunsten des Gedichtbildes zu verdrängen. Sich dümmer, unwissender zu benehmen, als man ist, ist eben eine Kunst, ein Raffinement, das und die wenigen gelingt.«

Robert Walser, aus: »Brief an Max Rychner«, 18.3.1926, in: ders.: »Das Gesamtwerk«, Bd. XII/2, Genf 1975, S. 266 f.

1927

»Es gibt im Meer lebend Organismen des unteren zoologischen Systems, bedeckt mit Flimmerhaaren. Flimmerhaar ist das animale Sinnesorgan vor der Differenzierung in gesonderte sensuelle Energien, das allgemeine Tastorgan, die Beziehung an sich zur Umwelt des Meers. Von solchen Flimmerhaaren bedeckt stelle man sich einen Menschen vor, nicht nur am Gehirn, sondern über den Organismus total. Ihre Funktion ist eine spezifische, ihre Reizbemerkung scharf isoliert: sie gilt dem Wort, ganz besonders dem Substantivum, weniger dem Adjektiv, kaum der verbalen Figur. Sie gilt der Chiffre, ihrem gedruckten Bild, der schwarzen Letter, ihr allein.«

Gottfried Benn, aus: »Epilog und lyrisches Ich«, in: ders.: »Sämtliche Werke«, Bd. III, Stuttgart 1987, S. 131.

1927

»Einmalig und aus dem Vor-Vorhandenen geschöpft ist jede echte Zeile, die in diesem Bereich zustande kommt, aber nicht dem Rausch (welcher vielleicht die Grundstimmung ist, die den Dichter von der Welt unterscheidet), sondern dem klarsten Bewußtsein verdankt sie die Einschöpfung ins Vorhandene. Und zwar in dem Grade der Bindung, die ihr Rhythmus und Versmaß auferlegen, deren eigenste Notwendigkeit zu ergreifen doch vorweg nur dem geistigen Plan gelingt. Andere Sprünge als den einen, den die Rhodus-Möglichkeit gewährt, versagt die gebundene Marschrichtung des Verses. Je stärker die Bindung, desto größer die sprachliche Leistung.«

Karl Kraus, aus: »Der Reim«, in: »Die Fackel«, Nr. 757/758, April 1927, zitiert nach: ders.: »Ausgewählte Werke«, Bd. III, München 1971, S. 178.

1927

»Und gerade Lyrik muß zweifellos etwas sein, was man ohne weiteres auf den Gebrauchswert untersuchen können muß.

Nun weiß ich, daß ein ganzer Haufen sehr gerühmter Lyrik keine Rücksicht darauf nimmt, ob man ihn brauchen kann. Die letzte Epoche des Im- und Expressionismus (...) stellte Gedichte her, deren Inhalt aus hübschen Bildern und aromatischen Wörtern bestand. Es gibt darunter gewisse Glückstreffer, Dinge, die man weder singen noch jemand zur Stärkung überreichen kann und die doch etwas sind. Aber von einigen solcher Ausnahmen abgesehen, werden solche ›rein‹ lyrischen Produkte überschätzt. Sie entfernen sich einfach zu weit von der ursprünglichen Geste der Mitteilung eines Gedankens oder einer auch für Fremde vorteilhaften Empfindung. Alle großen Gedichte haben den Wert von Dokumenten. In ihnen ist die Sprechweise des Verfassers enthalten, eines wichtigen Menschen.«

Bertolt Brecht, aus: »Kurzer Bericht über 400 (vierhundert) junge Lyriker«, in: ders.: »Werke. Große kommentierte Berliner und Frankfurter Ausgabe«, Bd. XXI, Frankfurt/M. 1992, S. 191.

um 1927

»Wenn man die Lyrik als Ausdruck bezeichnet, muß man wissen, daß eine solche Bezeichnung einseitig ist. Da drücken sich Individuen aus, da drücken sich Klassen aus, da haben Zeitalter ihren Ausdruck gefunden und Leidenschaften, am Ende drückt ›der Mensch schlechthin‹ sich aus. Wenn die Bankleute sich zueinander ausdrücken oder die Politiker, dann weiß man, daß sie dabei handeln (...) aber von den Lyrikern meint man, sie gäben nur noch den reinen Ausdruck, so, daß ihr Handeln eben nur im Ausdrücken besteht und ihre Absicht nur sein kann, sich auszudrücken.«

Bertolt Brecht, aus: »Die Lyrik als Ausdruck«, in: ders.: »Werke. Große kommentierte Berliner und Frankfurter Ausgabe«, Bd. XXI, Frankfurt/M. 1992, S. 201.

1929

»Es ist kaum glaublich, und doch ist es so: Die Mehrzahl der heutigen Lyriker singt und sagt immer noch von der ›Herzliebsten mein‹ und von dem ›Blümlein auf der Wiesen‹ und behauptet anschließend, von der Muse mitten auf den Mund geküßt worden zu sein. (...) Zum Glück gibt es ein oder zwei Dutzend Lyriker – ich hoffe fast, mit dabei zu sein – die bemüht sind, das Gedicht am Leben zu erhalten. Ihre Verse kann das Publikum lesen und hören, ohne einzuschlafen; denn sie sind seelisch verwendbar. Sie wurden im Umgang mit den Freuden und Schmerzen der Gegenwart notiert, und für jeden der mit der Gegenwart geschäftlich zu tun hat, sind sie bestimmt. Man hat für diese Art von Gedichten die Bezeichnung ›Gebrauchslyrik‹ erfunden, und die Erfindung beweist, wie selten in der jüngsten Vergangenheit wirkliche Lyrik war. Denn sonst wäre es jetzt überflüssig, auf ihre Gebrauchsfähigkeit wörtlich hinzudeuten.«

Erich Kästner, aus: »Prosaische Zwischenbemerkung«, in: »Die literarische Welt«, 5 (1929), Nr. 13/14; zitiert nach: »Weimarer Republik. Manifeste und Dokumente zur deutschen Literatur. 1910–1920«, hg. von Anton Kaes, Stuttgart 1983, S. 448 f.

1932

»Man kann vom Regen sagen, er fördere das Wachstum der Pflanzen, aber niemandem wird es einfallen, deswegen zu behaupten, das sei die Absicht des Regens. Die Größe der Lyrik und aller Kunst aber ist es, daß sie, obwohl sie vom Menschen geschaffen, die Absichtslosigkeit eines Naturphänomens hat.«

Günter Eich, aus: »Bemerkungen über Lyrik. Eine Antwort an Bernhard Diebold«, in: ders.: »Gesammelte Werke«, Bd. IV, Frankfurt/M. 1973, S. 391.

1934

»Zum Schreiben meiner Gedichte habe ich gewöhnlich sehr wenig Zeit gehabt. Sobald ein politisches Ereignis eingetreten war, sollte es möglichst schon am gleichen Abend in einem Vortragsgedicht seinen Niederschlag finden. Je schneller unsere Analyse der Maßnahmen des Klassenfeindes an die Versammlungen herangetragen wurde, um so mehr wurden Unklarheiten in der Meinungsbildung verhütet. Was die Verständlichmachung unserer Meinung betrifft, so schien mir das Gedicht, besonders das satirisch-analysierende, einen gewissen Vorrang vor dem Referat zu besitzen. Das Gedicht ermöglicht es, die Stimmung des Tages in eine kürzere Formel zu fassen, das Thema in übersichtlicher Gedrängtheit und die politische Quintessenz unmißdeutbarer darzustellen. Dieser Vorteil fiel besonders gegenüber solchen Hörern ins Gewicht, die eine geringe politische Schulung hatten. Ich habe die Hörer immer beobachtet, und es ist mir aufgefallen, wie schwer es ihnen oft fiel, die geistigen Elemente eines Referats zu verbinden, besonders, wenn es in abstrakter Thesensprache gehalten wurde, und wie hingegen das Gedicht weit unmittelbarer wirkte, da es ja die scheinbar zusammenhanglose Vielheit der Tagesereignisse im kleinsten Raum, wie in einem Brennpunkt, zu sammeln vermochte.«

Erich Weinert, aus: »Wie ich Sprechdichter wurde«, in: ders.: »Ein Dichter unserer Zeit«, Berlin 1960, S. 16 f.

1935

»Nur der Lyriker, der wahrhaft große lyrische Dichter weiß, was das Wort wirklich ist.«

Gottfried Benn, aus: »Inquiry on the Malady of Language / Über die Krise der Sprache«, in: ders.: »Sämtliche Werke«, Bd. IV, Stuttgart 1989, S. 214/605.

1935

»In der Lyrik zeigen sich alle Lebensfragen als Fragen der Form. Wer dagegen die Behauptung setzen wollte, in unseren Tagen sei ja die Lyrik selbst fragwürdig geworden dadurch, daß viele Inhalte dieser Tage in ihr fehlten, der ist kurzsichtig. Aus den Inhalten wächst die Form, oder – es gilt auch so – : Die Form ist das einzige Organ, mit dem sich die Lyrik ihrer Inhalte bemächtigt.«

Oskar Loerke, aus: »Das alte Wagnis des Gedichts«, in: ders.: »Gedichte und Prosa«, hg. von Peter Suhrkamp, Bd. I, Frankfurt/M. 1958, S. 693.

1937

»Jeder Dichter trägt in sich ein Traumbild vom vollendeten Gedicht. Die Sehnsucht nach einer menschenwürdigen und geordneten Welt setzt sich auch in der Form durch. In meinem Fall mußte es eine besonders verläßliche, standhafte und geschlossene Form sein, die mir schwierigste – ein Bollwerk gegen das Zerfluten. Das Sonett war meinem sprunghaften, sprengenden Temperament und meiner hemmungslosen Ausdehnungssucht gerade darum die gemäßeste Form, weil sie zunächst als die mir entgegengesetzte erschien und als die mir ungemäßeste. (...) Aus dem Sonett ergab sich mir eine Form der Freiheit, die das Geordnete und Planvolle zur Grundlage hatte.«

Johannes R. Becher, aus: »Der Glücksucher und die sieben Lasten«, in: ders.: »Gesammelte Werke«, Bd. XV, Berlin 1977, S. 525 f.

1938

»Was Lyrik betrifft, so gibt es ebenfalls in ihr einen realistischen Standpunkt. Ich fühle aber, daß man ganz außerordentlich vorsichtig vorgehen müßte, wenn man darüber schreiben wollte.«

Bertolt Brecht, aus: »Über den formalistischen Charakter der Realismustheorie«, in: ders.: »Werke. Große kommentierte Berliner und Frankfurter Ausgabe«, Bd. XXII/1, Frankfurt/M. 1993, S. 438.

1939

»Die ›Fleurs du mal‹ sind das letzte lyrische Werk gewesen, das eine europäische Wirkung getan hat; kein späteres ist über einen mehr oder weniger beschränkten Sprachkreis hinausgedrungen. Dem ist zur Seite zu stellen, daß Baudelaire sein produktives Vermögen fast ausschließlich diesem einen Buch zugewandt hat. Und endlich ist nicht von der Hand zu weisen, daß unter seinen Motiven einige, von denen die vorliegende Untersuchung gehandelt hat, die Möglichkeit lyrischer Poesie problematisch machen. Dieser dreifache Tatbestand determiniert Baudelaire geschichtlich. Er zeigt, daß er unbeirrbar zu seiner Sache stand. Unbeirrbar war Baudelaire im Bewußtsein seiner Aufgabe. Das geht so weit, daß er es als sein Ziel ›eine Schablone zu kreieren‹ bezeichnet hat. Er sah darin die Kondition eines jeden künftigen Lyrikers. Von denen, die sich ihr nicht gewachsen zeigten, hielt er wenig. ›Trinkt Ihr Kraftbrühen aus Ambrosia? Eßt Ihr Koteletts von Paros? Wieviel gibt man im Leihhaus auf ein(e) Lyra?‹ Der Lyriker mit der Aureole ist für Baudelaire antiquiert.«

Walter Benjamin, aus: »Über einige Motive bei Baudelaire«, in: ders.: »Gesammelte Schriften«, Bd. I/2, Frankfurt/M. 1974, S. 650 f.

1940

»Lyrik ist niemals bloßer Ausdruck. Die lyrische Rezeption ist eine Operation so gut wie etwa das Sehen oder Hören, d. h. viel mehr aktiv. Das Dichten muß als menschliche Tätigkeit angesehen werden, als gesellschaftliche

Praxis mit aller Widersprüchlichkeit, Veränderlichkeit, als geschichtsbedingt und geschichtemachend.«

Bertolt Brecht, aus: »Journal 24. 8. 1940«, in: ders.: »Werke. Große kommentierte Berliner und Frankfurter Ausgabe«, Bd. XXVI, Frankfurt/M. 1994, S. 418.

1942

»Hier Lyrik zu schreiben, selbst aktuelle, bedeutet: sich in den Elfenbeinturm zurückziehen. Es ist als treibe man Goldschmiedekunst. Das hat etwas Schrulliges, Kauzhaftes, Borniertes. Die Schlacht um Smolensk geht auch um Lyrik.«

Bertolt Brecht, aus: »Journal 5. 4. 1942«, in: ders.: »Werke. Große kommentierte Berliner und Frankfurter Ausgabe«, Bd. XXVII, Frankfurt/M. 1995, S. 79 f.

1946

»Auf die Eingebung warten, ist das einzige, was der Lyriker tun kann.«

Emil Staiger, aus: »Grundbegriffe der Poetik«, 5. Aufl., München 1983, S. 58.

1947

»Im Gegensatz zur englischen und französischen Sprache, die eine moderne Lyrik haben, gibt es offensichtlich wenig deutsche Gedichte, die nicht antiquarisch sind – antiquarisch schon in ihrer Metaphorik; sie klingen oft großartig, dennoch haben sie meistens keine Sprache: keine sprachliche Durchdringung der Welt, die uns umstellt. Die Sense des Bauern, die Mühle am Bach, die Lanze, das Spinnrad, der Löwe, das sind ja nicht die Dinge, die uns umstellen. Das Banale der modernen Welt (jeder Welt) wird nicht durchstoßen, nur vermieden und ängstlich umgangen. Ihre Poesie liegt immer *vor* dem Banalen, nicht *hinter* dem Banalen. (...)

Einer von den wenigen, deren Gedichte in diesem Sinne standhalten, ist Brecht. Ich muß, damit dieses Gedicht (›Die Rückkehr‹) mich erreicht, nicht rauschhaft sein oder müde, was so viele für Innerlichkeit halten. Es bleibt ein Gedicht, auch wenn ich es in einer Küche sage: ohne Kerzen, ohne Streichquartett und Oleander. Es geht mich etwas an. Und vor allem: Ich muß nichts vergessen, um es ernstnehmen zu können. Es setzt keine Stimmung voraus; es hat auch keine andere Stimmung zu fürchten. Das allermeiste, was sich für Poesie hält, wird zur krassen Ironie, wenn ich es nur einen einzigen Tag lang mit meinem Leben konfrontiere.«

Max Frisch, aus: »Tagebuch 1946–1949«, in: ders.: »Gesammelte Werke in zeitlicher Folge«, Bd. II, Frankfurt/M. 1976, S. 538 f.

um 1947

»Sprachschöpfung geschieht dort, wo neue Realitäts- und Erkenntnis-
schichten eröffnet werden, und das kann nur vom Ich, von seiner Einsamkeit, von seiner Frömmigkeit, kurzum von seinem lyrischen Zentrum her
geschehen.«

Hermann Broch, aus: »Hofmannsthal und seine Zeit«, Frankfurt/M. 1974,
S. 123.

1949

»Den meisten Menschen sind Verse eine Fremdsprache. Sie suchen (und fin-
den) in Gedichten ›Unverständliches‹, ›gezierte‹ oder ›künstliche‹ Wendun-
gen, um darzutun, die dichterische Bemühung habe sich darin erschöpft,
Einfaches zu komplizieren. Für sie heißt Versemachen, nicht mehr als der
Prosa ein Schnippchen schlagen. Die Prosa jedoch scheint ihnen für jede
Lebenslage zu genügen. Und welche Prosa zumeist...

Ihr Urteil trifft indessen das Richtige, daß sie das Gedicht als ein Stück
Fremdsprache erleben.«

Max Rychner, aus: »Elemente des Gedichts«, in: ders.: »Welt im Wort.
Literarische Aufsätze«, Zürich 1949, S. 99.

1950

»Der Stil der Zukunft wird der Roboterstil sein, Montagekunst. Der bishe-
rige Mensch ist zu Ende, Biologie, Soziologie, Familie, Theologie, alles verfallen und ausgelaugt, alles Prothesenträger (...).

Der Mensch muß neu zusammengesetzt werden aus Redensarten, Sprichwörtern, sinnlosen Bezügen, aus Spitzfindigkeiten, breit basiert –: *Ein Mensch
in Anführungsstrichen.* Seine Darstellung wird in Schwung gehalten durch
formale Tricks, Wiederholungen von Worten und Motiven – Einfälle werden eingeschlagen wie Nägel und daran Suiten aufgehängt. Herkunft,
Lebenslauf – Unsinn! Aus Jüterbog oder Königsberg stammen die meisten,
und in irgendeinem Schwarzwald endet man seit je. Jetzt werden Gedan-
kengänge gruppiert, Geographie herangeholt, Träumereien eingesponnen
und wieder fallengelassen. Nichts wird stofflich-psychologisch mehr ver-
flochten, alles angeschlagen, nichts durchgeführt. Alles bleibt offen. Anti-
synthetik. Verharren vor dem Unvereinbaren. Bedarf größten Geistes und
größten Griffs, sonst Spielerei und kindisch. Bedarf größten tragischen Sinns,
sonst nicht überzeugend. Aber wenn der Mann danach ist, dann kann der
erste Vers aus dem Kursbuch sein und der zweite eine Gesangbuchstrophe
und der dritte ein Mikoschwitz und das Ganze ist doch ein Gedicht. Und
wenn der Mann nicht danach ist, dann können die Ehegatten ihre Frauen
und die Mütter ihre Söhne und die Enkel ihre Großtanten im Lehnstuhl

oder im Abendfrieden vielstrophig anreimen und selbst der Laie wird bald merken, daß das keine Lyrik mehr ist.«

Gottfried Benn, aus: »Doppelleben«, in: ders.: »Sämtliche Werke«, Bd. V, Stuttgart 1991, S. 168–170.

1951

»Je totaler die Gesellschaft, um so verdinglichter auch der Geist und um so paradoxer sein Beginnen, der Verdinglichung aus eigenem sich zu entwinden. Noch das äußerste Bewußtsein vom Verhängnis droht zum Geschwätz zu entarten. Kulturkritik findet sich der letzten Stufe der Dialektik von Kultur und Barbarei gegenüber: nach Auschwitz ein Gedicht zu schreiben, ist barbarisch, und das frißt auch die Erkenntnis an, die ausspricht, warum es unmöglich ward, heute Gedichte zu schreiben. Der absoluten Verdinglichung, die den Fortschritt des Geistes als eines ihrer Elemente voraussetzte und die ihn heute gänzlich aufzusaugen sich anschickt, ist der kritische Geist nicht gewachsen, solange er bei sich bleibt in selbstgenügsamer Kontemplation.«

Theodor W. Adorno, aus: »Kulturkritik und Gesellschaft«, in: ders.: »Gesammelte Schriften«, Bd. X/1, Frankfurt/M. 1977, S. 30.

1951

»Von rückhaltloser Individuation erhofft sich das lyrische Gebilde das Allgemeine. Ihr eigentümliches Risiko aber hat Lyrik daran, daß ihr Individuationsprinzip nie die Erzeugung von Verpflichtendem, Authentischem garantiert. Sie hat keine Macht darüber, ob sie nicht in der Zufälligkeit der bloßen abgespaltenen Existenz verharrt.«

Theodor W. Adorno, aus: »Rede über Lyrik und Gesellschaft«, in: ders.: »Gesammelte Schriften«, Bd. XI, Frankfurt/M. 1974, S. 50.

1951

»(...) die Öffentlichkeit lebt nämlich vielfach der Meinung: da ist eine Heidelandschaft oder ein Sonnenuntergang, und da steht ein junger Mann oder ein Fräulein, hat eine melancholische Stimmung, und nun entsteht ein Gedicht. Nein, so entsteht kein Gedicht. Ein Gedicht entsteht überhaupt sehr selten – ein Gedicht wird gemacht.«

Gottfried Benn, aus: »Probleme der Lyrik«, in: ders.: »Gesammelte Werke«, Bd. I, Wiesbaden 1965, S. 495.

1952

»Auf diesem Hintergrund [Nietzsche, d'Annunzio, Artistenmetaphysik] erhebt sich das moderne lyrische Ich. Es betritt sein Laboratorium, das Laboratorium für Worte, hier modelliert es, fabriziert es Worte, öffnet sie, sprengt sie, zertrümmert sie, um sie mit Spannungen zu laden, deren Wesen dann vielleicht durch einige Jahrzehnte geht. Dieses moderne lyrische Ich sah alles zerfallen: die Theologie, die Biologie, die Philosophie, die Soziologie, den Materialismus und den Idealismus, es klammerte sich nur an eines: an seine Arbeit am Gedicht. Es schloß sich ab gegen jeden Gedankengang, der mit Glauben, Fortschritt, Humanismus verbunden war, es beschränkte sich auf Worte, die es zum Gedicht verband.«

Gottfried Benn, aus: »Vortrag in Knokke«, in: ders.: »Gesammelte Werke«, Bd. I, Wiesbaden 1965, S. 544.

1954

»die konstellation ist die einfachste gestaltungsmöglichkeit der auf dem wort beruhenden dichtung. sie umfaßt eine gruppe von worten – wie sie eine gruppe von sternen umfaßt und zum sternbild wird. in ihr sind zwei, drei oder mehr, neben- oder untereinandergesetzten worten – es werden nicht zu viele sein – eine gedanklich-stoffliche beziehung gegeben. und das ist alles!

die konstellation ist eine ordnung und zugleich ein spielraum mit festen größen. sie erlaubt das spiel. sie erlaubt die reihenbildung der wortbegriffe a, b, c, und deren mögliche variationen (...).

die konstellation ist kein rezept, weder formal noch thematisch. sie nennt die »allzumenschlichen«, sozialen und erotischen probleme nicht. wenn diese probleme nicht weitgehend im leben gelöst werden können, gehören sie vielleicht in die fachliteratur.«

Eugen Gomringer, aus: »vom vers zur konstellation«, in: ders.: »worte sind schatten«, Reinbek 1969, S. 280 f. und 282.

1955

»Ich glaube (...) daß, wer Gedichte schreibt, Formeln in ein Gedächtnis legt, wunderbare alte Worte für einen Stein und ein Blatt, verbunden oder gesprengt durch neue Worte, neue Zeichen für Wirklichkeit, und ich glaube, daß wer die Formeln prägt, auch in sie entrückt mit seinem Atem, den er als unverlangten Beweis für die Wahrheit dieser Formeln gibt.«

Ingeborg Bachmann, aus: »Wozu Gedichte«, in: dies.: »Werke«, Bd. IV, München 1978, S. 303 f.

1956

»Man wird dem Willigen zunächst nichts anderes raten können, als daß er seine Augen an die Dunkelheit zu gewöhnen sucht, die moderne Lyrik umhüllt. Überall beobachten wir ihre Neigung, so weit wie möglich von der Vermittlung eindeutiger Gehalte fernzubleiben. Das Gedicht will vielmehr ein sich selbst genügendes, in der Bedeutung vielstrahliges Gebilde sein, bestehend aus einem Spannungsgeflecht von absoluten Kräften, die suggestiv auf vorrationale Schichten einwirken, aber auch die Geheimniszonen der Begriffe in Schwingung versetzen.«

Hugo Friedrich: »Die Struktur der modernen Lyrik«, erweiterte Neuausgabe, Hamburg 1979, S. 16.

1956

»Ich schreibe Gedichte, um mich in der Wirklichkeit zu orientieren. Ich betrachte sie als trigonometrische Punkte oder als Bojen, die in einer unbekannten Fläche den Kurs markieren.«

Günter Eich, aus: »Der Schriftsteller vor der Realität«, in: ders.: »Gesammelte Werke«, Bd. IV, Frankfurt/M. 1973, S. 441.

1957

»die konkrete dichtung liefert keine ergebnisse. sie liefert den prozess des findens.

die konkrete dichtung ist ihr material. ihr inhalt ist restlos form. ihre form ist restlos inhalt. nicht tüte, nicht hülse.

die konkrete dichtung ist nicht monumental, nicht statisch. sie ist bewegung. ihre bewegung endet im leser auf verschiedene weise.

die konkrete dichtung beweist ihre aussage durch anordnung des textes.

die konkrete dichtung ist fassbar. sie sagt nichts als was sie sagt.«

Claus Bremer, aus: »konkrete poesie«, zitiert nach: »Theoretische Positionen zur Konkreten Poesie«, hg. von G. Wunberg, Tübingen 1974, S. 7.

1958

»Erreichbar, nah und unverloren blieb inmitten der Verluste dies eine: die Sprache.

Sie, die Sprache, blieb unverloren, ja, trotz allem. Aber sie mußte nun hindurchgehen durch ihre eigenen Antwortlosigkeiten, hindurchgehen durch furchtbares Verstummen, hindurchgehen durch die tausend Finsternisse todbringender Rede. Sie ging hindurch und gab keine Worte her für das, was geschah; aber sie ging durch dieses Geschehen. Ging hindurch und durfte wieder zutage treten, ›angereichert‹ von all dem.

In dieser Sprache habe ich, in jenen Jahren und in den Jahren nachher, Gedichte zu schreiben versucht: um zu sprechen, um mich zu orientieren, um zu erkunden, wo ich mich befand und wohin es mit mir wollte, um mir Wirklichkeit zu entwerfen.

Es war, Sie sehen es, Ereignis, Bewegung, Unterwegssein, es war der Versuch, Richtung zu gewinnen. Und wenn ich es nach seinem Sinn befrage, so glaube ich, mir sagen zu müssen, daß in dieser Frage auch die Frage nach dem Uhrzeigersinn mitspricht.

Denn das Gedicht ist nicht zeitlos. Gewiß, es erhebt einen Unendlichkeitsanspruch, es sucht, durch die Zeit hindurchzugreifen – durch sie hindurch, nicht über sie hinweg.

Das Gedicht kann, da es ja eine Erscheinungsform der Sprache und damit seinem Wesen nach dialogisch ist, eine Flaschenpost sein, aufgegeben in dem – gewiß nicht immer hoffnungsstarken – Glauben, sie könnte irgendwo und irgendwann an Land gespült werden, an Herzland vielleicht. Gedichte sind auch in dieser Weise unterwegs: sie halten auf etwas zu.

Worauf? Auf etwas Offenstehendes, Besetzbares, auf ein ansprechbares Du vielleicht, auf eine ansprechbare Wirklichkeit.

Um solche Wirklichkeiten geht es, so denke ich, dem Gedicht.«

Paul Celan, aus: »Ansprache anläßlich der Entgegennahme des Literaturpreises der Freien Hansestadt Bremen«, in: ders.: »Gesammelte Werke«, Bd. III, Frankfurt/M. 1983, S. 185 f.

1959/60

»Mit einer neuen Sprache wird der Wirklichkeit immer dort begegnet, wo ein moralischer, erkenntnishafter Ruck geschieht, und nicht, wo man versucht, die Sprache an sich neu zu machen, als könnte die Sprache selber die Erkenntnis eintreiben und die Erfahrung kundtun, die man nie gehabt hat. Wo nur mit ihr hantiert wird, damit sie sich neuartig anfühlt, rächt sie sich bald und entlarvt die Absicht. Eine neue Sprache muß eine neue Gangart haben, und diese Gangart hat sie nur, wenn ein neuer Geist sie bewohnt.«

Ingeborg Bachmann, aus: »Frankfurter Vorlesungen«, in: dies.: »Werke«, Bd. IV, München 1978, S. 192.

1960

»Der Prozeß der modernen Poesie führt, wie sich an den Texten dieses Museums zeigen läßt, in wenigstens fünfunddreißig Ländern zu Ergebnissen, die Vergleich über Vergleich herausfordern: er führt, mit einem Wort, zur Entstehung einer poetischen Weltsprache.«

Hans Magnus Enzensberger, aus: »Nachwort«, in: »Museum der modernen Poesie«, eingerichtet von Hans Magnus Enzensberger, Frankfurt/M. 1980, S.773.

1961

»Das Material des Gedichteschreibers ist zunächst und zuletzt die Sprache. Aber ist die Sprache wirklich das einzige Material des Gedichts? Und an diesem Punkt erlaube ich mir, einen Begriff ins Spiel zu bringen, der mit allgemeinem Scharren, ja mit Hohngeheul begrüßt werden dürfte: den des Gegenstandes. Auch der Gegenstand, jawohl, der vorsintflutliche, längst aus der Mode gekommene Gegenstand, ist ein unentbehrliches Material der Poesie. Ich kann, wenn ich einen Vers mache, nicht reden, ohne von etwas zu reden. Und dieses Etwas, so gut wie die Sprache, die davon spricht, ist mein Material.«

Hans Magnus Enzensberger, aus: »Scherenschleifer und Poeten«, in: »Mein Gedicht ist mein Messer. Lyriker zu ihren Gedichten«, hg. von Hans Bender, München 1969, S. 146.

1961

»Man darf bei alldem jedoch nicht vergessen, daß man sich dabei in einem Dilemma befindet. Denn die im Zerfall des Systems freiwerdenden Sprachelemente (auch die neuen Bedeutungsschattierungen) haben ja ihren ursprünglichen Sinn innerhalb dieses Systems gewonnen. Man benutzt etwas entgegen dem überkommenen Sinn, ohne daß man es ganz daraus lösen kann. Wobei hinzugefügt werden muß, daß dieser Sinn im allgemeinen, öffentlichen und offiziellen Sprachgebrauch noch als intakt konserviert erscheint und die Abschleifungsvorgänge und Aufsplitterungen durch einen fast alexandrinischen syntaktisch-grammatischen Purismus eingedämmt werden. Ob die literarischen Versuche dagegen zukünftige Möglichkeiten vorausprojizieren oder nur ein spezielles Dilemma ausdrücken, ist ganz offen.«

Helmut Heißenbüttel, aus: »Konkrete Poesie«, in: ders.: »Über Literatur«, Olten 1966, S. 74.

1962

»Was mich, Herr Bienek, bei den meisten lyrischen Versuchen der Heutigen verstimmt, ist ihr Mangel an Sinn für die Welt als natürliches Phänomen. Sicherlich gibt es Ursachen für dieses eigensinnige Sich-in-sich-selbst-verkrampfen, Ursachen, die wohl weniger einer bestimmten Dichtungsart, als zivilisatorischen Zuständen zuzuschreiben sind. Gewiß deutet alles auf alles. Aber wenn man den sichtbaren Erscheinungen so wenig Aufmerksamkeit schenkt wie heute, führt der Weg ins Wesenlose. Kunst ist Oberfläche. Eingeweide bieten außerhalb der sie bergenden Haut keinen guten Anblick. Tiefe hat nur Bedeutung in der Kunst, wenn sie nach oben, in den Bereich unserer Sinne gehoben wird. (...) Daß man heute so viel mit der Sprache experimentiert, erscheint mir unfruchtbar, da mir die Sprache, abgelöst von dem, was sie bezeichnet, nichts gilt. Dichterische Sprache vollends ist nur insoweit Sprache, als sie den Erscheinungen anliegt wie Haut dem Körper.«

Wilhelm Lehmann, aus: »Gespräch mit Horst Bienek«, in: Horst Bienek: »Werkstattgespräche mit Schriftstellern«, München 1962, S. 127 f.

1962

Bienek: »Sie kennen Benns These (...) ›Ein Gedicht entsteht sehr selten, es wird gemacht.‹ (...) Aber Else Lasker-Schüler (...) hat da ganz andere Mei-

nungen gehabt. Sie schrieb einmal: ›Es dichtet in mir.‹ Ist das nun hoff-
nungslos veraltet?«

Kaschnitz: »Das Wort der Else Lasker-Schüler ›es dichtet in mir‹ könnte
ich merkwürdigerweise gerade auf meine Aussagegedichte anwenden. Der
Zyklus ›Die Rückkehr nach Frankfurt‹, in dem unter allen möglichen Aspekten eine zerstörte und verwilderte Stadt erscheint, ist mir, wenn ich mich so
ausdrücken darf, ›diktiert‹ worden. (...) Meine wenigen leichten, eigentlich
inhaltslosen Gedichte habe ich am meisten ›gemacht‹. Ich meine, ich habe
mir da am meisten Mühe gegeben, den gleichsam vagierenden Worten einen
Platz anzuweisen, an dem sie ganz aus sich heraus zur Geltung kommen und
eine magische Bedeutung gewinnen.«

Marie Luise Kaschnitz, aus: »Gespräch mit Horst Bienek«, in: Horst Bienek: »Werkstattgespräche mit Schriftstellern«, München 1962, S. 40.

1963

»Ich habe aufgehört, Gedichte zu schreiben, als mir der Verdacht kam, ich
›könne‹ jetzt Gedichte schreiben, auch wenn der Zwang, welche zu schreiben, ausbliebe. Und es wird eben keine Gedichte mehr geben, eh' ich mich
nicht überzeuge, daß es wieder Gedichte sein müssen und nur Gedichte, so
neu, daß sie allem seither Erfahrenen wirklich entsprechen.«

Ingeborg Bachmann, aus: »Interview mit Kuno Raeber«, in: dies.: »Wir
müssen wahre Sätze finden. Gespräche und Interviews«, München 1983,
S. 40.

1965

»Alle Feiertäglichkeit weglassen. Einen Teil der theoretischen Tätigkeit in die
Praxis hineinnehmen. Die Auffächerung so weit öffnen wie möglich.
*

Längeres Sich-einlassen: so daß Verbindungen zwischen Gegenstand, Leser,
Autor, Gedicht möglich werden (...).
*

Das lange Gedicht als Vorbedingung für kurze Gedichte.«

Walter Höllerer, aus: »Thesen zum langen Gedicht«, in: »Akzente«, 1965,
H. 12, S. 129.

1966

»Das perennierende Leiden hat soviel Recht auf Ausdruck wie der Gemar-
terte zu brüllen; darum mag falsch gewesen sein, nach Auschwitz ließe kein
Gedicht mehr sich schreiben.«

Theodor W. Adorno, aus: »Meditationen zur Metaphysik«, in: ders.:
»Gesammelte Schriften«, Bd. VI, Frankfurt/M. 1973, S. 355.

1968

»Das Gedicht, glaube ich, ist ein Gebrauchsartikel eigener Art. Es wird *ge*braucht, aber es *ver*braucht sich nicht wie andere Gebrauchsartikel, bei denen jedes Benutzen das Abnutzen in sich schließt. (...) Es ist (...) ein ›magischer Gebrauchsartikel‹, etwas wie ein Schuh, der sich jedem Fuß anpaßt, der ohne ihn den Weg in das Ungangbare nicht gehen könnte, den Weg zu jenen Augenblicken, in denen der Mensch wirklich identisch ist mit sich selbst.«

Hilde Domin, aus: »Wozu Lyrik heute«, München 1968, S. 16 f.

1968

»Lyrik ist überflüssig, unnütz, wirkungslos. Das legitimiert sie in einer utilitaristischen Welt. Lyrik spricht nicht die Sprache der Macht, – das ist ihr verborgener Sprengstoff.«

Günter Eich, aus: »Thesen zur Lyrik«, in: ders.: »Gesammelte Werke«, Bd. IV, Frankfurt/M. 1973, S. 413.

1968

»Ich gebe gerne zu, daß ich mich von der deutschsprachigen Lyrik nicht habe anregen lassen. Sie hat meinen Blick nur getrübt. Dankbar bin ich dagegen den Gedichten Frank O'Haras, die mir gezeigt haben, daß schlechthin alles, was man sieht und womit man sich beschäftigt, wenn man es nur genau genug sieht und direkt genug wiedergibt, ein Gedicht werden kann, auch wenn es sich um ein Mittagessen handelt.«

Rolf Dieter Brinkmann, aus: »Notiz zu dem Gedichtband ›Die Piloten‹«, zitiert nach: »Was alles hat Platz in einem Gedicht? Aufsätze zur deutschen Lyrik seit 1965«, hg. von Hans Bender und Michael Krüger, München 1977, S. 98.

1970

»Das heißt, ich versuche nicht mit Sprache Realität oder Vorstellungen zu beschreiben, mit Sprachbildern, Symbolen, Metaphern zu Realität und Vorstellungen mich zu verhalten, sondern ich versuche, aus der Sprache herauszuholen, herauszulocken, was als Realitätsspur darin aufbewahrt ist und was erst Realität hier und jetzt heißen kann; ich suche Sprache, vorgeprägte, gebrauchte Sprache, verbrauchte Sprache mir und dem möglichen Leser vorzuhalten, um zu erkennen, was hier und jetzt möglich ist, was sagbar ist, worüber gesprochen werden kann und in welcher Weise man darüber sprechen kann. Ich bin dabei immer stärker zur Methode der Montage, der Sprachcollage gekommen. Von Anfängen mit geringem Umfang, sieben bis neun Zeilen beziehungsweise Sätzen, bin ich zu umfangreicheren Gebilden gelangt, äußerlich in dreizehn mal dreizehn Zeilen als Gedicht deklariert, dann zu etwas, das annähernd vierhundert Seiten umfaßt. Aber immer hat mich das eine Problem, die eine Methode der Sprachcollage und ihre Anwendbarkeit auf das, was ich hier und jetzt erfahre, beschäftigt, hat mich beschäftigt, was ich von dem, was hier und jetzt los ist, mit Hilfe dieser Methode fassen kann.«

Helmut Heißenbüttel, aus: »Die Frage der Gattungen«, in: ders.: »Zur Tradition der Moderne. Aufsätze und Anmerkungen 1964–1971«, Neuwied 1972, S. 51.

1970

»Ich demonstriere mich als Nachdenker von Vorgedachtem, als Nachsprecher von Vorgesprochenem, Nachschreiber von Vorgeschriebenem, mithin von Vorschriften. Aber ich verändere Anordnungen, Reihenfolgen, schreibe deutlich Zitate in ungewohnte Zusammenhänge. Meine Rede ist nicht meine Rede. In ungewohnten Zusammenhängen werden Reden zur Rede gestellt, Selbstverständnisse, Ansichten. Die ungewohnten Zusammenhänge erinnern an Gedichte. Ich zeige Rituale und Übereinkünfte, die ich erkenne, bin aber ebenso darauf aus, mein eigenes Ritual und meine eigene Übereinkunft zu erkennen und loszuwerden.«

Nicolas Born, aus: »Nachwort zu ›Wo mir der Kopf steht‹«, in: ders.: »Die Welt der Maschine. Aufsätze und Reden«, hg. von Rolf Haufs, Reinbek 1980, S. 83 f.

1970

»Das Buch, das unmittelbar Bezug nimmt auf meine politische Entwicklung, ist ein Gedichtband: ›Ausgefragt‹. (...) Und ich habe das schon vorhin gesagt, daß für mich Lyrik-Schreiben immer eine Möglichkeit gewesen ist, den eigenen Standort, den veränderten Standort auszumessen, die eigene Position in Frage zu stellen, und das wird, wenn man aufmerksam liest, in dem Band ›Ausgefragt‹ sehr deutlich bis in die Frühphase des Studentenprotestes hinein.«

Günter Grass, aus: Heinz Ludwig Arnold: »Gespräch mit Günter Grass«, in: TEXT + KRITIK 1/1 a, München 1971, S. 21 f.

1971

»Lyrik bringt nicht nur Gefühl, sondern auch Weltsituation(en) zum Ausdruck, die zwar immer da sind, doch durch den Dichter zum erstenmal an den Tag gebracht werden. Gute Gedichte bestehen für sich wie ein Stein oder wie ein Baum oder ein Stern.«

Peter Huchel, aus: »»Meine Freunde haben mir geholfen‹. Interview mit Veit Mölter«, in: ders.: »Gesammelte Werke«, Bd. II, Frankfurt/M. 1984, S. 371.

1973
»Die Entstehung von Gedichten ist sehr verschieden. Es liegen ihnen Erfahrungen zugrunde, die sich oft erst nach Jahren in einem Gedicht niederschlagen. Ein Wortklang, eine Metapher, einige Wörter, die man dann oft monatelang im Munde kaut, tauchen auf – gewissermaßen ein paar Eisenspäne, die noch außerhalb des magnetischen Feldes liegen. Im späteren Prozeß wird das Bild zum Gleichnis, das heißt, der Magnet strukturiert die Eisenspäne. Und wenn sich dort am äußersten Rand Erfahrung mitteilt, dann kann das Gedicht gelingen.«
Peter Huchel, aus: »Interview mit Frank Geerk«, in: ders.: »Gesammelte Werke«, Bd. II, Frankfurt/M. 1984, S. 388.

1974
»Ich könnte mir denken, daß ein Gedicht und ein Erlebnis vollständig identisch werden, so vollständig, daß sie dann ein und dasselbe sind, das Gedicht ist dann das Erlebnis, und das Erlebnis ist das Gedicht, und jedes von beiden ist darüber hinaus nahezu nichts. (...)
Da das Gedicht und das Erlebnis ein und dasselbe sein sollen, müssen sie aus den gleichen Bestandteilen und dem gleichen Material bestehen. Erlebnisse gibt es aus den verschiedensten Bestandteilen, aus dem verschiedensten Material. Gedichte gibt es aus den verschiedensten Bestandteilen, aber alle nur aus einem einzigen Material, Sprache. Um ein Erlebnis und ein Gedicht identisch zu machen, ein einziges Ding, wird dieses Ding aus dem Material des einen der beiden, Erlebnis und Gedicht, bestehen müssen, das nur über ein einziges Material verfügt. Das Resultat kann daher nur sein: ein Erlebnis aus Sprache, ein sprachliches Erlebnis, das zugleich ein Gedicht ist.«
Ernst Jandl, aus: »Das Gedicht zwischen Sprachnorm und Autonomie«, in: ders.: »Die schöne Kunst des Schreibens«, Darmstadt 1976, S. 51 f.

1975
»Ich halte nichts von einem sogenannten ›zweiten Gedicht‹, das, gleichsam wie eine Folie unter dem eigentlichen Text gelegen, mitzulesen sei. Ich frage mich dann, warum der Lyriker nicht jenes zweite Gedicht geschrieben und das erste in den Papierkorb geworfen hat.«
Jürgen Theobaldy, aus: »Das Gedicht im Handgemenge«, in: »Was alles hat Platz in einem Gedicht? Aufsätze zur deutschen Lyrik seit 1965«, hg. von Hans Bender und Michael Krüger, München 1977, S. 178.

1975

»Vor die Wahl gestellt, was ich einem Gedicht eher zutraue, Wahrheitsfindung oder Wirklichkeitsveränderung, möchte ich eigentlich lieber auf die erste Möglichkeit erkennen.«

Peter Rühmkorf, aus: »Kein Apolloprogramm für Lyrik«, in: ders.: »Strömungslehre I«, Reinbek 1978, S. 89.

1976

»Der Blick durch den ›Sucher‹ der ›Kamera‹, das ist der Blick, den einige jüngere Lyriker auf ihre Umwelt richten.«

Jürgen Theobaldy, aus: ders./Gustav Zürcher: »Veränderung der Lyrik. Über westdeutsche Gedichte seit 1965«, München 1976, S. 151.

1979

»Damals gab es so eine Art Poetologie, die eine ganze Generation von Lyrikern hatte: das Gedicht als Gebrauchsgegenstand, als Operationsgerät, das Gedicht als Angriff, als Affront, als eine andere Version von Wirklichkeit, die direkt konfrontiert wird mit der tatsächlichen – alles ausgerichtet auf den operativen Eingriff in die Gesellschaft, in das Verständnis und Vorverständnis von Dingen. Ich muß sagen, daß letzten Endes dahinter doch ein großer Optimismus gesteckt hat, eine Zuversicht auf die Veränderbarkeit der Lebensumstände, der persönlichen und gesellschaftlichen, ein Glaube, der, wie ich heute denke, zwangsläufig auf der Strecke bleiben muß.«

Nicolas Born, aus: »Die Sprache der Lyrik«, in: ders.: »Die Welt der Maschine. Aufsätze und Reden«, Reinbek 1980, S. 94.

1979

»Veraltet mutet auch die These an, die so etwas wie eine ›Weltsprache der modernen Poesie‹ statuiert. Nicht als hätte es etwas Derartiges nie gegeben, im Gegenteil, das Fatale an dieser Feststellung ist, daß sie eine Reihe von stillschweigenden Voraussetzungen der ›klassischen Moderne‹ nur allzu genau trifft, auf den Begriff bringt und sich umstandslos zu eigen macht. (...) Die Ideologie der ›One World‹, von den Amerikanern während des Zweiten Weltkriegs verkündet, von den Nachkriegsdeutschen aus durchsichtigen Gründen gerne akzeptiert, in den Vereinten Nationen institutionell verwirklicht und verblaßt, ist politisch spätestens seit 1968 durchschaut und auf den Hund gekommen. (...)

Diese Kehrseite der Medaille ist in den letzten Jahren immer deutlicher sichtbar geworden, und zwar nicht nur aus politischen Gründen. Auch in der literarischen Produktion selber zeigt sich an, daß die Moderne rapide altert. Ihre Weltsprache ist unterdessen in zahllose Dialekte zerfallen. Weit entfernt davon, sich nach den ›klassischen‹ Mustern zu orientieren, ist die Poesie der letzten Jahrzehnte immer heterogener und regionaler geworden.«

Hans Magnus Enzensberger, aus: »Nachbemerkung zur Neuauflage«, in: »Museum der modernen Poesie«, eingerichtet von Hans Magnus Enzensberger, Frankfurt/M. 1980, S. 786.

1980

»Die Dichtung wird danach heute von zwei Seiten bedroht: von den prosahaft dilettierenden und stoffhubernden Scholaren eines ausufernden Langzeilen-Gedichts, aber auch von den ewig Gestrigen, die Traditionsbewußtsein mit Restaurationsideologie verwechseln und, zusammen mit den Nachlässigkeiten der Postmoderne, auch gleich die Meisterleistungen der klassischen Moderne außer Kraft zu setzen versuchen – zugunsten der Muster der Vormoderne.«

Hans-Jürgen Heise, aus: »Freier Vers, zerhackte Prosa, Schablonen-Poesie«, in: »Die Zeit«, 21. 11. 1980.

1985

»Aber war da nicht irgendwann, irgendwo was Anderes? Ein Lufthauch? Eine Verführung? Ein Versprechen? Ein freies Feld?

Ein Spiel? (...)

Wie wäre es, wenn wir von vorne anfingen? Mit einem Kompendium, aus dem zu erfahren wäre, was man mit ein paar Worten alles anfangen kann? Einem Lehrbuch der Poetik?«

Hans Magnus Enzensberger, aus: »Das Wasserzeichen der Poesie oder Die Kunst und das Vergnügen, Gedichte zu lesen. In hundertvierundsechzig Spielarten vorgestellt von Andreas Thalmayr«, Nördlingen 1985, S. VI f.

1985

»Das Gedicht – eine Arche Noah? Höchstens doch in Taschenausgabe. Etwas wie eine Flaschenpost: dieser banale und abgenutzte Vergleich ist nur zu wahr. Es enthält, wenn auch nicht wörtlich, eine Botschaft über unsere innere und äußere Befindlichkeit, eine kompetente Selbstdiagnose, ohne die Konsequenz einer Therapie. Als fixiertes dialektisches Ereignis hebt es sich im Hegelschen Sinne selber auf. Es bedeutet etwas und zugleich nichts. Das aber scheint mir der Widerspruch zu sein, in dem sich jeder und jegliches befindet.«

Günter Kunert, aus: »Was soll noch oder kann heute das Gedicht?«, in: ders.: »Vor der Sintflut. Das Gedicht als Arche Noah. Frankfurter Vorlesungen«, München 1985, S. 26 f.

1986

»Was in dem Gedicht aufschimmert, ist so etwas wie ein ›Augenblick der Wahrheit‹, ein Augenblick des sich selber Gewahrwerdens angesichts der anhaltenden und steigenden Bedrohung. Daraus ergibt sich eine Intensität des Empfindens, das alle anderen Gefühle überdeckt oder in diesem Augenblick verdrängt: Hier und Jetzt – das ist unser Leben, mehr haben wir nicht als dieses eine.«

Günter Kunert, aus: »Reminiszenz«, in: »Die Pausen zwischen den Worten. Dichter über ihre Gedichte«, hg. von Rudolf Riedler, München 1986, S. 66.

1990

»Sich heute noch ernsthaft auf das uralte Reim- und Regelspiel einzulassen, ist, meine ich, schon mal per se komisch. Einfach war es nie, doch in Jahrhunderten gebundener Dichtung hat sich sein Schwierigkeitsgrad erheblich gesteigert. Daraus haben Verzagte wie Arno Holz gefolgert, daß nichts mehr gehe: ›Der Erste, der – vor Jahrhunderten! – auf Sonne Wonne reimte, auf Herz Schmerz und auf Brust Lust, war ein Genie; der Tausendste, vorausgesetzt, daß die Folge ihn nicht bereits genierte, ein Kretin.‹

Falsch, ganz falsch: Der Erste, der Herz auf Schmerz reimte, war ein braver Mann, der Einmillionste aber, dem es gelingt, die beiden Begriffe einleuchtend, einschmeichelnd oder auch nur eingängig zu paaren, ist ein Genie, zumindest ein achtenswerter Artist.«

Robert Gernhardt, aus: »Herr Gernhardt, warum schreiben Sie Gedichte? Das ist eine lange Geschichte«, in: ders.: »Reim und Zeit. Gedichte«, Stuttgart 1996, S. 115 f.

1991

»Es gibt tatsächlich so etwas wie eine *Weltsprache der Poesie*: artifiziell, aber nicht künstlich; international, aber erwachsen aus dem Besonderen des Ortes und der Region.«

Harald Hartung, aus: »Die Luftfracht der Poesie«, in: »Luftfracht. Internationale Poesie 1940 bis 1990«, ausgewählt von Harald Hartung, Frankfurt/M. 1991, S. 6.

1992

»Mein Sprachgemenge ist nicht mein Verdienst. Ihm verdanke ich die Schärfung des Bewußtseins für die eigenen Schreibmöglichkeiten; die Aufweichung des normativen Denkens. Als habe sich da, im Gemenge, eine durch ständige Vergleiche erworbene Gewitztheit selbständig gemacht, die gescheiter ist als der Hervorbringer. Diese Eigenschaft mit ›Talent‹ abzutun, wird dem Sprachgemenge als Textgenerator nicht gerecht.«

Oskar Pastior, aus: »Und Nimmt Sinn Und Gibt Sinn. Aus der Werkstatt der Nämlichkeit«, in: »Schreibheft«, 41 (1993), S. 151.

1995

»Warum ein langes, erzählendes Gedicht, warum nicht erzählende Prosa? Oder warum die Stimmen, die einen beim Schreiben begleiten, nicht gleich in einem Hörspiel untergebracht? Nur selten eine Frage, wie sich der Verfasser im Vorhinein entscheidet; in der Regel ist es ein unbestimmtes Spüren von Bewegung und Rhythmus, von strukturellen Mustern, von Klängen und Bildern, das die Wortfolgen entstehen läßt und zu bestimmten Formen des Sprechens führt.

In den vergangenen Jahren war es vor allem dieser Impuls, der die Ströme mehr oder weniger langer Gedichte hervorgebracht hat, und wenn dabei auch kurze Sachen entstanden sind, gehören sie doch zum Kontext von Bewußtseinsvorgängen, die sich durch weit ausgedehnte Räume bewegen. Diese Räume, die wechselweise imaginäre wie konkret vorhandene Orte, Gegenden und Landschaften sind, stehen im engsten Zusammenhang mit Zeiten, in denen sie erfahrbar werden, wobei diese Zeiten sich nicht in klar unterscheidbaren Epochen zu erkennen geben, sondern in fließenden Phasen, in einem stockenden Geschiebe, in einem beweglichen Ineinander von Augenblicken und Jahren, Aktualitäten und Vergangenheit. Den Schauplatz dieses Zeit-Geschehens kann nur das Bewußtsein herstellen mit den ihm eigenen Arten des Agierens, und das sind dann die Schübe der Erinnerungen und Assoziationen, die Wachträume und Imaginationen. Sie alle zu verknüpfen, oder auch zu entzerren, macht die Arbeit am Gedicht aus, wobei das Gedicht keineswegs diese Bewußtseinsvorgänge direkt zu spiegeln versucht – es ist eher so, daß sich das Gedicht, natürlich unter der Hand seines Verfassers, um die Herstellung einer eigenen Bewußtseins-Realität bemüht, an der man die Korrespondenz zwischen Sprache und sowohl den Vorgängen, die sie hervorrufen, wie den äußeren Phänomenen, die sie zitiert oder beschreibt oder benennt, ablesen kann.«

Jürgen Becker, aus: »Brief an Brigitte Oleschinski«, in: »Zwischen den Zeilen«, 5 (1995), S. 39.

1995

»Der Dichter mit seinem *Niemand an alle* gehorcht nur seinem eigenen Unheimlichen, einer Monstrosität, die ihn selbst überrascht und beschämt. Wie der einfachen körperlichen Erschöpfung beim Anblick einer Uhr, fühlt er sich ihren Anfällen ausgeliefert. Im erstbesten Moment, da sich alle semantischen Bindungen lockern, beginnt er sich interessiert zu beobachten. Es ist, als würde er seinem Hirn bei der Arbeit zusehn. Sein Geheimnis ist die irgendwann im Bruchteil einer Sekunde an der Schädelbasis ankommende

Lektion. Mit ihrer Tiefenwirkung separiert sie ihn von allem anderen Sprechen, das als belangloser Wortschwall unterhalb der magischen Reizschwelle bleibt und in kürzester Zeit wieder vergessen ist. Die Art, wie sie zu ihm spricht, gleicht der Einflüsterung unter Narkose, dem rettenden Einfall in katastrophischer Lage, dem ruhigen Zuspruch des Sanitäters, der ein Schockopfer vor der Aufgabe seiner Lebenskräfte bewahren soll. Das Erreichen tiefer Hirnareale, die Markierung in Form einzigartiger Engramme, das ist sein Ziel, und insofern liegt in Neurologie die Poetik der Zukunft versteckt. Auf der Jagd nach den Gedächtnisspuren unterwirft er alle anderen Belange seines Lebens der fixen Idee, nur dafür da zu sein, ihn an das Kontinuum verdichteter Bilder anzuschließen, darin liegt das unheilbar Manische seines Tuns. Ein Vers des Kallimachos aus Kyrene bringt ihm genausoviel Gegenwart wie der Zuruf des Postboten vor der Tür. Aus den Worten der Freundin hört er mehr Echos heraus als das Verliebtsein im Augenblick wahr haben will. So aufmerksam lauscht er in das Stimmengewirr vieler Zeiten, in die Zitate und Sprachfetzen seiner Gegenwart, daß die markantesten sich im Innenohr fangen... Bis eine Zeile, ein Codewort die Zusage gibt: Hier stößt du, endlich, auf Grund.«

Durs Grünbein, aus: »Mein babylonisches Hirn«, in: ders./Brigitte Oleschinski/Peter Waterhouse: »Die Schweizer Korrektur«, hg. von Urs Engeler, Basel 1995, S. 4 f.

1997

»Anders gesagt: die Poesie kann ihre Tradition nie ganz abschütteln. Sie wird weder die Gnomik und das Moralisieren von Sprichwörtern los, noch das Engagement ihrer Panegyrik, weder die obskure Metonymie des Rätsels noch die Spuren der Religion. Jedes Gedicht hat zwangsläufig etwas Pantheistisches oder Gnostisches an sich, schon allein weil man einer Metapher gegenüber gar nicht anders kann, als ihre Analogien letztlich metaphysisch zu verstehen.

Vielleicht liegt ein Grund darin, daß die Poesie mit archaischen Formen der Erkenntnis arbeitet. Wissen, Weisheit und Witz, Vision, Historie und Idee – sie alle leiten sich von einer Wurzel ab, die im engeren Sinn nur ›sehen‹ bedeutet. Andererseits aber gehen Inspiration, Rezitation und viele andere Begriffe aus dem Instrumentarium der Poesie auf das Hören zurück. Es handelt sich um zwei Arten von Sinneswahrnehmungen, die tiefere und weitere Bereiche in unserem Gehirn umfassen als die Sprache – uralte Gemeinplätze, die jetzt selbst die Neurologie bestätigt.«

Raoul Schrott, aus: »Die Erfindung der Poesie«, Frankfurt/M. 1997, S. 20.

1997

»Das Gedicht, als optisches und akustisches Präzisionsinstrument verstanden, entspringt und dient der Wahrnehmung, der *genauen* Wahrnehmung von Sprache. Nur so – genau so – kann es seinen einzigen Zweck, Wahrnehmungsinstrument zu sein, erfüllen.

Genauigkeit in der Wahrnehmung von Sprache heißt immer auch Einbeziehung der Geschichte von Sprache, Einbeziehung von Wortgeschichte: ohne Kenntnisse von Etymologie kommt kein Dichter, keine Dichterin aus.«

Thomas Kling, aus: »Stadtpläne, Stadtschriften«, in: »Akzente«, 45 (1998), Nr. 2, S. 108.

1998

»Ich möchte in einer Abwandlung des Mallarméschen Wortes: ›Gedichte werden nicht mit Ideen gemacht, sondern mit Wörtern‹ hinsichtlich der Entschlüsselung von Bedeutung, die für das Verstehen so etwas wie Voraussetzung ist, für die Wührsche Poetik sagen:

Bei Wühr werden Wörter mit Gedichten gemacht – ihre Bedeutung wird nicht den Ideen nach-, sondern im Zusammenspiel mit anderen gleichsam gemacht.

Die verwendeten Wörter schweifen zwar auf die Struktur der Ideen zu, aber der Zugriff ist einer der Mobilität. Es gilt nicht die Strukturen möglicher Ideen, vor dem Gedicht und vor den Wörtern zu definieren, sondern im Akt der Hervorbringung zu erzeugen oder verändern zu wollen, verwandeln helfen, in Schwebe halten.

Dadurch wird der Dichter keineswegs zum allein entscheidenden Schöpfer-Gott, sondern vielmehr zum Ausführenden, zur Hervorbringer-Apparatur, der allerdings die Art und Weise *wie* er sich dieser Apparatur bedient, selbst bestimmt. Sein – und aufgrund dieser Selbstbestimmung der Mittel bleibt es *sein* – Gedicht, *sein* Gedicht erreicht allerdings einen quasi-erhabenen Zustand, wenn wir ihn als chaotisch-tiefen begreifen, nämlich: als ›reines‹ Chaos, in dem eine Ordnung ›herrscht‹, die außerhalb ihrer als falsch bezeichnet wird.«

Ferdinand Schmatz, aus: »Gedachtgedichte. Beobachtungen zur Poetik Paul Wührs«, in: »manuskripte«, 38 (1998), Nr. 141, S. 85.

1999

»Vielleicht sollte man doch noch einmal nach dem Handwerk fragen?«

Harald Hartung, aus: »Die Sache der Hände. Eine schüchterne Erinnerung«, in: »Merkur«, 53 (1999), H. 3/4, S. 326.

Notizen

Maria Behre, geboren 1957; Studium der Deutschen Philologie, Katholischen Theologie und Philosophie in Münster, 1986 Promotion mit einer Arbeit über Hölderlin (»Des dunkeln Lichtes voll«. Hölderlins Mythokonzept Dionysos«, 1987); 1986–1994 Wissenschaftliche Mitarbeiterin und Assistentin am Germanistischen Institut der Universität Münster, seit 1995 Gymnasiallehrerin in Aachen. Veröffentlichungen u. a. zu Goethe, Hölderlin, Trakl und der deutschen Gegenwartsliteratur; Projekt »Literatur und Naturwissenschaften«.

Friedrich W. Block, Dr. phil., Literatur- und Medienwissenschaftler, Kurator der Literaturstiftung Brückner-Kühner in Kassel, Künstler im Bereich intermedialer Poesie. Zahlreiche Ausstellungen, poetische Aktionen und Beiträge in Sammelwerken. Buchpublikationen u. a.: »Kunst – Sprache – Vermittlung« (Hg. zusammen mit Hermann Funk, 1995), »Verstehen wir uns? Zur gegenseitigen Einschätzung von Literatur und Wissenschaft« (Hg., 1996), »IO. Poesis digitalis« (1997), »neue poesie und – als tradition« (Hg., 1997), »Beobachtung des ›ICH‹. Zum Zusammenhang von Subjektivität und Medien am Beispiel experimenteller Poesie« (1999).

Hugo Dittberner, geboren 1944; Studium der Germanistik, Geschichte und Philosophie, Promotion 1972; freier Schriftsteller in Echte (Niedersachsen). Zuletzt erschienen: »Wasser Elegien« (1997), »Arche Nova. Aufzeichnungen als literarische Leitform« (1998), »Vor den Pferdeweiden. Worpsweder Haikus« (1999).

Helmut Göbel, geboren 1939; Studium der Germanistik, Geschichte und Philosophie in München und Münster, Promotion mit einer Arbeit über Lessings Sprache; lehrt am Seminar für Deutsche Philologie der Universität Göttingen. Veröffentlichungen zu Gryphius, Lessing, E. T. A. Hoffmann und zur deutschsprachigen Gegenwartsliteratur.

Ursula Heukenkamp, Literaturwissenschaftlerin an der Humboldt-Universität Berlin. Veröffentlichungen zur Geschichte der deutschen Lyrik (»Die Sprache der schönen Natur«, 1980), zur Lyrik der DDR und zur Nachkriegsliteratur (»Unerwünschte Erfahrungen. Kriegsliteratur und Zensur in der DDR«, 1990, »Unterm Notdach. Nachkriegsliteratur 1945–1949«, 1996, »Deutsche Erinnerung. Berliner Beiträge zur Prosa der Nachkriegsjahre 1945–1960«, 1999).

Norbert Hummelt, geboren 1962; lebt als Lyriker in Köln. Zuletzt erschien: »singtrieb. Gedichte« (Buch und CD, 1997).

Yasmine Inauen, Studium der Germanistik und Romanistik, Wissenschaftliche Assistentin am Deutschen Seminar der Universität Zürich, lehrt Neuere deutsche Literatur mit den Schwerpunkten Schweizer Literatur im 20. Jahrhundert und modernes Drama. Publikation: »Dramaturgie der Erinnerung. Geschichte, Gedächtnis, Körper bei Heiner Müller« (im Druck).

Thomas Kling, geboren 1957; lebt als Lyriker auf der Raketenstation Hombroich. Zuletzt erschienen: »morsch. Gedichte« (1996), »Itinerar« (1997), »Catull. Das Haar der Berenice« (1997) und »Fernhandel. Gedichte« (Buch und CD, 1999).

Hermann Korte, geboren 1949; Oberstudiendirektor und Privatdozent für Literaturwissenschaft an der Universität Essen. Veröffentlichungen u. a.: »Geschichte der deutschen Lyrik seit 1945« (1989), »Die Dadaisten« (1994), »Lyrik von 1945 bis zur Gegenwart« (1996).

Karl Riha, geboren 1935; Professor für Germanistik und Allgemeine Literaturwissenschaft in Siegen; Kritiker, Autor; 1988 bis 1991 Direktor des Literarischen Colloquiums Berlin. Buchpublikationen zu Moritatenlyrik, Großstadtliteratur, Literarischen Collagen, Dada, Commedia dell'arte u. a.; Editionen und Herausgaben, außerdem literarische Veröffentlichungen.

Klaus Schuhmann, geboren 1935; Studium der Germanistik und Philosophie in Leipzig, dort ordentlicher Professor bis 1998. Publikationen u. a.: »Der Lyriker Bertolt Brecht 1913–1933« (1964), »Untersuchungen zur Lyrik Brechts« (1977), »Weltbild und Poetik. Zur Wirklichkeitsdarstellung in der Lyrik der BRD bis zur Mitte der siebziger Jahre« (1979), »sankt ziegenzack springt aus dem ei. Texte, Bilder und Dokumente zum Dadaismus« (1991), »Lyrik des 20. Jahrhunderts. Materialien zu einer Poetik« (1995).

Ludwig Völker, geboren 1938; Professor für Neuere deutsche Literatur an der Universität Münster. Veröffentlichungen u. a.: »Langeweile. Untersuchungen zur Vorgeschichte eines literarischen Motivs« (1975), »Muse Melancholie – Therapeutikum Poesie. Studien zum Melancholieproblem in der deutschen Lyrik von Hölty bis Benn« (1978), »»Komm, heilige Melancholie«« (Anthologie, 1983), »Gottfried Benn. Sprache – Form – Wirklichkeit« (1990), »Lyriktheorie. Texte vom Barock bis zur Gegenwart« (1990), »Von Celan bis Grünbein. Zur Situation der deutschen Lyrik im ausgehenden 20. Jahrhundert« (1998).

Friedrich Hölderlin: »Hälfte des Lebens«, entstanden 1802/03. Zitiert nach: »Sämtliche Werke und Briefe«, Bd. 1: »Gedichte«, hg. von Jochen Schmidt, Frankfurt/M. (Deutscher Klassiker Verlag) 1992, S. 320. – *Ausgewählt von Friederike Mayröcker.*

Hugo von Hofmannsthal: »Unendliche Zeit«, Erstveröffentlichung: »Wiener Allgemeine Zeitung«, 1896. Text aus: »Gedichte. Dramen I«, hg. von Bernd Schoeller, Frankfurt/M. (Fischer) 1979, S. 178. © S. Fischer Verlag, Frankfurt/M. – *Ausgewählt von Durs Grünbein.*

Umberto Saba: »Meditazione«, entstanden zwischen 1900 und 1907, Erstveröffentlichung: »Canzoniere«, Turin (Einaudi) 1965. Hier Erstdruck der Übersetzung von Peter Waterhouse. – *Ausgewählt von Peter Waterhouse.*

Rainer Maria Rilke: »Alkestis«, Erstveröffentlichung: »Neue Gedichte«, 1907. Text aus: »Sämtliche Werke in zwölf Bänden«, Bd. 2, Frankfurt/M. (Insel) 1975, S. 546–549. – *Ausgewählt von Durs Grünbein.*

Stefan George: »Landschaft I«, Erstveröffentlichung: »Der siebente Ring«, 1907. Text aus: »Sämtliche Werke in 18 Bänden«, hg. von der Stefan-George-Stiftung, Bd. 6/7: »Der siebente Ring«, bearb. von Ute Oelmann, Stuttgart (Klett-Cotta) 1986, S. 118. © Verlag Klett-Cotta, Stuttgart. – *Ausgewählt von Thomas Kling.*

Rainer Maria Rilke: »Archaïscher Torso Apollos«, Erstveröffentlichung: »Der neuen Gedichte anderer Teil«, 1908. Text aus: »Sämtliche Werke in zwölf Bänden«, Bd. 2, Frankfurt/M. (Insel) 1975, S. 557. – *Ausgewählt von Friederike Mayröcker.*

Else Lasker-Schüler: »Ein alter Tibetteppich«, Erstveröffentlichung: »Meine Wunder«, 1911. Text aus: »Gesammelte Werke in drei Bänden«, Bd. 1: »Gedichte 1902–1943«, hg. von Friedhelm Kemp, München (Kösel) 1959, S. 162. © Suhrkamp Verlag, Frankfurt/M. – *Ausgewählt von Barbara Köhler.*

Gottfried Benn: »Mann und Frau gehn durch die Krebsbaracke«, Erstveröffentlichung: »Morgue«, 1912. Text aus: »Sämtliche Werke«, Stuttgarter Ausgabe, in Verbindung mit Ilse Benn hg. von Gerhard Schuster, Bd. 1: »Gedichte 1«, Stuttgart (Klett-Cotta) 1986, S. 16. © Verlag Klett-Cotta, Stuttgart. – *Ausgewählt von Friederike Mayröcker.*

Georg Trakl: »Grodek«, Erstveröffentlichung im »Brenner«, 1914/15. Text aus: »Dichtungen und Briefe«, historisch-kritische Ausgabe, hg. von Walther Killy und Hans Szklenar, Bd. 1, Salzburg (Otto Müller) 1969, S. 167. – *Ausgewählt von Thomas Kling.*

Georg Trakl: »Landschaft«, Erstveröffentlichung: »Sebastian im Traum«, 1915. Text aus: »Dichtungen und Briefe«, historisch-kritische Ausgabe, hg. von Walther Killy und Hans Szklenar, Bd. 1, Salzburg (Otto Müller) 1969, S. 83. – *Ausgewählt von Friederike Mayröcker.*

Robert Walser: »Spazieren«, Erstveröffentlichung: »Kleine Dichtungen«, 1915. Zitiert nach: »Kleine Dichtungen«, Frankfurt/M. (Suhrkamp) 1980, S. 87–88. © Suhrkamp Verlag, Frankfurt/M. – *Ausgewählt von Peter Waterhouse.*

Gottfried Benn: »Durch's Erlenholz kam sie entlang gestrichen – – – –«, Erstveröffentlichung in »Die Aktion«, 1916. Text aus: »Sämtliche Werke«, Stuttgarter Ausgabe, in Verbindung mit Ilse Benn hg. von Gerhard Schuster, Bd. 1: »Gedichte 1«, Stuttgart (Klett-Cotta) 1986, S. 34. © Verlag Klett-Cotta, Stuttgart. – *Ausgewählt von Durs Grünbein.*

Ossip Mandelstam: »Nachts, vorm Haus«, entstanden 1921. Übersetzung nach: Paul Celan: »Übertragungen aus dem Russischen«, Frankfurt/M. (Fischer) 1986. S. 74. © S. Fischer Verlag, Frankfurt/M. – *Ausgewählt von Durs Grünbein.*

Rainer Maria Rilke: »Duineser Elegien«: »Die Achte Elegie«, Erstveröffentlichung 1923. Text aus: »Sämtliche Werke in zwölf Bänden«, Bd. 2, Frankfurt/M. (Insel) 1975, S. 714–716. – *Ausgewählt von Thomas Kling.*

Ossip Mandelstam: »Der Hufeisen-Finder«, entstanden 1923. Übersetzung nach: Paul Celan: »Übertragungen aus dem Russischen«, Frankfurt/M. (Fischer) 1986, S. 77–81. © S. Fischer Verlag, Frankfurt/M. – *Ausgewählt von Peter Waterhouse.*

Bertolt Brecht: »Entdeckung an einer jungen Frau«, entstanden 1925. Text aus: »Die Gedichte in einem Band«, Frankfurt/M. (Suhrkamp) 1981, S. 160–161. © Suhrkamp Verlag, Frankfurt/M. – *Ausgewählt von Friederike Mayröcker.*

Bertolt Brecht: »Verwisch die Spuren«, Erstveröffentlichung: »Aus einem Lesebuch für Städtebewohner«, in »Versuche«, 1930, H. 2. Text aus: »Die Gedichte in einem Band«, Frankfurt/M. (Suhrkamp) 1981, S. 267. © Suhrkamp Verlag, Frankfurt/M. – *Ausgewählt von Durs Grünbein.*

Ernst Meister: »Monolog der Menschen«, Erstveröffentlichung: »Ausstellung«, Marburg (Verlag der Marburger Flugblätter) 1932; Reprint: Aachen (Rimbaud Presse) 1985, S. 7. © Rimbaud Verlagsgesellschaft, Aachen. – *Ausgewählt von Peter Waterhouse.*

Meret Oppenheim: »Wenn Sie mir das Richtige nennen«, entstanden 1935. Text aus: »Husch, husch, der schönste Vokal entleert sich. Gedichte, Zeichnungen«, hg. von Christiane Meyer-Thoss, Frankfurt/M. (Suhrkamp) 1984, S. 33. © Suhrkamp Verlag, Frankfurt/M. – *Ausgewählt von Barbara Köhler.*

Gottfried Benn: »Einsamer nie –«, Erstveröffentlichung: »Ausgewählte Gedichte«, 1936. Text aus: »Sämtliche Werke«, in Verbindung mit Ilse Benn hg. von Gerhard Schuster, Bd. 1: »Gedichte 1«, Stuttgart (Klett-Cotta) 1986, S. 135. © für die »Statischen Gedichte« 1948, 1983 Arche Verlag AG, Raabe + Vitali, Zürich. – *Ausgewählt von Thomas Kling.*

Else Lasker-Schüler: »Mein blaues Klavier«, Erstveröffentlichung: »Mein blaues Klavier«, 1943. Text aus: »Gesammelte Werke in drei Bänden«, Bd. 1: »Gedichte 1902–1943«, hg. von Friedhelm Kemp, München (Kösel) 1959, S. 335. © Suhrkamp Verlag, Frankfurt/M. – *Ausgewählt von Thomas Kling.*

E. E. Cummings: »pity this busy monster, manunkind«, Erstveröffentlichung: »1 x 1«, New York (Holt) 1944, S. 14. – *Ausgewählt von Durs Grünbein.*

Michael Hamburger: »To a Deaf Poet«, entstanden 1948. Text aus: »Collected Poems 1941– 1951«, Manchester (Carcanet Press) 1984, 39–40. – *Ausgewählt von Peter Waterhouse.*

Wallace Stevens: »What we see is what we think«, Erstveröffentlichung: »The Auroras of Autumn«, New York (Knopf) 1950, S. 459–460. – *Ausgewählt von Durs Grünbein.*

Ernst Jandl: »da kann man nicht mehr zurück«, entstanden 1952. Erstveröffentlichung: »dingfest«, 1973. Text aus: »Gesammelte Werke«, Bd. 1: »Gedichte 1«, hg. von Klaus Siblewski, Darmstadt, Neuwied (Luchterhand) 1985, S. 551. © Luchterhand Literaturverlag, München. – *Ausgewählt von Peter Waterhouse.*

H. C. Artmann: »o tod du tröstlich«, entstanden 1954/55. Text aus: »Das poetische Werk«, Bd. VI, unter Mitwirkung des Autors hg. von Klaus Reichert, Berlin (Rainer)/München, Salzburg (Renner) 1994, S. 15. © 1994 Klaus G. Renner, Porto/Castiglione del Lago, Italien, früher München und Salzburg. – *Ausgewählt von Friederike Mayröcker.*

Inge Müller: »Liebe«, entstanden zwischen 1954 und 1966. Text aus: »Wenn ich schon sterben muß. Gedichte«, Berlin (Aufbau) 1997, S. 60. © Aufbau-Verlag, Berlin. – *Ausgewählt von Barbara Köhler.*

Christine Lavant: »Kreuzzertretung!«, Erstveröffentlichung: »Die Bettlerschale. Gedichte«, Salzburg (Otto Müller) 1956, S. 72. © 1956 Otto Müller Verlag, Salzburg. – *Ausgewählt von Barbara Köhler.*

Ingeborg Bachmann: »Wahrlich«, Erstveröffentlichung 1957. Text aus: »Sämtliche Gedichte«, München (Piper) 1983, S. 176. © 1978 Piper Verlag, München. – *Ausgewählt von Barbara Köhler.*

Paul Celan: »Engführung«, Erstveröffentlichung: »Sprachgitter«, 1959. Zitiert nach: »Sprachgitter. Die Niemandsrose. Gedichte«, Frankfurt/M. (Fischer) 1986, S. 59–66. © S. Fischer Verlag, Frankfurt/M. – *Ausgewählt von Thomas Kling.*

Nelly Sachs: »So ist's gesagt –«, Erstveröffentlichung: »Flucht und Verwandlung«, 1959. Text aus: »Fahrt ins Staublose. Die Gedichte der Nelly Sachs«, Frankfurt/M. (Suhrkamp) 1961, S. 280–281. © Suhrkamp Verlag, Frankfurt/M. – *Ausgewählt von Barbara Köhler.*

Unica Zürn: »Ich weiss nicht, wie man die Liebe macht«, entstanden 1959. Text aus: »Gesamtausgabe in 4 Bänden«, Bd. 1: »Anagramme«, hg. von Günter Bose, Erich Brinkmann und Sabe Scholl, Berlin (Brinkmann & Bose) 1988, S. 69. © Verlag Brinkmann & Bose, Berlin. – *Ausgewählt von Barbara Köhler.*

Paul Celan: »Es ist alles anders«, Erstveröffentlichung: »Die Niemandsrose«, 1963. Zitiert nach: »Sprachgitter. Die Niemandsrose. Gedichte«, Frankfurt/M. (Fischer) 1986, S. 146. © S. Fischer Verlag, Frankfurt/M. – *Ausgewählt von Peter Waterhouse.*

Paul Celan: »Kermorvan«, Erstveröffentlichung: »Die Niemandsrose«, 1963. Zitiert nach: »Sprachgitter. Die Niemandsrose. Gedichte«, Frankfurt/M. (Fischer) 1986, S. 125. © S. Fischer Verlag, Frankfurt/M. – *Ausgewählt von Durs Grünbein.*

H. C. Artmann: »Landschaft 5«, Erstveröffentlichung: »Ein Gedicht und sein Autor«, 1967. Text aus: »Das poetische Werk«, Bd. V, unter Mitwirkung des Autors hg. von Klaus Reichert, Berlin (Rainer)/München, Salzburg (Renner) 1994, S. 79. © 1994 Klaus G. Renner, Porto/Castiglione del Lago, Italien, früher München und Salzburg. – *Ausgewählt von Thomas Kling.*

Franz Tumler: Auszug aus »Sätze von der Donau« (III. Teil), Erstveröffentlichung: München (Piper) 1972, S. 31–39. © Sigrid John-Tumler. – *Ausgewählt von Peter Waterhouse.*

Reinhard Priessnitz: »reise«, Erstveröffentlichung: »vierundvierzig gedichte«, 1978. Zitiert nach: »vierundvierzig gedichte«, Werkausgabe Bd. 1, hg. von Heimrad Bäcker, Graz, Wien (Droschl) 1986, S. 28. © Verlag Droschl, Graz, Wien. – *Ausgewählt von Barbara Köhler.*

Reinhard Priessnitz: »trauriges pudern«, Erstveröffentlichung: »vierundvierzig gedichte«, 1978. Zitiert nach: »vierundvierzig gedichte«, Werkausgabe Bd. 1, hg. von Heimrad Bäcker, Graz, Wien (Droschl) 1986, S. 29. © Verlag Droschl, Graz, Wien. – *Ausgewählt von Thomas Kling.*

Peter Huchel: »Aristeas II«, Erstveröffentlichung: »Die neunte Stunde«, 1979. Text aus: »Gesammelte Werke in zwei Bänden«, Bd. 1: »Die Gedichte«, hg. von Axel Vieregg, Frankfurt/M. (Suhrkamp) 1984, S. 234. © Suhrkamp Verlag, Frankfurt/M. – *Ausgewählt von Durs Grünbein.*

Andreas Okopenko: »20.40 Uhr Aufschwenken meines beleuchteten Fensters«, aus: »Gesammelte Lyrik«, Graz, Wien (Droschl) 1980, S. 143. © Verlag Droschl, Graz. – *Ausgewählt von Friederike Mayröcker.*

Inger Christensen: Auszug aus: »alfabet/alphabet. digte/gedichte«, Erstveröffentlichung 1981. Zitiert nach der Übersetzung aus dem Dänischen von Hanns Grössel, Münster (Kleinheinrich) 1990. © Kleinheinrich Verlag, Münster. – Anmerkung: Die Länge der einzelnen Abschnitte wird durch die Fibonacci-Folge bestimmt, eine mathematische Reihe mit der Zahlenfolge 1, 2, 3, 5, 8, 13, 21..., in der jedes Glied die Summe der beiden vorangegangenen Glieder darstellt. – *Ausgewählt von Friederike Mayröcker.*

Ernst Jandl: »schweizer armeemesser«, Erstveröffentlichung: »selbstporträt des schachspielers als trinkende uhr«, 1981. Text aus: »Gesammelte Werke«, Bd. 2: »Gedichte 2«, hg. von Klaus Siblewski, Darmstadt, Neuwied (Luchterhand) 1985, S. 561. © Luchterhand Literaturverlag, München. – *Ausgewählt von Durs Grünbein.*

Peter Waterhouse: »Der gemeinte Mensch«, Erstveröffentlichung: »passim. Gedichte«, Reinbek (Rowohlt) 1986, S. 24–25. © Rowohlt Verlag, Reinbek. – *Ausgewählt von Thomas Kling.*

Ernst Jandl: »zwei erscheinungen«, Erstveröffentlichung: »idyllen. gedichte«, Frankfurt/M. (Luchterhand) 1989, S. 99. © Luchterhand Literaturverlag, München. – *Ausgewählt von Friederike Mayröcker.*

Thomas Kling: »gewürzter hals, morgendrossel«, Erstveröffentlichung: »brennstabm. Gedichte«, Frankfurt/M. (Suhrkamp) 1991, S. 70. © Suhrkamp Verlag, Frankfurt/M. – *Ausgewählt von Friederike Mayröcker.*

Thomas Kling: »di zerstörtn. ein gesang«, Erstveröffentlichung: »brennstabm. Gedichte«, Frankfurt/M. (Suhrkamp) 1991, S. 11–13. © Suhrkamp Verlag, Frankfurt/M. – *Ausgewählt von Peter Waterhouse.*

Thomas Kling: »die fremde«, Erstveröffentlichung: »brennstabm. Gedichte«, Frankfurt/M. (Suhrkamp) 1991, S. 158. © Suhrkamp Verlag, Frankfurt/M. – *Ausgewählt von Barbara Köhler.*

Friederike Mayröcker: »bin jetzt mehr in Canaillen Stimmung«, Erstveröffentlichung: »Notizen auf einem Kamel. Gedichte 1991–1996«, Frankfurt/M. (Suhrkamp) 1996, S. 30. © Suhrkamp Verlag, Frankfurt/M. – *Ausgewählt von Barbara Köhler.*

Friederike Mayröcker: »ausgerasselte Sprache«, Erstveröffentlichung: »Notizen auf einem Kamel. Gedichte 1991–1996«, Frankfurt/M. (Suhrkamp) 1996, S. 151. © Suhrkamp Verlag, Frankfurt/M. – *Ausgewählt von Durs Grünbein.*

Marcel Beyer: »Der Kippenkerl«, Erstveröffentlichung: »Falsches Futter. Gedichte«, Frankfurt/M. (Suhrkamp) 1997, S. 69–72. © Suhrkamp Verlag, Frankfurt/M. – *Ausgewählt von Thomas Kling.*

Dorothea Grünzweig: »Geschwistertreffen in Hyönölä«, Erstveröffentlichung: »Werkstatt Neue Texte«, Göttingen (Wallstein) 1999, S. 60–61. – *Ausgewählt von Peter Waterhouse.*

Bisher sind in der Reihe TEXT + KRITIK erschienen:

Literatur und Kunst

Ernst Meister
Gedichte aus dem Nachlaß
(Sämtliche Gedichte Bd. 15)
272 S., geb. 1999
ISBN 3-89086-971-8   DM 48,-

Ernst Meister gehört zu den großen deutschen Lyrikern unseres Jahrhunderts. Seit 1985 erscheint die Ausgabe seiner Sämtlichen Gedichte in 15 Bänden, die in diesem Jahr abgeschlossen sein wird. Zu seinem 20. Todestag am 15. 6. 1979 erscheint nun der lang erwartete Nachlaßband.

Michael Guttenbrunner
Im Machtgehege IV (Prosa)
96 S., geb. 1999
ISBN 3-89086-787-1   DM 28,-

Michael Guttenbrunner wurde in Althofen in Kärnten geboren. Er lebt seit 1954 in Wien. Aus Anlaß des 80. Geburtstages erscheint der vierte Band seines Hauptwerkes.

Paul Celan
Todesfuge.
Mit einem Kommentar von Theo Buck
(Texte aus der Bukowina. Bd. 7)
64 S., geb. 1999
ISBN 3-89086-795-2   DM 28,-

Neben Texten der Bukowiner Autoren wie Moses Rosen-kranz, Immanuel Weißglas, Alfred Kittner und Alfred Gong wird nun auch das berühmteste Gedicht Paul Celans in den literaturgeschichtlichen Kontext gestellt.

K. O. Götz
Erinnerungen IV 1975 - 1998
Mit einer Werkauswahl
60 teils farb. Abb., 256 S., geb. 1999
ISBN 3-89086-843-6   DM 58,-

Der Doppelgänger II
Für K. O. Götz zum 85. Geburtstag
12 Abb., 64 S., geb. 1999
ISBN 3-89086-785-5   DM 38,-

Der Maler K. O. Götz ist nicht nur ein Hauptvertreter der informellen Malerei, sondern zugleich einer der wenigen Vertreter des literarischen Surrealismus in Deutschland.

Werner Schmalenbach
Zwei Reden über Emil Schumacher
(Reden zu Ausstellungen Bd. 2)
5 Abb., 40 S., geb. 1999
ISBN 3-89086-783-9   DM 32,-

Zwei Reden (1975; 1989) aus der Vielzahl derer, die Werner Schmalenbach in Jahrzehnten über Emil Schumacher gehalten hat.

Bitte fordern Sie unsere Prospekte an.

Rimbaud
VERLAGSGESELLSCHAFT mbH

Oppenhoffallee 20 · D-52066 Aachen
Postfach 86 · D-52001 Aachen
Telefon 0241/54 25 32 · Telefax 0241/51 41 17

Neuerscheinungen:

Zyklische Kompositionsformen in Georg Trakls Dichtung

Szegeder Symposion
Herausgegeben von KÁROLY CSÚRI

1996. X, 299 Seiten. Kart. DM 118.– / ÖS 861.– / SFr 105.–. ISBN 3-484-10733-2

Der Band vereinigt die Beiträge zu einem Symposion 1994 in Szeged, Ungarn, über die zyklischen Strukturformen in der Dichtung Georg Trakls. Aus den Untersuchungen geht hervor, daß das von Trakl verwendete Kompositionsverfahren als eine besondere Art literarischer Kohärenzbildung anzusehen ist, die von den Einzelgedichten über die drei- und mehrteiligen Gedichte bis hin zu den Teilzyklen und dem Gesamtzyklus im Band »Sebastian im Traum« nachgewiesen werden kann. Analysiert wird das zyklische Prinzip auf den verschiedenen sprachlichen und nichtsprachlichen Ebenen von Trakls dichterischem Werk.

Poetik der Transformation

Paul Celan – Übersetzer und übersetzt
Herausgegeben von ALFRED BODENHEIMER und SHIMON SANDBANK

1999. VI, 186 Seiten. Kart. ca. DM 94.– / ÖS 686.– / SFr 86.–. ISBN 3-484-65128-8 (Conditio Judaica. Band 28)

Eine Sammlung von Analysen zu Paul Celans übersetzerischem Werk wird in diesem Band den Reflexionen von Übersetzern Celans in andere Sprachen gegenübergestellt. Der Reiz dieser Gegenüberstellung liegt darin, Sprache und Verständnis eines Gedichts in ihren einzelnen Begriffen überhaupt zum Objekt einem notgedrungenen Prozeß der Transformation zu unterwerfen.
Inhalt: I. Celan als Übersetzer: A. GELLHAUS, Das Übersetzen und die Unübersetzbarkeit: Notizen zu Paul Celan als Übersetzer. – J. LÜTZ, »Der Schmerz schläft bei den Worten.« Freigesetzte Worte, freigesetzte Zeit. Paul Celan als Übersetzer. – U. HARBUSCH, Etwas die Tropen Durchkreuzendes: Paul Celans »Trunkenes Schiff«. – J. FELSTINER, »Here we go round the prickly pear« or »Your song, what does it know?« Celan vis-à-vis Mallarmé. – S. MOSÈS,

Guillaume Apollinaire: »L'Adieu« / Paul Celan: »Der Abschied«. – L. NAIDITCH, Paul Celan als Übersetzer von Osip Mandel'štams »Bahnhofskonzert«. – T. BAHTI, Dickinson, Celan, and Some Translations of Inversion. – A. BODENHEIMER, Das Wiedererkennen des Unbekannten. Zu Paul Celans Übersetzung des Gedichts »Banechar« von David Rokeah. – II. *Celan übersetzt:* M. BRODA, Traduit du silence: les langues de Paul Celan. – S. WOLOSKY, On (Mis-)Translating Paul Celan. – P. JORIS, Celan/ Heidegger: Translation at the Mountain of Death. – J. L. R. PALAZON, Zur Übersetzung von Celans »Todesfuge« ins Spanische. – S. SANDBANK, Being and Indeterminancy: Celan in Hebrew.

Rückkehr des Autors

Zur Erneuerung eines umstrittenen Begriffs
Herausgegeben von FOTIS JANNIDIS, GERHARD LAUER, MATIAS MARTINEZ und SIMONE WINKO

Ca. 530 Seiten. Kart. ca. DM 218.– / ÖS 1591.– / SFr 194.–. ISBN 3-484-35071-7 (Studien und Texte zur Sozialgeschichte der Literatur. Band 71)

Die Theoriedebatte hat den Autor für obsolet erklärt; in der Praxis dagegen werden legitime Verwendungsweisen des Autorkonzepts immer wieder demonstriert. Diese Diskrepanz deutet an, daß die theoretische Reflexion über den Autor zentralen Formen des wissenschaftlichen Umgangs mit Literatur nicht gerecht wird. Die Beiträge des Bandes versuchen unter historischer wie unter systematischer Perspektive den begriffsgeschichtlichen Hintergrund des Autorkonzepts genau zu rekonstruieren, die Idealtypen der Verwendung und die in der Praxis entstehenden Problemmuster zu analysieren. Außer Texten werden auch andere Medien wie Film, Musik, Kunst und Hypertexte untersucht.

Unser aktuelles Verlagsprogramm im Internet: **http://www.niemeyer.de**

Max Niemeyer Verlag GmbH
Postfach 21 40 · D-72011 Tübingen

Niemeyer

Alternativen zur Selbstabwicklung der Politik

Blätter für deutsche und internationale Politik.

Die führende politisch-wissenschaftliche Monatszeitschrift. 128 Seiten Bleiwüste. Mit Chronik und Dokumenten zum Zeitgeschehen.

Ich möchte

○ ein **Probeabo: die zwei nächsten Hefte.** (19 DM inklusive Versand und Porto).

○ ein **Jahresabo.** (137,40 DM / 107,40 DM ermäßigt, jeweils inklusive Versand und Porto)

○ ein **kostenloses älteres Probeheft.**

_____

Name, Vorname

_____

Straße

_____

PLZ, Ort

_____

Datum, Unterschrift   t+k 1099

www.blaetter.de blaetter@t-online.de
Blätter Verlag
Postfach 28 31 53018 Bonn
Telefon 0228 / 650 133, Fax: 650 251

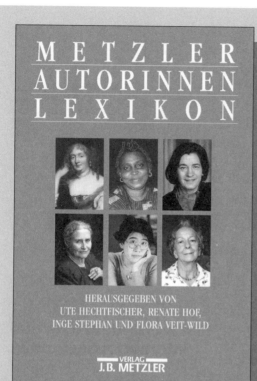

METZLER AUTORINNEN LEXIKON

HERAUSGEGEBEN VON
UTE HECHTFISCHER, RENATE HOF,
INGE STEPHAN UND FLORA VEIT-WILD

VERLAG
J.B. METZLER

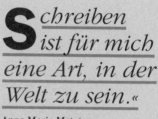

»**S**chreiben ist für mich eine Art, in der Welt zu sein.«

Anna Maria Matute

Von der Mystik bis zum postmodernen Experiment, von der Staatsdichterin bis zur inhaftierten Regimegegnerin, von Korea bis Kanada und von Skandinavien bis Peru – dieses Lexikon zeigt in 400 Autorinnenporträts die Vielfalt weiblichen Schreibens von den Anfängen bis zur unmittelbaren Gegenwart. Es wurden vor allem die Autorinnen aufgenommen, die für die Literaturwissenschaft relevant sind oder die stellvertretend für eine Epoche, literarische Gruppierung oder Gattung stehen; auf die Leser/innen im derzeitigen Literaturangebot stoßen oder die eine außergewöhnliche Biographie aufweisen. Weiterführende ausführliche Literaturhinweise zu den Autorinnen und eine umfangreiche allgemeine Bibliographie am Schluß des Bandes bieten die Grundlage für eine weitergehende Beschäftigung.

Metzler Autorinnen Lexikon
Herausgegeben von Ute Hechtfischer, Renate Hof, Inge Stephan und Flora Veit-Wild
1998. VI, 617 Seiten, 248 Abb., geb., DM 68,– / öS 497,– / sFr 62,–
ISBN 3-476-01550-5

Verlag J.B. Metzler
Postfach 10 32 41
D-70028 Stuttgart

Im Internet:
http://www.metzler.de

VERLAG
J.B. METZLER

Kritisches Lexikon zur deutschsprachigen Gegenwartsliteratur – KLG –

KLG

Kritisches Lexikon zur deutschsprachigen Gegenwartsliteratur

edition text+kritik

Herausgegeben von Heinz Ludwig Arnold

Loseblattwerk, z. Zt. etwa 10 500 Seiten in 10 Ordnern
DM 390,–/öS 2847,–/sfr 347,–; ISBN 3-88377-616-5

Das KLG informiert über mehr als 600 Schriftstellerinnen und Schriftsteller der deutschsprachigen Gegenwartsliteratur mit einer Ausführlichkeit, die kein anderes Literaturlexikon bieten kann. Autor, Werk und Wirkung werden im Zusammenhang der zeitgenössischen Literatur dargestellt. Das Lexikon verfolgt literarische Entwicklungen und nimmt sich besonders auch junger Autorinnen und Autoren an.
Kontinuierliche Aktualisierungen in drei Nachlieferungen pro Jahr ermöglichen eine lebendige und ständig wachsende Kenntnis der vielgestaltigen deutschsprachigen Gegenwartsliteratur.

»... ein wirklich unentbehrliches Hilfsmittel für Forschung, Lehre, Literaturkritik und Liebhaber.«
Hans-Albert-Koch, Radio Bremen

→ Ausführliche Informationen enthält unser Prospekt.

Das KLG auf CD-ROM

Die kompletten Informationen des Loseblattwerks KLG auf jeweils aktuellem Stand, recherchierbar mit zahlreichen Abfragemöglichkeiten

CD-ROM für die Betriebssysteme Windows 95, Windows 98, Windows NT 4.0
DM 460,–/öS 3358,–/sfr 409,–; ISBN 3-88377-623-8

Zu beziehen im Abonnement mit drei Nachlieferungen auf CD-ROM pro Jahr

Preis für Loseblattwerk und CD-ROM zusammen:
DM 710,–/öS 5183,–/sfr 631,–

Vielfältige Recherchemöglichkeiten erlauben den schnellen und gezielten Zugriff auf die Informationen des KLG und die Suche nach Detailangaben. Eine differenzierte Indexierung der Texte eröffnet völlig neuartige Zugänge zu den Inhalten und ermöglicht es, verschiedenartige Zusammenhänge herzustellen. Die Nutzungsmöglichkeiten der umfassenden Werkverzeichnisse und der Sekundärbibliografien werden durch spezifizierte Suchfunktionen erheblich vermehrt. Recherchen sind innerhalb der einzelnen Beiträge wie auch über das gesamte Lexikon möglich.

Verlag edition text+kritik
Levelingstraße 6a
81673 München
www.etk-muenchen.de

Frühe Texte der Moderne

Herausgegeben von Jörg Drews, Hartmut Geerken und Klaus Ramm

Werke von Paul Scheerbart

Herausgegeben
von Mechthild Rausch

**Revolutionäre Theater-Bibliothek
Gesammelte Arbeiten
für das Theater
Band 1**

**Regierungsfreundliche
Schauspiele
Gesammelte Arbeiten für
das Theater
Band 2**

253 Seiten und 211 Seiten
jeweils DM 32,--
öS 234,--/sfr 29,50
ISBN 3-921402-44-1
ISBN 3-921402-46-8

Paul Scheerbart
Das graue Tuch und
zehn Prozent Weiß
Ein Damenroman

Frühe Texte der Moderne
edition text + kritik

**Das graue Tuch und
zehn Prozent Weiß
Ein Damenroman**

163 Seiten, DM 32,--
öS 234,-/sfr 29,50
ISBN 3-88377-225-9

**Der Tod der Barmekiden
Arabischer Haremsroman**

237 Seiten, DM 42,--
öS 307,--/sfr 39,--
ISBN 3-88377-435-9

Paul Scheerbart
Der alte Orient
Kulturnovelletten
aus Assyrien,
Palmyra und Babylon

Frühe Texte der Moderne
edition text+kritik

**Der alte Orient
Kulturnovelletten aus Assyrien,
Palmyra und Babylon**

161 Seiten, DM 38,--
öS 277,--/sfr 35,--
ISBN 3-88377-589-4

»Der alte Orient«: assyrisch-babylonische Träumereien
Paul Scheerbarts, in einem
leichten, lakonischen, von
zartem Humor gefärbten Ton
geschrieben. Mechthild
Rausch hat ein Werk rekon-struiert, dessen Teile zu
Scheerbarts Lebzeiten nur
verstreut erscheinen konnten.

Über Paul Scheerbart:

Mechthild Rausch

**Von Danzig ins Weltall
Paul Scheerbarts Anfangs-jahre (1863–1895)**

258 Seiten, DM 42,-- ›
öS 307,--/sfr 39,--
ISBN 3-88377-549-5

Alle sechs Bände zusammen:
DM 135,--/öS 985,--/sfr 120,--

**Verlag edition text + kritik
Levelingstraße 6 a
81673 München
http://www.etk-muenchen.de**